JN024406

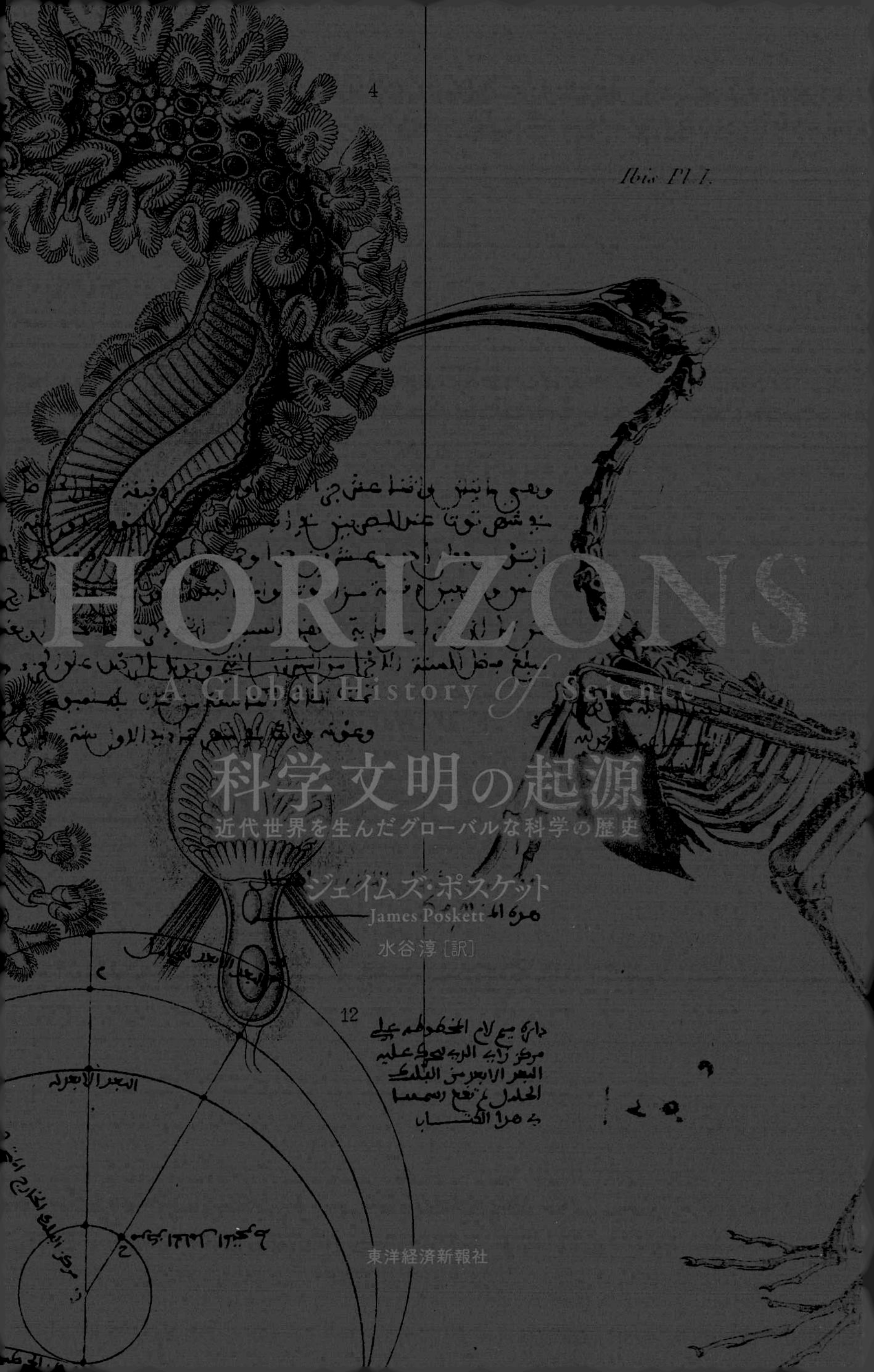
4
Ibis Pl. I.
HORIZONS
A Global History of Science
科学文明の起源
近代世界を生んだグローバルな科学の歴史
ジェイムズ・ポスケット
James Poskett
水谷淳〔訳〕
12
東洋経済新報社

アリスとナンシーへ

目次

第2部 帝国と啓蒙

1650年頃～1800年頃

第4章 経済のための博物学 167

第3部 資本主義と紛争

1790年頃～1914年

第4部　イデオロギーと戦争の余波

1914年〜2000年頃

はしがき——近代科学の起源

近代科学はどこから生まれたのか？　ごく最近までほとんどの歴史家は、もっぱら次のようなストーリーを語っていた。近代科学は1500年から1700年までにヨーロッパで編み出されたと。そのストーリーはたいていポーランドの天文学者ニコラウス・コペルニクスから始まる。著作『天球の回転について』（1543）の中でコペルニクスは、地球が太陽のまわりを公転していると唱えた。革命的な学説だった。古代ギリシア時代から天文学者は、地球が宇宙の中心であると信じていた。しかし16世紀にヨーロッパの科学思想家たちが、その古代の学説に初めて異議を唱えはじめた。コペルニクスに続いて、「科学革命」と呼ばれる運動の先駆者たちが何人も活躍した。イタリアの天文学者ガリレオ・ガリレイは1610年に木星の衛星を初めて観測し、イギリスの数学者アイザック・ニュートンは1687年に運動の法則を導き出した。ほとんどの歴史家は、このパターンがそれから400年間続いてきたと論じるのが常だ。従来、近代科学の歴史はほぼ何人かの人物に絞り込まれて綴られてきた。

19世紀イギリスの博物学者チャールズ・ダーウィンが自然選択による進化の理論を展開し、20世紀ドイツの物理学者アルベルト・アインシュタインが特殊相対論を提唱したと。19世紀の進化論から20世紀の宇宙物理学まで、近代科学はヨーロッパだけで築かれたとされている。[1]

しかしこのストーリーはでっち上げである。本書では近代科学の起源について、それとはまったく違うストーリーを綴っていきたい。科学はヨーロッパ文化固有の産物ではなかった。つねに近代科学は、世界中のさまざまな文化の人々や考え方が一緒になることで発展してきた。コペルニクスもその好例だ。彼が筆を執った頃のヨーロッパは、シルクロードを行き交う隊商やインド洋を渡るガリオン船によってアジアと新たな関係を築きつつあった。コペルニクスが科学研究を進める上で頼りにした数学的手法は、アラブやペルシアの文書から拝借したもので、その文書の多くはヨーロッパに持ち込まれたばかりのものだった。同様の科学的交流はアジアやアフリカの至るところで起こっていた。同じ時期、オスマン帝国の天文学者たちが地中海を渡り、自分たちの持っていたイスラム科学の知識と、キリスト教やユダヤ教の思索家から拝借した新たな考え方とを組み合わせた。西アフリカでは、ティンブクトゥやカノの宮廷で数学者たちが、サハラ砂漠を越えて持ち込まれたアラブの手稿を学んだ。東方では北京の天文学者が、中国の古典と合わせてラテン語の科学の文書も読んだ。そしてインドではある裕福な大王が、ヒンドゥー教徒やイスラム教徒、キリスト教徒の数学者を雇って、それまででもっとも精確な天文表を編纂させた。[2]

これらの事実を踏まえれば、近代科学の歴史をまったく違った形で理解できる。本書で言いたいのは、近代科学の歴史はグローバルな歴史における数々の重要な瞬間に当てはめて考える必要があるということだ。15世紀の南北アメリカの植民地化から話を始め、現代へとたどっていく。その途中で、16世紀の新たな天文学から21世紀の遺伝学まで、科学史における大きな発展について探っていく。いずれの出来事についても、近代科学の発展はグローバルな文化交流に負っていたことを示したい。しかし強調しておくべきは、それがグローバリゼーションの勝利という単純な話ではないことだ。そもそも文化交流といってもさまざまな形があり、その多くは非常に搾取的である。近世の大半を通して、科学は奴隷制と帝国の拡大によって方向づけられていた。そして19世紀になると産業資本主義の発展によって一変した。さらに20世紀の科学史は冷戦と脱植民地化に当てはめて説明するのがもっともふさわしい。しかしこのように大きな力の不均衡がありながらも、近代科学の発展には世界中の人々が著しい貢献を果たした。どの時代に目を向けようとも、ヨーロッパだけに焦点を絞ったストーリーとして科学の歴史を語ることはできないのだ。[3]

今日、そのような歴史観がかつてなく求められている。科学の世界のバランスは大きく変わりつつある。中国は科学研究予算の点ではすでにアメリカを追い抜いているし、ここ数年、中国を拠点とする研究者の書いた科学論文の数は世界中のどの国よりも多くなっている。アラブ首長国連邦（ＵＡＥ）は２０２０年夏に無人火星探査機を打ち上げたし、ケニアやガーナのコンピュータ科学者が人工知能（ＡＩ）の開発に果たす役割は日に日に増している。一方でヨーロッパの科学者はブレグジットの悪影響に見舞われているし、ロシアやアメリカの国家安全保障機関はサイバー戦争に明け暮れている。[4]科学自体も論争に苦しめられている。２０１８年11月に中国の生物学者、賀建奎（がけんけい）が、ヒトの赤ん坊

2人の遺伝子編集に成功したと発表して世界中に衝撃を与えた。多くの科学者は、そのようなリスクの高い処置をヒトに対しておこなうべきではないと考えていた。しかし世界中が思い知らされたように、国際的な科学倫理規範を守らせるのはきわめて難しい。中国政府は公式には賀建奎の研究から距離を取って、彼を懲役3年に処した。しかし早くも２０２１年にはロシアの研究者が、異論の多いその研究を再現しようとしている。倫理を巡る問題に加え、今日の科学はかつてと同じく著しい不平等にさいなまれている。少数民族出身の科学者がトップの地位を占める割合は人口比に対して低いし、ユダヤ人の科学者や学生はいまだに差別されているし、ヨーロッパやアメリカ合衆国以外で働く研究者は国際学会出席のためのビザの申請を却下されることも多い。このような問題の解決に取り組むには、新たな科学史、我々の暮らすこの世界をより正確に反映した科学史が必要だ。[5]

今日の科学者なら、自分の研究は国際的な性格を帯びていると進んで認めるものだ。しかしその一方で、それは比較的最近の傾向であると考えがちである。20世紀の「ビッグサイエンス」の成果であって、５００年以上さかのぼる科学の歴史とは無関係だと思い込んでいる。ヨーロッパ以外からも科学への貢献があったことは認めるものの、その多くは遠い過去に追いやって、科学革命や近代科学の台頭に関するストーリーの一部とはみなさない。中世イスラム科学の「黄金時代」についての話はよく耳にする。それは9世紀から10世紀頃、バグダッドの科学思索家が世界で初めて代数学などの新たな数学的手法を数多く編み出した時代のことだ。また、１０００年を優に超えてさかのぼる古代中国の科学的成果、たとえば方位磁針や火薬の発明も同じく盛んに取り上げられている。しかしそのようなストーリーは、中国や中東などの地域が近代科学の歴史とほとんど無関係であるとする説明を増長させることにしかならない。多くの人は忘れてしまっているが、「黄金時代」という概念自体、そもそも19世紀にヨーロッパの各帝国の勢力拡大を正当化するために考え出されたものである。イギリスやフランスの帝国主義者が広めた、アジアや中東の文明は中世以降衰退しているのだから近代化が必要である、という考え方は間違っているのだ。[6]

驚かれるかもしれないが、このようなストーリーはヨーロッパだけでなくアジアにもいまだに広まっている。２００８年の北京オリンピックを思い返してほしい。開会式の冒頭で巨大な巻物が広げられ、紙が古代中国の発明品であることが表現された。10億人を超すテレビ視聴者が見つめる中、開会式ではそのほかにも方位磁針など古代中国のさまざまな科学的偉業が披露された。そして中国のもう一つの成果とともに式は華々しく幕を閉じた。宋時代の火薬の発明を讃えて、鳥の巣スタジアムの上空に花火が上がったのだ。しかしこの開会式では、中国が貢献したそれ以降の数々の科学的ブレークスルー、たとえば18世紀の博物学や20世紀の量子力学の発展についてはほとんど取り上げられなかった。中東にも同じことが当てはまる。２０１６年にトルコのレジェップ・タイイップ・エルドアン大統領が、イスタンブールで開催されたトルコ・アラブ高等教育会議で講演をおこなった。その中で、「イスラム文明の黄金時代といえるのは、イスラムの各都市が科学の中心地だった中世である」と唱えた。しかしどうやらエルドアンは、今日のトルコに暮らしている人を含め、大勢のイスラム教徒が近代科学の発展にも同じくらい貢献していることを知らなかったらしい。16世紀のイスタンブールにおける天文学から20世紀のカイロにおけるヒト遺伝学まで、イスラム世界の科学の進歩は中世の「黄金時代」よりずっと後まで続いているのだ。[7]

このようなストーリーがこれほど広く信じられているのはなぜだろう？　多くの作り話と同じく、近代科学がヨーロッパで発明されたという考え方も、偶然に生まれたものではない。20世紀半ばにイギリスやアメリカ合衆国の歴史家たちが、『近代科学の起源』といったようなタイトルの本を世に出しはじめた。彼らはほぼ例外なく、近代科学と近代文明は16世紀頃にヨーロッパで生まれたと信じ切っていた。ケンブリッジ大学の著名な歴史家ハーバート・バターフィールドも１９４９年に、「科学革命は西洋の創造的産物とみなすべきである」と述べている。同様の見方は大西洋の対岸でも示された。１９５０年代にイェール大学の学生たちは、「西洋は自然科学を生み出したが東洋は生み出さなかった」と教えられたし、世界一の権威を持つ科学雑誌『サイエンス』は「西ヨーロッパの少数の国々が近代科学の生家となった」と論じた。[8]

このような主張の政治的意図はこの上なく明らかだ。彼ら歴史家が生きたのは、資本主義と共産主義の対立が世界政治を支配していた冷戦初期である。彼らは東洋と西洋をはっきりと区別した上で現代の世界を見つめ、意図的かどうかは別としてその区別を過去にまで延長した。当時、とりわけ１９５７年10月にソ連が世界初の人工衛星スプートニク1号を打ち上げて以降、科学技術は政治的成功の証しであると広くみなされていた。そのため、近代科学はヨーロッパで発明されたという作り話は、西ヨーロッパやアメリカ合衆国の指導者にとって都合が良かった。市民たちが、歴史の正しい側にいるのは自分たちで、自分たちが科学技術の進歩を担っているのだと思い込んでくれることが何よりも大事だった。このような科学史はまた、植民地から独立した世界中の国々に資本主義の道を歩ませて、共産主義を排除させるようにもできていた。冷戦期、アメリカ合衆国は対外援助に何百億ドルも費やして、アジアやアフリカ、ラテンアメリカの国々に自由市場経済と科学の発展をセットで売り込んだ。ソ連の進める対外援助計画に対抗するためだった。「西洋科学」と「市場経済」の組み合わせがまさしく経済的な「奇跡」を約束する、とアメリカの政策立案者は説いたのだ。[9]

皮肉なことにソ連の歴史家も、近代科学の起源に関してこれとほぼ同じストーリーを後押しする結果となった。ロシア皇帝のもとで活躍したかつてのロシア人科学者の功績を無視して、共産主義政権下での科学の華々しい発展を売り込もうとしたのだ。１９３３年にソビエト科学アカデミーの会長は、「20世紀までロシアに物理学はいっさい存在していなかった」と述べた。のちほど見ていくとおり、それは間違っている。18世紀初頭にはピョートル大帝のもとで重要な天文観測が何度もおこなわれたし、19世紀にはロシア人物理学者が電波技術の発展において鍵となる役割を果たした。確かにのちのソ連の歴史家の中には、ロシア人によるかつての科学的成果に光を当てようとする人もいた。しかし少なくとも20世紀前半には、旧体制下で成し遂げられたことよりも、共産主義政権下でおこなわれた革命的進歩を重視するほうがはるかに重要だった。[10]

アジアや中東では少々違った経緯をたどったものの、最終的には似たような結果に至った。冷戦期は脱植民地化の時代でもあり、数多くの国がヨーロッパの宗主国からの独立を果たした。インドやエジプトなどの政治指導者は、国家の新たなアイデンティティを是が非でも築きたかった。そこで古代に目を向けた。中世や古代の科学思索家の功績を称え、植民地時代の出来事はおおかた無視したのだ。イスラムやヒンドゥーの「黄金時代」という考え方が、19世紀のヨーロッパと同じように中東やアジアに広まりはじめたのは、実はこの1950年代のことである。インドやエジプトの歴史家は、輝かしい過去の科学が再発見されるのが待たれていたという考え方に飛びついた。そうして、ヨーロッパやアメリカの歴史家が押しつける作り話を図らずも後押しすることとなった。近代科学は西洋のもので、古代の科学は東洋のものである。そう人々は聞かされたのだ[11]。

冷戦は終わったものの、科学の歴史はいまだに過去にとらわれている。近代科学はヨーロッパで発明されたという考え方は、現代史の中でももっとも広く流布する神話の一つとして、一般向けの歴史書から専門の教科書にまで残されている。しかしそれを裏付ける証拠はほとんどない。本書でひもといていく近代科学の新しい歴史のほうが、入手可能な証拠によってより強く裏付けられているとともに、我々の暮らすこの時代によりふさわしい。世界中のさまざまな文化のあいだで考え方がやり取りされたことが、近代科学の発展にとって絶対に欠かせなかったことを、本書で明らかにしていこう。それは今日と同じく15世紀においても成り立っていたのだ。

本書では近代科学の歴史を、アステカの宮殿やオスマン帝国の天文台から、インドの研究室や中国の大学へと、世界中でたどっていく。しかし百科事典のたぐいでないことは覚えておいていただきたい。世界中のすべての国やすべての科学的発見を取り上げようとしたわけではない。そのようなやり方は無謀だし、読んでいてもあまり楽しくない。本書の狙いは、グローバルな歴史がどのように近代科学を方向づけたかを示すことだ。そのために、世界の歴史が変化した4つの重要な時代を選び出して、それらを科学史のとりわけ重要な進歩と結びつける。世界史の中心に科学史を据えることで、現代の世界の成り立ちを新たな視点でとらえることにもなる。帝国の歴史から資本主義の歴史まで、現代史を理解したいのなら、グローバルな科学の歴史に注目する必要があるのだ。

最後に強調したいのは、私は科学を人間活動そのものととらえていることだ。近代科学がもっと広い世界の出来事によって方向づけられたのは間違いないが、それでもそれを築いたのは生身の人間の取り組みである。生きた時代や場所はそれぞれ大きく異なるが、彼らもあなたや私と基本的には違わない。家族もいたし人付き合いもしていた。自分の感情や健康問題と闘っていた。そして何よりも、我々の暮らすこの宇宙をもっと理解したいと思っていた。本書を通して私は、科学の人間的な側面を感じ取ってもらえるよう努めた。オスマン帝国の一人の天文学者が地中海で海賊に囚われた。奴隷にされた一人のアフリカ人が南アメリカのプランテーションで薬草を採集した。一人の中国人物理学者が日本軍に攻撃された北京から逃れた。メキシコの一人の遺伝学者がオリンピック選手から血液を採取した。今日ではほぼ忘れ去られている彼らだが、近代科学の発展に重要な貢献を果たした。本書はそんな彼らの物語、歴史から消された科学者たちの物語だ。

第1部

科学革命

1450年頃〜1700年頃

第1章 新世界との出合い

表に出てメキシコの日の光を浴びた皇帝モクテスマ2世は、鳥のさえずりを耳にした。アステカ帝国の都テノチティトランの中心に建つ彼の宮殿には大きな鳥小屋があり、そこでは南北アメリカ一帯から集めた鳥が飼われていた。檻の格子には緑色のインコが止まり、木々のあいだを紫色のハチドリが通り過ぎる。モクテスマの宮殿には鳥小屋のほかに、ジャガーやコヨーテなどもっと大型の動物を飼育する動物園も備わっていた。しかし自然の驚異の中でもモクテスマがもっとも感心したのは、花々である。毎朝、モクテスマは宮廷の植物園をひととおり巡った。道沿いにバラやバニラの花が咲き乱れ、数百人の庭師が何列にも植えられた薬草の世話をしていた。[1]

アステカにこの植物園が造られたのは1467年、ヨーロッパよりも100年近く早かった。観賞用のためだけではなかった。アステカ人は自然界を深く理解していた。植物をそのつくりと用途に応じて分類し、とりわけ観賞植物と薬草を区別していた。アステカの学者は自然界と天界の関係についても思索をめぐらし、キリスト教の伝統と同じく、動植物は神の創造物だと説いていた。モクテスマ自身もそうしたことに強い関心を示していて、アステカ帝国の自然史の調査を命じ、動物の皮や花の標本を膨大に収集した。自身も学者として有能で、アステカ帝国の年代記には、「生まれつき賢く、あらゆる学問に秀でた占星術師で哲学者」と記されている。モクテスマが指導者となった広大な帝国で、科学は新たな高みに達した。[2]

テノチティトランは土木工学の驚異といえる。テスココ湖に浮かぶ島に１３２５年に築かれたこのアステカ帝国の都には、湖上を何キロも走る3本の土手道のどれかを通らないとたどり着けなかった。町の中にはヴェネツィアと同じく縦横に運河が走り、商人はカヌーで毎日そこを行き来しては商売をしていた。町には水道で飲料水が供給され、湖上では農民が埋め立て地の世話をして、トウモロコシやトマト、トウガラシを栽培していた。町の中心には、高さ60メートルを超す石造りの巨大な大神殿がそびえていた。重要な祝祭日における日の出や日の入りの方角と完璧に一致するよう建てられていた。モクテスマも自ら儀式に加わって神々を称え、花々や動物の皮、ときには人間の生贄を捧げていた。15世紀半ばにはテノチティトランはかつてない規模に発展した。人口は20万を超え、ロンドンやローマを含めヨーロッパのほとんどの都よりもはるかに大きい巨大都市となった。それから何十年かのあいだアステカ帝国は拡大を続け、メキシコ平原全体に領土を広げて３００万を超す人々を支配した。[3]

これらの繁栄を可能にしたのは、アステカの進んだ科学技術だった。アステカ人は天文観測から自然界の研究まで、知識の育成を大いに重視した。当時のヨーロッパにあったほとんどの王国と違い、アステカ人の子供の多くは男女を問わず何らかの正式な教育を受けていた。司祭を目指す高貴な少年のための専門の学校もあった。司祭には、アステカの暦を編纂するために天文学と数学の高度な知識が求められた。司祭のほかに、「物事を知る人」と呼ばれる特別な階級の人たちもいた。高度な訓練を積み、ヨーロッパで大学教育を受けた学者に相当する立場にあった彼らは、膨大な蔵書を集め、自身でもたびたび新たな文書を著した。またアステカ人は、当時世界でもっとも進んだ医療制度を構築した。テノチティトランでは、「ティーシトゥル」と呼ばれる内科医から、外科医や助産師、薬剤師まで、幅広い医療従事者に診てもらうことができた。この町には薬を売る市場もあり、帝国一帯の商人が薬草や根、軟膏を運んできては売っていた。今日、アステカの薬草の多くには実際に薬理活性があることが分かっている。分娩を促すヒナギクの一種や、炎症を抑えるメキシコ固有のマリーゴールドの一種もあった。[4]

テノチティトランに関する知見の大部分は、この町を破壊した人物の記録に基づいている。1519年11月8日、スペイン人征服者(コンキスタドール)のエルナン・コルテスがこの町に初めて足を踏み入れた。モクテスマは当初はスペイン人を歓迎し、コルテスとその部下たちを宮殿に迎え入れた。コルテスたちは目を丸くした。コルテスに随行した兵士のベルナル・ディアス・デル・カスティリョは、のちに著作『メキシコ征服記』(1576)の中でモクテスマの庭園について次のように記している。

果樹園兼庭園に行った。視界に入ってきてそこに足を踏み入れると、あまりにも見事で、多様な木々に見飽きることはけっしてなく、一本一本の香りにも気づき、道はバラや花々でいっぱいで、何本もの果樹や固有種のバラが育ち、池には澄んだ水が満ちていた。

ディアスは鳥小屋についても記している。「イヌワシから、緑・赤・白・黄・青と5色の羽毛を持った派手な小さなものまであらゆる鳥」を目にしたという。また「澄んだ水を湛えた大きな池もあり、そこには、不自然なまでに脚が長いものや、胴体と翼と尾がすべて赤いものなど、さまざまな種類の鳥がいた」[5]。

この平和な光景がいつまでも続くことはなかった。コルテスがこの機に乗じてモクテスマを人質に取り、町じゅうで戦いを繰り広げたのだ。最初こそスペイン軍は撃退されたものの、2年後にコルテスははるかに大きな軍勢を引き連れて再び現れた。大砲を積んだ何隻もの船が湖上から町を包囲し、スペイン人兵士たちが門からなだれ込んだ。モクテスマは殺されて大神殿は破壊された。コルテスは自らの手で宮殿に火をつけた。鳥小屋も動物園も庭園もすべて燃え尽きた。ディアスは一兵士ながら悼み、「以前目を奪われたこれらの驚異も、いまではすべて打ち崩されて失われ、何も残ってはいない」と記している。アステカ帝国の征服を皮切りとして、南北アメリカにスペイン人の帝国が築かれた。1533年にはカール5世がヌエバ・エスパーニャ（メキシコ）副王領を打ち立て、その都メキシコシティはモクテスマの宮殿の跡地に築かれた[6]。

メキシコのアステカ人から話が始まる科学の歴史書などほとんどない。伝統的に近代科学の歴史は、16世紀のヨーロッパ、いわゆる「科学革命」から始まるとされている。いわく、1500年から1700年のあいだに科学的な考え方が驚くほど一変した。イタリアではガリレオ・ガリレイが木星の衛星を観測し、イングランドではロバート・ボイルが気体の挙動を初めて記述した。フランスではルネ・デカルトが新たな幾何学を編み出し、オランダではアントニ・ファン・レーウェンフックが顕微鏡で初めて細菌を観察した。通常このストーリーは、偉大なイギリス人数学者アイザック・ニュートンが運動の法則を導き出した１６８７年で山場を迎える。[7]

歴史家のあいだでは長いあいだ、科学革命の実態と原因をめぐって論争が繰り広げられている。ある者は、その知的進歩の時代に何人かの孤立した天才が新たな観測をおこなって、中世の迷信に異議を唱えたととらえている。またある者は、この時代に社会や宗教に大きな変化が起こり、清教徒革命や宗教改革によって人々は世界の本質に関する基本的な考え方を改めざるをえなくなったと論じている。さらに、科学革命は技術の変化の産物だったと見ている者もいる。この時代に印刷機から望遠鏡までさまざまな道具が発明され、それによってかつてないスケールで自然界を探究し、科学的な考え方を普及させられるようになった。最後に歴史家の中には、実はこの時代に大きな変化は起こらなかったと主張する者もいる。科学革命の偉大な思索家の多くも、聖書や古代ギリシア哲学といったもっとずっと古い考え方に何らかの形で頼りつづけていたというのだ。[8]

だが最近まで、わざわざ立ち止まって、そもそも自分たちは正しい場所に目を向けているのだろうかなどと疑う歴史家はほとんどいなかった。科学革命の歴史は本当にヨーロッパ限定のストーリーなのだろうか？　その答えはノーだ。科学革命の歴史は、南北アメリカのアステカ帝国から中国の明王朝まで世界中を包含したストーリーだ。しかも、南北アメリカやアフリカ、アジアの人々がたまたまヨーロッパと同時期に高度な科学文化を発展させたというだけではない。科学革命があの時代に起こった理由は、これらの相異なる文化が出合った歴史によってこそ正確に説明できるのだ。

それを念頭に置いた上で、科学革命の新たな歴史を語っていきたい。この章では、ヨーロッパと南北アメリカの出合いによって博物学・医学・地理学が本格的に構築しなおされた経緯を探っていく。この時代に新世界で生み出された科学に関して我々が持っている知識の大部分は、ヨーロッパ人探検家の視点から見た植民地支配の歴史の遺産であり、この章ではそれについても掘り下げていく。しかしアステカの古写本やインカの歴史書などの資料にあたってもっと詳しく見ていくと、そのストーリーのもう一つの側面である、先住民による科学革命への隠れた貢献があらわになってくる。次の章では東方に目を移して、ヨーロッパとアフリカ、アジアの結びつきによって数学や天文学の発展が方向づけられた経緯を明らかにする。この章と次の章を合わせると、近代科学の歴史を理解するにはグローバルな歴史が重要であるという、このあと何度も繰り返し見られるポイントが浮かび上がってくる。最終的に科学革命を理解するには、ロンドンやパリだけでなく、近世の世界をつないでいた商船や隊商にも目を向ける必要があるのだ。[9]

1 新世界の博物学

クリストファー・コロンブスは2か月を超える航海の末、ようやく陸地を目にした。スペイン王の命を受けて帆船サンタマリア号で出発し、インドへの西回りルートを探していた。しかし代わりに出合ったのは新大陸だった。1492年10月12日、コロンブスはバハマ諸島のある島に上陸し、サンサルバドル島と命名した。こうして、ヨーロッパ人による南北アメリカの植民地支配の長い歴史が始まった。

新世界に渡ったその後の多くの人と同じく、コロンブスも出合った多様な動植物に目を丸くした。日記には、「どの木も我々の国のものと昼と夜のごとく違っていて、果物や草、根など、あらゆるものがそうだった」と記している。またアメリカの商業的価値にも目ざとく気づき、「多くの植物や多くの木が、スペインでは染料や薬としてかなりの価値がある」と記している。また何よりも驚いたことに、この島には人が住んでいた。上陸したスペイン人船員たちは、先住民の一団と遭遇した。いまだに東インドに到着したものと信じていたコロンブスは、彼らを「インディオ」と名付けた。豊富な動植物や人々の暮らしに刺激されたコロンブスは、それから何か月かかけて西インド諸島の探検を続け、キューバ島やイスパニョーラ島にもたどり着いた。その後も3度にわたって航海をおこない、中央アメリカや南アメリカにまで到達した。[10]

南北アメリカの植民地化は、世界史におけるもっとも重要な出来事の一つである。それとともに、近代科学の発展を大きく方向づけ、科学的知識の正しい獲得のしかたに関する長年の思い込みを脅かす出来事でもあった。16世紀以前、科学的知識はほぼすべて古代の文書の中に記されていると考えられていた。ヨーロッパではとりわけそうだったが、次の章で見るとおり、同様の伝統的な考え方はアジアやアフリカの大部分にも見られた。今日では驚くことだが、観測や実験をおこなうという発想は、中世の思索家たちにはほとんど知られていなかった。中世ヨーロッパの大学で学ぶ学生たちは、古代のギリシアやローマの著作を読み、暗唱し、それについて議論することに時間を費やしていた。この昔ながらの方法はスコラ学と呼ばれた。広く読まれた文書としては、アリストテレスが紀元前4世紀に著した『自然学』や、大プリニウスが紀元1世紀に著した『博物誌』などがあった。医学でも同じ方法論が一般的だった。中世ヨーロッパの大学で医学を学ぶ際、実際の人体に触れることはほとんどなかった。もちろん解剖も、また個々の臓器の働きに関する実験もおこなわなかった。代わりに中世の医学生は、古代ギリシアの医師ガレノスの著作を読んでは暗唱した。[11]

ではなぜヨーロッパの学者は、１５００年から１７００年のあいだのある時期に古代の文書から目を背け、自らの手で自然界を探究しはじめたのだろうか？　その答えと大いに関係しているのが、新世界が植民地化されて、それに伴いアステカやインカの知識がヨーロッパ人の手に渡ったことであるが、従来の歴史書にはその点の説明が欠けている。初期のヨーロッパ人探検家が目ざとく気づいたとおり、彼らが南北アメリカで出合った動植物や人々は、古代のどの著作にも記されていなかった。アリストテレスはトマトも、さらにはアステカの宮殿やインカの神殿もけっして見たことがなかった。それが明らかになったことで、ヨーロッパ人の科学の理解のしかたが根本から変化したのだ。[12]

イタリア人探検家のアメリゴ・ヴェスプッチ（「アメリカ」の名の由来）は、コロンブスの「発見」が博物学におよぼす影響にいち早く気づいた一人である。１４９９年に新世界への航海から戻ってきたのちには、フィレンツェの友人に手紙で以下のように伝えている。あらゆる種類の信じられないような動物を目にし、中でも先住民は「ヘビ」（おそらくイグアナのこと）を焼いて食べていた。また、「多様な羽毛をまとったたくさんの種類の鳥が数え切れないほどいて、驚きで目を丸くした」。何よりも注目すべきは、ヴェスプッチが新世界の自然史と古代の文書の記述を直接比較していることである。昔から権威とされてきたプリニウス『博物誌』を厳しく批判して、「プリニウスはアメリカで見つかっているオウムなどの鳥や動物のうち1000分の1も取り上げていない」と記しているのだ。[13]

ヴェスプッチによるプリニウス批判は始まりにすぎなかった。それから何年かにわたって新世界から何千人もの探検家が帰国し、古代人の知らなかった事物の数々を報告した。中でももっとも大きな影響をおよぼした報告の一つが、スペイン人司祭ホセ・デ・アコスタによるものである。1540年に裕福な商家に生まれたアコスタは、快適だがかなり平凡な暮らしから抜け出す術をずっと探していて、12歳のときに家出してイエズス会に入信した。イエズス会はカトリックの宣教師団体で、近世の科学の発展に大きな役割を果たした。創設者のイグナティウス・デ・ロヨラは信徒たちに、聖書を読むにせよ、自然界について調べるにせよ、「万物に神を見出せ」と説いた。そのためイエズス会修道士は、神の知恵を理解する手段としてだけでなく、キリスト教の信仰の力を見せつけて異教徒を改宗させる手段としても、科学の研究を大いに重視した。そんなイエズス会に入信したアコスタは、アルカラ大学でアリストテレスやプリニウスの古典を学んだ。卒業すると、宣教師として新世界に赴くよう求められ、1571年に出航した。そしてアメリカで15年間過ごし、改宗者を探すべくアンデス山脈一帯を巡った。スペインに帰国すると、ペルーの火山からメキシコのオウムまで、アメリカで目にしたものを残らず取り上げた本の執筆に取りかかった。そうして完成したのが『新大陸自然文化史』(1590)である。[14]

アコスタはアメリカで奇妙なものを数多く目撃した。しかしおそらくもっとも重要な経験をしたのは、初めて大西洋を横断している最中のことだった。アコスタはその旅に不安を抱いていた。それは何よりも、古代の大家たちが赤道について語っている事柄のせいだった。アリストテレスによれば、この世界は3つの気候帯に分かれているという。北極と南極は極端に寒く、「寒帯」と呼ばれていた。赤道の周辺は「熱帯」で、焼けつくように暑く乾燥している。その2つの極端な気候帯に挟まれた、ヨーロッパと同程度の緯度には、「温帯」が横たわっている。ゆゆしいことにアリストテレスは、生命、とりわけ人間は「温帯」でしか生きられないと論じていた。それ以外の地域は暑すぎるか寒すぎるというのだ[15]。

そのためアコスタは、赤道に近づくにつれて信じられないほどの暑さに見舞われるものと覚悟していた。ところがそんなことはなかった。「現実はあまりにも違っていて、赤道を越えているその最中にも、あまりの寒さに何度か陽のもとに出て身体を温めるほどだった」。古代哲学にどんな影響がおよぶかは明らかだった。アコスタは続いて次のように記している。

白状すると、私はアリストテレスの気象理論と哲学をせせら笑った。アリストテレスの法則によればすべてが焼けて燃えているはずのまさにその場所で、私も随行者たちもみな寒がったのだから。

南アメリカと中央アメリカを縦断したアコスタは、アリストテレスの信じていたのと違って、赤道周辺の地域が必ずしも暑くもないし乾燥してもいないことを確信した。実際にはきわめて多様な気候を経験し、「キトやペルーの平原はほどよい気温で、ポトシはとても寒かった」と説明している。それだけでなく、もっとも注目すべきこととして、この地域には動植物だけでなく人間も大勢暮らしていた。「熱帯は生命が生きられる場所で、かなり大勢の人間が暮らしているが、古代人はそんなことはありえないと言っていた[16]」。

こうして古代の権威は一撃を食らわされた。気候帯について間違っていたとしたら、アリストテレスにはほかにも間違っていることがあるのではないか？　そう案じたアコスタは、古代の文書から学んだ事柄と新世界で経験した事柄を織り合わせることに生涯の大半を費やした。とりわけ説明が難しかったのが、それまで知られていなかった多様な動物である。ペルーのナマケモノからメキシコのハチドリまで、「これまで名前も形もいっさい知られておらず、ラテン語やギリシア語の文書にもいっさい記述がなく、我々の世界のどの国にも見られない1000種もの鳥や鶏、森林に棲む動物」が存在するとアコスタは述べている。プリニウスの『博物誌』も明らかに不完全だったのだ。[17]

アコスタは自身の発見がどんな意味を帯びているかを理解していた。しかし古典的な学問を完全に捨て去るまでの覚悟はなかった。キリスト教徒としていまだに古代の権威に高い価値を置いていたからだ。そもそも聖書は極めつきの古典の文書である。そのため、初期に南北アメリカに渡った多くの人たちと同じく、アコスタも古い考えと新しい考えを混ぜ合わせた。いくつかの事例に関しては、アリストテレスこそ間違っていたかもしれないが、別の古代の資料は正しいと唱えたのだ。熱帯については古代ギリシアの地理学者プトレマイオスが異なる見方を取っていて、「赤道上にも居住に適した地域が存在すると信じていた」とアコスタは指摘した。また古代の文書の中には、知られている大洋の向こうに新世界が存在するとほのめかしているものすらあることに気づいた。プラトンはアトランティスという想像上の島について記しているし、聖書にはオフィールという遠くの土地からソロモン王のもとに銀が届けられたという記述がある。むしろ古代の文書には未知の国が数多く取り上げられていて、そのいずれもが容易にアメリカと解釈できた。そのため新世界に渡った人たちも、当初は古代の学識を完全に否定するまでには至らなかった。代わりにヨーロッパの学者たちは、新たな知見に照らして古典の文書を解釈しなおさざるをえなくなったのだ。[18]

ベルナルディーノ・デ・サアグンは人生の大半をアメリカで過ごした。１４９９年にスペインで生まれ、サラマンカ大学で学ぶ傍らフランシスコ修道会に入信した。ホセ・デ・アコスタと同じく、当時一般的だった教育を受け、司祭になるべく古代のアリストテレスやプリニウスの著作を学んだ。１５２９年、新世界へ向かう宣教師の第一陣として大西洋を渡り、ヌエバ・エスパーニャに到着した。そして残りの生涯をアメリカで過ごし、90歳のときにメキシコシティで世を去った。生前には、16世紀のメキシコに関するもっとも包括的な報告書の編纂に力を尽くし、その書物に『ヌエバ・エスパーニャ全史』（１５７８）というタイトルを付けた。俗に『フィレンツェ文書』と呼ばれるこの大著には、新世界の動植物だけでなく、アステカの医学・宗教・歴史についても記されている。全12巻、手作業で彩色した図版が２０００点以上収められている。[19]

『フィレンツェ文書』はサアグン一人の著作ではなく、先住民との共作である。ヌエバ・エスパーニャに到着してまもなくサアグンは、メキシコシティの郊外、トラテロルコにあるサンタクルス王立学校でラテン語を教える職に就いた。この王立学校は１５３４年、アステカ人貴族の子息に聖職者としての教育を施すために創設された。70人を超す地元の少年が寄宿し、サアグンがスペインで学んだのとほぼ同じ伝統的なスコラ学の教育を受けた。ラテン語を学び、アリストテレスやプラトン、プリニウスの著作を読んだ。それとともに、母語であるナワトル語をラテン文字で書き下す術も学んだ。それまでアステカ人は表音文字を使っていなかったため、これは重要な進歩だった。ナワトル語には象形文字が使われていて、さまざまな絵がそれぞれ異なる単語や句を表していた。象形文字で書かれたアステカの書物を、スペイン人の多くは原始的であるとして無視し、偶像崇拝的であるとすらみなしていた。別のある宣教師は、「アステカ人は文書も文字も、書き下された年代記も、いかなる知識も持たない人々である」と強弁した。いまでは分かっているとおり、それは正しくない。しかしこのような見方を踏まえてスペイン人は、アステカ人をヨーロッパ風のキリスト教徒に変えようとした。新世界にキリスト教を広める名目でアメリカ征服を正当化しようとした、ヨーロッパ人のもっと幅広い取り組みの一環だったといえる。[20]

しかしサアグンは、アステカの文化を当時の多くの人よりも高く評価した。そしてナワトル語を学んだ上で、1547年に『フィレンツェ文書』の執筆に取りかかった。すると、新世界の自然史を真に理解するには、以前からそこに暮らしている人々から学ばなければならないと気づき、王立学校の学生を何人か集めた。そのうちの4人の名前は分かっていて、アントニオ・バレリアーノ、アロンゾ・ベヘラノ、マルティン・ハコビタ、ペドロ・デ・サン・ブエナベントゥラである（残念ながらナワトル語の名前は不明）。サアグンと学生たちはアステカの知識を求めてヌエバ・エスパーニャ横断に出発した。そして町に到着するたびに、地元の長老から話を聞いた。古代アステカの歴史を語ってくれたり、未知の動植物について説明してくれたりすることもあった。ときには、象形文字が複雑に並んだアステカの古写本を見せてくれることもあった。「質問した事柄をすべて絵で説明してくれた。古代にはそれが文字として使われていたからだ」。自力で解釈できないときには、アステカ人の学生たちに頼んで、その象形文字をナワトル語の書き言葉に翻訳してもらった。そして王立学校に戻ってから、助手たちと手分けしてそのナワトル語をスペイン語に翻訳した。また地元の画家たちに頼んで、文書に添える図版を描いてもらった。そうして20年以上にわたり取り組んだ末の1578年、完成した手稿をスペイン王フェリペ2世に送った。[21]

アコスタと同じくサアグンも古い知識と新しい知識を融合させた。『フィレンツェ文書』は、王立学校の学生たちも親しんでいたに違いないプリニウスの『博物誌』を手本としている。そしてプリニウスの著作と同じく、地理学・医学・人類学・植物・動物・農耕・宗教を取り上げた一連の書物から構成されている。自然史を取り上げた主要な巻には『地上の事物』というタイトルが付けられている。そしてその巻の冒頭には、古代には知られていなかったさまざまな動植物が挙げられている。当然ながらもっとも図版が多いのがこの巻で、哺乳類39点と鳥類120点、および600点を超す植物の絵が収められている。目を見張るほど生き生きとした絵で、自然の姿だけでなく動物の行動、植物の用途、そしてアステカ人の考え方も表現されている。[22]

『フィレンツェ文書』に挙げられている新世界の数百種の植物は、すべてアステカの分類法に従ってまとめられている。アステカ人は植物をおもに食用・装飾用・実用・薬用の4つのグループに分けていた。植物の名称にもこの分類が反映されていて、たとえば「パトリ」という接尾辞を持つ植物は薬用、「ショチトル」で終わる植物は装飾用だった。この分類法が『フィレンツェ文書』にも取り入れられている。薬用植物はすべて一つのリストにまとめられ、たとえば「イスタック・パトリ」(解熱剤として使われる薬草)といった名称が付けられている。薬用植物のリストに続いては、「カカロショチトル」

1.『フィレンツェ文書』(1578) に掲載されているハチドリの図。木にぶら下がった「休眠状態」のハチドリに注目。

（ヨーロッパには16世紀にイタリア人貴族によって持ち込まれ、インドソケイと呼ばれていた）などの顕花植物が挙げられている。[23]

『フィレンツェ文書』には動物も多数取り上げられている。ガラガラヘビがウサギを捕まえている絵や、アリが塚を作っている絵も収められている。とりわけハチドリは何枚もの絵に登場する。花の蜜を吸っている絵や、冬に備えて群れで南に渡る絵もある。このようにハチドリが重視されているのは、アステカ人のある重要な考え方に基づいている。ハチドリの神ウィツィロポチトリが、テノチティトランの守護神なのだ。この町の大神殿はウィツィロポチトリを祀っていたし、戦で命を落とした戦士はハチドリに姿を変えるとされていた。そのためアステカ人はハチドリを事細かく調べていた。そして休眠状態に入る能力に魅了された。ヨーロッパ人でそれを見たことのある者は一人もいなかったため、サアグンはモクテスマの鳥小屋で働いていたアステカ人の情報提供者の言葉を信じた。

冬になるとハチドリは休眠する。木にくちばしを差し込むと、身体が縮み、しなびて、羽毛が抜け落ちる。日の光が温かくなって、その木が芽吹き、葉を広げると、ハチドリも再び羽毛を生やす。そして雷が鳴って雨が降ると、目を覚まし、身体を動かし、生き返る。[24]

ハチドリのこの振る舞いは、生と死がつねに循環するというアステカ人の世界観と完璧に合致していた。戦士もハチドリと同じように甦る。死はけっして終わりではないのだ。[25]

2 アステカの医学

ベルナルディーノ・デ・サアグンにとって『フィレンツェ文書』は、ほかならぬ宗教に関わる著作だった。アステカ人の知恵を包括的にまとめることで、「このメキシコ人たちの完成度」を示そうとしたのだ。そうすればヨーロッパのキリスト教徒たちに、アステカ人は神の言葉を受け止められる「文明的」な人種であることを納得させられるだろう。しかしほかの人たちは、新世界をもっと商業的な視点からとらえていた。１５８０年、トスカーナ大公で名門メディチ家の当主フェルディナンド・デ・メディチが『フィレンツェ文書』を購入し、フィレンツェにある有名なウフィツィ美術館に展示した。この文書が今日この名前で呼ばれているのはそのためだ。この美術館にはその文書とともに、メディチ家の収集した膨大な絵画や彫刻、世界中の珍品が並べられていた。その中には、緑色の羽根でできた頭飾りや、トルコ石でできたアステカの仮面もあった。当時メディチ家は新世界に対して強い商業的関心を向けはじめていた。フェルディナンド・デ・メディチはメキシコやペルーからコチニール（深紅の染料の製造に用いられる）を輸入し、アメリカ原産のトウモロコシやトマトをフィレンツェにあるメディチ家の邸宅の庭園で栽培した。彼にとって『フィレンツェ文書』は、新世界から調達すべききわめて貴重な自然資源が列挙された、いわば商品カタログのようなものだったのだ。[26]

新世界に対するこのような商業的関心によって、博物学の研究は様変わりした。商人や医師が古典的な権威よりも収集と実験をはるかに重視するようになったのだ。アメリカの植物は莫大な利益をもたらす可能性を秘めており、その発見を後押しすれば商業的に優位に立てる。タバコやアボカド、トウガラシはいずれも魔法の新薬として取引されたし、ヨーロッパでジャガイモが売買された最古の記録は16世紀、スペインの病院の会計帳簿に残されている。それと同じ頃、ヨーロッパじゅうの大学が独自の植物園を設立しはじめた。スペイン人がメキシコで目にしたアステカの植物園とそう違わない、薬草の研究と栽培のための専門機関である。１５４５年にパドヴァ大学がヨーロッパ初の植物園を設立し、まもなくしてピサとフィレンツェにも植物園が作られた。17世紀半ばには、ヨーロッパの主要な大学には決まって新世界の植物を栽培する植物園があった。裕福な医師の中には、私設植物園を建てて、アメリカの植物から製造した新薬を販売する者もいた。[27]

新世界の植物の薬効に関してヨーロッパ人が得た知識の大部分は、アステカに由来する。とくにスペイン王はすさまじい精力を注いで、新世界で採集された標本を収集・分類するだけでなく、それらに関するアステカ人の知識を記録した。1570年にはスペイン王フェリペ2世が新世界の自然史の大規模調査を命じ、その調査隊長に専属医師のフランシスコ・エルナンデスを指名した。エルナンデスはそれから7年にわたってヌエバ・エスパーニャ一帯を巡り、薬草を採集したりアステカ人の医術について学んだりした[28]。

1514年生まれのエルナンデスはアルカラ大学で学んだのちに、セビーリャで医師となって成功を収めた。先ほど触れたとおり、16世紀のおおかたの医師と同じくエルナンデスの受けた医学教育も、ほぼ古代の文書を読むばかりだった。その中には、古代ギリシアの医師ガレノスやディオスコリデスの著作も含まれていた。ディオスコリデス『薬物誌』にはさまざまな病気に効く薬草が列挙されていたし、ガレノスの大著には古代ギリシアの医学を支える基本原理が記されていた。その原理の中核をなすのが、血液・粘液・黒胆汁・黄胆汁という4種類の体液のバランスを取ること。解熱にはもっぱら瀉血（しゃけつ）が勧められていたし、過剰な黄胆汁を排出するためにゲッケイジュの葉を煎じて飲ませていた[29]。

しかしエルナンデスが活躍したのは、医学に大変革が起こった時代だった。多くの医師が古代の権威に背を向けて、解剖と実験をはるかに重視するようになったのだ。彼らの多くに影響を与えたアンドレアス・ヴェサリウス著『人体の構造』（1543）には、解剖に基づいて人体の構造が新たな形で説明されていた。また、さまざまな薬草や鉱物由来の薬を勧める異端的なスイス人錬金術師、パラケルススの著作を手本とした者もいた。エルナンデス自身もこの医学改革を強く推進し、スペイン西部の病院に勤めていた頃には解剖をおこなったり植物園を建てたりした。しかし、医学に対するこの新たな考え方はヨーロッパだけに目を向ければ説明できると決めつけるのは間違っている。アメリカ先住民の生み出した新世界由来の知識が、実験的で実践的な科学としての医学観を形作ったのだ。[30]

フランシスコ・エルナンデスは1571年2月、息子のファンおよび書記・画家・通訳のチームを率いてメキシコシティに到着した。このとき町は伝染病の流行のさなかで、その病を現地の人々は「ココリストリ」、スペイン人は「大疫病」と呼んでいた。発症するとすさまじい痛みに襲われて、目や鼻から出血し、数日で命を落とす。西インド〔メソアメリカのこと〕の主任医官に任ぜられていたエルナンデスは、到着から数週間にわたって、死後まもない患者の解剖をおこなった。流行が収まると一行を連れてヌエバ・エスパーニャの周遊に出発し、7年をかけて薬に使えそうな動植物や鉱物をあれこれ探し回った。テスココ湖にあったアステカの植物園の廃墟も訪れ、崩れかけた壁に彫られた花の絵を何点か模写した。そうして最終的に、それまでヨーロッパでは知られていなかった植物を計3000種以上特定した。それに比べ、古代ギリシアの医師ディオスコリデスの『薬物誌』には500種しか記載されていなかった。古代の著述家は何でも知っていたという考え方に真っ向から反する成果だった。[31]

この調査を進める上でエルナンデスは、現地の人々と彼らの医学の知識に頼りきった。フェリペ2世からも、地元民に話を聞くようはっきりと忠告されていた。正式な探検指令書にも、「どの地に行っても医者や呪医や薬草医、インディアン〔原典のまま。以下同じ〕など、かかる事柄に関する知識を持った人間から話を聞くこと」と記されていた。エルナンデスはこれらの指令を真摯に受け止め、ナワトル語を学びはじめた。そして地元の医療従事者から話を聞いて、彼らの説明する動植物の名前を慎重に記録し、現地の呼称を使えるようにした。根の一種である「ザカネルアトル」の性質については、地元の医師がすり潰して水と混ぜ、腎結石の治療に用いると記している。この調合薬は「排尿を促して尿路を洗浄する」のだという。また、「モモの葉に似ているがもっと幅が広くて分厚い」、「ゾコブット」と呼ばれる薬草のことも学んだ。これは、偏頭痛や腫れの緩和、あるいは「毒を飲んだり、毒虫に刺されたり噛まれたりしたとき」に効果を発揮する。「現地の人々がとても大事にしている」薬草で、「その効能をなかなか教えてもらえなかった」。エルナンデスは新世界の動物が薬として使えるかどうかについても調べた。オポッサムに関する記述に続いて、「この動物の尾は優れた薬である」と記している。すり潰して水と混ぜたものは、「尿路を洗浄し、骨折や疝痛（せんつう）を治し、腹痛を和らげる」。何よりも興味深いのが、地元の医療従事者の話ではオポッサムの尾には催淫作用があり、「性的行為を促す」とエルナンデスが記していることだ。エルナンデスの挙げた植物を残らず確かめることはできないが、今日ではそのうちのいくつかに確かに薬理作用があることが証明されている。たとえばサンザシの葉には鎮痛作用のある物質が含まれている。またメキシコ原産のリンゴの種子などは、ある種のがんを予防することが示されている。[32]

動植物の外見や性質はいずれもきわめて正確に記述されている。しかし少なくともヨーロッパ人にとっては目新しいものばかりだったため、アメリカの自然史の多様性を本当に伝えられるのは絵しかなかった。そこでエルナンデスもサアグンと同じく、現地の画家を雇って、観察したものの絵を片っ端から描かせた。ペドロ・バスケス、バルタザール・エリアス、アントン・エリアスという名の彼ら画家は6年間で数百点の絵をすべて現場で描き、その中にはヒマワリの絵やアルマジロの絵も含まれている。のちにその絵の多くは、エルナンデスを含めヨーロッパ人の著した博物学の書物に転載された。

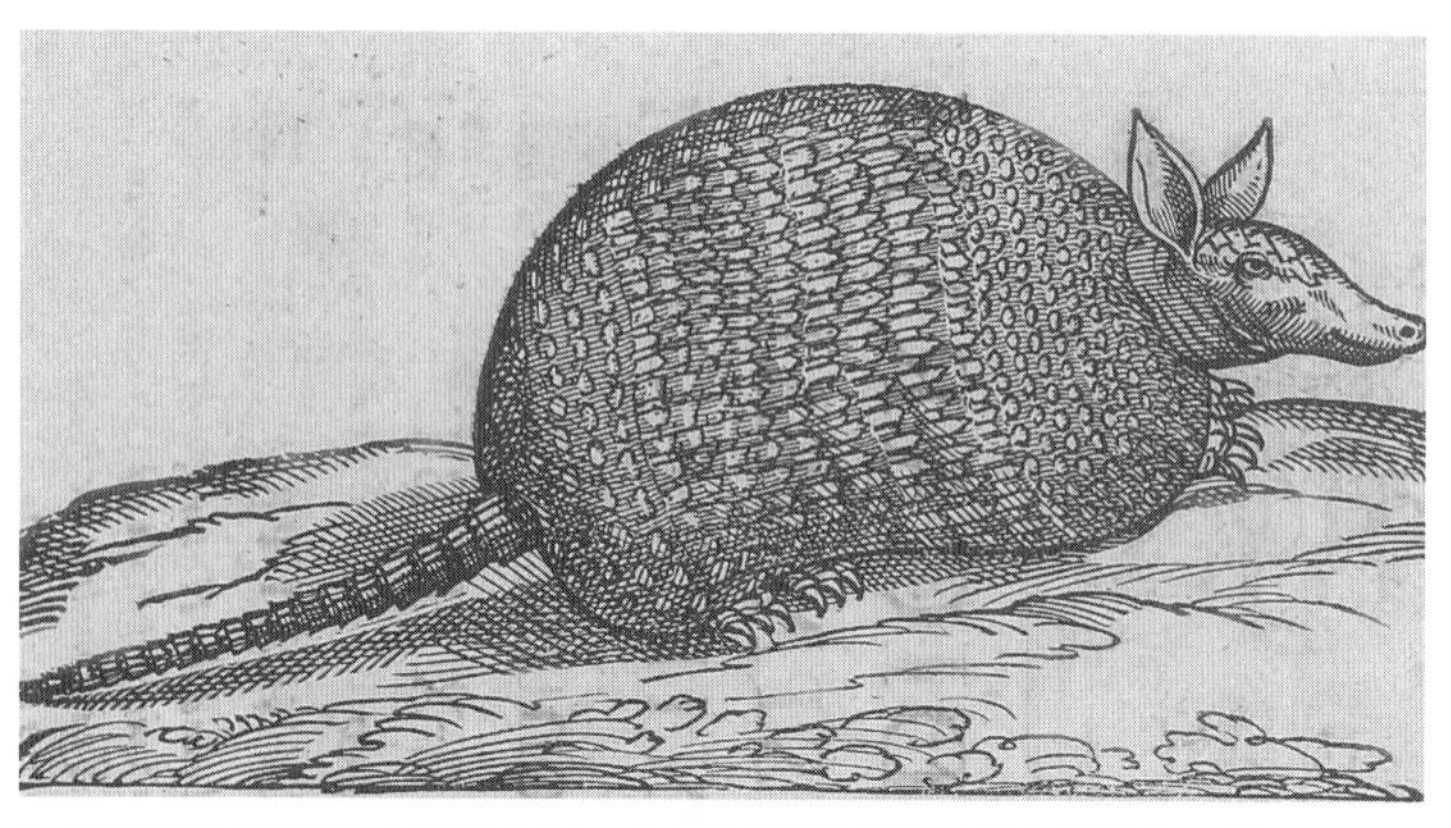

2. アルマジロの版画。16世紀メキシコ先住民の画家が描いた絵から模写。フランシスコ・エルナンデス『ヌエバ・エスパーニャの医薬の宝典』(1628) より。

1577年にエルナンデスは、16冊におよぶ手稿と何枚もの絵を携えてスペインに帰国した。その手稿はのちに『ヌエバ・エスパーニャの医薬の宝典』(1628) として出版され、マドリッド郊外のエスコリアル宮図書館に収められた。王室付き司書のホセ・デ・シグエンサはその書物、とりわけ図版に感銘を受けた。「西インドで見られるあらゆる動植物が本来の色彩で描かれている」と説明した上で、「見た者に大きな喜びと楽しさを与える代物で、自然について考える任を負った者に少なからぬ恩恵を与える」と付け加えている。[33]

フランシスコ・エルナンデス著『ヌエバ・エスパーニャの医薬の宝典』は、アステカの医学の知識をヨーロッパの読者に向けてまとめ上げた新ジャンルの博物学書の代表例である。とはいっても、所詮は征服者の著作だった。スペイン王がエルナンデスに命じた探検の本来の目的は、知識と富を奪い取ることだった。何よりもこの本のタイトルがそれを物語っている。スペイン人にとってはまさに「宝」

だったのだ。しかしこの時期に優れた博物学書を遺したのは、ヨーロッパ人だけではない。エルナンデスが執筆にいそしんでいたちょうどその頃、一人のアステカ人学者が独自に新世界の博物学書をまとめ、のちにそれがヨーロッパに伝わって医学に関する近世の多くの文書に影響を与えることとなる。

その人、マルティン・デ・ラ・クルスはスペインによる征服前のメキシコに生まれた。残念ながら幼少期のことはほとんど分かっていない。ナワトル語の名前も不明だ。のちに自分のことを「インディアン医師」とだけ説明しており、おそらく中堅のアステカ人医師だったと思われる。クルスについて分かっているのは、キリスト教に改宗して、トラテロルコのサンタクルス王立学校（ベルナルディーノ・デ・サアグンが『フィレンツェ文書』の執筆を始めたあの学校）で医学を教えていたことである。

1552年5月22日にクルスは、『インディアンの薬草の小本』というタイトルの手稿を学長に提出した。もとはナワトル語で書かれていたが、同学校の現地人教師ファン・バディアーノによってラテン語に翻訳された。当時のどんな書物にも増して、ヨーロッパの知識とアステカの知識が深く融合されている。一見したところ、よくある昔ながらの薬草目録のようで、ディオスコリデスの『薬物誌』とあまり違っていそうにはない。13の章に分かれていて、最初の章では頭部に効く薬が挙げられており、章を追うごとに身体を下がっていって、最後は足で終わっている。各ページには「歯痛」や「排尿困難」などの症状が挙げられた上で、それを治療するための薬草の処方が記されている。またほとんどのページには、クルス本人がスケッチして彩色した薬草の図が載っている[34]。

しかしそれらの絵をもっと詳しく見ると、アステカの医学の知識に基づいて描かれていることがよく分かる。どの植物の名称もナワトル語で記されているし、『フィレンツェ文書』と同じくアステカの分類法が用いられている。この本の場合、名称は用途だけでなく生育場所も表している。たとえば「ア」という接頭辞（「水」を意味する）の付いた植物は池や川の近くに生えていて、「シャル」という接頭辞（「砂」を意味する）の付いた植物は砂漠に生えている。また全編の記述が、人体に関するアステカ人の伝統的な知識に基づいている。アステカ人はおもに、人体には3つの力が備わっていて、それぞれ頭・肝臓・心臓に込められていると信じていた。病気はこれらの力のバランスが崩れることで起こり、とくに多くの場合、身体の特定の部位が熱くなりすぎたり冷えすぎたりしたことが原因だとされていた（古代ギリシアの四体液説とさほど違わない[35]）。

クルスによる薬草の説明を詳しく読むと、このバランスを回復することが重視されているのがよく分かる。たとえば目の痛みや腫れは、頭が熱くなりすぎることで起こるとされている。それを治すには冷却効果のある薬草を調合する。「マトラル・ショチトル」（ヨーロッパではムラサキツユクサと呼ばれている）の花とメスキート（マメ科の低木）の葉をすり潰して、母乳と「澄んだ水」に溶かし、それを顔に塗る。クルスはまた、「性行動」やチリソースの摂取は過剰な熱の原因となるので、症状が改善するまで避けるよう勧めている[36]。

アステカの影響をうかがわせる手掛かりとして最後に挙げるのは、もっとも重要でありながらもっとも気づきにくいものだ。これまでの多くの歴史家は、クルスの絵はヨーロッパの典型的な植物画を真似ただけだと解釈していた。一株一株が別々に描かれていて、同定しやすいよう根や葉がよく見えるようになっているからだ。しかし最近になってアステカ文化の専門家がそれらの絵を改めて調べたところ、そこにナワトル語の象形文字が使われていることが分かった。クルスはヨーロッパ流の植物画と、アス

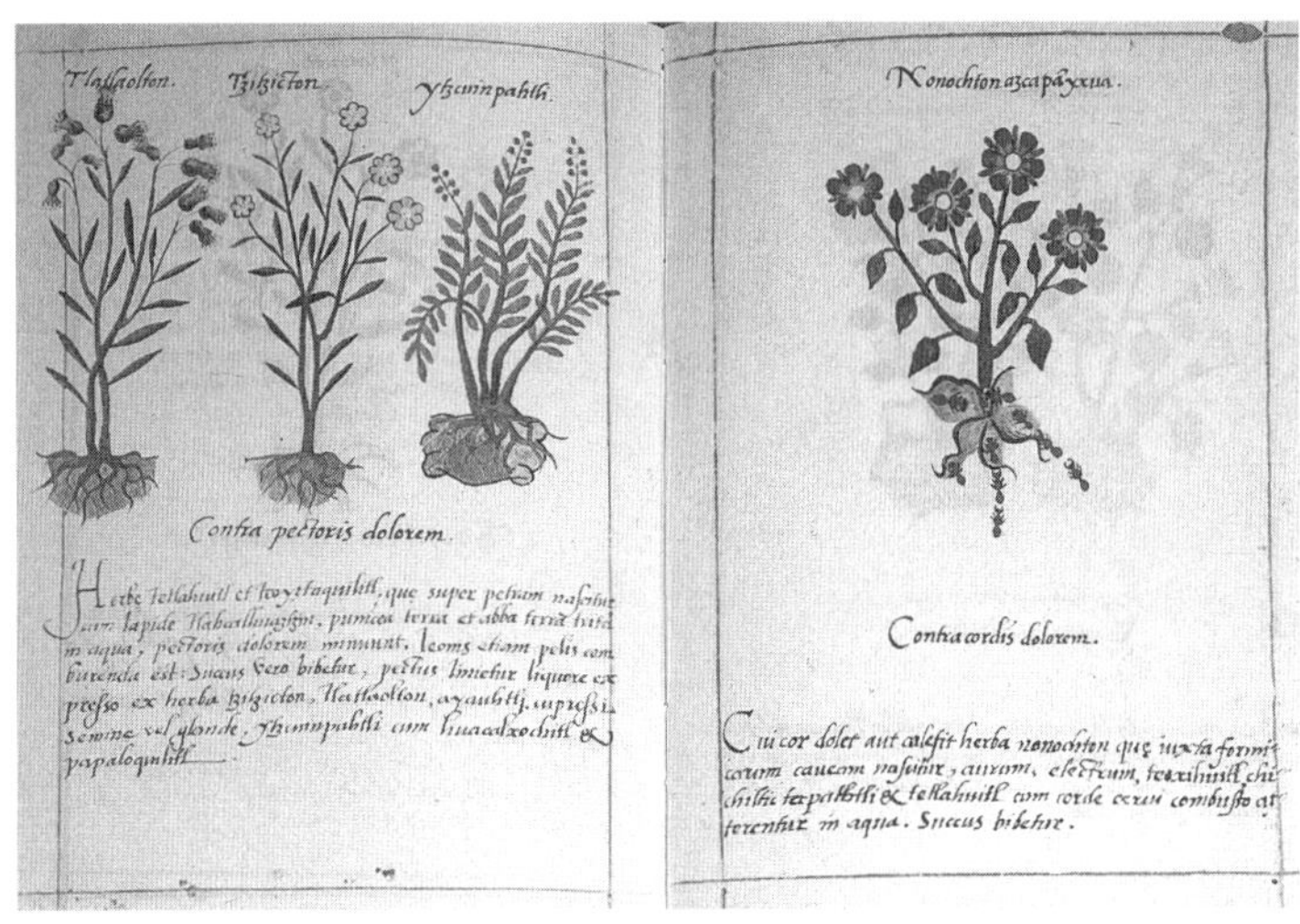

3. マルティン・デ・ラ・クルス『インディアンの薬草の小本』（1552）に掲載の図。「イツキン・パトリ」という植物（左から3番目）の根には、ナワトル語で「石」を表す象形文字が添えられている。

テカの伝統的な絵入りの文書を融合させようとしていたのだ。たとえば、植物の生育場所を表す象形文字を使って、先ほど説明した命名体系を補強している。また数多くの植物画には、根の周囲に「石」や「水」を表すアステカの象形文字が記されている。こうしてクルスは、医学的にも芸術的にもヨーロッパとアステカの伝統を組み合わせて、まったく新たな博物学書を作り上げようとした。そうして、文化の交流と出合いによって生まれた16世紀特有の科学の進め方を体現することとなったのだ。[37]

16世紀末までにはヨーロッパじゅうの庭園で新世界の植物が栽培されるようになった。ボローニャではヒマワリが、ロンドンではイトランが花を咲かせた。まもなくそれらの植物は、古代の文書よりも経験のほうを重視する新たな博物学書や医学書の数々に取り上げられた。ロンドンでは薬剤師のジョン・ジェラードがベストセラー『本草書』（1597）の中でタバコの薬用法を示し、セビーリャでは医師ニコラス・モナルデスが著作『西インド領から輸入された産物の医学的研究』（1565）の中で、患者にカカオの購入を勧めている（モナルデスは私設植物園でアメリカの植物を栽培して経営的にも成功した）。16世紀でおそらくもっとも有名な解剖学者であるアンドレアス・ヴェサリウスも新世界に関心を寄せ、ユソウボク（メキシコ原産の顕花植物）の樹脂が梅毒の治療に使えそうだと唱えた。この説は、梅毒自体がアメリカ由来であって、そのため治療薬もアメリカで見つかるはずだという、今日ではほぼ否定されているが当時は広まっていた考え方に基づいていた。[38]

ヨーロッパの博物学者や薬剤師はあっという間に外来の動植物を大量に収集した。彼らはフィレンツェのメディチ家やスペイン王といった裕福なパトロンから支援を受け、ヨーロッパの各博物館を新世界の品々や標本で埋め尽くしていった。博物学に対するこの新たな取り組み方は、図版の使用が増えていったことにも反映されている。自然史に関する古代の文書には図版のないものが多かったが、16世紀や17世紀の新たな博物学書には線画や版画がふんだんに使われていて、その多くには手作業で彩色が施されていた。その理由の一つは、発見されたものが目新しかったことである。バニラの木やハチドリがどんな姿をしているかをヨーロッパで知るには、それ以外に方法がなかったのだろう。しかしそれはまた、知識を象形文字で表すというアステカの伝統を取り入れるための方法でもあった。

重要な点は、このような取り組みが、新世界から届けられる標本だけでなく現地の知識にも基づいていたことである。人体や自然に関するアステカ人の知識は、この時期のヨーロッパの文書に少しずつ浸透していった。ナポリでは植物学者のカロルス・クルシウスがエルナンデスの手稿を参考にして、有名な著作『希少植物誌』（1601）を著した。パドヴァではピエトロ・マッティオリが古代ギリシアの医学に関する註解書にクルス著『インディアンの薬草の小本』を引用した。今日でもアステカの自然史は影響をおよぼしつづけている。「トマト」と「チョコレート」という単語はいずれもナワトル語に由来する。新世界の多くの動植物についても同様だ。「コヨーテ」から「チリ」（トウガラシ）まで、自然界について語る際に我々が使う言葉は、詰まるところ旧世界と新世界の出合いによる遺産だが、ヨーロッパの博物学者の功績だけに注目してしまうとそのことは忘れてしまいがちだ。またこのあと述べるとおり、16世紀にヨーロッパとアメリカが出合ったことは、医学や博物学を方向づけただけでなく、人類の起源に関する科学的知見をも生み出した。[39]

3 人類の発見

アントニオ・ピガフェッタは我が目を疑った。1520年6月、アメリカ大陸最南端でこのイタリア人探検家は「巨人」と遭遇したのだ。スペインによる地球一周航海に参加してから9か月後のことだった。フェルディナンド・マジェラン率いるこの最初の挑戦では、大西洋を横断して南アメリカ沿岸を回ることになっていた。冬に入ると、現在のアルゼンチンにある、彼らがサンフリアン港と名付けた湾に停泊した。「そこに2か月留まったが人っ子一人見なかった」とピガフェッタは振り返っている。ところが「ある日突然、海岸に図体のでかい裸の男が現れ、踊ったり歌ったり、自分の頭に砂を掛けたりした」。ちょっと信じがたいが、ピガフェッタはその男の身長を240センチ超と見積もった。「あまりにも背が高く、我々一行の中でもっとも長身の者でもその腰くらいまでしか届かなかった」と日記に記している。「顔全体を赤に、目のまわりを黄色に塗っていた」。ヨーロッパ人一行はまずは身振り手振りで友好の意思を示そうとした。そして「巨人」を船上に招いて食べ物や飲み物でもてなした。ところがまもなくして、その友好的出会いが暴力へと一転する。数日後、マジェランが船員たちに、スペイン王へ贈る戦利品として「巨人」を2人捕らえるよう指示したのだ。そうして戦いが始まった。スペイン人船員1人が殺され、「巨人」は見たところ「ウマよりも速く」走り去っていった。[40]

　アメリカとの出合いによってヨーロッパ人は新たな動植物と接触することとなった。しかし多くの人にとって、新世界でもっとも目を惹いたのは現地の民族だった。16世紀、このピガフェッタの日記を始めとして、未知の民族に関する報告がアメリカからヨーロッパに続々と伝わった。人食い習慣や人身御供に関する記述が人々の想像力を掻き立て、シェイクスピアの『テンペスト』など当時の戯曲や詩にも新世界の民族が取り上げられた。マジェランは捕虜を捕まえられなかったが、ほかに何人もの探検家が多くは力尽くでアメリカから現地人をヨーロッパに連れてきた。コロンブスもカリブ諸島の住民を6人捕らえ、1493年にスペインの王妃イザベラと王フェルディナンドの宮廷に献上した。コルテスもテノチティトランで戦に敗れたアステカ人70人を捕まえ、鎖につないで1528年に大西洋の対岸まで移送した。その中にはモクテスマの息子も3人含まれていて、オウムやジャガーとともにマドリッドのカール5世の宮廷に献上された。[41]

　アメリカに先住民が暮らしていたことが明らかとなり、ヨーロッパ人は人類の本質をめぐる深刻な疑問を突きつけられた。彼らは人間なのか？　それとも怪物なのか？　もしも人間だとしたら、聖書の教えのとおりアダムの子孫なのか？　それとも別々に創造されたのか？　もしもヨーロッパを起源とするのであれば、どうやってアメリカにたどり着いたのか？　これらの疑問に答えるには、人類に関するまったく新たな考え方が必要だった。それに関してもまた、古代の文書から読み取れることには限界があった。そもそもプリニウスは未知の民族が存在するなどとは考えていなかったし、アリストテレスもアメリカのような土地に人間が暮らせるという可能性を否定していた。そこでヨーロッパの学者は史上初めて、自然史を研究しはじめたときと同じく人間の研究にも、証拠を集めては仮説を経験と突き合わせるという方法で取り組みはじめた。そうして徐々に、人間は自然界から切り離された存在ではなく、自然界の一部であるとみなすようになっていった。このように16世紀の人間科学の誕生は、ヨーロッパにおける宗教や学問の変化を受けてではなく、アメリカとの出合いの結果として起こったものだった。新世界の発見は人類の発見にもつながったのだ。[42]

アントニオ・ピガフェッタによる南アメリカの「巨人」の記述は、初期に起こった新世界の民族との度重なる遭遇としてはありふれたものだった。ヨーロッパ人は、アメリカには怪物が棲んでいると必死で信じたがった。キューバに上陸したコロンブスは、「一つ目の人間や、イヌの鼻を持った人食い人間」を見たと記している。アメリゴ・ヴェスプッチも、ブラジルの人々は「少し羽毛を生やしていて150歳まで生きられる」と伝えている。このような思い込みは実は古代の伝承に由来する。プリニウスは、地中海の向こうの世界には巨人や小人、穴居人など不思議な人間が大勢暮らしていると記していた。それがのちにキリスト教の考え方に取り入れられ、エルサレムから離れれば離れるほど人間は怪物のようになると考えられるようになった。しかしこのように奇想天外な記述をよそに、ヨーロッパ人探検家はまもなくして、アメリカに暮らす人々も真の人間であるという真実に気づいた。１５３７年に教皇パウルス3世がこの論争に決着をつけ、「インディアンは真の人間であって、カトリックの教義を理解できるだけでなく、我々の持つ見聞によれば、その教義を是が非でも受け入れたいと思っている」と言い切った。古代の哲学は力不足であることがまたもや示され、ヨーロッパ人にとってはある意味ますます厄介な話となった。困ったことに聖書もこの件についてては何も語ってはくれなかった。先ほど登場したイエズス会宣教師ホセ・デ・アコスタはそれに関して、「古代の多くの人は、あのような場所には人間も大地も、空すらもないと信じていた」と記している。[43]

新たな考え方が必要なのは明らかだった。とりわけアコスタは、アメリカの民族の由来を調べる上では経験が重要であると力説した。そして、「インディアンに関する事柄を証拠もなしにすべて迷信と決めつける」著述家たちを批判した。代わりにアコスタは、彼らを動植物と同様の方法で調べるよう提唱し、その方法論は『新大陸自然文化史』という著作のタイトルからも読み取れる。「自然史」であると同時に「文化史」でもあるという意味で、人間も対象であることが示されている。この2つはセットなのだ。このようにアコスタは、自然界の歴史と並行して人類の歴史も探りはじめた。そしてまたもや古い考えと新しい考えを融合しようとした。イエズス会宣教師であるだけに、その出発点はやはり聖書だった。「聖書には、すべての人間は最初の一人の人間から始まったとはっきり記されている」と論じている。遠征中に出会ったアステカやインカなどの先住民もアダムの子孫に違いないというのだ。[44]

しかしそうだとすると、一つ深刻な疑問が浮かび上がってくる。彼らはどうやってあの地にたどり着いたのか？　アコスタは超自然的な説明をことごとく斥けた。「ノアの箱舟がもう一隻あったとは考えられないし、ましてや天使か何かがこの世界の初の住人を髪の毛をつかんで運んだとも考えられない」。また、古代にヨーロッパから人々が大西洋を渡ってアメリカにたどり着いたという考え方も否定した。「どんな古代の遺物にも、そのことを示す重要かつよく知られた手掛かりは遺されていない」。それに代わる説としてアコスタは、「西インドの大地は世界のほかの大地とつながっているか、少なくともきわめて接近している」と唱えた。要するに、おそらく北方のどこかに旧世界と新世界をつなぐ陸橋のようなものがあるに違いないということだ（いまでは分かっているとおりそれは正しかった）。人類はいまからおよそ1万5000年前、シベリアとアラスカを結ぶ陸橋を通って初めてアメリカ大陸に到達した）。アコスタいわく、この説に基づけば新世界に見られる動植物にも説明がつく。動植物も人間と同じ陸橋を渡ったに違いないということだ。[45]

アメリカ先住民の起源に関する疑問は、科学だけでなく政治にも関係があった。16世紀を通してヨーロッパでは、スペインによる征服が道徳的であるかどうかをめぐって大論争が起こっていた。先ほど触れた誤った信念に基づいて、アステカ人は野蛮人同然で、実力で排除する必要があると論じる者もいた。当時そのためによく引き合いに出されたのが、新世界の植民地化と同時期に起こった、カトリック教徒によるムスリム・スペインの征服である。一方、アステカ文明は明らかに進んでいると唱える者もいた。いわく、アメリカ先住民は高度な医学理論を持ち、壮大な都市を築き、複雑な法体系や政治システムを構築している。したがって、スペイン人がテノチティトランを破壊して市民を奴隷にしたことは道徳に反する。スペインはアメリカから完全に撤退すべきだと訴えるヨーロッパ人はほとんどいなかったが、多くの人は先住民にももっと権利を与えるべきだと主張した。とりわけ力強くそう唱えたのが、スペイン人司祭のバルトロメ・デ・ラス・カサスである[46]。

ラス・カサスはわずか9歳のときに初めてアステカ人と出会った。コロンブスの第二回航海に同行した父親が、1499年に「1人のインディアンと何羽もの緑や赤のオウム」を連れて帰国し、セビーリャの自宅にまとめて囲ったのだ。当初はラス・カサスも父親の跡を継いでコンキスタドールになるかに思われた。1501年にはスペインの植民地サント・ドミンゴ（現在のドミニカ共和国）に渡り、カリブの人々を奴隷として働かせる小さなプランテーションを経営しはじめた。しかしまもなくしてスペインの植民政策の現実に嫌気が差す。そして1523年にドメニコ修道会に入信し、先住民の権利を擁護する論客の一人として活躍しはじめた[47]。

それから何年かにわたってラス・カサスはヨーロッパとアメリカを行き来し、ペルーやヌエバ・エスパーニャを巡っては、出会った民族の文化を理解しようとした。そして1550年にスペインに戻り、バリャドリドにある聖グレゴリオ大学で大論争を繰り広げた。論戦の相手は保守的な神学者のファン・ヒネス・デ・セプルベダ。アメリカ先住民は理性がないのだから自由を与えるに値しないと主張する人物だ。「これほど未開で野蛮、数々の罪や猥雑さにまみれた彼らを征服したのは正当であることに、どうして疑問を抱くことができよう」とセプルベダは声を荒らげた。ラス・カサスはその逆の立場だった。「西インドの先住民は優れた理性と優れた理解力を自然に備えている」。ここで鍵となるのは「自然に」という言葉である。ラス・カサスもアコスタと同じく、人間は自然界が生み出したものだと考えはじめていたのだ。論戦の中でラス・カサスは「インディアンの理性を生み出した自然の原因」を列挙した。たとえば、「土地の条件」「外的および内的感覚を担う身体部位や器官のつくり」「気候」「健康的な優れた食料」などである。要するにラス・カサスは、各民族どうしの類似点と相違点の両方を完全に自然に基づいて説明したのだ[48]。

アメリカ先住民はもちろんいくつもの点でヨーロッパ人と似ていた。知性があり、大都市を築き、そして聖書に記されているとおりアダムの子孫に違いない。しかしその一方で、アステカやインカの人々の外見や振る舞い方はヨーロッパ人と大きく違っていた。一般的に肌の色が濃く、背が高く、ひげはめったに生えない。また人身御供をして太陽を崇拝する。ラス・カサスは古代の文書に答えを求めるのでなく、気候や地形、食料からこれらの違いを説明できると唱えた。スペイン人はおもにパンや肉を食べるが、アステカ人の食事はおもに「根や草など大地からの産物」からなると指摘した。同様に、アメリカ先住民の肌の色が濃い理由は高温の気候によってもっとも良く説明できるとも論じた[49]。

この理屈はヨーロッパ人にもそのまま当てはまるはずだ。アステカ人がこれほどまでに違う理由を気候で説明できるとしたら、新世界に定住したスペイン人の身体には何が起こるだろう？　先ほど登場したスペイン人医師のフランシスコ・エルナンデスは、「ヨーロッパ人が退化してインディアンの風習を取り入れるようになってしまうかもしれない」と恐れた。食事に関しても似たような主張があった。多くの人は新世界の食料を魔法の薬として売買していたが、中には、トウモロコシやジャガイモはヨーロッパ人にとって危険で、退化や死につながるかもしれないと訴える者もいた。これに似た考え方は古代にも存在していた。古代ギリシアの医師ヒポクラテスは、気候が病気や四体液のバランスに影響を与えると説いていた。しかし16世紀の新世代の思索家たちは、そこからさらに一歩踏み出した。病気だけでなく人間性自体も環境に左右されるという説を編み出したのだ。そうして博物学と医学、および人類の研究が一つにまとまった。[50]

とりわけある一群の人々にとって、このような論争は我が身に関わる事柄だった。新世界の植民地化から何年ものあいだに、大勢のコンキスタドールが先住民女性とのあいだに子供をもうけた。スペイン語で「メスティーソ」と呼ばれたその子供たちは、人間の本性を巡る論争で盛んに槍玉に挙げられた。食事と血統のどちらが重要なのか？　アステカ人は文明人なのか野蛮人なのか？　これらの疑問の答え如何によって、メスティーソの人生は結婚相手から相続に至るまであらゆる面で左右される。メスティーソの多くは現地の文化を熱心に擁護し、野蛮で理性に欠けるとするヨーロッパ人のそしりに反論した。中にはアメリカ先住民のことを事細かく文章に起こした者もいて、その記述の多くはのちにヨーロッパ人作家たちに取り上げられた。メスティーソたちはまた、学問の中心地ヨーロッパから遠く離れたアメリカで育ったことで、古代ギリシアやローマの権威の考え方にはそこまで縛られていなかった。自然史と同じくアメリカの歴史についても、現地に暮らす人々からの情報がもっとも頼りになると了解していた。話を聞きさえすればいいということだ。[51]

ガルシラーソ・デ・ラ・ベーガは１５３９年、インカの都であるペルーのクスコで生まれた。父親はスペイン人貴族の家系に属するコンキスタドール。母親はインカの皇女、インカ最後の支配者の姪だった。スペイン人がインカを完全に打ち負かすのは１５７２年のことで、ガルシラーソは戦いのさなかにこの世に生まれ出たことになる。とはいえ幼少期は比較的安全なクスコで過ごし、2つの世界をうまく渡り歩いた。父親の家ではスペイン語の読み書きを教わり、母親の家ではインカのケチュア語を学んだ。しかし大学に通うことはなかった。のちにアリストテレスやプリニウスの著作を学ぶものの、彼ら古代の著述家をとりわけ高く評価することはなかった。人類の歴史や文化に関する知識は、インカの誇るべき長き伝統を説く母親からもっぱら吸収した。[52]

1560年にガルシラーソはペルーからスペインに渡った。スペインでは「エル・インカ（インカ人）」と呼ばれた。父親を亡くしたばかりで、貴族の称号を持ちつづけられるようスペイン王室に願い出る必要があった。ちょうどその頃、アメリカ先住民の本性をめぐる論争が激しさを増していた。ガルシラーソは、先住民の権利を擁護するドメニコ会修道士ラス・カサスと出会い、先住民は野蛮人同然だと信じるスペイン人神学者セプルベダとのあいだで繰り広げられている論争のことを知った。そこでその論争に決着をつけようと、母親から聞かされた話をもとに『インカ皇統記』（1609）を著した。その中では、ヨーロッパの学者の記述は証拠や経験に基づいていないと批判した。「学識のあるスペイン人たちが新世界の国々のことを書き記しているが、実際にはそれらの地域のことをしかるべきほど完全には記述していない」とした上で、「私は以前の著述家たちが示したよりも完全で正確な情報を持っている」と論じている。インカにはアステカと違って文字体系がなかった。そのため貴族の子息が受ける教育では、インカの歴史を記憶して暗唱することが重視されており、ガルシラーソとその家族もこの方針に従った。『インカ皇統記』の大部分は記憶に基づいて書かれている。「私が思うに最良の方法は、子供の頃に母やおじや大おじからたびたび聞かされた話を綴っていくことだった」。この口承に頼って

「インカの起源」を解き明かすことにしたのだ[53]。

『インカ皇統記』の記述は、スペイン人による征服よりもはるか以前、12世紀のインカ帝国の成立から始まる。ガルシラーソの綴る伝統的な創世神話によると、大きな湖から太陽神が現れて、インカの初の支配者マンコ・カパックを創った。そのマンコ・カパックがアンデスの人々を率いて、クスコの都とインカ帝国を築いた。ガルシラーソは当時のヨーロッパ人と同じく、人類史の形成における気候の重要性についても論じ、クスコをいわば地上の楽園として描いている。この町は「美しい谷間に位置し、四方を高い山に囲まれていて、4本の川が大地を潤している」。アンデスの高地は暑すぎも寒すぎもしない。「気候はこの上なく心地よく、爽やかで穏やか、つねに天気が良く、暑さ寒さからも解放されている」。低地と違って「ハエもほとんどいないし、刺す蚊もまったくいない」。そんなのどかな土地でマンコ・カパックは、ガルシラーソの祖先である遊牧民たちを高度な文明へと導いた。やがてインカ人は大地を耕し、作物を育て、神殿を建てた――このいずれの営みも、当時のヨーロッパ人が文明の証しと考えていたものだ。そしてインカ人は「理性的人間のように大地の恵みを利用しはじめた」。主張したいことは明らかだった。セプルベダは間違っている。アメリカ先住民はけっして野蛮人ではないのだ[54]。

4　アメリカの地図を作る

1493年5月、教皇アレクサンデル6世が世界を二分割した。新世界の「発見」以降、スペインとポルトガルがその領有権をめぐって小競り合いを繰り返し、両国ともカリブの島々とブラジル沿岸を自国のものと主張していた。この争いに決着をつけるためにアレクサンデル6世は、一本の勅令を発した。新世界の中央を南北に貫くよう分割線を引き、その線の西側の土地をスペインが、東側の土地をポルトガルが領有するという内容だ。両国もこれに同意し、1年後の1494年にトルデシリャス条約を結んだ。分割線はカーボベルデ諸島の西およそ2000キロのところに引くことで決着した。こうしてポルトガルはブラジルを、スペインはメキシコとペルーを獲得した。ただし一つ問題があった。誰も新世界の精確な地図を持ち合わせていなかったのだ[55]。

16世紀以前に作られたヨーロッパの地図のほとんどは、古代ローマの地理学者クラウディオス・プトレマイオスの著作を典拠としていた。2世紀に書かれたプトレマイオスの『地理学』が、1000年以上も経った15世紀のヨーロッパでいまだに広く読まれていたのだ。そこには、西アフリカ沿岸から東はシャム湾に至るまでの世界地図が添えられていた。プトレマイオスはインドや中国の存在も知っていたし、地球が丸いことも知っていた。しかし南北アメリカ大陸に関する知識は持ち合わせておらず、大西洋がそのまま東インド〔東南アジアのこと〕まで続いていると考えていた。クリストファー・コロンブスもそもそもこの説に刺激され、1492年8月に出帆したときには新大陸でなく中国への西回りの航路を発見したいと思っていた[56]。

コロンブス自身はこの説をけっして捨てなかった。1506年に世を去るまでずっと、自分は東インドにたどり着いたものと信じていた。しかしすぐさまほかの人たちが、新世界の「発見」は地理学にとって重要な意味を帯びていると指摘した。アメリゴ・ヴェスプッチは1503年にブラジルから帰国したのちに次のように述べている。「古代人の考えでは、昼夜平分線〔赤道〕より南の世界の大部分

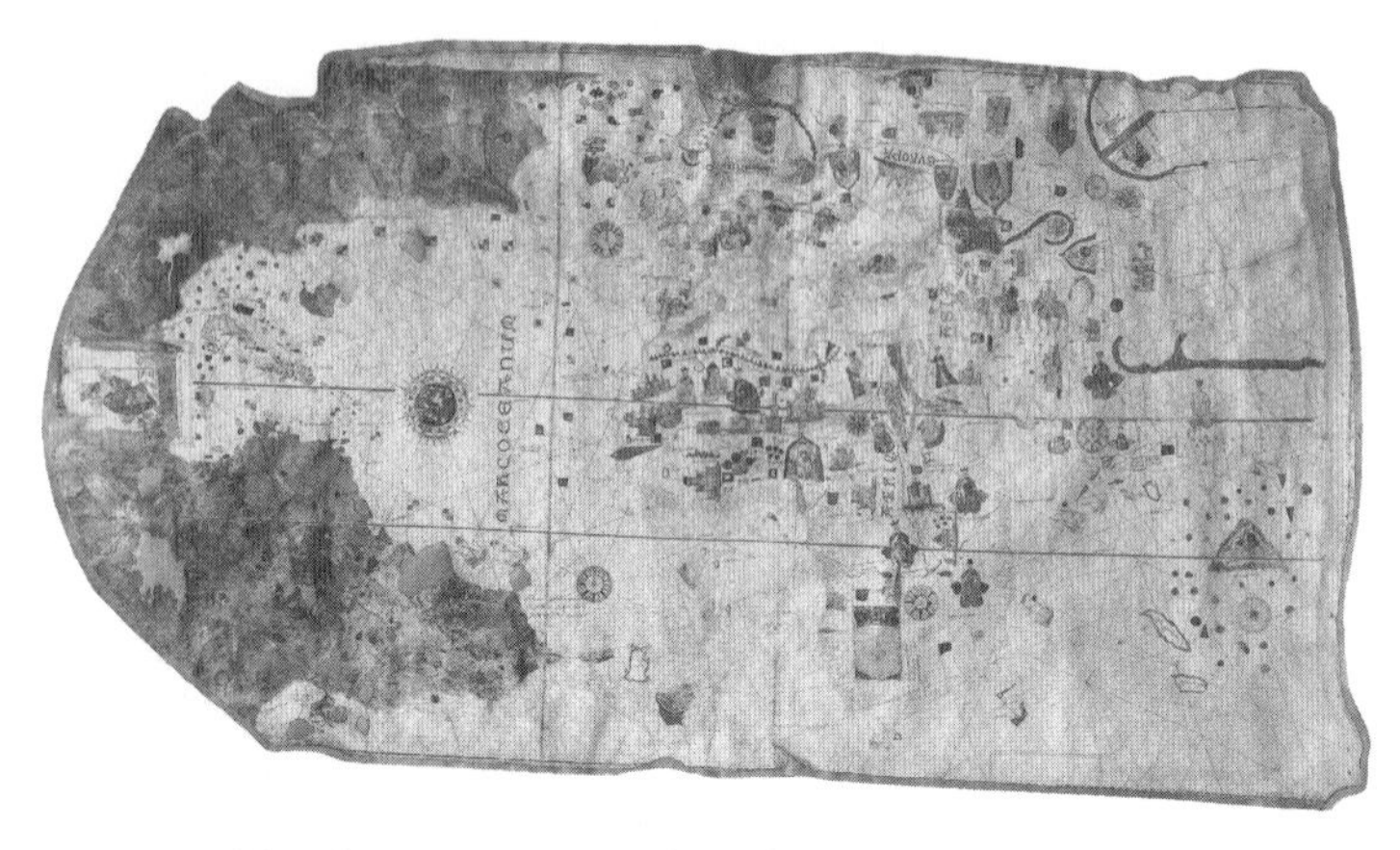

4. ヨーロッパ人の手による、アメリカを含む現存する最古の地図。サンタマリア号船長フアン・デ・ラ・コサが1500年に作成。

は陸地でなく海であるとされていた。しかしこの考えは間違っており、真実はその正反対である」。博物学や医学と同じく、地理学もまたアメリカとの出合いによって一変したのだ。多くの人は古代の文書の権威に疑問を抱きはじめ、証拠を集めては経験によって学説を検証することを重視するようになった[57]。

ヨーロッパの地図製作者たちは当初、アメリカの地理に関する数々の相反する報告に折り合いをつけるのに苦心した。１５００年に作られた現存する最古の新世界の地図では、アメリカ大陸が諸島として描かれている。この地図はおもに、コロンブスの第一回および第二回航海の記録と、「ガンジスの向こうにあるインド諸島」にたどり着いたという彼の主張に基づいていた。16世紀初頭に作られたほかの何枚かの地図では、北アメリカ大陸と南アメリカ大陸が分かれていて、そのあいだを航行できるように描かれている。しかも地図製作者たちは、以前よりもはるかに大きいスケールを相手にしなければならなかった。地中海の地図を描くのと、世界全体や新大陸の地図を描くのとではまったく話が違ってくるのだ。[58]

そこで是が非でも解決が求められるようになったのが、地球が丸いのに対して地図は平らであることに由来する根本的問題である。3次元空間を2次元平面上に表すにはどのような方法が最善か？ プトレマイオスは「円錐図法」と呼ばれるものを使っていた。北極点から放射状に弧を何本か引いて、地球をいくつかの扇形に切り分けるという方法だ。しかし一方の半球を表現するだけならこれでいいが、両半球には使えない。また北極点から遠ざかるにつれて経線が広がっていくため、方位磁針の指す方位に従って船を進めていくのには都合が悪い。そこで16世紀にヨーロッパの地図製作者たちは新たな図法を試しはじめた。1569年にフランドルの地図製作者ゲラルドゥス・メルカトルは、『航海での利用に適した、地球のより完全な新たな描写』と題した重要な地図を製作した。地球の両極のところを引き伸ばして、赤道のところを押し縮めるのだ。そうして完成した世界地図では、緯線と経線が必ず直角に交わる。船乗りにとってはとりわけ有用で、方位磁針の指す方位に従っていけば地図上を直線的に進むことができる。もともとアメリカへの航海のために考案されたこのメルカトル図法は、今日ではあらゆる世界地図の基礎として使われている。[59]

さまざまな問題を突きつけられたスペイン王室は、もっと組織的にアメリカを調査する必要があると気づいた。そこで1503年に王妃イザベラと王フェルディナンドは、新世界から届けられる情報を残らず集めるための拠点として、セビーリャに通商院を設置した。新たな島や動植物に関する報告はすべてセビーリャに送られて記録・管理されることになった。また、1524年にスペイン帝国〔植民地全般〕の行政を集中化させるために設置されたインディアス枢機会議も、この通商院と緊密に連携した。

この2つの機関が、ヨーロッパでは大学以外で初の有給の科学研究職を提供し、地理学者や天文学者、博物学者や海洋探検家がスペイン王室に直接雇われるようになった。また両機関は、トルデシリャス条約のもとでスペインの領土を守ることを究極の目標として、新たな海図や地図を共同で作成した。新世界から帰還した船長には、通商院に報告をおこない、事前に与えられた地図と航海記録とのあいだに食い違いがあれば漏れなく知らせることが求められた。こうしてヨーロッパでは初めて近代科学が完全に組織化された。大学や学会ではなく、アメリカを知って征服するというスペインの事業の一環としてだった。[60]

フアン・ロペス・デ・ベラスコは博識家の極みだった。スペイン王室の支援を受けた新たなポストの一つである、インディアス枢機会議の主任天地学者を務めていた。天地学という学問は、地理学と博物学、人類学と地図製作法のさまざまな側面を組み合わせたもので、この章でここまでひもといてきた科学分野の多くを含んでいる。ベラスコの職務は要するに、そのような知識をくまなく集めて、アメリカのスペイン植民地に関するもっとも充実した記録をまとめ、統治に役立てることだった。その中でも最優先事項だったのが地図作成である。しかしベラスコはやがて、アメリカの精確な地図を作るにはスペイン帝国全体を結集する必要があると気づく。そして1577年にまさにその取り組みに挑んだ。

ベラスコはインディアス枢機会議での地位を利用して、スペイン領アメリカの全州に調査票を送った。質問事項は50、州内の天然産物から主要諸都市の正確な緯度経度にまでおよんだ。「海岸沿いの港や上陸地を答えよ」という質問に続いて、「山や谷や地域の名称と、それぞれの名称が現地語でどういう意味かを答えよ」という質問が挙げられていた。質問の多くは、回答者に地図を描くよう直接求めていた。回答は各州の総督または行政長官が取りまとめることとされ、多くの場合、その地域の手描きの地図が添えられてスペインのベラスコのもとに返送された。その地誌報告をまとめたものは『新大陸地誌総記』と呼ばれている。届いた報告は208通、ペルーからイスパニョーラ島にまでわたっていたが、回答の大多数は最大の植民地ヌエバ・エスパーニャからのものだった[61]。

地理的情報を集める方法として調査票を使うのは当たり前だと思われるかもしれないが、16世紀当時はまったく新しい発想で、当時の科学全般と同じく、古代ギリシアやローマの権威への依存から脱する新たな研究方法だった。またそれまでヨーロッパでは試みられていなかった、とりわけ中央集権的で制度化された科学研究法でもあった。とはいえ『新大陸地誌総記』に関してもっとも目を惹くのは、この事業に現地の人々がどのように貢献したかである。博物学や医学と同じく、アメリカの地理を真に理解するには、そこに暮らす人々に尋ねるほかなかったのだ。

ヨーロッパ人は先住民の持つ地理学的知識にたびたび舌を巻いた。コロンブスも、カリブ海沿岸に暮らすアラワク族の人々が「この海域を隅々まで航海していて、どんなことでも的確に説明してくれた」と記した上に、「その沿岸の海図を描いてくれる」人を見つけたとも報告している。1540年代にはスペイン人探検家のフランシスコ・バスケス・デ・コロナドが、アメリカ先住民のズニ族からヌエボ・メヒコ〔ニューメキシコ〕の地図を手に入れた。多くの先住民族の場合と同じく、その地図はシカの皮に描かれていた。ほかの先住民の中には、地図を頭の中に入れていて、必要に応じて野営地で砂の上に彫ったり棒を並べたりする者もいた。しかしアメリカ先住民族の中でもとりわけ高度な地図作成法を持っていたのは、やはりアステカ人だった。その一因は、アステカ帝国が朝貢関係に支えられた中央集権的な大国だったことである。[62]

スペイン人と同じくアステカ人も、統治のための道具として地図が重要であることを認識していた。モクテスマも1510年代にアステカ帝国の巨大な地図を作成させていた。布に描かれたその地図はメキシコ湾全体を含んでいて、都テノチティトラン周辺のあらゆる道や川や町が記されていた。作成に際して帝国の地理や歴史の大規模な調査がおこなわれ、すべてナワトル語の象形文字で記録された。実はこのアステカの伝統的な地図作成法が、インディアス枢機会議に送られてきた地誌報告の重要な情報源となった。ヌエバ・エスパーニャからベラスコのもとに届いた69枚の地図のうち、45枚が先住民の画家の手によるものである。それもそのはずで、そもそも現地のスペイン人総督のほとんどは赴任地の町からそう遠くまで行ったことがなかった。ベラスコもそのことには薄々気づいていて、調査票に添えた指示書には、総督が答えられない場合は「その地域の事情に通じた知性のある人間に答えさせること」と記してあった。多くの場合はアステカ人の長老を指していた。[63]

このようにアメリカの地図の製作は、サアグンによる自然史の調査と似たような形で進められた。スペイン人総督が地元の長老たちに掛け合って、調査票の質問をときに口頭でナワトル語に翻訳した上で、それに答えてもらう。さらに長老は「地元の画家」を呼んで地図を描かせる。その多くはもとからあるアステカの文書から直接書き写された。博物学や医学の著作と同じく、そこにはナワトル語の象形文字やアステカの伝統的な表現が加えられることが多かった。たとえば1582年にベラスコは、ミナス・デ・スンパンゴと呼ばれる地域の驚くべき地図を受け取った。一見しただけでは当時のヨーロッパの地図とさほど違わないが、詳しく見るとやはりナワトル語の象形文字が使われている。地図の上端に並んだ象形文字は、周辺の町のナワトル語名を表している。町名どうしは、アステカで伝統的に境界を表すのに使われていた、小さな足形の列で区切られている。[64]

ベラスコのもとに届けられたそのほかの地図も同様のパターンに従っていた。地元の画家が動物の皮に描いた、ミスキアウアラと呼ばれる地域の地図にも、ナワトル語の象形文字が並んでいる。ミナス・デ・スンパンゴの地図と同じく、地域の境界を取り囲むように象形文字が並んでいて、近隣の町の名称を表している。中央に大きな川が走っていて、西には大きな丘がやはりナワトル語の象形文字で描かれている。この地図を描いた画家は、自然史に関するベラスコの質問の多くにも象形文字で答えていて、丘はサボテンや動物を表す象形文字で覆われている。ベラスコがナワトル語の象形文字を理解できないかもしれないと案じたスペイン人宣教師は、その地図に注釈として、「これはミスキアウアラの丘で、そこにはライオンやヘビ、シカやノウサギやアナウサギが数多く棲んでいる」と書き加えた。この地図はまた、現地の人々の姿が描かれている数少ないうちの一枚である。中央右、ミスキアウアラの教会の隣に、羽毛でできた頭飾りを付けて高座に腰掛けたアステカ人の長老が描かれている。その姿は、スペイン人が相反する二つの立場に置かれていたことを思い起こさせる。一方ではスペイン人は、アメリカの地図を作成することで植民地の領有と統治を容易にしたいと思っていた。しかし他方では、自分たちが追い落とそうとするまさにその人たちの助けがない限り、その地図作成事業は明らかに不可能だったのだ。[65]

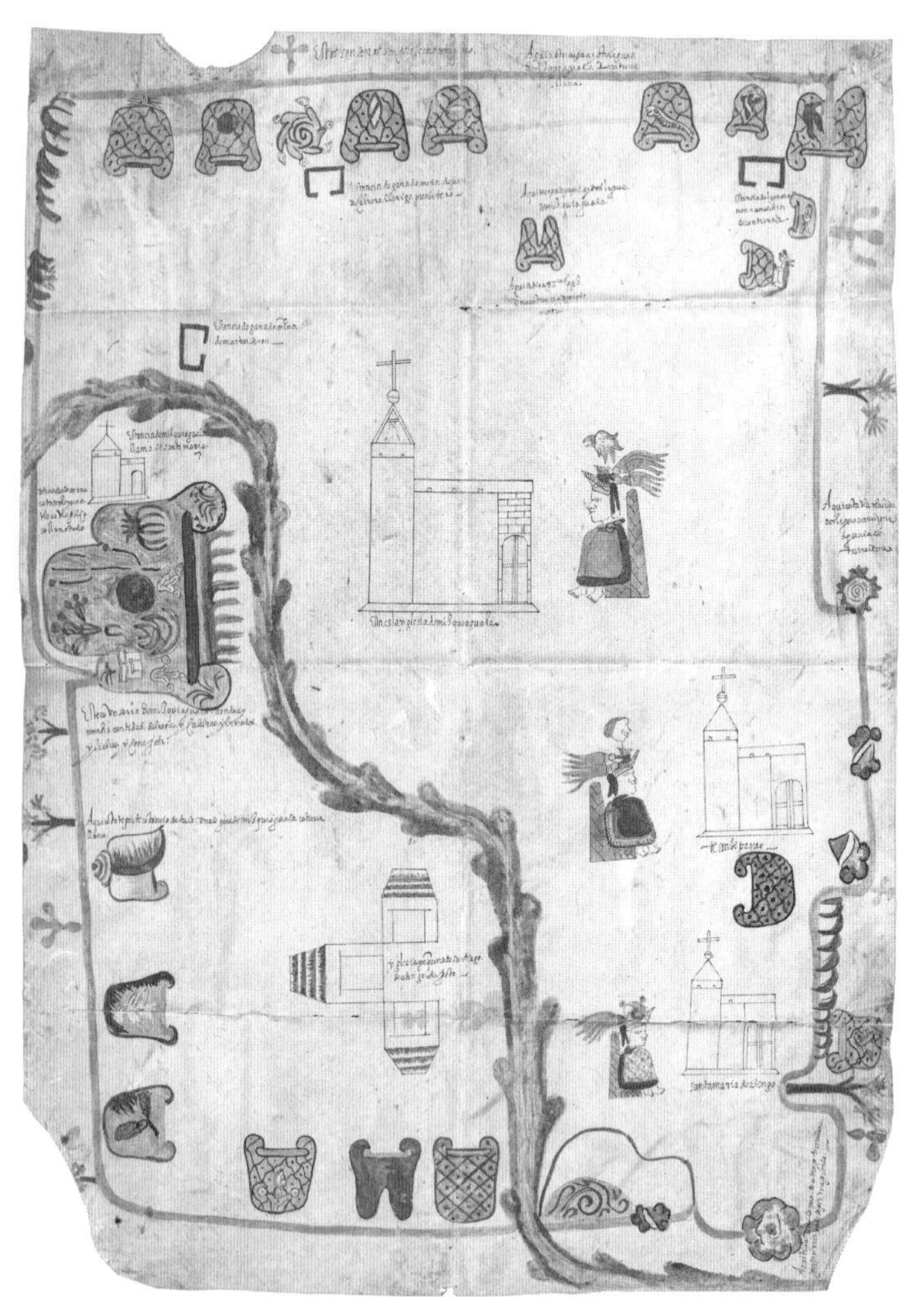

5. アステカ人によって描かれ、地誌報告の一環としてインディアス枢機会議に届けられた、ヌエバ・エスパーニャのミスキアウアラの地図。1579年頃。

5 まとめ

「遠くへ旅すればするほど学ぶことが増える」。クリストファー・コロンブスが1500年に新世界への第三回航海から帰還してまもなく遺した言葉だ。まさにそのとおりだった。16世紀初頭以降、コンキスタドールや宣教師、そしてアメリカとのあいだを行き来したメスティーソたちによって、科学の諸分野は一変した。この章では初めに、近代科学の歴史を理解する上ではグローバルな歴史がどうしても欠かせないことを明らかにした。1492年のアメリカの「発見」から話を始め、科学革命を真に理解するにはヨーロッパと広い世界とのつながりを探ることが必要だということを見てきた。博物学や医学、地理学の発展が、アメリカにおけるスペイン帝国の政治的・商業的目的と密接に結びついていることを知った。地図は領土の主張に用いられ、探検家は貴重な植物や鉱物を探した。アメリカを征服して植民地化するというこれらの取り組みが、当時の知識だけでなく、科学の実際の進め方にも変革を引き起こしたのだ[66]。

16世紀以前、ヨーロッパの学者は古代ギリシアやローマの文書にほぼ完全に頼り切っていた。博物学に関してはプリニウスの著作を、地理学に関してはプトレマイオスの著作を読んでいた。しかしアメリカの植民地化を受けて新世代の思索家たちが、科学的知識の主要な情報源として経験を重視しはじめる。実験をおこない、標本を採集し、測量を進めた。今日の我々にとっては科学の進め方として当然だと思えるかもしれないが、当時は思いもかけない方法だった。経験を重視するというこの新たな姿勢は、ある意味で、古代人はアメリカのことをまったく知らなかったという事実を受けたものだった。プリニウスはジャガイモを見たことがなかったし、プトレマイオスは大西洋がはるばるアジアまで続いていると信じていた。今日でも、科学者は「発見」をおこなうものだという表現が使われる。この比喩の由来は16世紀、科学的発見と地理学的発見が並行して進んでいた頃にさかのぼる。とはいえ科学革命は、単に古代の文書と矛盾する新たな証拠によって起こったのではない。相異なる文化の出合いの産物でもあったのだ[67]。

今日では往々にして忘れられているが、アメリカ先住民は独自の高度な科学文化を持っていた。アステカやインカの考え方や知識にヨーロッパ人は魅了された。その知識に基づいて探検家や宣教師、および現地の人々は、博物学や医学、地理学に関する新たな成果を生み出した。そこには一つの皮肉が込められている。ヨーロッパの学者たちは、古代の文書を無視して、プリニウスやプトレマイオスの言葉の代わりに直接経験される事柄を受け入れる方向へと向かっていった。しかし実際には、ある文書を別の文書に置き換えただけのことが多かった。ベルナルディーノ・デ・サアグンなどの宣教師は、アステカの文書を探し出しては、ナワトル語からラテン語やスペイン語に翻訳した。その文書の多くは16世紀、キリスト教の教義を脅かすものと考えたカトリック宣教師によって遺棄されながらも、１５００年から１７００年にヨーロッパで生み出された初期近代科学のきわめて重要ないくつかの成果の基礎となったのだ。

ヨーロッパ人が科学に関する新たな考え方と出合ったのは、アメリカ大陸だけでのことではなかった。コロンブスが初めてアメリカに到着したわずか5年後の１４９７年、ポルトガル人海洋探検家のヴァスコ・ダ・ガマが喜望峰を回って初めてインド洋にたどり着いた。そうして幕を開けたヨーロッパとアジアの新時代の関係もまた、科学の発展に同じくらい深い影響を与えた。また押さえておくべきこととして、この時期に新たな文化と出合ったのはヨーロッパ人だけではなかった。次の章で見ていくとおり、アジアやアフリカ一帯の科学思索家も世界中を旅しては考え方を交換していた。16世紀と17世紀に宗教や交易のネットワークが拡大するとともに、科学革命はまもなく世界的な潮流へと変わっていった。

第2章 天文学の興隆

ウルグ・ベクは天文台のてっぺんに立って夜空を見上げた。このイスラムの若き王子は、現在のウズベキスタンにあるサマルカンドの郊外に立つ天文台に毎晩歩いて通った。その天文台の立つ町はイスラム世界の科学研究の中心地で、のちにヨーロッパのキリスト教圏の天文学や数学に大きな影響を与えることとなる。この町を見下ろす丘の上に１４２０年に建てられたその天文台は、星々の観測に絶好の場所だった。その屋根の上からウルグ・ベクは星座を見極め、彗星を見つけることができた。ヨーロッパ、アジア、アフリカを問わず15世紀の多くの支配者と同様、占星術に大きな信頼を寄せていた。かに座が地平線近くにあるなど、星々が不吉な配置を取っているのは、災いのしるしかもしれない。疫病や不作に襲われるかもしれない。今日では占星術は迷信とされているかもしれないが、近世には宗教や政治の重要な一要素だった。支配者は占星術を頼りに開戦の時期や同盟相手など重要な政治的判断を下していたし、ほとんどの世界的宗教はラマダンやイースターなど重要な祝祭を天文現象と結びつけていた。

サマルカンドの天文学者は1420年から47年までの25年以上にわたって綿密な観測計画を進め、恒星や惑星の動きを測定・予測した。サマルカンド天文台のメインの建物は3階建ての大きな塔、外壁は鮮やかなトルコ石のタイルで覆われ、当時のイスラム建築によく見られる幾何学模様があしらわれていた。天文台の中心には巨大な「ファフリー六分儀」が鎮座していた。高さは40メートルを超え、当時世界でもっとも精巧な科学機器の一つだった。れんがと石灰岩で作られていて、天空での恒星や惑星の位置を精確に測定するのに使われた。今日でもサマルカンド天文台を訪れると、その巨大な石造りの構造物の下部を見ることができる。残っているのは数メートルだけだが、その巨大さは容易に感じ取れる。地下深くにあって基岩に埋め込まれている。[1]

1394年に生まれたウルグ・ベクは、ティムール帝国を建国したティムールの孫にあたる。ティムールは14世紀に中央アジアの大部分を征服し、この地域を一人のイスラム支配者のもとで統一しようとした。ウルグ・ベクは若い頃に祖父に付いて戦いに参加し、その間に天文学に初めて興味を持った。遠征中、13世紀にペルシア北部に建てられたマラーゲ天文台の廃墟を訪れたのだ。そして石造りの巨大な四分儀を備えたその天文台に心動かされ、サマルカンドに同様の施設を建てるよう命じた。この町の知事になって手掛けた広範な計画の一環である。アフリカからヨーロッパや中央アジアを経てはるばる中国まで延びる長距離の交易路、シルクロードの要衝に位置するサマルカンドを、大学や公衆浴場からモスクや観賞植物園までさまざまな施設によって活気ある文化の中心地に変えたのだ。[2]

ウルグ・ベクにとって天文台は、科学研究とともに信仰の場でもあった。イスラム世界では科学と信仰はつねに一体だった。1日5回の祈りの時刻からラマダンの開始と終了まで、イスラム教はおそらく

6. ファフリー六分儀。1420年に現在のウズベキスタンにあるサマルカンドに建てられた。

ほかのどんな宗教と比べても、精確な天文学的データに強く頼っている。そのため大きなモスクにはたいてい時刻管理人がいたし、イスラムのほとんどの宮廷には天文学者が雇われていた。今日では天文学者の仕事（恒星や惑星の運行の追跡）と占星術師の仕事（天体の運行に基づく未来予測）は完全に切り離されているが、近世にはそれらの役割は重なり合っていた。イスラムの宮廷では天文学者が占星術師の役割も務め（アラビア語の「ムナッジム」という単語はこの両方を指す）、ホロスコープを作っては宗教や政治に関する助言をおこなっていた。ウルグ・ベクもサマルカンドに天文台を建てることで、宗教的義務とみなすものを果たそうとした。預言者ムハンマドの言葉を直接引用して、「知識の獲得に努めることが真のイスラム教徒一人一人の責務である」とよく言っていた。[3]

科学、とくに天文学を支援することは、イスラムの支配者のあいだで中世から長く続く伝統の一つだった。9世紀のバグダッドではアッバース朝の支配者が「知恵の館」を創設した。その館でイスラムの大勢の科学思索家が、数学から化学までさまざまな分野に重要な貢献を果たした。そこには代数学の発明や光学法則の確立も含まれる。今日用いられている科学用語の多く、たとえばalgebra（代数学）や

alchemy（錬金術）、algorithm（アルゴリズム）などは、アラビア語由来またはイスラムの思索家の名前に基づいている。そのため科学史家は、9世紀から14世紀の時期を中世イスラムの「黄金時代」と呼ぶことが多い[4]。

しかし、イスラムの「黄金時代」という概念には一つ大きな問題がある。イスラムの科学、そしてイスラム文明全般が中世直後に衰退期に入ったという、誤った考え方に基づいているのだ。そのせいでイスラム世界は、15世紀から17世紀にかけて起こった科学革命のストーリーから切り離されている。もっと言うと、はしがきで述べたとおりイスラムの「黄金時代」という概念は、19世紀、ヨーロッパの各帝国が中東へ進出するのを正当化するために考え出されたものである。冷戦期にも西ヨーロッパやアメリカ合衆国の科学史家、および元植民地の民族主義者が、イスラムの功績の数々を遠い過去に追いやろうと躍起になり、この「黄金時代」の概念はますます強められた。このように、イスラムの学者が中世の科学の発展に重要な役割を果たしたのは間違いないが、その貢献が14世紀に突如として途絶えたなどということはない。ウルグ・ベクと彼の建てた天文台は、そのことを何よりも思い起こさせてくれる。ウルグ・ベクは以前のイスラム支配者が確立した科学支援の伝統を受け継ぎながら、イスラムの科学に結びつけられている中世の「黄金時代」をはるかに超えてそれを長らえさせたのだ[5]。

パトロンの役割を果たしただけの多くのイスラム支配者と違い、ウルグ・ベクは自身も優れた数学者・天文学者だった。当時の記録には「天文台のサーイーブ（主人）」と記されていて、天文観測計画を積極的に指揮していたことが読み取れる。自ら発した布告には、太陽と月を毎日、水星を5日ごと、それ以外の惑星を10日ごとに観測することと定められていた。また、ウルグ・ベクが以前の天文学の文書を丹念に読み込んでいたことも分かっている。中世アラブの天文表『星座の書』（964）を一冊所有して、その余白にペルシア語でメモを書き込んでいる。同時代の天文学者もウルグ・ベクの数学の才能を讃えている。ある天文学者は、ウルグ・ベクがあるとき「ウマに乗りながら暗算で太陽の黄経を2分角未満の精度ではじき出した」と記している。やがてサマルカンドには中央アジア一帯から学者が集まり、この偉大な「王で天文学者」とともに研究するようになった[6]。

その中でもとりわけ秀でていたのがアリ・クシュチュである。1403年にサマルカンドで生まれ、宮廷で何不自由なく育てられた。王室の鷹使いの息子として、ウルグ・ベクがこの町に建てた新たな大学で学んだ。そしてすぐに、天文観測や数学計算に用いられていたイスラム伝統の科学機器アストロラーベの使い方や、惑星運動の法則を記したペルシアの文書の読みこなし方を身につけた。しばらくすると、学んだ事柄を実践に移すことにした。徒歩で砂漠を横断してオマーン湾にたどり着き、月と潮汐の関係を調べたのだ。そしてその結果をまとめ、天文学に関する自身初の文書となる、月の満ち欠けに関する短い手稿を書いた。イスラムの暦は太陰月に基づいているため、月の運行を精確に予測できる天文学者は決まってイスラムのパトロンから目を掛けられた。ウルグ・ベクもアリ・クシュチュに感心し、すぐさまサマルカンドに呼び戻して天文台に迎え入れた。そうしてアリ・クシュチュは、天文学史上もっとも重要な文書の一つ、『スルタン天文表』（1473）の編纂にあたることになった[7]。

ペルシア語で書かれた『スルタン天文表』は、それまでに作られた天文観測資料の中でももっとも精確で、150年後までその地位を守った。アリ・クシュチュはその天文観測の大部分を自らおこなった。ウルグ・ベクも手を貸し、天文台の中央階段を上り下りしては、ファフリー六分儀で恒星や惑星の経路を追跡した。そうして15年以上にわたり毎日観測をおこなった末に、1018個の恒星の座標と、当時知られていた5つの惑星（水星、金星、火星、木星、土星）の軌道データを含む天文表を完成させた。年間の暦の作成に欠かせない太陽年の長さの計算結果も収められている。365日5時間49分15秒というその値は、500年以上経った今日知られている値と25秒未満しか違わない。[8]

ティムールは征服によってイスラム世界を統一しようとしたが、その孫のウルグ・ベクは科学に頼った。ティムール帝国全土に暮らすイスラム教徒の日々の暮らしに、『スルタン天文表』が秩序を与えたのだ。バグダッドでもブハラでも、祈りの時刻や主要な祝祭の日付は、ウルグ・ベクが作ったこの天文表によって定められた。また、イスラム教の祈りにとってもう一つ欠かせないメッカの方角も、この天文表のおかげで精確に導き出せるようになった。ウルグ・ベクは天文学を通じて、中央アジアの人々を一つの宗教、一人の支配者のもとでまとめたいと思っていた。やがて『スルタン天文表』はティムール帝国の領土を越えて広まり、シルクロードを通って東西に伝わった。エジプトではマムルーク朝のスルタンが一部取り寄せ、地元の天文学者がそれをペルシア語からアラビア語に翻訳するとともに、カイロに合わせて座標の多くを計算しなおした。のちほど述べるとおり、この『スルタン天文表』ははるかイスタンブールやデリーにまで伝わり、イスラム教の慣習を世界中で標準化するのに役立った。[9]

しかしウルグ・ベクが統一に力を入れはじめたちょうどその頃、ティムール帝国は滅亡に向かいはじめる。占星術で予言されていたのかもしれない。1447年にウルグ・ベクの父親が世を去ると内戦が勃発した。さまざまな勢力が支配権をめぐって争いを繰り広げ、ウルグ・ベクも王位を主張するおじやいとこたちと戦火を交えることになった。ウルグ・ベクの長男アブドゥッラティーフは狂信的な一派に操られていた。嫉妬心を植えつけられ、自分は不当な扱いを受けているのだから王位を奪い取らなければならないと信じ込まされた。そうして怒りを燃えたぎらせ、実の父親の暗殺を命じた。１４４９年10月27日、サマルカンドの偉大な天文学者ウルグ・ベクは馬から引きずり下ろされて殺された。[10]

ウルグ・ベクの死によってサマルカンドの天文学は終焉を迎えたが、天界の解明におけるもっと幅広い変化はまだ始まったばかりだった。前の章で見たとおり、科学革命はグローバルな文化交流によって起こったと解釈するのがもっともふさわしい。この章ではそのストーリーをさらに積み上げるために、西でなく東や南に目を向けていこう。１４５０年頃から１７００年頃にかけ、ヨーロッパとアジア、アフリカの結びつきによって天文学と数学の発展が方向づけられた経緯をたどっていく。この時期には宗教や交易のネットワークが大きく拡大し、さまざまな人たちが幅広い新たな科学的考え方と出合った。シルクロードを行き交う隊商やインド洋を渡る宣教師が、アラブの手稿や中国の星表、インドの天文表を持ち帰ってきたのだ。

ウルグ・ベクがサマルカンドに天文台を建設していたのとちょうど同じ頃、ヨーロッパの天文学者はルネサンスに突入しようとしていた。15世紀から17世紀にかけて起こったルネサンスは、芸術や科学が大きく前進した時代である。ルネサンスとは「復興」という意味で、この時代にヨーロッパの科学思索家たちは古代ギリシアやローマの著作を解釈しなおした。太陽が宇宙の中心であると初めて説いたニコラウス・コペルニクスなどの天文学者は、最終的に古代の知恵を否定し、惑星運動のまったく新たな理論を提唱した。

従来のほとんどの科学史書ではそのストーリーが中核をなしている。しかしこれから見ていくように、ヨーロッパの科学革命を正しく解釈するにはそれ以外の地域の営みにも目を向けるほかない。コペルニクスも、サマルカンドやイスタンブールなどから伝わったアラブやペルシアの手稿に書かれている考え方を頼りにした。同時期には中国やインド、アフリカの天文学者も、自分たちの考え方とヨーロッパやイスラム世界由来の考え方とを融合させた。ヨーロッパ、アフリカ、アジアを見渡していくと、科学思索家がさまざまな文化を頼りに古い考えと新しい考えを組み合わせた経緯が互いに似通っていることに驚かされる。この科学革命は、ローマから北京にまでおよぶグローバルなルネサンスだったのだ。大洋やシルクロードを通ってさまざまな考え方が行き来したことで、ヨーロッパやアフリカ、アジアの各帝国では科学の大変革が起こった。そのため、科学革命の時代における天文学や数学の歴史を理解するには、従来語られてきたヨーロッパにおけるコペルニクスのストーリーではなく、彼にひらめきを与えたイスラムの科学の世界から話を始めなければならない[11]。

1 古代文書の翻訳

ヨーロッパの天文学者はかなり以前からアラブの資料に頼っていた。そもそも古代ギリシアの科学に初めて真剣なまなざしを向けたのはイスラムの学者たちで、それがのちに中世ヨーロッパの各大学のカリキュラムの礎となった。9世紀のバグダッドでは、イスラムの学者たちがクラウディオス・プトレマイオスの著作を初めて古典ギリシア語からアラビア語に翻訳した。中でも2世紀にエジプトで書かれた『アルマゲスト』は、中世のヨーロッパとイスラム世界の両方に計り知れない影響を与えた。プトレマイオスの示した古典的な宇宙モデルでは、太陽でなく地球が中心を占めている。しかしプトレマイオスの天文学にも問題がなかったわけではない。まずはすさまじく複雑だった。それはおもに、プトレマイオスがアリストテレスの宇宙観に傾倒していたことによる。アリストテレスは紀元前4世紀に著した『自然学』の中で、地上と天界を完全に切り離して説明している。天界は完全で不変、かつ永遠である。そのため太陽や恒星、惑星は、地球を中心とする完璧な円の上を一定の速さで動いている。それに対して地上の世界は「堕落しやすい」。そのため地上での運動は不連続で直線的である。物体は直線上を移動しながら速さを変え、最後には静止する。[12]

しかしプトレマイオスですら、惑星が完璧な円を描いて運動してはいないことに気づいていた。ふらふらしながら運動し、一年を通して地球に近づいたり遠ざかったりするように見えた。また、少なくとも静止した地球から見る限り、速さが速くなったり遅くなったりするように見えた(今日ではそれは、太陽のまわりを円でなく楕円を描いて公転しているためだと分かっている)。その辻褄を合わせるためにプトレマイオスはありとあらゆる数学的トリックを使った。まずは惑星の軌道円の中心を、地球からわずかに外れた「離心」と呼ばれる位置に移した。また「周転円」、すなわち「円周上をめぐる円」という概念を導入して、惑星が一種の二重回転をするようにした。各惑星は小さい円の円周上を運動していて、その円自体が地球を中心とするもっと大きい円の円周上を運動している。最後にプトレマイオスは、「エカント」というもう一つの仮想的な点を導入した。地球から外れたその点から見ると、惑星は

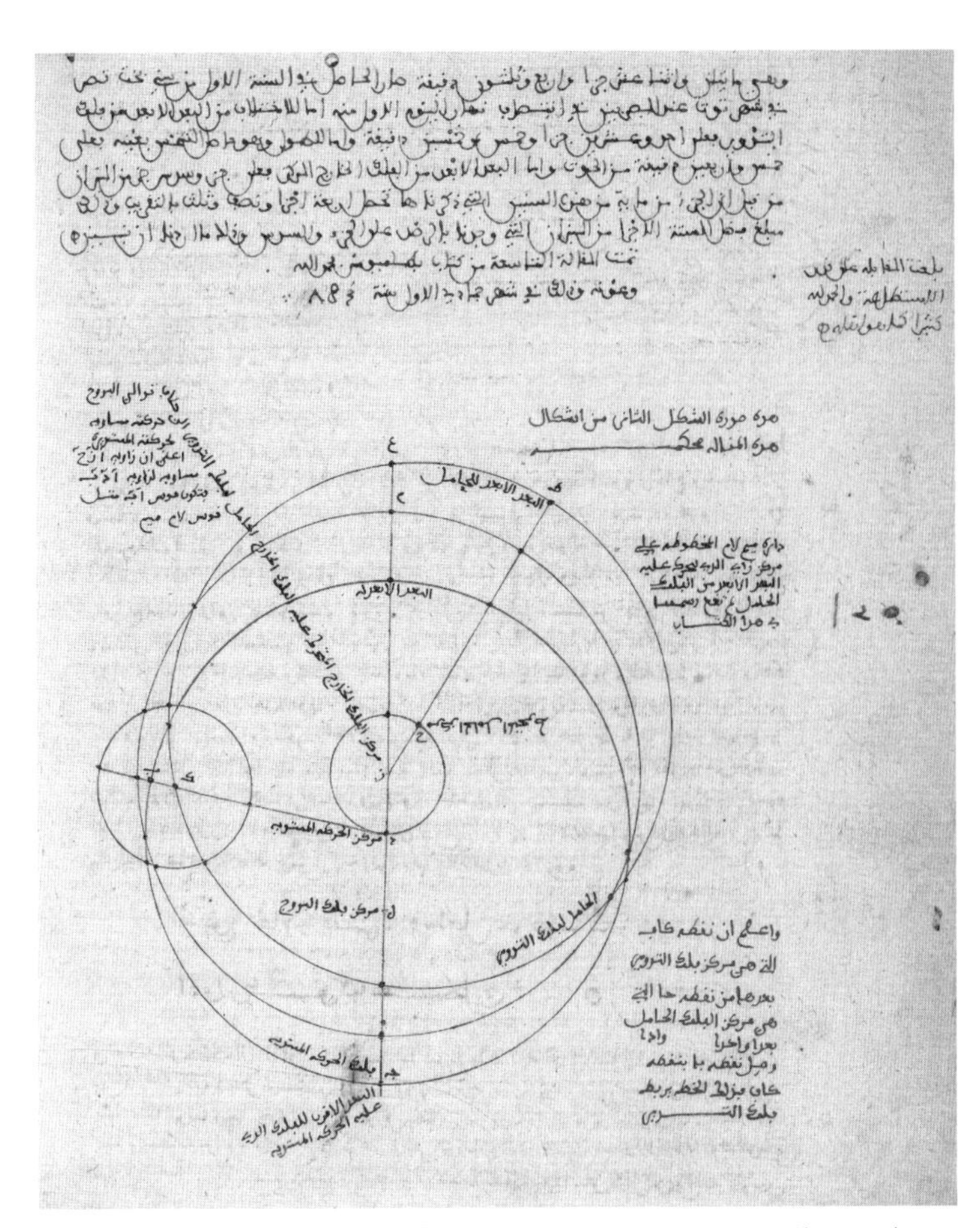

7. クラウディオス・プトレマイオス『アルマゲスト』のアラビア語訳の手稿。1381年、スペインの写本。図はプトレマイオスの宇宙モデルを表していて、地球が中心にあり、周転円や離心が用いられている。

一定の速さで運動しているように見える。このようないくつかの芸当を駆使してプトレマイオスは、すべての天体は一定の速さで完璧な円の上を運動しているとするアリストテレスの主張を守ると同時に、理にかなった惑星運動モデルを作り上げたのだった。[13]

アラブの翻訳者たちもプトレマイオスのモデルの欠点に重々気づいていた。11世紀にカイロで活躍した天文学者のイブン・アル＝ハイサムは、『プトレマイオスへの懐疑』（1028）という手厳しい批評を著した。ただしプトレマイオスの用いたトリックをあげつらったわけではない。エカントや離心などの仮想上の点を導入したことで、一様な円運動という理想が台無しになってしまっていると論じたのだ。惑星は明らかに完璧な円上を運動しなくなっていて、「プトレマイオスは存在しようのない配置を仮定した」とアル＝ハイサムは結論づけた。この考え方はイスラム世界で長く引き継がれ、のちにヨーロッパのキリスト教圏にも伝わる一方、古代ギリシアの科学文書の翻訳者たちは註解や批評も著した。その中でももっとも大きな影響をおよぼしたのが、ナスィールッディーン・アル＝トゥースィーの筆によるものである。1201年に生まれたアル＝トゥースィーは、当時モンゴル帝国に属していたペルシア北部にあったマラーゲ天文台を代表する天文学者だった。ウルグ・ベクが若い頃に訪れてサマルカンドに同様の施設を建てたいと思い至ったあの天文台である。マラーゲでアル＝トゥースィーは天体観測を毎日おこない、『イルハン天文表』をまとめた。また、とりわけ1258年にモンゴル軍がバグダッドを侵略したのちには、古代ギリシアやローマの膨大な手稿を手に取って読み込んだ。[14]

アル＝トゥースィーもプトレマイオス体系の欠陥に目ざとく気づいた。著作『天文学報告』（1261）の中ではアル＝ハイサムに倣って、プトレマイオスの宇宙モデルがアリストテレスの自然

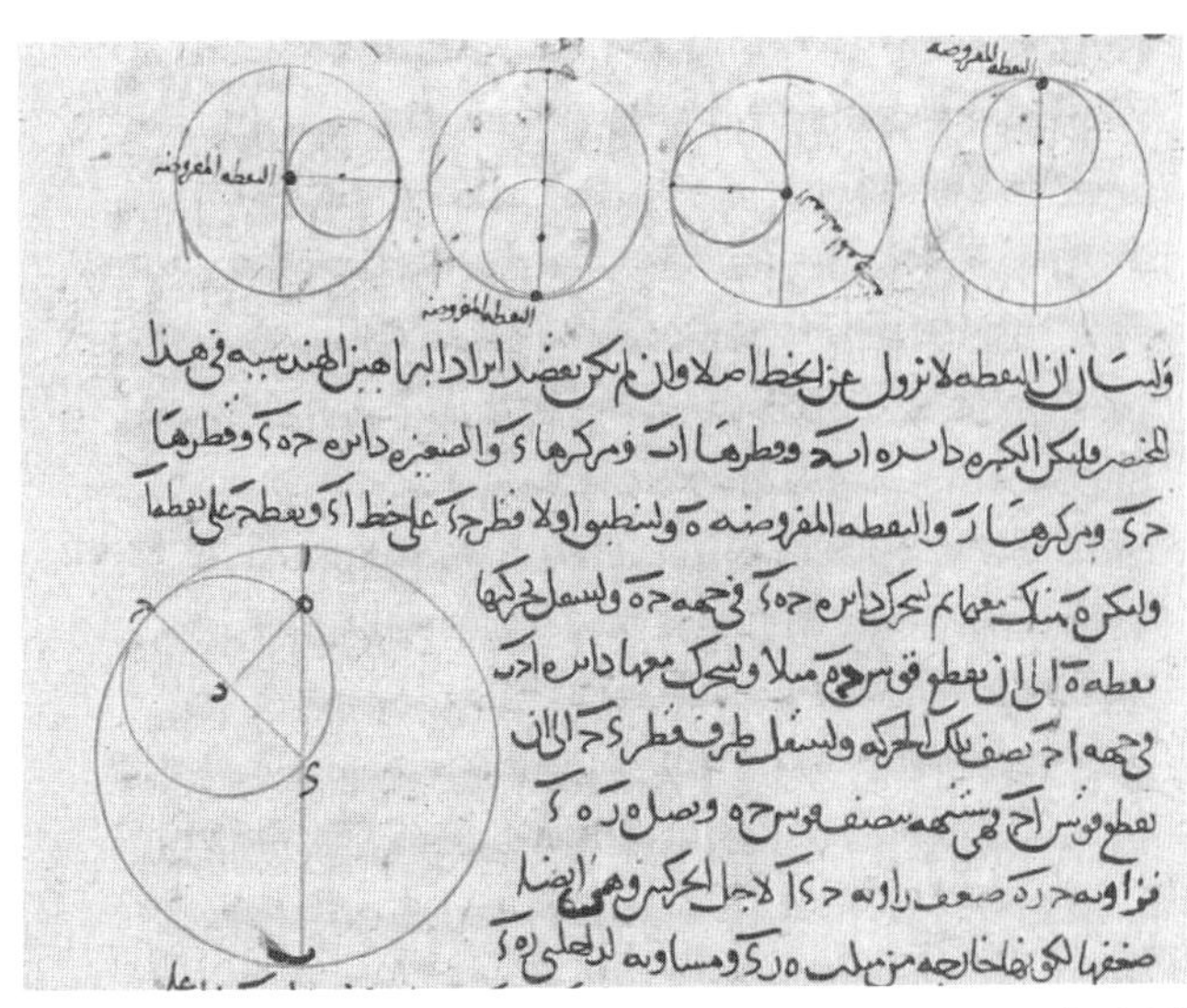

8.「トゥースィーの対円」の図。ナスィールッディーン・アル＝トゥースィー『天文学報告』（1261）より。

学と矛盾していると指摘している。しかしそこからさらに一歩踏み出して、単にプトレマイオスを批判するだけでなく、解決法を提唱した。「トゥースィーの対円」という幾何学的ツールを考え出したのだ。これは2つの円を組み合わせたもので、小さいほうの円が、そのちょうど2倍の大きさの円の円周に沿って回転する。こうすると、プトレマイオスの考えた周転円やエカントを用いなくても、惑星の特徴的なふらつきをほぼ完璧にモデル化できる。また、アリストテレスによる直線運動と円運動の区別も意味がなくなる。小さいほうの円の円周上に一点を取ってそれを追いかけると、直線に沿って上下に振動しているように見えるのだ。こうしてアル＝トゥースィーは、円の回転を組み合わせるだけで直線運動を生み出せることを示した。のちほど述べるとおりこのトゥースィーの対円は、ヨーロッパでのちに新たな天文学の考え方が生まれる上で大きな影響を与えることとなる。[15]

12世紀までには、ピタゴラスの数学からプラトンの哲学まで、古代ギリシアの著作の大部分がアラビア語に翻訳された。そしてそれらのアラビア語版とアル＝ハイサムやアル＝トゥースィーの註解書を通じて、中世ヨーロッパの学者は初めて古代の思想と出合った。カスティリャ王国に暮らすイタリア人、クレモナのジェラルドが、1175年にプトレマイオスのラテン語訳を完成させた。その際には、ムスリム・スペインで収集されたアラビア語の手稿の文章をつなぎ合わせたものを底本として用いた。また、アラビア語のタイトルである『アルマゲスト』（「もっとも偉大なもの」という意味）をそのまま使うことにした。古代ギリシアのほかの著作も、中世アラブの手稿から続々とラテン語に翻訳された。1400年代にはヨーロッパの天文学者のあいだで、ラテン語に翻訳されたアラブの資料にあたることは常識になっていた。多くの人は、古代ギリシアの原著は永遠に失われてしまったと思い込んでいた。しかしそれは間違っていた。[16]

2　ルネサンス期ヨーロッパにおけるイスラム科学

イスタンブール市民は最悪の事態を覚悟した。このビザンティン帝国の都は2か月近くにわたって包囲されていた。ティムール帝国滅亡後、イスラムの新たな勢力が中央・西アジアを席巻しはじめた。オスマン帝国である。スルタンのメフメト2世がこの町を包囲して、ボスポラス海峡に停泊させたガレー船から集中砲火を浴びせ、鉄製の巨大な大砲でローマ時代の城壁を破壊した。1453年5月29日に町は陥落した。多くのキリスト教徒が逃げ、ギリシア正教の教会堂ハギア・ソフィアはモスクに転用された。これを皮切りにオスマン帝国が４００年にわたってこの地域を支配し、イスタンブールからカイロまで領土を広げた。またヨーロッパとイスラム世界の関係も新たに築かれ、それがのちに科学を一変させることとなる。

１４５３年末にはイスタンブールは廃墟と化し、何週間にもおよぶ砲撃の煙に包まれていた。オスマン帝国の軍勢が町を荒らし回り、ビザンティン帝国の多くのキリスト教徒は逃げ出したほうが安全だと腹を決めた。大多数の人はアドリア海を渡り、ヴェネツィアやパドヴァなどイタリアの都市国家に腰を落ち着けた。貴重な書物や手稿を携えていて、その多くは何百年も前から教会堂の地下室にしまわれていたものだった。その中にはアリストテレスやプトレマイオスの著作の古典ギリシア語版もあった。それまで目にしたり読んだりしたことのある者はヨーロッパにはほとんどいなかった。突如として多くの人は、古代の著作のアラビア語訳に頼り切るのが賢明かどうか疑問を抱きはじめた。何といっても、アラビア語版の多くにはかなり手が加えられていた。また、何度も翻訳されたことで誤訳が紛れ込んでいるかもしれないという懸念もあった。原典に立ち返ったほうが良いのかもしれない。この発想が土台となって、「人文主義」と呼ばれるルネサンスの運動が興った。人文主義者は、ヨーロッパ文明を復興させるには古代に立ち返るしかないと信じ、この考え方はすぐにあらゆる学問に広まった。１４５６年には、クレタ島で生まれたビザンティン帝国民、トレビゾンドのゲオルギが、プトレマイオス『アルマゲスト』の新たなラテン語訳を完成させた。アラビア語訳を介さずに古典ギリシア語の手稿のみに基づいて作られた版である。[17]

しかしルネサンスはけっしてアラブの知識を斥けるだけの運動ではなかった。この時代にはありとあらゆる伝統が相まみえた。イタリアの都市国家にはビザンティン帝国からの避難民だけでなく、交易網の構築や軍事条約の交渉を目指すオスマン帝国の使節も駐在していた。ヨーロッパの側も東方に交易や外交のための使節団を送り出した。ダマスカスやイスタンブールの街なかでもヴェネツィアの商人やヴァチカンの外交官の姿が見られた。こうした往来を介して、アラブの新たな手稿や、ビザンティンで翻訳されたイスラムの資料がヨーロッパに伝わった。今日、アラブやビザンティンの貴重な手稿の多くはヴェネツィアやヴァチカンの図書館に収められている。ルネサンスの天文学者はこのような東西の資料を組み合わせることで、天界に関する知識を一変させたのだった。[18]

＊

ヨハネス・フォン・ケーニヒスベルク、またの名をレギオモンタヌスは、いわゆる神童だった。1448年にわずか12歳でライプツィヒ大学に入学したものの、数学の講義があまりにも簡単すぎたため、当時もっと名高かったウィーン大学に移ることにした。1450年にウィーンにやって来たこの若き数学者・天文学者は、空いた時間を使って裕福なパトロンのために暦をまとめたりホロスコープを作ったりした。また同大学では、偉大な師と仰ぐゲオルク・フォン・プールバッハと出会った。プールバッハはルネサンスを体現したような人物で、古代ローマの詩作からアリストテレスの自然学まであらゆる講義をおこなった。そしてレギオモンタヌスとともに、プトレマイオス『アルマゲスト』をはじめとする天文学の本格的な再検討に乗り出した[19]。

2人を支援したのは、オスマン帝国による侵略を受けてイスタンブールから逃れてきたバシレイオス・ベッサリオンである。ベッサリオンは1460年にウィーンにやって来て、神聖ローマ帝国皇帝フリードリヒ3世への謁見を求めた。教皇ピウス2世がオスマン帝国に新たに十字軍を遠征させると宣言したのを受けて、神聖ローマ帝国皇帝の支援を取り付けるためにウィーンに派遣されたのだ。その折、当時フリードリヒ3世の宮廷付き天文学者だったプールバッハと出会った。自身も優秀な学者だったベッサリオンは、トレビゾンドのゲオルギによるプトレマイオス『アルマゲスト』の新訳を読んでいたが、さほど感心してはいなかった。プールバッハも同意見だった。詳しく調べるとゲオルギ版には誤訳が多く、古代ギリシアの思想を正確には伝えられていなかった。そこでベッサリオンはプールバッハに『アルマゲスト』の新訳を完成させるよう勧め、当時イスタンブールから届いたばかりのギリシア語やアラビア語の手稿を自由に利用してかまわないと伝えた。見過ごすにはあまりにも惜しい絶好の機会で、プールバッハは翻訳に取り組みはじめた[20]。

1461年、新訳に取りかかってからわずか1年でプールバッハは重い病に倒れた。訳出はまだ半分しか進んでいなかった。このまま骨の折れる作業を続けたら命を落としかねないと案じたプールバッハは、若きレギオモンタヌスに、後を継いで翻訳を完成させることを約束させた。レギオモンタヌスもその約束を守った。10年をかけてイタリアじゅうを巡り、入手できる限りの手稿を集めた。そうして完成したのが、何世代ものちまで最新でありつづける天文学の書物である。『アルマゲスト大要』(1496)というタイトルが付けられたその書物は、ルネサンス科学の真髄といえる。タイトルにあるように、単なる新訳ではない。古典ギリシア語やアラビア語、ラテン語など、見つけられる限りの資料の優れたところを組み合わせて、プトレマイオス天文学を大幅に改良したのだ。いまだに地球が宇宙の中心に据えられてはいたものの、ヨーロッパ人天文学者を何百年も困らせてきた数々の技術的問題を解決していた。[21]

レギオモンタヌスの画期的な工夫の一つが、サマルカンド天文台を代表する天文学者アリ・クシュチュの文書から直接情報を得たことである。アリ・クシュチュは１４４９年のウルグ・ベクの死を受けてティムール帝国から逃れ、何年も砂漠をさまよいながら、中央アジアのさまざまな王侯から支援を取り付けようとした。そうして１４７１年、オスマン帝国に征服されたばかりのイスタンブールにたどり着いた。スルタンのメフメト2世がサマルカンドのこの偉大な天文学者の噂を聞きつけ、使いを送ってアリ・クシュチュを呼び寄せたのだ。アリ・クシュチュはこの町に新設されたマドラサ（大学のこと）で数学教授を務めることになった。こうしてイスタンブールやオスマン帝国と関係が築かれたことで、アリ・クシュチュの研究成果はヨーロッパの天文学者に知られることとなる。レギオモンタヌス『アルマゲスト大要』には、そんなアリ・クシュチュが１４２０年代にサマルカンドで著した手稿から図が1点引用されている。たくさんの円が複雑に組み合わされたその図を用いれば、プトレマイオスの周転円を使わずに済む。アリ・クシュチュいわく、必要なのは離心だけである。つまり、各惑星の軌道の中心が地球からずれていると考えれば、すべての惑星の運動をモデル化できるということだ。アリ・クシュチュもレギオモンタヌスも、その中心点が実は太陽かもしれないと唱えるまでには至らなかった。しかしプトレマイオスの周転円の概念を不要にしたことで、アリ・クシュチュは宇宙の構造に関するもっとずっと革新的な考え方への扉を開いたのだ。[22]

ニコラウス・コペルニクスは１４７３年にポーランドで生まれた。両親からカトリックの司祭になってほしいと期待を掛けられ、教会法の上級の学位を取るために１４９７年にボローニャ大学に入学した。しかしすぐに、ルネサンスのイタリアにはほかにもっとたくさん学べることがあると気づく。そして、レギオモンタヌスのもとで学んだ異端的な占星術師、ドメニコ・マリア・ノヴァーラの講義に出席した。ノヴァーラはプトレマイオスに対する批判の盛り上がりを受けて、地球の地軸のわずかな変化を検出できるはずだと唱えた。それを検出できれば、恒星が長期間にわたって徐々に移動しているように見える理由を説明できる（この現象は「歳差運動」と呼ばれる）。この現象もまた、地球は完全に静止しているとするプトレマイオスの伝統的な教えに反していた。そんなノヴァーラからコペルニクスはレギオモンタヌス『アルマゲスト大要』を紹介され、ボローニャで一冊購入した。そうして天文学の虜になった。それから数年をかけてイタリアじゅうを巡り、かつてレギオモンタヌスがペルシアの天文学について講義していたパドヴァ大学でしばらく学んだのち、１５０３年に卒業してポーランドに帰国した。そしてフロムボルクに腰を落ち着け、町の大聖堂の律修司祭となった。その地でコペルニクスは科学史上もっとも有名な理論を打ち立てることとなる。[23]

ラテン語で書かれたニコラウス・コペルニクスの著作『天球の回転について』（１５４３）は、太陽中心モデル、すなわち地球でなく太陽を宇宙の中心としたモデルを示したものである。控えめに言っても異論を巻き起こす学説で、天界に関する宗教的理解と科学的理解の両方に反していた。コペルニクスは既存のさまざまな文書を組み合わせて、何百年も尾を引いていたプトレマイオスをめぐる論争に筋の通った決着をつけた。哲学的な考え方はペルシアから、天文表はムスリム・スペインから、そして惑星運動のモデルはエジプトの数学者から拝借した。その点で『天球の回転について』は、ヨーロッパの学問とイスラムの学問を融合させたルネサンス的な著作の典型例といえる。その冒頭には、当時よく知られていた、プトレマイオスの天文学には矛盾があるとする批判が取り上げられている。アリストテレスによる一様な円運動という理想を守れていないないし、ありとあらゆる数学的トリックを持ち込んで必要以上に複雑になってしまっているという批判だ。

前に述べたとおり、このような考え方は9世紀からイスラム世界には広まっていたし、ヨーロッパ天文学にも浸透しはじめていた。コペルニクスも『天球の回転について』の中でイスラムの著述家を5人も引用していて、その多くはプトレマイオスに批判的だった。その中には、9世紀シリアの数学者サービト・イブン・クッラや、12世紀ムスリム・スペインの天文学者ヌル・アッディーン・アル＝ビトゥルージがいた。コペルニクス自身はアラビア語が読めなかったが、その必要はなかった。16世紀のヨーロッパではアラブの天文学に関する主要な著作のラテン語版やギリシア語版が広く入手できたからだ。イタリアで学んでいる最中のコペルニクスには、ダマスカスで10年以上過ごしたパドヴァ大学のアンドレア・アルパゴなど、アラビア語を読める人たちからイスラムの科学を学ぶ機会がふんだんにあった。[24]

続いてコペルニクスは著作の中で、プトレマイオスのモデルは惑星の実際の運動と対応していないと論じている。その論証に際しては既存の天文表にほぼ頼り切っていて、自身での観測はほとんどおこなっていない。その大部分の典拠とした『アルフォンソ天文表』は、１２５０年代にカスティリャ王国のアルフォンソ10世が以前のイスラムの天文表を編纂して作成させた。それは文化交流が功を奏した見事な実例といえ、ユダヤ人数学者のグループがアラブの天文表を突き合わせた上で、スペイン語やラテン語に翻訳している。最後にコペルニクスは、太陽が宇宙の中心であると考えれば以上の問題はすべて解決できると唱えている。そこまで踏み込んだのは、『アルマゲスト大要』から直接影響を受けたからこそだった。レギオモンタヌスはアリ・クシュチュに基づいて、全惑星の軌道の中心が地球とは別の点に位置するのはありえることだと示していた。コペルニクスはそこから最後の一歩を踏み出して、その点は実は太陽であると唱えた。神の秩序のイメージに当てはめて、「太陽があたかも王座に座っているかのごとく、周囲をめぐる惑星たちを支配している」と結論づけたのだ。[25]

そこまでの主張にたどり着いたものの、コペルニクスにはまだやるべきことがたくさん残っていた。太陽を中心に据えただけでは完全に正確な宇宙モデルにはならない。何よりもコペルニクスはアリストテレスやプトレマイオスと同じく、天体は完璧な円を描いて運動しているという考え方にいまだこだわっていた。しかし太陽を中心に置いてもなお、惑星はふらついているとしか思えない。この問題を解決するためにコペルニクスは、前に登場したイスラムの天文学者の一人、ナスィールッディーン・アル＝トゥースィーの著作に頼った。『天球の回転について』には、アル＝トゥースィーのアラビア語の手稿に収められているのと同じ図が1枚載せられている。両者は驚くほど似ていて、多くの要素に添えられた文字の選び方に至るまで、ラテン文字とアラビア文字の違いはあれどまったく同じである。コペルニクスはアル＝トゥースィーを学ぶ上で、おそらくはアラビア語の原著を中世ギリシア語に翻訳したものにあたったと思われる。当時、イタリアの多くの図書館では、オスマン帝国による征服を受けてイスタ

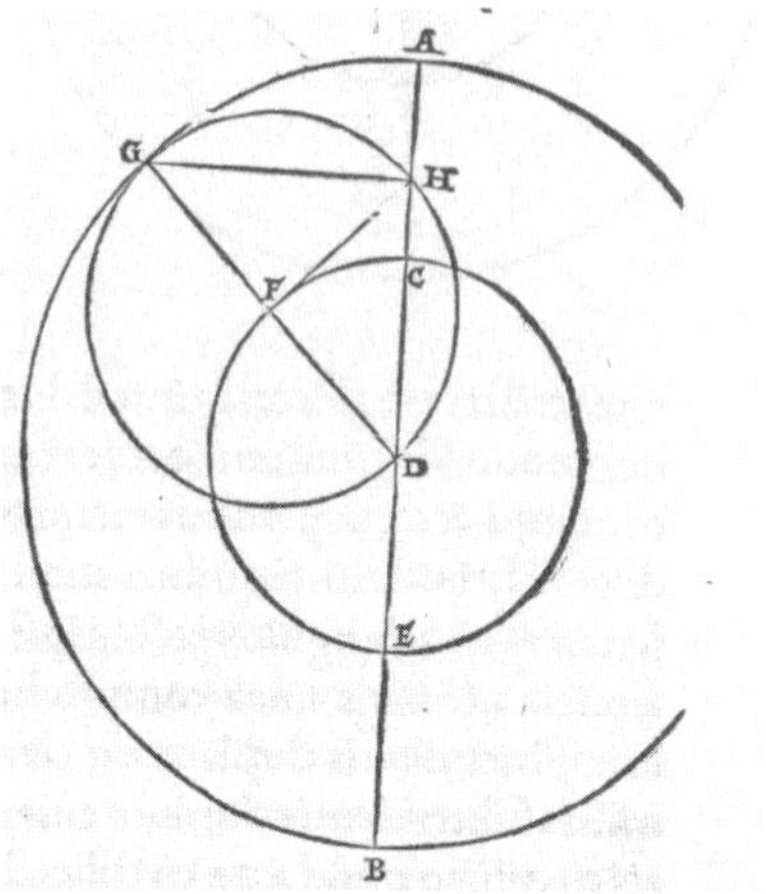

ンブールから運ばれてきたそのような手稿を閲覧できたはずだ。『天球の回転について』に収められたその図には、トゥースィーの対円が活用されている。コペルニクスはそれを、アル＝トゥースィーとまったく同じ問題を解決するために用いた。一様な円運動を放棄することなしに振動運動を生み出そうとしたのだ。さらにコペルニクスはもう一歩踏み出した。トゥースィーの対円を使って、地球でなく太陽を中心とする惑星運動のモデルを打ち立てたのだ。13世紀のペルシアで考案されたこの数学的道具が、ヨーロッパの天文学史上もっとも重要な著作に取り入れられたことになる。それがなければコペルニクスは太陽を宇宙の中心に据えられなかっただろう。[26]

9．ニコラウス・コペルニクス『天球の回転について』(1543) に収められた、「トゥースィーの対円」の図。

これまで長いあいだ、1543年の『天球の回転について』の出版が科学革命の出発点だったとみなされてきた。しかしあまり知られていないが、実はニコラウス・コペルニクスはもっとずっと長いイスラムの伝統をよすがとしていた。はるか以前の11世紀、エジプトのイブン・アル＝ハイサムがすでに、プトレマイオスの宇宙モデル、とくに惑星は完璧な円を描いているという考え方には矛盾があると指摘していた。その後、13世紀ペルシアのナスィール・アル゠トゥースィーがこの問題の解決法を提唱し、惑星は2つの円に従って公転すると考えた。15世紀にはサマルカンドでアリ・クシュチュも別の解決法を示し、地球が軌道の中心ではないと仮定するほうが惑星の運動をもっとずっと簡単にモデル化できると唱えた。太陽が宇宙の中心なのかもしれないという考え方ですら、完全に新しいものではなかった。9世紀にまでさかのぼる何人ものイスラムの天文学者がその可能性を論じていたが、ただし中世イスラム世界でその考え方が広く受け入れられることはなかったのだ。[27]

コペルニクスは独力で科学革命を引き起こした孤高の天才であると考えるのではなく、もっとずっと幅広いグローバルな文化交流の一翼を担ったのだととらえるべきだ。そこで欠かせない役割を果たしたのが、東地中海沿岸における、とりわけ1453年のイスタンブール征服以降のオスマン帝国の台頭である。ビザンティン帝国からの避難民やヴェネツィアの商人が、オスマン帝国の領土から科学に関する新たな手稿を何百点も持ち込んできた。その中には古代ギリシアの原典や、もっと最近のアラブやペルシアの註解書も含まれていた。それらの新たな文書や考え方に触れたことが、ヨーロッパでの科学革命を本格的に引き起こしたのだ。コペルニクスはその見事な例である。『天球の回転について』は、アラビア語やペルシア語、ラテン語や中世ギリシア語の資料に込められたさまざまな考え方を組み合わせて、画期的な宇宙モデルを生み出した著作なのだ。

ルネサンス期のヨーロッパにおいて文化交流は科学の発展に重大な影響を与えた。では世界のそれ以外の地域ではどうだったのか？　ここから先、アジアやアフリカをたどって科学革命のグローバルな歴史を探っていこう。イスタンブールやティンブクトゥから北京やデリーに至るまで、世界中の各都市の科学思索家たちが、古代の学問を再検討して新たな観測をおこない、天文学や数学の新たな理論を構築しはじめていた。そのいずれも、15世紀以降に交易や宗教のネットワークが著しく拡大したことで可能となった。それらのネットワークによって人々は新たな考えや文化と出合い、科学革命をグローバルな潮流へと変えた。これから見ていくとおり、ヨーロッパの科学革命とそれ以外の地域の科学革命とのあいだには、注目すべき類似点がいくつも見られる。それを念頭に置いた上で、オスマン帝国のある天文学者の航海から話を始めよう。

3 オスマン帝国のルネサンス

タキ・アル＝ディーンはアレクサンドリアから地中海を船で渡ってイスタンブールへ向かっていた。エジプトで何年もかけて天文学の技術を習得し、オスマン帝国の新たなスルタン、ムラト3世の宮廷に召し抱えられることを望んでいた。１５２６年にダマスカスで生まれてカイロで学んだタキ・アル＝ディーンは、天文学者として1日5回の祈りの時刻やメッカの方角を見極める任に当たるつもりだった。さらにはスルタンにホロスコープを提供できるかもしれず、その仕事はかなりの金になる。計画ではそのとおりだったが、イスタンブールにたどり着くのすら容易ではないことをすぐに思い知らされる。16世紀の地中海は危険な場所で、ヨーロッパや北アフリカの海賊が徘徊しては人々を捕らえ、奴隷として売ったり身代金を要求したりしていた。タキ・アル＝ディーンの乗った船にも不意に一隻のガレー船が横付けしてきた。すぐさま小競り合いが始まり、海賊たちが甲板に上がってきた。船員はほとんどが殺され、死体は海に投げ捨てられた。しかしタキ・アル＝ディーンは助かった。学のある者が大金になることを海賊は知っていたからだ[28]。

それから数か月後、タキ・アル＝ディーンはローマのルネサンスの学者に奴隷として売られた。教養のあるイスラム教徒は、東方から届けられる天文学の手稿を翻訳する能力が高く買われていた。ローマでタキ・アル＝ディーンもエウクレイデスやプトレマイオスに関するアラビア語の書物を翻訳するよう求められた。またこの経験によって、イスラム教徒であるタキ・アル＝ディーンのほうもルネサンスの科学文化と出合うこととなる。金を払ってようやく自由の身になった頃には、ヨーロッパの最新の天文学理論を身につけ、イタリア語も少々習得していた。そしてローマを発ち、ようやくイスタンブールへの旅を終えた。エジプトを出発してから10年以上経った1571年に到着し、オスマン帝国のスルタンに仕える主任天文学者に指名された。そしてムラト3世に、ヨーロッパのキリスト教圏の科学がイスラム世界に急速に追いつこうとしていると訴えた。科学を発展させて占星術で優れた予言をするには、新たな天文台を建てる必要がある[29]。

ムラト3世はその計画を受け入れ、1577年、イスタンブールに新たな天文台を建設するよう指示した。ボスポラス海峡を見下ろす丘の上に建てられ、昼には町の絶景を、夜には星空を眺めることができた。当時の構造物はいっさい残っていないが、美しく彩色されたペルシアの細密画のおかげで、この天文台の活動についてさまざまなことが分かっている。また、1580年にアラルディーン・アル＝マンスールが詠んだ『王の中の王の書』というタイトルの叙事詩がある。タイトルが示しているとおりムラト3世のあらゆる偉業を記録したもので、その中に次のような記述がある。「王が天文台の建設

10. イスタンブール天文台で働くタキ・アル＝ディーン（上列右から3人目）。

と天文表の編纂を命じると、星々が降りてきて王の前にひれ伏した」。天文台の建物は真鍮と銅の装飾で覆われ、金のドームがイスタンブールの地平線からそびえていた。巨大なファフリー六分儀も備えられていた。高さ50メートル、サマルカンドのものよりもさらに大きかった。深さ25メートルの縦穴も掘られ、日中でも太陽光を遮って星々を観測できるようになっていた。

天文台の屋内では、タキ・アル＝ディーンが観測記録を取ったり新たな天文表をまとめたりしていた。ウルグ・ベクの『スルタン天文表』を所有していて、そこに修正を加えていった。ペルシアのある細密画では、タキ・アル＝ディーンが15人の天文学者や数学者、筆記者と並んで腰掛けている。全員が、赤と緑のローブに純白のターバンというオスマン人ならではの恰好をしている。アストロラーベを持って天文観測をしている者もいる。経過時間を測定している者もいる。中央には砂時計が、下のほうには地球儀が、そして興味深いことに右端には機械式時計が描かれている。[30]

一見しただけではその時計は見過ごしてしまうかもしれない。しかし実は、オスマン帝国とヨーロッパの科学とのあいだに密接な関係が築かれていたことを物語っている。ぜんまい仕掛けの機械式時計は

14世紀末にヨーロッパで発明された。おもに教会堂の塔に設置されたり、王宮に飾られたりした。しかしタキ・アル゠ディーンは、この発明品が天文学に使えることに気づいた。そもそも精確な天文表をまとめるには、恒星や惑星が夜空を横切るのにかかる時間を1秒単位の精度で測定する必要があった。マラーゲやサマルカンドなどかつての天文台では水時計や日時計が使われていたが、タキ・アル゠ディーンは機械式時計を用いることにした。そうして、ヨーロッパとアジアを含め初めて天文台に専用の機械式時計を設置した天文学者の一人となった。絵に描かれている時計はヨーロッパの職人が作ったものと思われる。16世紀を通してオランダやフランスの時計職人が、拡大するオスマン帝国の機械装置の市場に目をつけ、トルコ数字を用いた時計を次々に製作した。中にはイスラムの太陰暦に合わせて月齢を表示するものもあった。そのような時計の多くは、ヨーロッパの使節たちがオスマン王室に取り入るための贈り物として使われた。この天文台に設置された時計の一台は、ムラト3世のために特別に製作された。ある役人によると、それは「城の形をしていて、毎正時に門が開いて中から馬に乗ったスルタンの像が出てきた」という[31]。

　タキ・アル゠ディーンはこのような新たな機械に夢中になった。スルタンの集めた時計を片っ端から調べ、すぐさまその組み立て方を理解した。ローマで囚われている最中にも機械式時計と出合ったと思われる。ヨーロッパの職人に頼りきった現状に不安を感じたタキ・アル゠ディーンは、自らの手で設計と組み立てに取りかかった。彼の手稿の数々には、天文観測に欠かせない精確な秒針を備えた時計の組み立て方が驚くほど詳細な図で記されている。ある手稿にはシシカバブの調理に使う時計仕掛けの装置まで記載されている。タキ・アル゠ディーンは明らかに機械学に関心を持っていた。それどころか、この宇宙自体も巨大な時計のようなものかもしれないとまで考えはじめた（これと同じ考え方は、とくにルネ・デカルトが取り上げた17世紀にヨーロッパで驚くほど大きな影響を与えた）。神学と数学を融合させた手稿の中では、時計仕掛けの宇宙というイメージを披露している。そして「天界の神聖な構造を反映した機械や時計を組み立てたい」と述べている。実際にイスタンブール天文台にはまさにそのような機械が設置されていた。先ほどとは別のある細密画には、木枠で支えられた金属製の巨大な球形の装置が描かれている。「渾天儀（こんてんぎ）」と呼ばれるその装置はいわば天界の機械式モデルで、これを使って複雑な幾何学計算を素早くおこなうことができた。渾天儀は古代にも使われていたが、ほとんどの人は計算機のような単なる有用な道具としか考えていなかった。それに対してタキ・アル＝ディーンは、このような装置が哲学にとってどのような意味を帯びているかにいち早く気づいた。この宇宙は本当に機械のようなものだというのだ。[32]

最新機器を取り揃えたイスタンブール天文台は、東地中海沿岸の科学の発展を支える新たな中心地として台頭した。しかしそこはイスラム科学の拠点というだけではなかった。拡大を続けるオスマン帝国の民族や宗教の多様性を反映して、ユダヤ人やキリスト教徒も働いていた。中には奴隷として連れてこられた者もおり、ある報告によると「囚われた12人のキリスト教徒」もいたという。別の土地で宗教的迫害を受けて逃げてきた者もいた。その中に、「ダーウード・アル＝リヤディ（数学者ダヴィド）」というあだ名のユダヤ人がいた。[33]

折しもイスタンブール天文台建設中の１５７７年、タキ・アル＝ディーンは日食の観測をおこなおうとしていた。しかしその日イスタンブールは厚い雲に覆われ、必要な測定をおこなえなかった。だが少し前に、西へ５００キロほど離れたサロニカに暮らす一人の偉大な天文学者・数学者の噂を聞いていた。その男は本名をダヴィド・ベン＝シュシャンといい、１５５０年代からオスマン帝国領内に暮らしていた。イタリア系ユダヤ人だが、反ユダヤ人運動が激しさを増した時期に多くの同胞と同じくヨーロッパから逃げてきた。１４９２年にスペインがユダヤ人を追放し、１４９７年にポルトガルもそれに倣った。多くのユダヤ人はひとまずイタリアへ渡ったが、１５４２年にローマカトリックが異端審問を開始したことで再び迫害の波に襲われた。ユダヤ人亡命者はまたもや逃げ出さざるをえなくなり、多くの者はさらに東方のオスマン帝国領に向かった。ベン＝シュシャンはサロニカで2万人ほどのユダヤ人集団に加わった。現地のオスマン人知事の息子たちに数学を教えたため、彼の名はアラビア語とトルコ語の両方で呼ばれていた。この役人の人脈を通じてタキ・アル＝ディーンは、イスタンブールに居ながらにしてベン＝シュシャンのことを知ったのだ。[34]

2人は盛んに天文観測データをやり取りしたり、最新の科学理論について議論を交わしたりした。タキ・アル＝ディーンにとって嬉しいことに、ベン＝シュシャンは１５７７年の日食の観測に成功して詳細な測定をおこなっていた。いたく感心したタキ・アル＝ディーンは、ベン＝シュシャンをイスタンブール天文台の職員の地位に招いた。そうしてベン＝シュシャンはオスマン帝国の中心地へ向かった。ラテン語とヘブライ語、トルコ語を読めるイタリア系ユダヤ人として、おそらくほかのどんな人と比べても、16世紀の科学の発展にとって文化交流が重要だったことを強く物語っている。ベン＝シュシャンはタキ・アル＝ディーンに、プトレマイオスの新訳を含めルネサンス科学の最新成果をくまなく紹介した。またさまざまな機械学にも通じていて、タキ・アル゠ディーンはとりわけヨーロッパの時計の動作機構に魅了された。そうしてベン゠シュシャンはあっという間にイスタンブール天文台の天文学者補佐へと昇進した。先ほどのペルシアの細密画ではタキ・アル゠ディーンのすぐ隣に座っている。[35]

ベン゠シュシャンがイスタンブールに到着したのは、とりわけ重要なある観測に協力できる絶好のタイミングでのことだった。1577年11月、夜空に燃えるような白い光が現れたのだ。その彗星は、やがてペルーから日本に至るまで世界中で観測された。ペルシアのある細密画ではハギア・ソフィアの真上に描かれている。タキ・アル゠ディーンとベン゠シュシャンはイスタンブール上空に輝くその彗星を観測した。タキ・アル゠ディーンはスルタンに仕える主任天文学者としてすぐさま宮廷に報告した。するとムラト3世は、その天界の異変が何を意味するのかを知りたがった。イスラム暦の新たな千年紀がキリスト教の暦でいう1591年に迫っていたため、万事問題がないかどうか確かめたかったのだ。するとタキ・アル゠ディーンは、あの彗星は吉兆であると言ってスルタンを安心させた。ラマダンの初日に出現したのも縁起が良かった。またその姿は「こぐま座の星々に掛かったターバンの飾り帯のようで」、ムラト3世が天界と地上の両方を治めていることを示していた。最後にタキ・アル゠ディーンは、オスマン帝国のスルタンがいずれヨーロッパのキリスト教圏との戦いに勝利すると説いた。あの彗星は「東から西に光を噴き出していて、その矢がちょうど我らが宗教の敵どもの上に落ちた」というのだ。[36]

ニコラウス・コペルニクスがヨーロッパで騒動を巻き起こしていたその頃、オスマン帝国の天文学者や数学者も独自のルネサンスに突入しようとしていた。15世紀から16世紀にかけてオスマン帝国の科学思索家たちは２００点を超す独自の天文学の文献を生み出しており、これもまた、イスラムの科学が中世の「黄金時代」に終わったという考え方に疑問符を付ける事実だ。１４５３年のイスタンブール征服以後にその町へ移り、オスマン帝国のスルタンの庇護のもと働いたイスラム教徒の学者は、タキ・アル＝ディーンのほかにも大勢いた。ウルグ・ベクの死後、サマルカンド天文台の主要な天文学者だったアリ・クシュチュもイスタンブールへ向かい、オスマン帝国がこの町に設立した数百のマドラサのうちの一校に雇われた。ほかにもペルシアやインドのムガル帝国など、イスラム圏一帯から大勢の学者がイスタンブールに集まってきた。それとともに忘れてはならないのは、イスタンブールがけっしてイスラム教徒だけの町ではなかったことだ。ユダヤ人やキリスト教徒もオスマン王室の庇護を受けた。ユダヤ人天文学者のダヴィド・ベン＝シュシャンはタキ・アル＝ディーンとともにイスタンブール天文台で働いたし、メフメト2世の専属医師もルネサンスのイタリアから逃れてきたユダヤ人だった。近世、ヨーロッパとアジアの交差点に位置する国際都市イスタンブールでも、ここまでほかの地域で見てきたのと同じく、15世紀と16世紀の宗教や交易のネットワークの拡大が科学の変革を引き起こしたのだ。[37]

実はオスマン帝国のストーリーとヨーロッパにおける科学革命の歴史とのあいだには、数多くの類似点がある。オスマン帝国の科学思索家たちはルネサンスのヨーロッパと同じく、古代ギリシアの著作に深い関心を寄せていた。メフメト2世もイスタンブール征服の際に奪い取った古代ギリシアの手稿を大量に所有していた。そしてイスラムの長い伝統に則って、それらの古代ギリシアの著作を新たにアラビア語に翻訳するよう命じた。国際色豊かな宮廷を反映して、それらの翻訳はギリシア人の手によって完成した。またこの時期にオスマン帝国の科学思索家は、ヨーロッパと同じく、かつてのイスラムの思索家が遺した著作を読んでは翻訳しはじめた。アリ・クシュチュの天文学に関する手稿や、コペルニクスに大きな影響を与えた13世紀の天文学者ナスィールッディーン・アル＝トゥースィーの手稿が、オスマン・トルコ語に翻訳された。17世紀半ばになるとオスマン帝国の科学思索家たちは、ヨーロッパの天文学の文献も読みはじめた。１６６２年にオスマン帝国の天文学者テズキレジ・コセ・イブラヒムは、「コペルニクスが新たな土台を築いて小さな天文表をまとめ、地球は動いていると唱えた」と記している。さらにはコペルニクスの有名な太陽中心モデルの図も描いている。[38]

このように、従来語られてきたヨーロッパ中心の科学革命のストーリーとの類似点がいくつも見えてくる。オスマン帝国の科学思索家は古代ギリシアの文書を読んでは翻訳し、もっと時代が下ったイスラムの著作に倣ってそれらの古い考え方を批判する術も学んでいった。そもそもイスタンブールの町では、シルクロードにおけるその位置のおかげで、ラテン語やギリシア語からペルシア語やアラビア語までさまざまな言語で書かれた科学に関する手稿を容易に入手できた。それだけでなく、ヨーロッパルネサンスの中核をなす概念そのものにも、イスラム世界でそれに対応するものがあった。アラビア語ではそれを「タジディード」という（直訳すると「革新」となる）。かつてこの言葉は神学者がイスラム教の改革を指すために用いていた。しかし15世紀以降、「タジディード」の概念はもっとずっと幅広く使われはじめ、宗教だけでなくイスラム科学の復興運動の一翼を担うようになった。その運動はイスタンブールに限られていたわけではない。次の節で見ていくとおり、天文学や数学とイスラム教との結びつきはシルクロードを通ってさらにサハラ砂漠を渡り、西方のアフリカにまで広がったのだ。[39]

4　アフリカの天文学者

1577年11月、現在のマリ共和国にあるティンブクトゥの町の上空に見事な流星雨が現れた。16世紀から17世紀にかけて西アフリカでの天文現象の報告が相次いだ。17世紀初頭に西アフリカの年代記編者アブド・アル゠サアディーは、「彗星が現れた。初めは夜明けに地平線の上に昇り、それから少しずつ高くなっていって、日没と夜のあいだに空の中ほどに達した」と記している。この章ではここまで、サマルカンドからイスタンブールまでおよぶイスラム世界の支配者たちがこの時期に天文学に強い関心を示したさまを見てきた。それと同じことはアフリカのサハラ以南の地域にも当てはまる。16世紀に西アフリカの大部分を治めたイスラムの国、ソンガイ帝国の支配者アスキア・ムハンマドの宮廷でも大勢の天文学者が雇われていた。彼らは暦の編纂や宗教的な助言によって帝国の運営に貢献していた。敬虔なイスラム教徒であるアスキア・ムハンマドは天文学者たちを厚遇し、祈りの時刻やラマダンの日付を計算させては報酬を与えていた。メッカの方角を見極める任を負った者もいた。[40]

16世紀のティンブクトゥに天文学者が大勢いたことから、近代科学の歴史においてサハラ以南の地域がどのような位置づけにあったかがよく分かる。この地域はほかのどんな地域にも増して、科学革命に関する歴史書からは排除されている。幅広い世界の重要性を認めた科学史書でも、サハラ以南の地域が抜け落ちているのが目につく。しかしヨーロッパによる植民地化以前のアフリカに科学が存在していなかったというのは間違った考え方で、いますぐにでも改める必要がある。アフリカにも世界のほかの地域と同じように豊かな科学的伝統があり、15世紀から16世紀にかけて宗教と交易のネットワークが拡大するとともにそれが大きく変化した。そのためサハラ以南の地域も、世界のほかの地域と分けてとらえるのではなく、この章でたどってきたグローバルな文化交流のストーリーの一部として見るべきだ。[41]

ティンブクトゥの町は12世紀に建てられた。そして15世紀から16世紀にかけて、とりわけソンガイ帝国が台頭してこの町を支配下に収めた１４６８年以降に大きく発展した。その最大の要因はサハラ砂漠を横断する交易の拡大で、ティンブクトゥを発った隊商が金や塩、奴隷をエジプトやさらに遠方へ運び、シルクロードを介して西アフリカとアジアをつないでいた。同じ頃には西アフリカのほかの諸王国も海に面したヨーロッパ諸国との交易を始めた。そうして大西洋を挟んだ奴隷貿易が興り、その影響については次の２つの章でもっと詳しく掘り下げることにする。ティンブクトゥはあっという間に豊かになり、ソンガイ帝国の支配者は「設備の整った壮麗な宮廷」に「大勢の医者や裁判官、学者や神官」を侍らせた。交易とともに宗教も、アフリカともっと幅広い世界をつなぐ重要な要因となった。７世紀にイスラム教徒が北アフリカを征服し、10世紀にはイスラム教がサハラ砂漠を経て西アフリカへ広まりはじめた。そして14世紀以降、とりわけ地方の各地にもっとずっと広く浸透しはじめた。この時期にはまた、ティンブクトゥなどの町で西アフリカのイスラム教徒の学者が、手稿を取り寄せるだけでなく現地で独自の手稿を次々に編みはじめた。アフリカの支配者たちは以前から、政治力を高める上でイスラム教が重要であることを認識していた。アスキア・ムハンマドも１４９６年、ティンブクトゥの大勢の学者を引き連れてメッカへの巡礼を果たしている。[42]

交易や巡礼とともに知識も伝えられた。アスキア・ムハンマドがメッカから持ち帰ったアラブの手稿数百点には、天文学の新たな考え方からイスラム法の原理に至るまであらゆる事柄が詳述されていた。

サハラ砂漠を横断して西アフリカに戻ってくる商人も、イスタンブールやカイロで購入したアラブの手稿の数々を持ち帰ってきた。16世紀の有名な旅行者レオ・アフリカヌスはティンブクトゥ滞在中に、「バーバリ［北アフリカ］から手稿本を運んできた。売ればどんな商品よりも儲かる」と記している。また15世紀末にグラナダ王国の滅亡へとつながった、カトリック教徒によるムスリム・スペインの征服から逃れてきた大勢のイスラム教徒の学者も、数々の手稿を持ち込んできた。のちほど述べるとおり、西アフリカにアラブの手稿が広まったことで最終的に科学に変革が起こり、そのストーリーはルネサンスのヨーロッパと驚くほど似ているのだ。[43]

イスラム教が広まる以前からアフリカの人々は夜空を観察していた。古代マリのドゴン族の人々は一つ一つの恒星に名前を付けていたし、南アフリカのコーサ族の人々は木星を夜間の道しるべに使っていた。中世、現在のナイジェリアにあったベニン王国の支配者は、「イウォ゠ウキ（昇る月の会）」と呼ばれる天文学者の専門集団を雇い、一年を通した太陽や月、星々の運行を追跡させていた。これは農耕暦を定めるためにとりわけ重要な営みだった。ベニン王国の都に暮らす天文学者はオリオンの三つ星の運行を綿密に観察し、「この星が夜空から見えなくなったらヤムイモを植える時期だと分かる」と説いた。同じく現在のナイジェリアにあったイフェ王国の支配者も、町の農耕や宗教にとって天文学が重要であることに気づいていた。ヨルバ文化の中心地だったイフェの町には数多くの寺院が建っていた。王はそのそばに花崗岩の高い柱を立て、それを使って太陽の動きを追跡したり、宗教行事や毎年の収穫の時期を判断したりしていた。[44]

このような従来の天文学の伝統が、15世紀以降大きく変化していった。ヨーロッパと同じくアフリカの学者たちも、アリストテレスやプトレマイオスなど古代ギリシアの思索家の著作をアラビア語訳を通じて学びはじめた。夜には学生たちが焚き火を囲んで星々の運行を観察しては、アラビア語のさまざまな手稿に記された天文表と突き合わせた。16世紀のティンブクトゥで天文学を教えるのに使われたと考えられる手稿は、そのタイトルを『星々の動きの知識』という。その冒頭では古代ギリシアやローマの著述家による天文理論が説明されていて、それに続いてもっとのちの時代のイスラムの思索家、たとえばプトレマイオスの天文学を批判して大きな影響を与えた11世紀の著述家イブン・アル＝ハイサムなどの理論が挙げられている。さらには、特定の星の位置を見極める方法と、占星術におけるその星の意味が示されている[45]。

ティンブクトゥの学者ムハンマド・バガヨゴが著した別の手稿には、日中と夜間の祈りの時刻を計算する方法が説明されている（それぞれ日時計と月の位置を用いる）。16世紀初頭にメッカ巡礼を果たしたバガヨゴは、アラビア語の手稿をティンブクトゥでもっとも多く所有する一人で、16世紀オスマン帝国の天文学者ムハンマド・アル＝タジュリーの著作に対する註解書も書いた。ティンブクトゥではアラビア語だけでなくオスマン・トルコ語の手稿も見つかっていて、この時期にオスマン帝国と西アフリカの科学の発展が密接に関係しあっていたことがよく分かる[46]。

ティンブクトゥは、近世の西アフリカにおける科学の発展にとって間違いなくもっとも重要な場所の一つだった。しかしけっして唯一というわけではない。ほかにもアフリカの数多くの町、とりわけ交易や宗教を通じて幅広い世界とつながっていた町が、この時期に同じく科学の知識を拡大させた。現在のナイジェリアにあったイスラム教の国、ボルヌ帝国では、大モスクの学者たちが「科学に関する数々の著作」を学んでいたという（後世の記述による）。同様に、のちにナイジェリアとなるイスラム教の国、カノ王国では、イスラム世界一帯から学者が招かれて宮廷で教えていた。15世紀初めには、メジナからはるばるやって来たある人物が、天文学や数学などの科学分野を扱ったアラブの手稿を大量に持ち込んだ。ティンブクトゥと同じく、15世紀のカノの学者も、古代ギリシアの文書を要約したアラビア語の文献や、イブン・アル＝ハイサムなどイスラムの有力な科学思索家の著作を読んでいた。[47]

ここまで見てきたほかの地域と同じく、カノの宮廷で働く天文学者も暦の編纂に携わっていた。アブドゥッラー・ビン・ムハンマドという名の学者は、イスラムの占星術のための伝統的な暦に関する詳細な手稿を著し、その中で、月は一年を通していくつもの星座を通過すると説明している。また、「惑星の公転」と占星術におけるそのさまざまな意味合いについても論じている。何よりも注目すべきは、カノの住民の大多数を占めるハウサ族の言語、ハウサ語でこの手稿が書かれていることだ。さらにこの手稿には、一つ一つの恒星や惑星のハウサ語の名称とアラビア語の伝統的な名称が併記されている。たとえばハウサ語で水星は「マガタカルド」（「筆記者」の意）、太陽は「サルキ」（「王」の意）と記されている。このことからも、イスラム教の伝来以前からアフリカには天文学の伝統が存在していて、それが15世紀から16世紀にかけてアラブの手稿が伝わったことで変化したさまがはっきりと読み取れる。[48]

西アフリカにおける科学の新たな考え方の発展は18世紀初頭まで続いた。１７３２年、現在のナイジェリアにあったカツィナの町の数学者が、『各文字の神秘的な使い方に関する論考』というタイトルの手稿を著した。その著者ムハンマド・イブン・ムハンマドは、東に１２００キロ以上離れたボルヌ帝国でイスラムの一流の学者から天文学や占星術、数学を学んでいた。またこの章に登場したアフリカの多くの科学思索家と同じく、メッカ巡礼を果たしたばかりだった。この手稿はタイトルこそ多少謎めいているが、実は数学書で、「魔方陣」と呼ばれるものの原理を詳しく論じている。あなたも学校で教わったことがあるかもしれない。いちばん単純な魔方陣は３×３の格子状で、各マス目に1から9までの数が入る。正しい場所に数を入れると、縦・横・対角線に沿って足し合わせた値がすべて等しくなる。数の並べ方は何通りもあるが、足し合わせた答え、すなわち「魔法数」は一つしかない（３×３の魔方陣の場合には15）。それが理解できたら、もっと複雑な数学問題について考えていくことができる。たとえばもっと大きい魔方陣、９×９や、さらには任意の大きさ$n \times n$の魔方陣の「魔法数」はいくつか？　また、それぞれの大きさの魔方陣における解の個数や、それを解くための最適なアルゴリズムを導き出すこともできる。[49]

　魔方陣については中世イスラムの数学者によって広く論じられており、ムハンマド・イブン・ムハンマドはほぼ間違いなく、カツィナで売買されていたアラビア語の手稿を読んでそれを知ったと思われる。そして魅了され、自らの手稿の中で何ページにもわたって取り上げて、さまざまな大きさの魔方陣を作るための公式を導き出した。また、３×３の魔方陣の場合には回転と鏡映だけですべての解が得られることも証明した。しかし数学的な興味を示しただけでなく、魔方陣を宗教的な務めの一環ともとらえていた。魔方陣はアッラーから授けられたものであると考えたのだ。「その文字は神の保護のもとにある」と記している。それどころか、魔方陣を特別視するあまり、数学者は「秘かに取り組んで、神の秘儀を

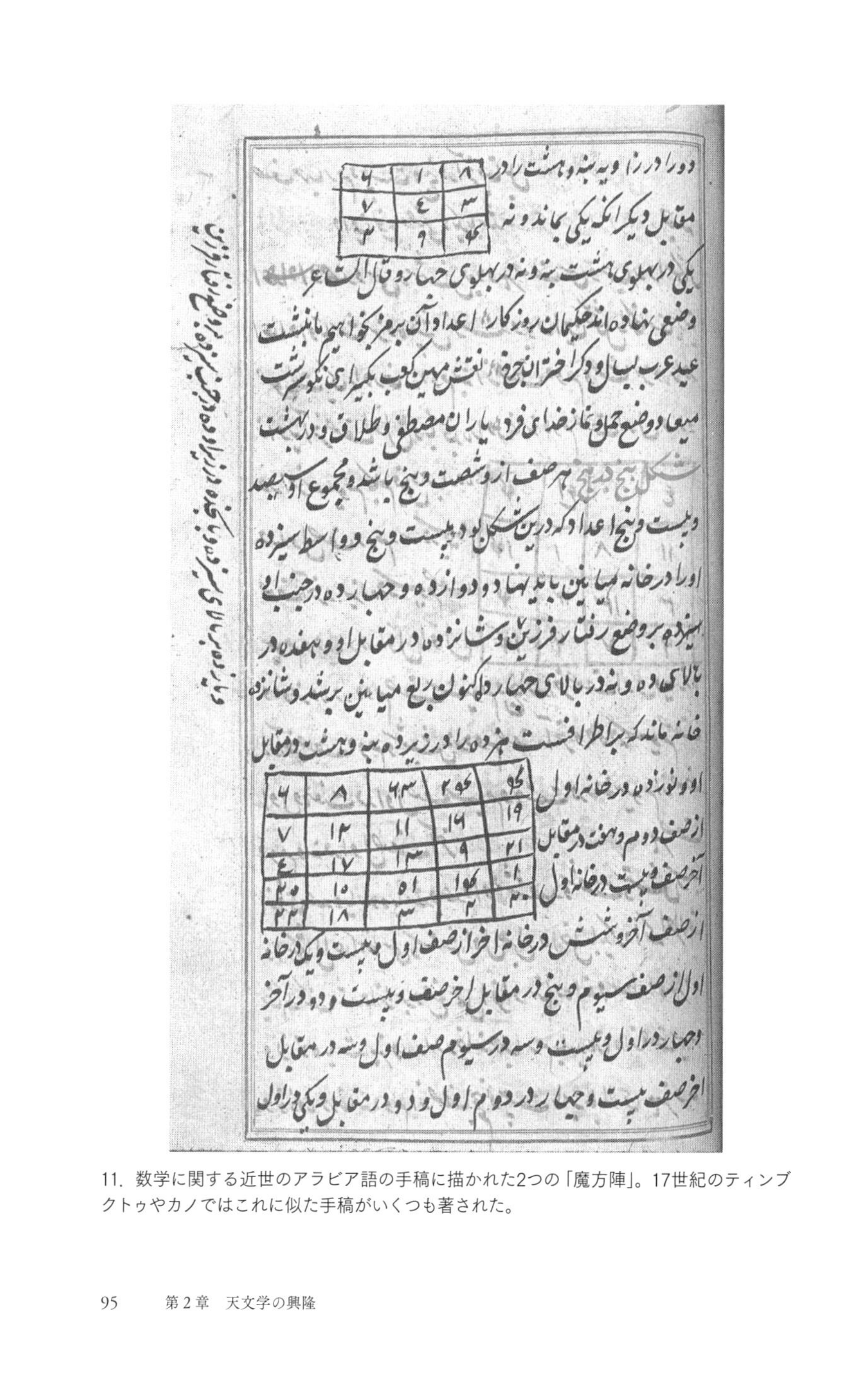

11. 数学に関する近世のアラビア語の手稿に描かれた2つの「魔方陣」。17世紀のティンブクトゥやカノではこれに似た手稿がいくつも著された。

見境なく言いふらすべきではない」と釘を刺している。またこの言葉からは、多くの人が魔方陣に神秘的な性質を結びつけていたことも読み取れる。アフリカやアジア、ヨーロッパを問わず多くの科学思索家と同じように、ムハンマド・イブン・ムハンマドも、魔方陣は不吉な前兆から守ってくれるお守りのような役割を果たすと信じていた。手稿のタイトルに数学の「神秘的な使い方」とあるのはそのためだ。魔方陣は未来予知にも広く使われていた。近世のカツィナでムハンマド・イブン・ムハンマドも、魔方陣のそれぞれの数を単語や文字に置き換えて「占い」をおこなっていたことだろう。悪霊を寄せ付けないよう、衣服に魔方陣を縫い込んでいる者もいた[50]。

＊

サハラ以南の地域は科学革命の歴史からあまりにも長いあいだ無視されてきた。しかしこの地域の豊かな科学文化を掘り下げていくと、同時期にヨーロッパで起こった出来事との類似点が数多く見えてくる。ヨーロッパと同じくアフリカの人々も、アリストテレスやプトレマイオスなど古代ギリシアやローマの科学思索家のことを、アラビア語の翻訳や要約を通じて学んだ。またヨーロッパと同じく、イブン・アル＝ハイサムなどもっと後のイスラムの天文学者や数学者の著作に基づいて、彼ら古代の思索家を批判するようになった。そしてヨーロッパと同じく、アフリカでの科学革命でも古い考え方が完全に一掃されることはなく、天文学と占星術、予言はいまだに区別されていなかった。このように、アフリカを科学革命から切り離して考えるべきではない。15世紀から16世紀にかけて、シルクロードを介した交易や巡礼の拡大によって科学に変革が起こったという、共通した歴史の一部としてとらえるべきだ。

ティンブクトゥやカノでもサマルカンドやイスタンブールと同様、天文学や数学の宗教的価値に気づいたアフリカ人の裕福なパトロンがイスラム教徒の学者を支援した。ソンガイ帝国の宮廷に仕えるある天文学者は、「この科学の使い道の一つは祈りの時刻を知ることである」と記している。また天文学者たちは、サハラ砂漠を横断する隊商の道案内をすることで、この地域における交易の拡大をさらに後押しした。彼らは「星々を目印とする案内人に導いてもらいながら、広大な砂漠をまるで海のように」旅したと、ある作家は書いている。シルクロードの西端に位置するアフリカは、15世紀から16世紀にかけて最終的に独自の科学革命を経験した。では次にシルクロードを東へたどり、同様の交易や宗教、学問の交流が中国やインドの科学革命を引き起こしたさまを解き明かしていこう。[51]

5　北京の天文学

絹の赤いローブをまとったマテオ・リッチは紫禁城に足を踏み入れた。ヨーロッパ人として初めて、北京の中心部にある中国皇帝の私邸に入ることを許された。皇帝に良い印象を与えようと、儒学者の衣服を身につけていた。この機会に、中国人学者によく見られる長いあごひげまで伸ばした。1601年2月に大理石造りの広大な前庭を歩き出したリッチは、20年近く前からの念願を果たした。中国にやって来たのは1582年、イエズス会の一員としてだった。前の章で述べたとおり、イエズス会の宣教活動は近世の科学の発展と密接に結びついていた。彼らは天界の研究を、神の知恵を理解する手段として、またキリスト教の信仰の力を異教徒に見せつけるための手段としてとらえていた。リッチも中国でまさにそのようにして宣教活動に取り組んでいた。

1552年に教皇領のマチェラータで生まれたリッチは、1570年代初頭、ローマ学院を代表する学者でイエズス会修道士のクリストファー・クラヴィウスから数学と天文学を学んだ。天文学者にとっては刺激的な時代だった。コペルニクスの太陽中心モデルが騒動を引き起こした上に、1572年11月には空に「新たな星」が現れ、天界は完全に不変であるという考え方がますます脅かされたのだ(その「新たな星」は実は超新星だった)。学問を修めたリッチはイエズス会の極東での布教活動に加わるよう勧められた。そうして1577年にローマを発ってリスボンへ行き、そこから中国行きの船に乗った。インドにしばらく滞在するなどして、旅は4年近くにおよんだ。そして1582年8月、ポルトガル領の貿易港マカオにようやくたどり着いた。それ以降の生涯を中国で過ごし、アジアにおけるキリスト教と科学の発展に大きな役割を果たした[52]。

リッチは、イエズス会が中国に足がかりを築く上で天文学と数学が役に立つはずだと確信していた。14世紀半ばに権力を掌握した明王朝は、それまで長いあいだヨーロッパからの訪問者を警戒していた。1572年に王位に就いた万暦帝は、マカオにポルトガル人が滞在することこそ許したものの、それより内陸に向かう船は年に数隻しか認めなかった。ポルトガルの商人と同じくイエズス会修道士も、当初は足場を固めるのに苦労した。「外国の悪魔」とたびたび呼ばれ、ほとんど歓迎されなかった。リッチも滞在中に何度も囚われ、家には石を投げつけられた。それでも最終的には、南部の肇慶(ちょうけい)に何とかして小さな伝道所を開いた。しかしそこも長続きはせず、1589年に新たな知事が着任するとイエズス会修道士は追放された。そこでリッチは、中国でのイエズス会の未来を確かなものにするには皇帝に直々に陳情するしかないと心に決め、その思いで1601年に北京にやって来た。さまざまな贈り物を携えていた。その中には聖母マリアの絵や、真珠とガラスビーズをちりばめた十字架もあった。また2台の機械式時計も運んできた。大きいほうは鉄の錘で駆動し、小さいほうはぜんまい仕掛けだった。

万暦帝は絵画や十字架にはさほど関心を示さなかったが、時計はいたく気に入り、それを「ひとりでに鳴る鐘」と呼んで虜になった。そして大きいほうを私邸の庭に、小さいほうを自分の部屋に据え付けるよう命じた。歯車が回転してぜんまいが縮む様を観察し、その機構を理解しようとした。しかしやがて時計は止まり、鐘も鳴らなくなってしまう。がっかりした万暦帝は、宮廷にリッチを呼んで修理させた。この贈り物を選んだのは大正解で、はるばるイタリアから運んできた機械式時計は明らかに強烈な印象を与えていた。しかしそれを作動させるにはヨーロッパ数学の深い知識が必要だったし、毎日調整しては定期的にねじを巻かなければならない。万暦帝はすぐに、この時計を鳴らしつづけるにはリッチを紫禁城に入れさせる必要があると気づいた。そこで、時計の保守のために年4回訪れてくるようリッチに頼み、その見返りとして北京に暮らして伝道活動をおこなうことを認めた[53]。

科学に信頼を置くリッチの姿勢が良い結果を生んだのだ。1605年にローマに宛てた手紙の中では、中国社会の中枢に取り入るには天文学と数学が最善の手段だと説いた。「世界地図や時計、地球儀やアストロラーベなどを披露して説明することで、世界最高の数学者との評判を得た」と記している。その上で、この戦法をもっと推し進めるべきで、「優れた占星術師である神父または信徒をこの宮廷に派遣することが何よりも好都合だ」と唱えている。そうすることで「我々の評判が高まり、中国にもっと自由に入国できるようになって、安全と自由をより確保できる」という。リッチは望みを叶え、それから50年以上にわたってイエズス会は優秀な天文学者や数学者を次々に中国に送り込んだ。そうしてヨーロッパと東アジアのあいだでは、もっとずっと幅広い科学的知識の交流が始まった。天界の本質と古代の知識の役割をめぐる議論の多くは、それまでと違う舞台で展開されるようになった。ヨーロッパと中国それぞれの天文学や数学への取り組み方が出合って、互いに変質させ合ったのだ。[54]

やがてイエズス会は初めて重要人物を改宗させた。1601年に北京で伝道活動を始めてからまもなくして、徐光啓がキリスト教に改宗したのだ。徐は「進士」と呼ばれる学位を持った中央高級官僚で、イエズス会修道士からは「パウルス博士」と呼ばれた。マテオ・リッチが味方に付けたいと思っていたとおりの人物で、影響力のある学者として宮廷でイエズス会の大義を推し進めてくれた。科学の理解力も高く、リッチをはじめイエズス会修道士とともに古代ギリシアやルネサンスの科学に関する重要な著作の多くを中国語に翻訳した。身分の低い農家の出身で、少年時代は小さな僧院で学んだが、それでも役人として出世していった。そしてこのときには北京でリッチとともに、ヨーロッパ数学の大部分の礎である古代ギリシアの文書、エウクレイデス『原論』の初の中国語訳の作成に力を注いだ。

リッチは、エウクレイデスの翻訳によってイエズス会の影響力がさらに強まるはずだと考えた。「中国人のあいだではほかのどの国よりも数学の学習が尊重されている」からだ。徐とリッチはその翻訳を古代ギリシア語の原典からでなく、ローマでリッチが師事したクリストファー・クラヴィウスによるラテン語版をもとにして進めた。その頃にはリッチは中国語を流暢に話せるようになっていたが、書くのは自信がなかった。そこで2人はタッグを組んだ。リッチが口頭でラテン語から中国語に訳し、それを徐が書き取って、儒学者にふさわしい伝統的な中国語の文体に整えたのだ。まもなくしてこのほかにも、クラヴィウスの主著『アストロラーベ』（1593）など何冊かの書物を翻訳した。1610年にリッチが世を去るまでに、古代ギリシア科学の主要な書物の多くと、中世やルネサンスの数々の著作が中国語に翻訳された[55]。

これらの翻訳作業はヨーロッパの科学を中国に伝えただけだと思われるかもしれない。しかし実際にはもっと複雑な話である。イスラム世界において見たように、古代の知識を再発見するというルネサンスの理想はヨーロッパ特有のものではなかった。中国の学者も自分たちの営みを、それとほぼ同じ伝統の一部としてとらえていた。徐光啓も、リッチとともに取り組むことで失われた中国科学を再発見できるはずだと信じていた。ヨーロッパがイスラム世界に頼って過去を知ったのと同じように、中国もヨーロッパに頼る必要があったのだろう。徐はエウクレイデスの中国語訳のはしがきで、古代の知識の発掘に関する自らの展望を記している。「三国時代以前、数学は繁栄していて教師は完全な知識を教えていた」。中国で哲学と数学が高みに達していたのは紀元前3世紀までのことである。この時代に儒教書「四書五経」が編まれ、それが中国の官僚制の基礎を築いた。また、『九章算術』や『算数書』といった古典的な数学書も書かれた。しかし古代ギリシアの科学や数学と同じく、その知識は失われて「古代の龍の吐く炎の中で燃え尽きた」。それでもリッチのようなヨーロッパ人と手を組むことでその知識を復活させられるはずだと、徐は唱えた。そして、「その習わしが失われているのであれば、野蛮人から取り戻すべきではないだろうか」と凝った表現で問いかけている[56]。

このように徐光啓などの中国人学者は、ヨーロッパの人文主義者と似た役割を果たしたといえる。古代ギリシアの科学を翻訳したが、そこには失われた世界を再発見するという目的があった。さらに人文主義者と同じく、原典を発掘するだけでなく改良しようという思いで、註解や批評を書いた。徐はさらに、中国とヨーロッパの数学の手法を比較した『測量異同』（1608）という著作まで著した。その中では、「これまでの中国の数学は手法しか示すことができず、原理を示すことができなかった」と不満を表している。その指摘のとおりで、中国数学に関する従来の著作の多くは、包括的な理論でなく特定の問題に対する実用的な解法しか取り上げていなかった。包括的な数学理論が存在しないと、すでに分かっている事柄を新たな状況に当てはめるのが容易でなく、新たな知識を生み出すのは難しい。徐と同時代のある人物は、「中国の数学の教科書には具体例しか載っておらず、証明はいっさい示されていない」と述べている。[57]

徐光啓が古代ギリシアの著作に惹かれたのは、従来の中国数学に理論的基礎を与えてくれるように思えたからだ。たとえばエウクレイデス『原論』には、ピタゴラスの定理の証明が収められている（直角三角形の各辺の長さは等式 $a^2+b^2=c^2$ の関係を満たすという定理）。徐はそのように考える一方で、『九章算術』など古代中国の数学の文書にも、明確な証明こそないものの、そのような定理を用いた例が収められていることを明らかにした。その上で、エウクレイデスを読むことで失われた知識を取り戻し、おそらくはさらに発展させられるはずだと唱えた。徐と同時代のある著述家は、「西洋の学問を通じて『九章算術』に立ち返る」と記している。まさに中国版ルネサンスだ。[58]

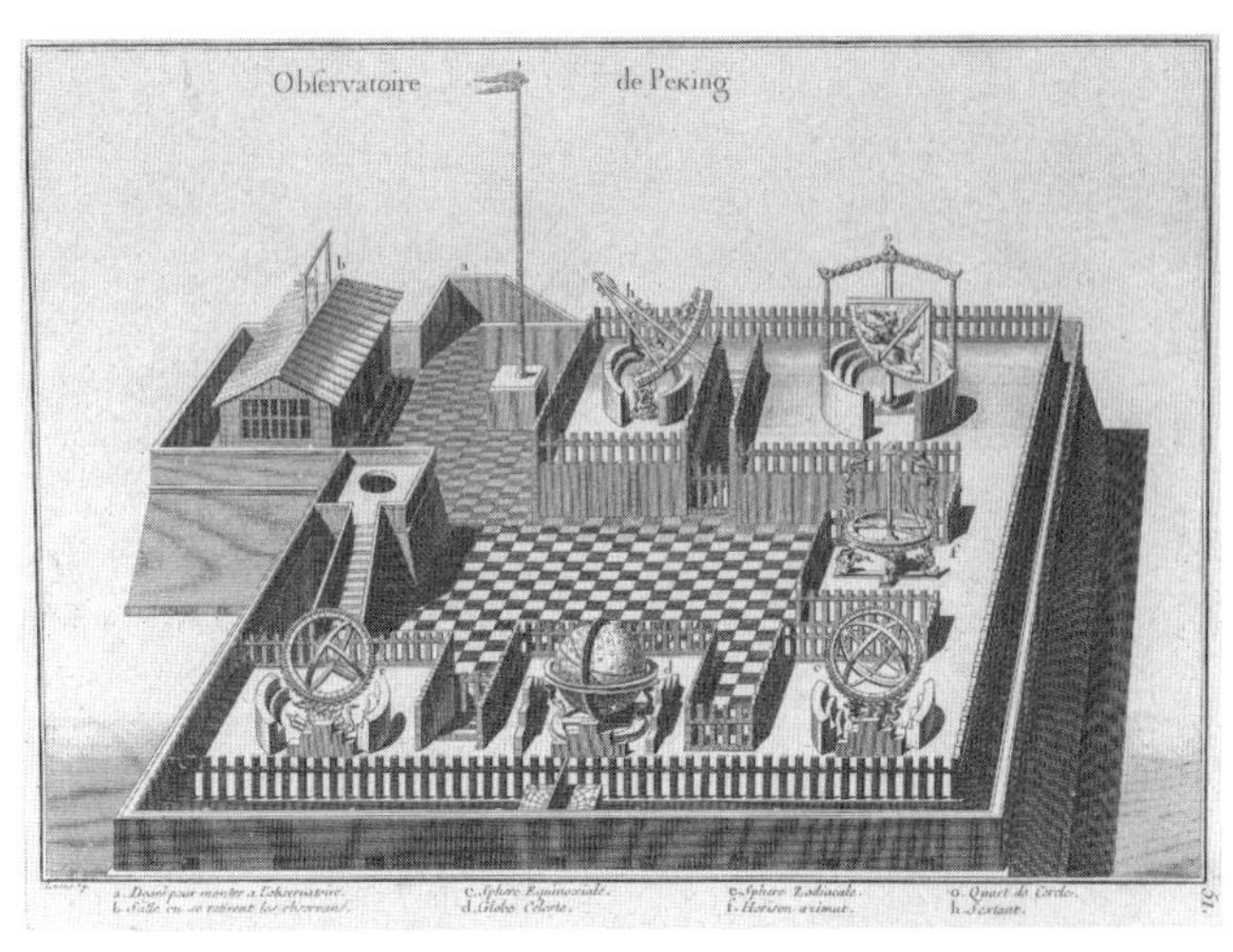

12. 17世紀の欽天監。科学機器の多くには龍など中国の伝統的な模様があしらわれている。六分儀（上段中央）などそれ以外の機器には、中国とイスラム両方のデザインが取り入れられている。

徐光啓の努力は報われた。1629年、中国の官僚機構の中でも最高位の一つである礼部左侍郎に任命されたのだ。こうしてイエズス会はついに政治の中枢に仲間を送り込んだ。徐の所属する礼部は、宮廷の儀式や宗教行事、科挙（かきょ）の実施を担っていた。また、近世中国でもっとも重要な科学機関の一つ、欽天監（きんてんかん）も監督していた。いまも残るその施設を、マテオ・リッチは1601年に書いた日記の中で次のように生き生きと描写している。

町の端、ただし城壁の内側に高い丘がある。その頂上には天文観測に絶好の広い平坦地が広がっていて、昔に建てられた立派な建物がそこを取り囲んでいる。毎晩ここで何人かの天文学者が持ち場に就いて、流星の輝きや彗星など天空に現れるかもしれない現象を観測し、皇帝に事細かく報告している。

リッチのこの記述から読み取れるとおり、欽天監は政治的にも科学的にもきわめて重要な施設だった。中国では皇帝は「天子」とされていた。天界と地上界を仲立ちして、人間と自然と宇宙の調和を保つことがその務めだった。実務の面でいうと、皇帝は年間の暦を発布して、重要な祝祭日や農期を確定することとされていた。そのため暦は政治権力の道具だった。とりわけ朝鮮など中国の属国は、その暦を取り入れることで皇帝への忠誠心を示していた。しかしその一方で、日食などの天体現象を予測し損ねると、皇帝は弁明を強いられて立場が弱くなる。皇帝は即位時にはそれを踏まえてほぼ決まって暦を改訂し、地位を盤石にしようとした[59]。

崇禎帝(すうていてい)も1627年の即位時にそのようにした。それまで日食など主要な天体現象の予測が立てつづけに失敗していたことを案じていた。1610年に欽天監がおこなった日食の予測は不正確で、時刻が30分ずれていた(取るに足らない誤差だと思われるかもしれないが、ヨーロッパでも中国でも天文学者は良いときには日食の時刻を誤差1分あまりの精度で予測できていた)。それ以降、欽天監はさらに10回の日食の予測に失敗していた。儒教では、天界の混乱は地上に影響をおよぼすとされていた。前の2代の皇帝は在位期間が短く、一人は帝位に就いてから1か月もせずに世を去った。北方からは侵略者に脅かされ、満州族が万里の長城に迫っていた。このような数々の懸念を踏まえて、崇禎帝は欽天監に改暦を指示した[60]。

徐光啓はこのチャンスに飛びついた。新たな地位を最大限に活かして、自分に改暦の指揮を執らせてくれるよう皇帝に願い出たのだ。また、北京の天文学者たちは従来の伝統だけに頼るのではなく、イエズス会修道士からも学ぶ必要があると説いた。この頃には中国の暦に根本的な問題があることが明らかになっていた。その「太陽太陰暦」では、太陽年の長さと太陰月の長さの辻褄を合わせる必要があった。地球が太陽のまわりを一周するには３６５日かかり、これが太陽年となる。月が地球のまわりを一周するには約29日かかり、これが太陰月となる。残念ながら、太陰月をつなぎ合わせていっても太陽年とぴたりと一致させることはできない。太陰月が12か月で1太陽年に近くなるが、両者を一致させるにはところどころに余計な日を追加する必要がある。そのため、太陽年と太陰月を組み合わせたどんな暦も、年月とともにどうしてもずれていく。明王朝が日食など天体現象の正確な時刻の予測を次々に失敗するようになったのはそのせいだったのだ。[61]

この問題は中国に限ったものではなかった。ヨーロッパでも１５８２年に教皇グレゴリウス13世が、キリスト教の暦を改訂するようイエズス会に求めた。一流の天文学者を擁してカトリックに仕えるイエズス会は、そのような事業を引き受けるのに理想的な集団だった。その改暦を指揮したのは、リッチがローマ学院で師事したクリストファー・クラヴィウスである。クラヴィウスは最新の数学的手法と、コペルニクスの天文表から取ったデータを組み合わせた。そうして完成したのが、今日でも世界中の多くの地域で使われているグレゴリオ暦である。中国と同様、グレゴリオ暦を採用することはカトリック教会への忠誠を示す一手段であり、プロテスタント教国の多くは18世紀までクラヴィウスによる改暦を受け入れようとしなかった。イエズス会の究極の望みは、崇禎帝もグレゴリオ暦を採用してカトリックへの関心を示してもらうことだった。[62]

結局のところその願いは叶えられなかった。徐光啓はエウクレイデスの翻訳のときと同じく、イエズス会の天文学が改暦に役立つという考えこそ説いたものの、基本的には中国特有の暦を作りたいと思っていた。「西洋の知識の素材や中身を融かして、中国の体系の鋳型に流し込む」という表現をしている。また、中国は昔から外国を頼りにしてきたとも指摘した。ルネサンスのヨーロッパと同じく、中国の天文学者はイスラム世界からかなりの恩恵を受けていた。欽天監の天文観測装置の多くは、13世紀にペルシアの天文学者が製作したものだった。その中には、サマルカンドのファフリー六分儀に似た巨大な石造りの装置もあった。17世紀になっても欽天監にはイスラムの天文表を扱う部局があった。徐は率直に、このような方針を拡張して、中国の天文学者は同様の科学的取り組みを進めるイエズス会から力を借りるべきだと唱えたのだ[63]。

最終的に崇禎帝は、徐光啓とイエズス会に改暦を任せるのがもっともふさわしいと納得した。そうして1629年に徐は、欽天監に新設された暦局の長に着任し、ローマでクラヴィウスのもと学んだ2人のドイツ人イエズス会修道士を招いた。3人は協力して新たな星表を作成するとともに、科学研究の成果をまとめた大著『崇禎暦書』（1645）を書き上げた。徐は自らの言葉どおり、その新たな暦に中国とヨーロッパの考え方を組み込んだ。いまだに太陽年と太陰月の組み合わせが用いられていたが、データはすべて新しく、ヨーロッパから伝えられた数学的手法や天文表に基づいていた[64]。

たとえば『恒星経緯表』（1634）には、中国の従来の星座とヨーロッパの著作から取った新たな星座の両方が載っている。イエズス会の来訪以前、中国の星表には、赤道よりも南でしか見えない南天の星は収められていなかった。そこで徐光啓は、北京のイエズス会が所蔵していたヨーロッパの天文学者の著作に多数あたってその欠落部分を埋めた。南天の星座を命名する際には、ヨーロッパの天文学者が挙げている名称に相当する中国語の単語を採用した。ほうおう座は「火鳥」、はえ座は「蜂」とした。また各恒星の座標はヨーロッパと中国の両体系で記した。中国の天文学者は赤道座標系を採用していたが、ヨーロッパでは黄道座標系が用いられていた。測定したい事柄に応じてどちらの座標系にも利点があった。恒星の追跡には中国の座標系のほうが都合が良いが、惑星や月の追跡にはヨーロッパの座標系のほうが優れている。徐は星表に両方の座標を挙げることで、中国の天文学者が二つの世界のいいとこ取りをできるようにしたのだ。実は18世紀までにはヨーロッパのほとんどの天文学者が中国の赤道座標系を採用することとなる[65]。

近世中国での天文学と数学の発展も、ヨーロッパやイスラム世界で見たのと似たようなパターンをたどった。15世紀と16世紀に交易と宗教の長距離のネットワークが拡大したことで、中国の天文学者は新たな科学的考え方と出合うようになった。16世紀からは、イエズス会宣教師と中国の学者が欽天監に古代ギリシアの科学を取り入れさせた。そして17世紀前半には、エウクレイデス『原論』など古代ギリシア科学の主要な著作がすべて中国語に翻訳された。

ほかの地域でも見てきたとおり、この翻訳運動は、ほかの文化を通じて過去を取り戻そうとするもっと幅広い潮流の一部だった。欽天監で働く学者たちは、古代ギリシアの文書を学ぶことで中国の古典数学をより深く理解できるはずだと信じていた。17世紀のある中国人天文学者は「互いに光を当てることができる」と唱えている。中国の学者たちはまた、今日の多くの歴史家が忘れてしまっている事実にも気づいていた。ヨーロッパの科学の大部分は実はイスラム由来だという事実である。「中国にやって来た西洋人はみな自分たちのことをヨーロッパ人と呼んでいるが、暦に関する彼らの科学はイスラムのものに似ている」と記している。しかし科学革命は、けっして古代の知識を取り戻すことだけではなかった。新たな観測をおこなうことも含まれていて、その動きは中国にも見て取れる。「真理は書物に求めるだけでなく、装置を使って実際に実験をおこなうことで獲得しなければならない。そうすれば新たな天文学は精確になる」と、17世紀に欽天監で働いていた中国人数学者たちは述べている。ヨーロッパやイスラム世界と同じく、中国における科学革命も、このように古いものと新しいもの、文書と実験の組み合わせに特徴づけられていたのだ。そしてこれから見ていくとおり、ムガル朝のインドでもストーリーはきわめて似ていた。[66]

6　インドの天文台

その大王は燃えさかる薪の山をじっと見つめていた。1737年、ジャイ・シング2世がインド北部を数百キロ旅して聖地ベナレスにたどり着いた。ガンジス川のほとりに広がるその町では、インド一帯から大勢の人がやって来て家族の遺体を茶毘（だび）に付す。そして「ラーマの名こそ真なり」と唱えてから、愛する人の遺灰を川に撒く。ヒンドゥー教徒にとってガンジス川は、煩悩を払って解脱（げだつ）できる場所である。ベナレスに到着したジャイ・シングも数千人のヒンドゥー教巡礼者の中に加わり、聖水で身を清めた。しかし単なる巡礼者ではなく、天文学者で数学者でもあった。インドでもっとも神聖な町であるこのベナレスに、インド初の正式な天文台を建設することに決めたのだ。

主要な火葬場のすぐ南、ガンジス川を見下ろす場所にジャイ・シングが建設したベナレスの天文台は、もっと大きなネットワークの一部を構成していた。1721年から37年のあいだにジャイ・シングはインド国内の計5か所に、ジャンタル・マンタルと呼ばれる天文台を建設するよう指示した。サマルカンドや北京の天文台と同じく、科学・政治・宗教の機能を兼ね備えた施設である。ベナレスのほかに、ヒンドゥー教の巡礼地であるウッジャインやマトゥラーにも建設された。また、政治的に重要な都市であるジャイプルとデリーにも建設が指示された。デリーには16世紀中頃からインドを統治していたムガル帝国の宮殿があったし、ジャイプルはジャイ・シング自身が治めるアンベール王国の都だった。この天文台のネットワークを築くことでジャイ・シングは、天文学を発展させてそれまでよりも精確な天文表を編纂したいと思っていた。複数の地点から測定をすることで誤差を特定・補正する考えだった。そしてこれらの天文台を通じてインド全土に自らの影響力を広げ、インド亜大陸でもっとも大きな力を持つ支配者の一人となった。インドでもほかの地域と同じく、地上を支配するには天界に精通する必要があったのだ[67]。

中国と同じくインドもこの時期に大帝国の台頭によって変化を遂げ、それが科学に深い影響を与えた。ムガル帝国は1526年にバーブルによって創建された。中央アジアで生まれたバーブルは、ウルグ・ベクの祖父ティムールの末裔である。16世紀初頭にデリーを侵略して、インドにイスラムの学問を持ち込んだ。アル＝トゥースィーの天文書やウルグ・ベクの天文表など、ペルシアやアラブの手稿がデリーやアグラの図書館に収められた。それとともにムガル人のほうも、インドにもとからあった科学的考え方と出合った。中には驚くほど近代的なものもあった。早くも15世紀にはインドの天文学者アーリヤバタが、昼夜のサイクルは地球の自転によって生じると唱えていた。結果としてその考え方は正しかったが、プトレマイオスなど中世ヨーロッパのほとんどの天文学者は、地球は完全に静止しているはずだと信じてそれを否定していた[68]。

１５５６年から１６０５年まで在位したムガル帝国皇帝アクバルは、イスラム教とヒンドゥー教の融和に努め、その中には科学も含まれていた。ウルグ・ベクの著作を、ヒンドゥー教の聖典にも使われるサンスクリット語に翻訳するよう指示した。また、ニラカンサという名のヒンドゥー教徒の数学者を宮廷付きの天文学者に任命した。アクバル自身はイスラム教徒だったが、ヒンドゥー教徒である臣民の要求に応えるにはニラカンサのような人物が必要であることは承知していた。ニラカンサにはヒンドゥー教の年間暦を発布する任が与えられた。この時期にはヨーロッパ人もインドに進出しはじめた。イエズス会の天文学者は中国での成功を繰り返そうと、アクバルの宮廷を訪れた。旅行者や商人もやって来た。１６５８年から70年にはフランス人医師のフランソワ・ベルニエが、ムガル帝国皇帝アウラングゼーブの宮廷医師を務めた。ベルニエの報告によると、ムガル人の支配層は科学に強い関心を示していたという。デリーの知事は、経験に基づく天文学を唱えるフランス人ルネ・デカルトやピエール・ガッサンディの最新の著作を、ペルシア語訳を通じて読んでいたらしい。インドで科学研究が盛んになったのは、結局のところこのようにイスラム教とヒンドゥー教、キリスト教の文化が組み合わさったためだった。15世紀以降に世界中に広がったグローバルなルネサンスのさらなる一例である[69]。

ジャイ・シングの天文台はこのような潮流の頂点にあった。5つの天文台の中でも最大であるジャイプル天文台には、世界中から天文学者や観測機器、書物が集められ、当時もっとも進んだ科学機関が作られた。１７３４年に完成したそのジャイプル天文台はいまでもあり、石造りの巨大な観測機器が19台遺されている。その中にはイスラムの伝統的な設計に基づいたものもあった。以前にジャイ・シングはサマルカンドにあったウルグ・ベクの天文台に関する記述を読んでおり、ジャイプルの観測機器の一台はファフリー六分儀のほぼ完全な複製である。とはいえインドの天文学も重要な役割を果たしつづけた。ジャイプル天文台の石造りの観測機器には、イスラムとヒンドゥー両方の時間単位で目盛りが刻まれている。イスラム世界ではヨーロッパと同じく、1日を24時間、1時間を60分に分割する。しかしインドの天文学者は、1日を60分割し（「ガティカ」）、それをさらに60分割していた（「パラ」）。実はこの時間体系はかなり道理にかなっていて、すべての単位が同じ数（この場合は60）の倍数なので計算がはるかに容易になる。それを踏まえてジャイ・シングは、すべての観測機器に時間と分だけでなくガティカとパラの目盛りも刻むよう指示したのだ[70]。

ジャンタル・マンタルにあったすべての観測機器が以前のイスラムの機器の複製だったわけではなく、ジャイ・シング自身も多数の機器を考案した。中でももっとも目を惹くのがサムラート・ヤントラ（「至高の機器」）で、ジャイプル天文台のものは高さ27メートルを超える。これは要するに巨大な日時計で、現存するものの中で世界最大である。しかしそれだけでは設計の巧妙さは伝わらない。中央の石塔の左右から湾曲した構造物が延びていて、その上に影が落ちるようになっている。こうすることで、平面上に影が落ちる従来の日時計よりもはるかに精確になっている。結果としてジャイプル天文台のサ

13. インド・ジャイプルにある天文台、ジャンタル・マンタルのサムラート・ヤントラ(「至高の機器」)。

ムラート・ヤントラは、現地の時刻を2秒刻みの精度で測定でき、当時のほとんどの機械式時計よりも高い精度を達成した。ジャイ・シングが考案したもう一つの主要な観測機器が、ジャイ・プラカーシュ・ヤントラ(「ジャイの光の機器」)と呼ばれるものである。その構造はもっとずっと複雑で、さしわたし8メートルを超す大理石の巨大な鉢が地面に埋められている。夜空を投影した形になっていて、大理石に星々や星座が刻み込まれている。この鉢の上に針金で金属の小さなリングを吊し、影を落とすことで、特定の天体の運動を一日中追跡することができた[71]。

ジャイ・シングは観測機器の建設と並行して書物の収集も進めた。ジャイプルの王宮に収められた彼の蔵書には、ラテン語・ポルトガル語・アラビア語・ペルシア語・

サンスクリット語の書物が含まれていた。ほかのどんな地にも増して、東方と西方の科学的知識が集結していたといえる。ジャイ・シングはプトレマイオス『アルマゲスト』のアラビア語訳および、前に登場したアル＝トゥースィーやアル＝ハイサムなど何人もの天文学者による註解書も所有していた。これらのイスラムの著作とともにサンスクリット語の天文学に関する手稿も100点以上並んでいて、その中には、地球は自転していると説いたアーリヤバタの5世紀の文書の写本も含まれていた。ジャイ・シングはまた、ヨーロッパ由来の新たな天文学の考え方にも関心を深めていった。1727年にはインド以外の天文学に関する知見を広めようと、ポルトガルに使節団を派遣した。1730年にリスボンに到着したその使節団には、イスラム教徒の天文学者シェイク・アブドゥッラやポルトガル人イエズス会修道士のマヌエル・デ・フィゲレドが含まれていた。2人はポルトガル王ジョアン5世への謁見を認められ、1731年、ヨーロッパ天文学の最新の著作を何冊も携えてジャイプルに戻った。その中にはフィリップ・ド・ラ・イール『天文表』（1687）やジョン・ネイピア『驚くべき対数の法則の解説』（1614）も含まれており、いずれもジャイ・シングによってサンスクリット語に翻訳された。最後にジャイ・シングの蔵書には、さらに東方からもたらされた書物も含まれていた。インドのイエズス会修道士は中国の同胞とつねに手紙をやり取りしていた。しかも北京の天文台にいたあるフランス人イエズス会修道士は、中国天文学の最近の発展を説明した『中国天文学史』（1732）という書物まで送っている。[72]

ジャイ・シングは東方と西方から得たこれらの知識をすべて組み合わせて、新たな天文表を作成した。

ペルシア語で書かれたその天文表は、当時のムガル帝国皇帝を讃えて『ムハンマド・シャーの天文表』（1732）と名付けられた。ジャイ・シングはこれをムハンマド・シャーに捧げることで、政治的大混乱の渦中のムガル宮で自身の地位を守ろうとした。1707年に皇帝アウラングゼーブが崩御して以降、ムガル帝国は混乱に陥っていた。何人もの皇帝がときに親族に暗殺され、インド北部は戦乱に巻き込まれた。ジャイ・シングも、ある短命の皇帝の軍勢と戦っている最中に捕らえられている。しかし最終的に、1719年から48年まで在位したムハンマド・シャーが比較的安定した時代をもたらした。戦乱後の自らの地位を是が非でも固めたかったジャイ・シングは、新たな皇帝にこの天文表を捧げ、「神を讃えよ。王の中の王の供物台に我が身を捧げよ」と記した。[73]

ジャイ・シングはこの天文表の作成に際して、この章の冒頭で取り上げたイスラムの王子ウルグ・ベクが300年近く前にサマルカンドで作成した『スルタン天文表』を直接手本とした。挙げられている恒星の数も1018個で同じである。しかしジャイ・シングは、サマルカンドとジャイプルの経度差を考慮してそれらの座標を修正した。さらにジャイ・シングの天文表には、イスラムや古代ギリシアの天文学で用いられていた星座とともに、ヒンドゥー教の星座も挙げられている。というのも、ジャイ・シングはこの天文表によって、ムガル宮だけでなくベナレスなどヒンドゥー教の聖地でも高い評価を得たいと望んでいたからだ。その目的のためにこの天文表のサンスクリット語訳まで作成した。ムガル帝国皇帝に捧げたペルシア語版と違い、そのサンスクリット語版の冒頭には「聖なるガネーシャへ」という献辞が記されている。[74]

ジャイ・シングはイスラムやインドの天文学に加え、ヨーロッパから学んだ知識も活用した。『ムハンマド・シャーの天文表』には、フランスの天文学者フィリップ・ド・ラ・イールの著作から取った表もいくつか収められていて、いずれの表も当時のヒンドゥー教の時間単位に合わせて修正されている。また、ジャイ・シングが望遠鏡を使っておこなった観測の結果も記されている。その望遠鏡は、1689年にフランス人イエズス会修道士が初めてインドに持ち込んだうちの一台だった。「この望遠鏡のおかげで白昼でも明るい星を見ることができる」と説明している。また、「この望遠鏡を使って、よく知られた文書と矛盾するいくつかの事実に気づいた」とした上で、木星の衛星や土星の環について言及している。[75]

『ムハンマド・シャーの天文表』の中でジャイ・シングは、この頃にローマから北京にまでわたる数々の天文学者が唱えていたある主張を取り上げている。ジャイ・シングいわく、古代の人々は天界は不変だと誤って信じていた。そこで天文学者は宇宙をもっと完璧に理解するために、新たな観測をおこなって古代の文書を検討しなおす必要がある。ジャイ・シングにとって古代の天文学の問題点は、哲学的というよりも実践的なものだった。つまり使われていた機器の精度の問題であるということだ。「そのために、ヒッパルコスやプトレマイオスなど古代の人々の観測値は不正確だった」と説明している。それを踏まえてジャイ・シングは、インド北部一帯に天文台ジャンタル・マンタルの広大なネットワークを築き、そこで新たな測定をおこなっては結果を突き合わせたのだった。そして何よりも重要なのは、ジャイ・シングが東方と西方の科学的知識を組み合わせたことである。ムガル帝国皇帝自身が満足げに記しているとおり、「イスラムの信仰を持った天文学者や幾何学者、ヒンドゥー教の司祭や学者、そしてヨーロッパの天文学者」がジャイ・シングの天文台に集結した。まさにグローバルな科学革命だったのだ。[76]

7 まとめ

18世紀中頃までに天文学や数学は、オスマン帝国・ソンガイ帝国・明王朝・ムガル帝国という4つの大帝国の隆盛によって一変した。これらの帝国がヨーロッパと接触し、またティンブクトゥからはるばる北京に至るまでの交易や巡礼のネットワークを介して互いにつながった。商人や宣教師、使節がシルクロードを旅したり、ガレー船でインド洋を渡ったりした。それとともに新たな考え方や新たな文書、新たな科学機器を伝えた。そうして彼らはルネサンスをグローバルな学問運動へと変えた。その運動の中核には、古代の科学、とりわけ天文学を改良する必要があるという考え方があった。ヨーロッパのキリスト教圏から明王朝の中国まで、もはや古代の書物は絶対的に正しいとはみなされていなかった。天文学者はその中に矛盾点を見つけはじめ、それに代わる学説を示した。支配者も天文学を、政治や宗教にとってきわめて重要な学問として理解していた。その結果、イスタンブールやティンブクトゥ、デリーや北京の宮廷が、科学や文化の交流の重要拠点として台頭してきた。このように相異なる宗教や文化の接触や衝突が、ヨーロッパだけでなくアジアやアフリカ一帯で天文学に革命を起こしたのだ。

その潮流は、古代ギリシアの科学が初めてアラビア語に翻訳されたイスラム世界から始まった。そののち、とくに1453年のオスマン帝国によるイスタンブール征服後にヨーロッパに広がった。レギオモンタヌスからニコラウス・コペルニクスまで、当時のヨーロッパの偉大な天文学者はみな、イスラム世界から伝わってきた考え方に何らかの形で影響されていた。この潮流はさらに東方にも広がった。北京では明の皇帝が、イエズス会修道士によってローマから運ばれてきた機械式時計や望遠鏡に目を丸くした。北京の天文学者は、ヨーロッパやイスラムの科学の助けを借りることで、中国の失われた伝統を復活させて発展させられると信じた。最後に、ムガル帝国のインド征服によってヨーロッパとイスラムの科学がヒンドゥー教と融合し、ジャイ・シングによる天文台ジャンタル・マンタルの建設によってそれが絶頂に達した。

しかし世界はやがて様変わりすることとなる。すでにパワーバランスが崩れはじめていた。それから200年にわたって、ヨーロッパの各帝国がとりわけアジアやアフリカに進出し、どんどん攻撃的になっていった。それとともにオスマン帝国やソンガイ帝国、明王朝やムガル帝国が徐々に衰退したことで、科学史に次なる大変革が起こった。シルクロードは過去のものとなった。

第2部

帝国と啓蒙

1650年頃～1800年頃

第3章 ニュートンの発見を導いたもの

アイザック・ニュートンは奴隷貿易に投資した。18世紀初頭、イギリスの名高い数学者ニュートンは南海会社の株式を2万ポンド以上購入したのだ。莫大な額で、現在の貨幣価値で200万ポンドを優に超える。南海会社は1711年、フランスやスペインとの戦争で膨れ上がったイギリスの債務を返済するための資金調達の一環として設立された。同会社は南アメリカとイギリスの貿易を独占しており、約束されたその莫大な収益に投資家が惹きつけられていた。貿易品の大部分は人間だった。1713年から37年までに南海会社は6万人を超すアフリカ人を捕らえ、大西洋を渡ってヌエバ・グラナダやサント・ドミンゴなどスペインの植民地に運んだ。[1]

奴隷貿易は18世紀に隆盛を極めた。1701年から1800年のあいだに600万人を超すアフリカ人奴隷が大西洋を渡った。そしてすさまじい虐待を受け、男女問わずカリブ海沿岸のプランテーションや南アメリカの鉱山で働かされた。奴隷貿易に投資するほとんどのイギリス人と同じくニュートンも、自分の金がどこに流れているかなどほとんど考えもしなかったのだろう。ロンドンに腰を落ち着け、奴隷制の残酷な現実からは遠く隔てられていた。ニュートンにとって南海会社は投資先の一つにすぎなかった（1720年に株価が暴落して大きな痛手をこうむったが）。ニュートンはそのほかに、アジアとの貿易を独占するイギリス東インド会社や、イングランド銀行の株式も保有していた。晩年にはロンドンにある王立造幣局の長官を30年にわたって務め、金銀の海外取引を管理した。[2]

このようにニュートンが金融取引に関わっていたことからは、18世紀の科学がどんな世界だったかを垣間見ることができるが、いまではそれは見過ごされることが多い。当時は奴隷制と植民地貿易、戦争の世界だった。ニュートンは18世紀の偉大な科学者のほとんどと同じく、孤高の天才として描かれている。ケンブリッジ大学でたった一人で研究にいそしみ、数々の大きなブレークスルーを成し遂げたのだと語られている。重力を発見し、微積分法を発明し、運動の法則を確立したとされている。1687年にニュートンは不朽の名著『自然哲学の数学的諸原理』（『プリンキピア』のほうが通りがよい）を世に出した。前の章で掘り下げた数々の考え方に基づいて、自身の理論を数学的に正確かつ詳細に展開させた書物である。それによってニュートンは古代の哲学から完全に決別し、宇宙の成り立ちを完全に数学的に説明した。そのためニュートンと『プリンキピア』は啓蒙運動の始まりになったと解釈されることが多い。啓蒙運動の時代には、スウェーデンの博物学者カール・リンネが動植物の新たな分類法を考案し、フランスの化学者アントワーヌ・ラヴォアジエが物質の科学を大転換させた。心のしくみを掘り下げたジョン・ロックや、『人間の権利』を著したトマス・ペインなど、偉大な哲学者の時代でもあった。何よりも道理と理性の時代だった。[3]

しかし啓蒙運動の時代は帝国の時代でもあった。18世紀を通してヨーロッパの各大国が競い合い、大西洋やアジア、太平洋のあちこちで戦いを繰り広げた。ソンガイ帝国や明王朝、ムガル帝国やオスマン帝国といったかつての帝国や王朝は、滅亡したか、さもなくば大幅に弱体化した。それと同時に奴隷貿易が急拡大した。16世紀には比較的小規模な事業だったのが、産業的な搾取体系へと急速に成長した。1750年代には毎年5万人を超すアフリカ人奴隷が大西洋を渡って運ばれた。このように18世紀のヨーロッパ諸帝国の台頭は、グローバルな歴史におけるきわめて重要な出来事だった。そしてこれまでの章と同じように、この時期の科学史もまたグローバルな歴史を踏まえることでより深く理解できる。[4]

1660年にイングランド王チャールズ2世が2つの団体に勅許を与えた。一つはロンドンに新たに作られた科学団体で、のちにニュートンが会長を務める王立協会。もう一つは王立アフリカ冒険者貿易会社、のちの王立アフリカ会社。西アフリカとの貿易、おもに奴隷貿易を牽引したもう一つの組織である。この2つの組織の会員はかなり重複していて、王立アフリカ会社の創設メンバーのうち3分の1が王立協会の正会員だった。それだけでなく、王立協会は1000ポンドを超す資金を王立アフリカ会社に投資した。王立協会の各会員も同様の植民地貿易会社と深いつながりを築いた。ニュートンの金融投資はむしろかなりありふれたものだった。1668年に王立協会の正会員に選ばれたジョン・ロックは王立アフリカ会社の株式を保有していたし、真空ポンプの実験で有名なロバート・ボイルは東インド会社の取締役を務めていた。[5]

このようなつながりは制度や金融に関するものだけでなく、学問的なつながりでもあった。この時期、ヨーロッパの多くの思索家は、帝国という概念を大前提として科学を理解していた。「経験主義の祖」

と呼ばれるイギリスの哲学者フランシス・ベーコンは、大きな影響を与えた著作『ノヴム・オルガヌム』（1620）の中でそのことをはっきりと示している（このタイトルはアリストテレス『オルガノン』に当てつけたもので、ベーコンはアリストテレスを含め古代哲学を一掃しようとした）。その中で、「科学の成長は世界の探検にかかっている」と訴えている。さらに、科学的発見と地理学的発見を直接比較した上で次のように論じている。

物質的な地球の各領域がこの時代に広く開かれてつまびらかにされた一方で、学問的な地球がかつての発見の狭い範囲に閉じ込められたままだとしたら、明らかに恥ずべきことだろう。

17世紀にベーコンが書き記したこの一節は、実は第1章で触れたかつての植民地の事例を踏まえていた。ベーコンの念頭にあったのは15世紀から16世紀にかけてのスペイン帝国で、彼の科学観はセビーリャの通商院の丸写しだった。王立協会を通商院とまったく同じもの、つまり情報収集拠点としてかつてスペインが設置したこの機関と同等の組織ととらえていたのだ。ベーコンはスペイン人による新世界の探検記を読んで、それを科学研究や科学機関にそのまま当てはめようとした。さらには、以前にセビーリャの天地学者が著したスペイン語の航海術の本から図版を拝借して、『ノヴム・オルガヌム』の口絵として載せた。その版画には、古代に世界の果てとされていた想像上のヘラクレスの柱のあいだを抜ける船が描かれている。その下には聖書からの引用文が記されているが、ただし1世紀前のコロンブスの言葉に引っ掛けて、「多くの者があちこちへ赴き、知識が増すであろう」とひねりが加えられている。[6]

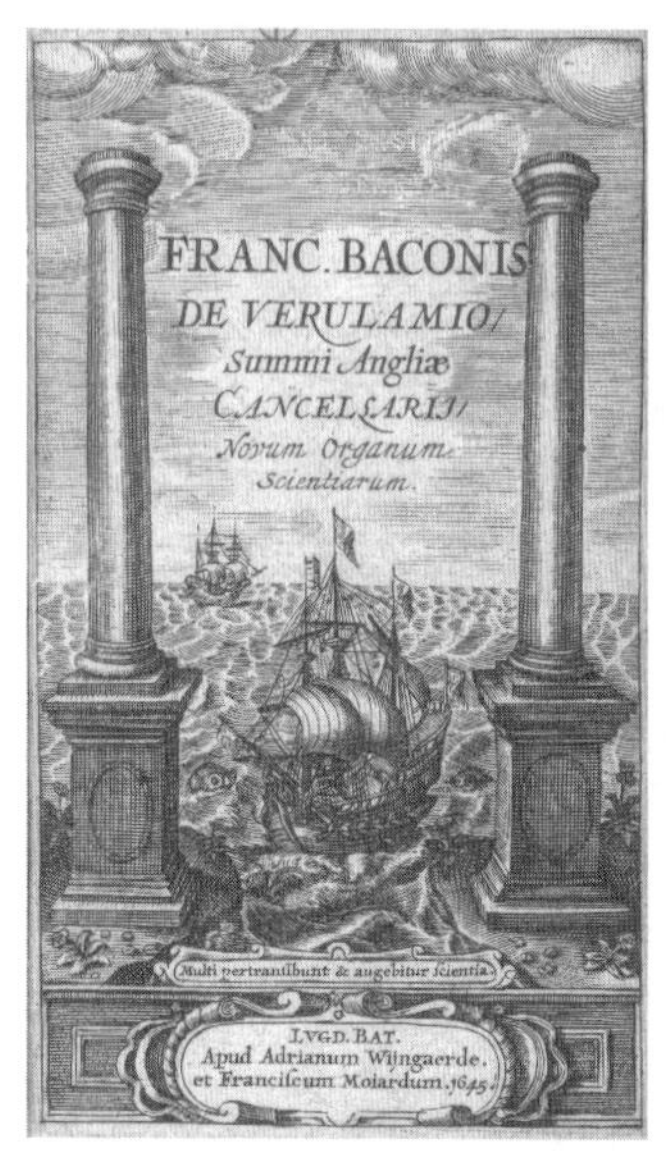

14. フランシス・ベーコン『ノヴム・オルガヌム』(1620) の口絵 (左) と、その出典であるアンドレス・ガルシア・デ・セスペデス『航海術の原則』(1606) (右)。ヘラクレスの柱のあいだを抜ける船が描かれている。

18世紀初め、科学と帝国のあいだにはこのような堅固なつながりがあった。この章では、国家の支援する探検航海が物理科学の発展の礎となったさまを探っていく。そのような航海がおこなわれていなかったら、ニュートンや彼に続く人たちが宇宙の本質をめぐるもっとも根本的ないくつかの疑問に挑むことはできなかっただろう。物理科学の発展は幅広い実益をもたらし、とりわけ測量や航海術の分野によってヨーロッパの各帝国は新たな地域へ次々に拡大することができた。それが啓蒙時代の新たな科学史だ。孤高の人たちが理性を駆使した歴史ではなく、18世紀の科学と、帝国・奴隷制・戦争という破壊的な世界とを結びつけた歴史である。その出発点としてはニュートンと『プリンキピア』がふさわしい。[7]

1　ゴレ島での振り子の実験

アイザック・ニュートンは1642年のクリスマスの日にイングランド東部のリンカンシャー州で生まれた。生涯で一度もイギリスを離れることはなく、成人してからの人生のおよそ半分は1669年にルーカス記念数学教授に任命されたケンブリッジで、残り半分は王立造幣局長官として働いたロンドンで過ごした。しかしけっして孤立してはいなかった。ニュートンの書き遺した文章を詳しく調べると、世界中から伝えられる情報に彼が頼り切っていたことは明らかだ。奴隷貿易や東インド会社への投資を通じてニュートン自身の金が循環したのと同じ世界である。『プリンキピア』に用いられた情報の大部分は、奴隷船や商船で旅した探検家や天文学者の伝えてきたものだった。[8]

『プリンキピア』の中核をなすのがニュートンの万有引力の理論である。今日の我々にとって重力の概念はあまりにも身近なだけに、かえってその正体を正確に理解するのはなかなか難しい。重い物体が地面に向かって落ちていくことは昔から分かっていた。しかしニュートンの理論はもっと複雑である。ニュートンいわく、リンゴであれ地球であれすべての物体は、見えない力を作用させてほかの物体を引き寄せる。したがってリンゴが地球に向かって落ちるとき、実は地球とリンゴの両方が互いを引っ張っている。さらにニュートンはこの発想を数学的に正確に表現することにも成功した。2つの物体の質量を掛け合わせて、そのあいだの距離の2乗で割るだけだ。これによって、質量の大きい物体（地球など）が質量の小さい物体（リンゴなど）に比べて強い重力をおよぼす理由を説明できる。また、遠くの物体が近くの物体よりも弱い重力しかおよぼさない理由も説明できる。

ニュートンはこの発想をどこから得たのだろうか? 俗説と違い、ニュートンは頭の上にリンゴが落ちてきたことでこの大発見を成し遂げたのではない。『プリンキピア』の重要な一節には、ジャン・リシェというフランスの天文学者のおこなった実験が取り上げられている。1672年にリシェは南アメリカのフランス領カイエンヌに渡った。王ルイ14世がパリ王立科学アカデミーを通じて支援した航海で、フランス西インド会社も大西洋横断のための船を提供した。カイエンヌに到着したリシェは数々の天文観測をおこない、惑星の運行を記録したり赤道近くの恒星の星表を作成したりした。この新たな天文データによって航海者は海上での自分の位置を計算でき、フランス海軍が世界中に乗り出す能力が高まる。パリ王立科学アカデミーの創設は1666年、まさにこのような科学目的の航海の支援が使命だった。ルイ14世のもとで財務総監を務めたジャン゠バティスト・コルベールが、フランス帝国の発展に資する国立の科学協会を設置するよう進言したのだ。その初期の航海の目的地にカイエンヌが選ばれたのも当然で、この植民地は1665年から67年までの第二次英蘭戦争でフランスがイギリスから取り戻したばかりだった。リシェはカイエンヌへの遠征によって、フランスの代表として科学的にもこの地の領有を主張したことになる[9]。

カイエンヌ滞在中にリシェは振り子時計を用いた実験も数多くおこなった。当時は振り子時計は比較的新しい発明品で、1653年にオランダの数学者クリスティアーン・ホイヘンスが考案した。ホイヘンスは振り子が長さに比例した一定の周期で揺れることに気づき、時間の測定に理想的だと思い至った。とりわけ、長さ1メートル弱の振り子は1秒ごとに左から右へ1回揺れる。これは「秒振り子」と呼ばれ、天文学者が恒星や惑星の運行を追跡する際にきわめて有用だった。しかし一つ問題があった。

カイエンヌでリシェは、念入りに較正したはずの秒振り子が遅れ、1回揺れるのに1秒より長くかかることに気づいた。1日では2分以上遅れた。不思議だ。出発前にパリで振り子の長さが正しいかどうか何度もチェックしていたのに、南アメリカではもっと短くしないと正しい時を刻んでくれなかったのだ。[10]

興味をそそられたリシェは数年後に再び実験をおこなった。1681年に王立科学アカデミーが2度目の航海の支援をした。今度の目的地は西アフリカで、この遠征も奴隷制と植民地拡大の世界の産物だった。リシェはフランスセネガル会社の船で2か月かけて海上を進み、セネガンビア（現在のセネガル）の沖合に浮かぶゴレ島に上陸した。ゴレ島はフランスがオランダから奪い取ったばかりの植民地で、この小島はフランスの奴隷商人が拠点とするのに都合が良かった。アフリカ人の男女や子供数千人が空気の淀んだ地下室に押し込められ、アメリカに輸送されるのを待っていた。リシェはそうした地下室の上にある部屋で働いた。助手は当時一般的だった人種差別的な言い回しで、「ネグロ（原典のまま。以下同じ）と一緒に暮らさないといけないのか」と文句を言った。ゴレ島で4か月にわたり振り子の実験をおこなったリシェは、大西洋横断に出発した。フランスセネガル会社の別の船で、今度は250人を超すアフリカ人奴隷とともに、カリブ海に浮かぶグアドループ島に向かったのだ。そしてフランスの奴隷貿易の中心地だったこの島で、以前の実験結果が正しかったことを確認した。赤道の近くでは秒振り子は確かに遅れる。ゴレ島でもグアドループ島でも、正しい時を刻ませるには振り子を約4ミリメートル短くしなければならなかったのだ。[11]

このずれはどうしたら説明できるのか？　フランスと南アメリカや西アフリカとで振り子が違う振る舞いを見せる理由なんて思いつかなかった。物理法則は一定だとされていたし、リシェも気候の影響を念入りに抑えて、熱帯地方の暑さで振り子自体が膨張したりしないようにしていた。しかしニュートンは、リシェのこの実験結果が何を物語っているのかを目ざとく見抜いた。『プリンキピア』の中で、地球上の地点ごとに実際に重力の強さが異なると論じたのだ。「ここ北方の地点では赤道上よりも過剰な重力が存在する」。常識に反していそうな過激な説だった。しかしニュートンは自らの重力方程式に基づいて計算をおこない、リシェがカイエンヌやゴレ島で得た値と精確に一致することを示した。確かに重力は赤道に近いほど弱かったのだ。[12]

そこからは、さらに物議を醸す第二の結論が導き出された。重力の強さが一定でないとしたら、地球は完璧な球体ではないことになる。ニュートンは、地球はカボチャのように両極が潰れた「回転楕円体」であるに違いないと論じた。そうだとすれば、地面が膨らんでいる赤道の近くで重力が弱いことを説明できる。「地面は赤道のところで両極に比べ約27キロメートル高くなっているだろう」。つまりゴレ島でリシェは、信じられないほど高い（地球上に実在するどんな山よりも高い）山の頂に立って振り子を振らせたようなものだった。ゴレ島ではパリに比べて振り子が地球の中心からかなり遠くなるため、ニュートンの逆二乗則によればそのせいで重力が弱くなるのだ。[13]

「世界中の誰もが知っているとおり、私は自分ではいっさい観測をおこなっていない」というニュートンの有名な言葉がある。従来の歴史家はこの言葉を、ニュートンは孤高の理論家だったという意味に解釈していた。しかし実際にニュートンが言わんとしたのは、世界を股にかけるほかの人たちの観測結果に頼っていたということだ。ニュートンは『プリンキピア』を書く上で、リシェが赤道地方でおこなった実験のほかにも何百ものデータを頼りにした。中国から戻った東インド会社の船員から提供された潮汐データや、メリーランドの奴隷所有者がおこなった彗星観測の結果も収集した。おそらくもっとも注目すべきは、ニュートンが旅行記、おもに外国旅行の様子を綴った書物を、天文学に関する本の2倍も所有していたことだろう。ニュートンは王立協会や王立造幣局を通じて科学や帝国の幅広い世界と関係を築き、膨大な情報を集めた。そしてそのおかげで、宇宙を支配する基本的な力に対する我々の考え方を根底から覆すことができたのだ。[14]

今日では『プリンキピア』が科学書の最高傑作であることは明らかだし、その妥当性は誰にも否定できない。しかし当時、ニュートンの説は信じられないほどの論争を巻き起こしていた。イギリスのおおかたの思索家は『プリンキピア』の結論を比較的速やかに受け入れたが、ヨーロッパ大陸の多くの思索家は疑念を抱きつづけた。スイスの著名な数学者ニコラウス・ベルヌーイはニュートンの理論を「不可解」として攻撃したし、ニュートンの宿敵であるドイツのゴットフリート・ライプニッツは重力の「オカルトめいた性質」に異議を唱えた。そして多くの人は、フランスの数学者ルネ・デカルトによる「機械論」のほうを支持した。デカルトは著作『哲学原理』（1644）の中で、重力のような目に見えない力の存在をことごとく否定し、力は直接接触していないと伝わらないと論じた。また自らの物質の理論によれば、地球はカボチャのように潰れてはおらず、逆に卵のように縦に伸びているはずだと唱えた。[15]

この意見の食い違いは、単に国家どうしの意地の張り合いでもなければ、科学をないがしろにしていたわけでもない。ニュートンが『プリンキピア』を世に出した1687年当時、彼の理論は実は未完成だった。2つの大きな問題が未解決で残っていたのだ。第一に、いま述べたとおり地球の形をめぐって相反する主張があった。もしもニュートンの唱える地球の形が間違っていたら、重力に関する彼の説も間違いだということになる。第二にニュートンの理論では、惑星運動を新たな形でとらえて、太陽だけでなくすべての惑星が互いに重力をおよぼし合っていると考えるしかない（プトレマイオスの時代からずっと謎だった惑星軌道の特徴的なふらつきは、これで説明できるかもしれない）。決着をつけるには新たな天文観測をおこなわなければならなかった。とくに各惑星間の精確な距離を知る必要があった。それがニュートンにとってもう一つの試金石となる。[16]

このように18世紀の物理学の歴史は、ニュートンの学説をめぐる争いとして読み取ることができ、その争いは１７２７年の彼の死からかなりのちまで続いた。争いの場も南アメリカから太平洋にまでおよんだ。18世紀のあいだヨーロッパ諸国は何百回もの遠征旅行を支援し、新たな領土を主張するとともに科学観測をおこなった。第1章で見たのと同様に18世紀のヨーロッパ人探検家も、観測をしたり新たな地域へのルートを見つけたりする上で、インカの天文学者やタヒチの航海者など先住民の科学的知識を当てにした。そのような先住民の知識がなかったら、ニュートンの理論は不完全なままだっただろう。帝国とそれに伴う強奪や暴力がなかったら、啓蒙運動は起こっていなかっただろう。[17]

2 インカの天文学

シャルル＝マリ・ド・ラ・コンダミーヌは歯茎から血が出るのを感じた。アンデス山脈の活火山ピチンチャ山に登っていたこのフランス人探検家は、高山病にかかっていた。ペルー人ガイドの助けを借り、コカの葉を噛んで正気を保ちながら登りつづけた。標高4500メートルを超え、ヨーロッパ人がいまだ誰も到達したことのない高度に達した。山頂に立つとペルー人ガイドに、科学機器を入れた大きな木箱を開けるよう指示した。そして四分儀を設置した。4分の1円の形をした機器で、1度角ごとに目盛りが刻まれており、2つの地点間の角度を測るのに用いられる。ラ・コンダミーヌは眼下の谷に、白く塗られた木製の小さなピラミッドを認めた。そして充血した目を四分儀に近づけ、谷間のピラミッドと、地平線の上に見える巨大な山、パンバマルカ山とのあいだの角度を測定した。やるべきはただそれだけ。そのたった一つのデータが、アンデス山脈を縦断する全長240キロにおよぶ大規模な測量にとって必要だったのだ。[18]

その2年以上前の1735年5月、ラ・コンダミーヌはフランスから南アメリカ行きの船に乗り込んだ。それまででもっとも野心的な科学測量に挑む国際チームの一員としてだ。彼らの使命は、地球の形を測ること。パリ王立科学アカデミーはルイ15世の支援を受けて、1730年代に2つの大規模な遠征隊を組織した。一方は北極圏のラップランドに派遣された。もう一方は赤道地方、現在のエクアドルにあるキトに派遣された（当時はペルー副王領の一部だった）。原理は単純だが、実行するとなるとすさまじい困難を伴う。両遠征隊が緯度1度に相当する南北の距離を精確に測定し、それらを比較する。もしもニュートンが正しければ、地球は両極が潰れていて、赤道近くでの緯度1度の距離は北極地方での値よりも小さくなるはずだ。[19]

アンデスへの遠征が可能となったのは、その少し前にフランスとスペインが同盟を組んだおかげだった。1700年にスペイン王となったフェリペ5世は、ルイ14世の孫としてフランスのヴェルサイユ宮で生まれ、13世紀までさかのぼるフランス王朝の一角をなすブルボン家の一員だった。そのため、1733年のエル・エスコリアル条約によってフランスとスペインの同盟関係が正式に結ばれた。そうしてフランスの王立科学アカデミーの会員が、スペインの同様の組織と緊密に協力し合えるようになったのだ。フェリペ5世自らが彼らフランス人にスペイン領アメリカを旅する許可を与えた。ペルー副王領はこの測量にとって理想的な土地だった。赤道に近い上に、観測に適した見晴らしの良い山や火山が連なっていた。[20]

ラ・コンダミーヌを含むフランス遠征隊がアンデス山脈にたどり着くまでに、1年以上を要した。まずは大西洋を渡り、1735年の夏に西インドに数週間滞在した。その間に機器の較正をおこなうとともに、マルティニーク島にそびえるプレー火山に登って、南アメリカで用いることとなる技術を磨いた。また、現在のハイチにあったサン゠ドマングでアフリカ人奴隷を何人も購入した。ラ・コンダミーヌ自身も3人の奴隷を買った。名前は定かでないが、彼らアフリカ人はラ・コンダミーヌの遠征に最後まで同行して、10年近くにわたりこのフランス人天文学者に使われ、旅の最後には再び奴隷として売られた。彼らアフリカ人奴隷と、フランス人がアンデス山中で連れてきたペルー先住民が、この科学遠征に必要な労働力を提供した。重い機器を運び、ラバを引いて険しい峡谷を登り、カヌーを漕ぎ、地元民と交渉した。この強制労働力がなかったら、遠征隊はキトまでたどり着けなかっただろう。西インドを発ったのちにフランス隊は、現在のコロンビアにあるカルタヘナ・デ・インディアスの港町で2人のスペイン海軍士官と合流した。そしてパナマを太平洋側に越えてから、船でペルー副王領に到着した。最後にエスメラルダス川をさらに240キロさかのぼり、1736年6月にキトにたどり着いた。ようやく測量の開始だ[21]。

この手の測量のための基本的な手法は、17世紀にフランスで開発された。初めに「基線」を築く必要がある。完璧にまっすぐな溝で、深さは数センチだが長さは数キロを超える。続いて手作業でその長さを測り、両端に木の棒を立てる。次に山頂など、遠くの地点を一か所選ぶ。そして基線の両端とその地点とのなす角度を、四分儀を使って測定する。すると仮想的な三角形ができる。ここで基本的な三角法を使えば、基線の長さから、その三角形の残り2本の辺の長さを計算できる。

次にここまでの作業を繰り返す必要がある。しかし物理的に新たな基線を引く必要はない。すでにできている仮想的な三角形を使って、そのもっとも北の地点から同じことを始めればいいのだ。その地点とどこか遠くの地点、たとえば別の山との角度を測る。そうすれば、最初の三角形の各辺の長さに基づいてその2点間の距離を計算できる。こうして、山に登っては測定をするたびに測量範囲が少しずつ延びて、仮想的な三角形のモザイク模様ができていく。必要な距離、たとえば150キロくらいまで測量が進んだら、仮想的な三角形の長さを足し合わせることで、進んできた距離を精確にはじき出すことができる。最後にやるべきは、その距離が緯度にして何度に相当するかを求めることである。そのためには、恒星を観測して出発点と終着点の緯度を決定する。そして進んできた距離を緯度の差で割れば、目的の数値である、緯度1度に相当する距離の精確な値が得られる[22]。

言葉にすれば簡単だが実際にはそうではない。もっとも大切なのは、最初の基線を正しく築くことである。そのつくりや長さに誤差があると、計算のたびにそれが何度も蓄積していく。何よりも、基線は完璧にまっすぐでなければならない。太平洋岸に沿って山々の連なるアンデス山脈の変化に富んだ地形では、それはますます難しい。最終的にラ・コンダミーヌは、キト郊外のヤルキ高原に幅11キロの土地を選んだ。少なくともアンデスにしては比較的平坦で、基線を築くのに理想的な場所だった。当然ラ・コンダミーヌが自らの手で基線を引くことはなく、長さ11キロもの溝を掘るという骨の折れる作業は地元のペルー先住民に任せた。彼らは「ミタ」と呼ばれる制度のもとで強制的に働かされた。もともとはインカ帝国で編み出された公共事業システムだが、スペイン人がそれを強制労働のシステムに転用した。ラ・コンダミーヌは自分のもとで働くペルー先住民にさほど気を遣わず、彼らのことを「獣とほとんど見分けがつかない」と記している。別のフランス人測量士は、彼らは「奴隷の代わりにしかならず、新しいことは何も生み出せない」と考えた。彼らは目的を聞かされても「混乱するだけだった」[23]。

混乱していたとしたら、その一因はラ・コンダミーヌの側にあった。アンデスの先住民はヨーロッパ人の言う無知の「獣」とは遠くかけ離れていた。それどころかペルー先住民は、天文学や測量術の高度な知識を持っていた。ラ・コンダミーヌは知らず知らずのうちに、現地の労働力だけでなく現地の知識にも頼っていたのだ。何よりも、測量のために長いまっすぐな溝を掘るというのは、数千年前にさかのぼるアンデスの確立された伝統の一つだった。もしもラ・コンダミーヌがさらに南、ペルーの海岸地帯に広がるナスカ平原に足を延ばしていたら、地上に信じられないような曲線が何本も走っているのを目にしたことだろう。2000年以上前のものを含むそれらの「地上絵」には、幾何学的な模様や、上空から眺めないとよく分からない動物の形が混じっている。サルやクモ、ハチドリといったものだ。いずれも深さ15センチほどの浅い溝で地上に描かれている。しかし動物の形だけではなく、おもしろいこ

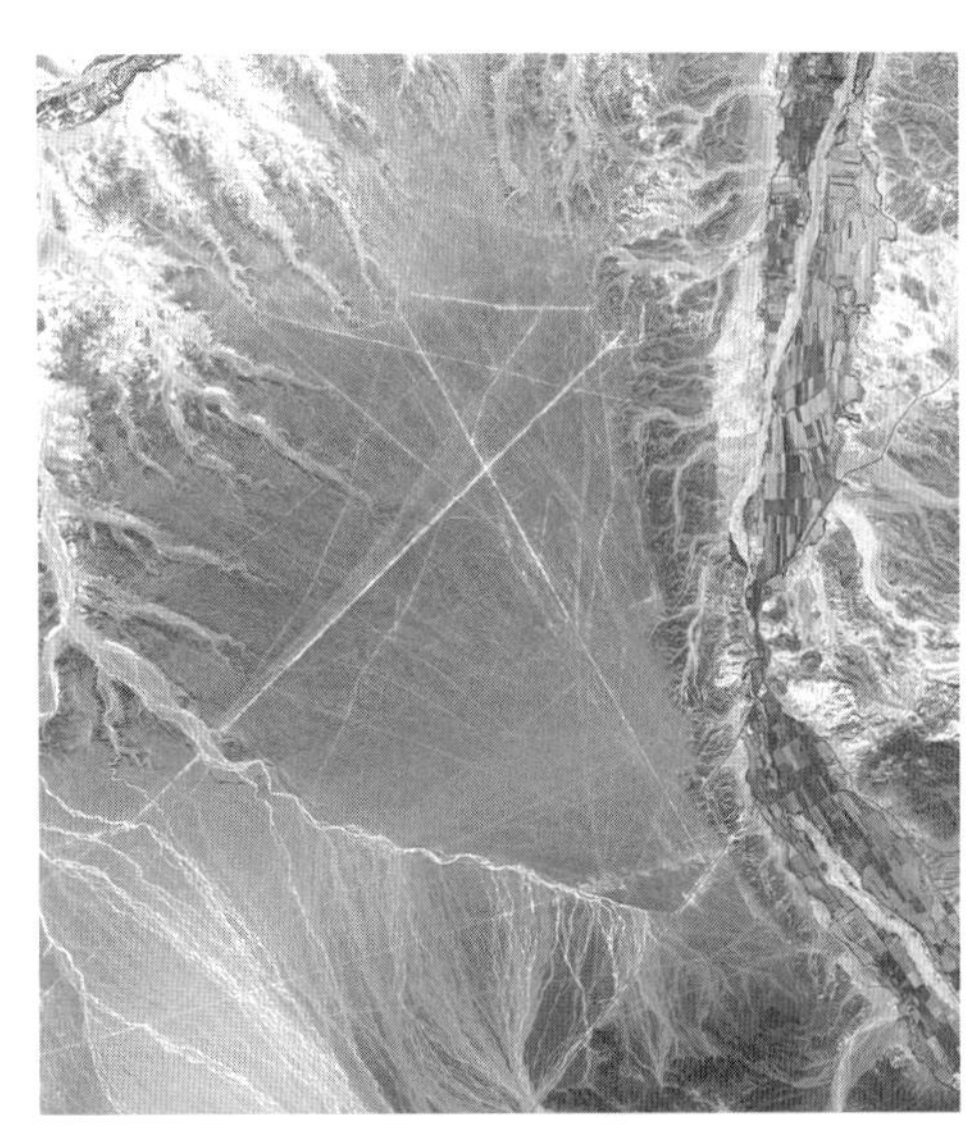

15．ペルー南部にある紀元前500年頃の「ナスカの地上絵」。現代の歴史家は、天文観測のための方角の基準として用いられていたと考えている。

とにただの長い直線も何本かあり、丘や谷を越えて何キロも完全にまっすぐに延びている。正確な役割はいまだ不明だが、いまでは多くの歴史家は、ラ・コンダミーヌが基線を使ったのとまさに同じように、天文観測のための方角の基準として用いられたのだと考えている。[24]

インカ帝国が支配権を握った15世紀までには、この慣習が進化して、天文学と測量術を組み合わせた複雑な科学体系が築かれていた。インカ帝国の中心だったのが、クスコの都に立つ太陽神殿である。この太陽神殿から放射状に、「セケ」と呼ばれるまっすぐな溝が何本も掘られている。合計で41本あって四方八方に広がっており、その多くは今日でもクスコのあちこちに見られる。それ以前の地上絵と同じく、その浅い溝は完全にまっすぐに何キロも延びている。セケの役割は多岐にわたったが、もっとも注目すべきは天文観測や測量のためだ。第一に、セケはインカ帝国をいくつもの地域に分割していた。各地域はそれぞれ異なる社会集団に対応し、それぞれ異なる一族や神官が治めた。それに加えてセケは、ワカと呼ばれるいくつかの聖地の方角を指していた。ワカは計328か所あり、その一つ一つがインカの暦における一日一日を表していた。そのうちのいくつかは山頂や火山など自然の地形だった。また儀式のために選ばれた場所もあり、そこには目印として地平線からそびえる神殿が建てられた[25]。

何よりも重要な点として、ワカの多くは特定の天文現象に合わせた地点に設置されていた。そのため、太陽神殿から延びるセケは、クスコでの天文観測の方角合わせに使うことができた。たとえばインカの暦でもっとも重要な行事の一つが「太陽の祭り(インティライミ)」で、南半球の冬至に合わせて6月に開かれた。インカ人は皇帝を「太陽の子」と呼び、昼の時間が長くなりはじめる冬の終わりを祝った。そしてこの祭りの計画を立てるために、太陽神殿から見て地平線の上にそびえるように石柱やピラミッドをずらりと建てた。セケのうちの一本がそれらの目印に向かって延びており、冬至が近づくにつれて日の出の位置が移動していく様子をクスコの天文学者は正確に記録することができた[26]。

くだんの基線を築いたペルー先住民は、かつてのインカの支配者と同じくラ・コンダミーヌも独自のセケを引こうとしているのだと思ったに違いない。彼らは昼間に働いて夜は野宿しながら、1か月足らずで長さ11キロの溝を完成させた。ラ・コンダミーヌは待った甲斐があった。その基線の出来ぶりを調べたところ、完璧にまっすぐだった。同じ先住民たちはそれから何か月かのあいだ、ラ・コンダミーヌはじめフランス人測量士たちを手伝い、北はキトから南はクエンカまでの長さ240キロにおよぶ測量を成し遂げた。ラ・コンダミーヌがペルー先住民に指示した作業のほとんどは、インカの伝統的な天文学に当てはめても完全に筋が通っていた。山頂や基線の端など重要な地点には木製のピラミッドを建て、さらに白く塗って測定の目印に使った。遠くからでも容易に目について、地平線の上にそびえる山並みの中から正しい山頂を見つけられるようにするためだ[27]。

目印としてピラミッドを選んだのが何とも興味深い。ラ・コンダミーヌは若い頃のエジプト旅行の経験を踏まえていたのかもしれないが、インカ人もまたピラミッドを建設していた。しかも天文観測の方角合わせに役立つよう、きわめて精確に建てていた。ラ・コンダミーヌに付き添ったペルー先住民は、ここでもやはり自分たちのすべきことを完全に理解していた。フランス人測量士があれほど精確な測量を成し遂げられたのは、詰まるところ彼らの知識と技能のおかげだったのだ。このように、18世紀にヨーロッパの各帝国が拡大したからといって、現地の知識が一掃されたわけではない。それどころか、この章で取り上げるほかのいくつかの例からも分かるとおり、啓蒙時代の探検家はさまざまな面で先住民をたびたび頼りにしていたが、それが世間に知られることはほとんどなかった。とりわけ天文学に関していうと、南アメリカだけでなく太平洋地域や北極圏の先住民たちも、ニュートン科学の発展を担う重要な協力者だったのだ[28]。

1742年1月、測量の結果がまとまった。ラ・コンダミーヌはキトからクエンカまでの距離をちょうど34万4856メートルと算出した。またその測量線の両端でおこなった天文観測の結果から、キトとクエンカの緯度の違いが3度を少し超えることも分かった。この2つの値を割り算すると、赤道地方における緯度1度の長さは11万6613メートルとなった。この値は、少し前にパリに戻ったラップランド遠征隊がはじき出した値よりも1000メートル以上短かった。フランス人は知らず知らずのうちにアンデス先住民の科学に頼ることで、地球の真の形を明らかにした。両極が潰れて赤道が膨らんだ「扁平回転楕円体」である。ニュートンは正しかったのだ。次の節ではこれと似たストーリーとして、太平洋地域におけるヨーロッパの諸帝国と現地の知識、そしてニュートン科学との結びつきを探っていこう。出発点は18世紀のポリネシア、ここで2人の天文学者が太陽を見つめていた。[29]

3 太平洋の航海者たち

タアロアは望遠鏡を覗き込み、太陽面を横切る黒い小さな円盤を見つめた。心を掻き乱しつつも美しい光景だった。すると肌の色の薄い奇妙な男がタアロアに、あれは「太陽の手前にある惑星」だと説明した。その外国人は何かに取り憑かれている様子で、その惑星を6時間以上にわたって望遠鏡で観測していた。彼はその惑星を「金星」と呼んだ。しかしタアロアにとっては「タウルア（大きな祭り）」のほうが通りが良かった。1769年6月3日、モーレア島の族長タアロアは金星の太陽面通過を観測したのだ。金星が地球と太陽のあいだを通過するという稀な天文現象である。[30]

太平洋に浮かぶモーレア島は、ポリネシアを構成する島々の長大な連なりに属する。タアロア自身も恒星や惑星に明るかった。ポリネシアには、神アテア（「光をもたらす者」）が金星を作ったという伝説があった。金星は夜空で一番明るく輝くため、方角の目印として使われた。太平洋の古代の船乗りは、金星を目印にして大海原を渡り、はるか昔にポリネシアののどかな島々に住み着いた。しかしタアロアはこのような天文現象をそれまで一度も見たことがなかった。金星の太陽面通過は8年間隔で2度起こるが、その次に起こるまでには100年以上待たされる。17世紀には1631年と39年に2度あったし、1761年にもあったが、そのときは太平洋の一部でしか見られなかった。次に起こるのはさらに100年ほど先だった[31]。

タアロアに望遠鏡を覗くよう勧めたこの奇妙な男は、名前をジョゼフ・バンクスといった。のちに18世紀でもっとも影響力のある科学者の一人となり、王立協会の会長職を40年以上務めた。ポリネシアには1769年4月に英国軍艦エンデヴァー号で到着していた。ジェイムズ・クック船長率いるエンデヴァー号の航海は、ヨーロッパと太平洋地域の新たな交流の時代を開いた。また、18世紀科学の発展とも深く結びついていた。王ジョージ3世の支援のもと王立協会が企画したクックの航海には、2つの目的があった。一つめは金星の太陽面通過の観測。二つめは、金銀が豊富に眠ると考えられていた伝説の「南方大陸(テラ・アウストラリス)」の発見である。その伝説は中世に端を発し、15世紀から16世紀にかけてアジアや太平洋地域に旅したかつてのヨーロッパ人探検家を通じて世間に広まった。アンデス山脈へのフランス遠征と同じように、エンデヴァー号の航海には帝国の野望と科学的探究が入り混じっていたのだ[32]。

金星はニュートンの二つめの大問題を解く鍵を握っていた。惑星間の相対的な距離は17世紀初頭には明らかになっていた。しかし絶対的な距離を測る術はなかった。ニュートンにとってはそれが頭痛の種だった。『プリンキピア』の中では、惑星の公転軌道が楕円であることを万有引力の理論で説明できると明らかにしていた。また、惑星どうしも重力で引き合っていて、とくに接近したときにはその力が強くなるため、軌道が不規則に見えることがあると唱えていた。月や、木星の各衛星にも同じことが当てはまる。しかしニュートンは幾何学的証明と複雑な数式を使って抽象的に論じることしかできず、具体的なデータはほとんど持ち合わせていなかった。『プリンキピア』のある箇所では、太陽が木星や土星に重力をおよぼしているとは論じているものの、その絶対的な強さは導き出せず、2つの惑星における比しか示せなかった[33]。

この問題を金星の太陽面通過が解決してくれるはずだった。1716年にニュートンの友人エドモンド・ハレーが、地球と太陽のあいだの距離を精確に測定する方法を提案した。金星が太陽面を横切るのにかかる時間を南半球で測定すると、北半球で測定した場合よりも短くなるはずだと気づいたのだ。同じ物体でもどこから見るかによって違う位置に見える、「視差」と呼ばれる効果である（左右の目を交互に閉じたり開いたりしながら同じ物体を見ると、その物体は動いているように見える）。北半球と南半球とでの観測結果を比較すれば、金星とそれらの観測地点とのなす角度を計算できる。そしてその角度と、すでに分かっている観測地点間の距離をもとに、三角法を使えば、懸案である地球と太陽のあいだの距離を計算できる。要するに地球と金星のあいだに想像上の巨大な三角形を描くという方法で、フランス人がアンデス山脈で用いたのと同じ原理に基づいていた。ただしこの場合は太陽系サイズの規模になる[34]。

地球と太陽のあいだの距離は「天文単位」と呼ばれ、いわば宇宙の物差しの役割を果たしていた。各惑星間の相対的な距離はすでに明らかになっていた。そのため、天文単位の値を測定して残りの惑星間の絶対距離を計算すれば、太陽系の大きさを初めて精確にはじき出せるはずだ。そうすれば、ニュートンの理論が正しいことを具体的に証明したことになる。また太陽系の精確な大きさが分かれば、海洋航海にとっても数々の実用的な恩恵がある。かなり学術的に思える問題にヨーロッパ各国が莫大な金をつぎ込んだ理由はそこにある。金星の太陽面通過を観測しようとしたのはイギリスだけではない。フランスの王立科学アカデミーはサン＝ドマングに、ロシアのサンクトペテルブルク科学アカデミーはシベリアにそれぞれ観測隊を送り出した。ヨーロッパ各国の科学アカデミーからは、西はカリフォルニア、東は北京へと、世界中に２５０人を超す観測者が派遣された。[35]

18世紀初頭からヨーロッパの航海士たちは、天文観測によって海上での現在値を割り出すよう求められることが多くなっていった。１７１４年にはイギリス議会がまさにその目的で、経度委員会と呼ばれる機関を設置した。この経度委員会が、海上で経度を精確に決定する手法を開発した者に最高2万ポンドの賞金を与えることになった。提案された手法の中には、長期にわたる航海中に時刻を精確に測定しつづける方法を用いたものがあった。そこで時計職人のジョン・ハリソンがこの方法に目をつけて航海用の特別な時計を開発し、１７６１年にジャマイカへの航海でその時計が試験された。西アフリカとカリブ海沿岸をつなぐ航海に役立てられればとの思いがあった。18世紀の科学が大西洋両岸どうしの奴隷貿易によって方向づけられたことを再度思い起こさせる話だ。しかし経度委員会が高く評価した手法の多くは天文観測に基づいていた。その中には、木星の衛星を観測する方法や、月と特定の恒星とのあいだの角度を測定する方法などがあった。その観測結果を、グリニッジ王立天文台で作成した天文表と比較することで、海上での経度を算出する。そのため太陽系の大きさの精確な値は、ニュートンの予測を裏付けるためだけでなく、航海術の進歩にとっても欠かせないものだった。[36]

ジェイムズ・クック船長は金星の太陽面通過を軍事作戦と同等に扱った。多くの点でまさに軍事作戦だったからだ。王立協会は主要観測拠点にタヒチ島を選んでいた。太平洋の中央に位置するタヒチ島は、イギリスからぎりぎりでたどり着けるかどうかの距離にあった。しかし金星の太陽面通過を最初から最後まで観測できる地点は、南半球の中でタヒチ島のほかに数か所しかなかった。またイギリス海軍もタヒチ島に戦略上の関心を向けていた。スペイン人探検家のフェルディナンド・マジェランが初めて太平洋を横断したのは16世紀のことだが、ヨーロッパの各帝国がこの地域に領土を拡大しはじめたのは18世紀になってからだった。さらなる探検、中でも広大な南方大陸の発見のための拠点として、タヒチ島などの島々を活用したいという思惑があった。そしてフランスとオランダ、イギリスが支配権をめぐって競い合った。フランスに言わせると、タヒチ島は自分たちのものだった。数年前の1767年にフランスの探検家ルイ・アントワーヌ・ド・ブーガンヴィルがこの島に上陸し、ルイ15世に代わって領有を主張していたからだ。[37]

しかしクックはフランスの主張にいっさいひるむことはなかった。そして1769年4月にタヒチ島に到着して小規模な軍事基地の建設を指示し、しかるべく「フォート・ヴィーナス（金星砦）」と命名した。「慎重に身の安全を確保して、我々を追い出そうとする島全土の勢力を寄せつけないようにした」と日記に記している。イギリス人とタヒチ人のあいだの緊張が高まり、エンデヴァー号が到着してからというもの、激しい衝突が立てつづけに起こっていた。クックは誰にも観測を邪魔されたくなかった。フォート・ヴィーナスは上端を尖らせた木製の高い塀に囲われ、さらに周囲には深い溝がめぐらされた。その中央に、天文観測機器や振り子時計を収めたテントが建てられた。クックは船員たちに命じてテントのてっぺんにユニオンジャックを掲げさせ、現地のタヒチ人とフランス人の両方に、この島がイギリス領であることを知らしめた。さらにマスケット銃を携えた水兵たちを見張りに立てた。[38]

太陽面通過の当日は驚くほどの暑さで、気温は48℃にまで達した。船長の制服に身を包んだクックは大汗をかき、「耐えられない暑さだ」とこぼした。しかし天気にはおおむね満足していた。前日は曇っていて、もしも金星が通過するあいだ太陽が雲に覆われていたら航海自体が無意味になってしまう。クックは念のためにジョゼフ・バンクスを近くのモーレア島に派遣し、別途観測をおこなわせた。折良く１７６９年６月３日、タヒチ島上空の雲が消えた。「当日は我々の目的にとってこの上ない好条件で、一日を通して雲一つなく、空気も澄みきっていた」とクックは記録している。太陽面通過の予想時刻が近づくと、クックは望遠鏡をじっと覗き込んだ。そして現地時間午前9時21分、太陽の端に小さな黒い姿が現れた。金星だ。[39]

しかし困ったことがあった。金星の姿が完璧な円ではなく、太陽の縁に近いところではその縁に向かって伸びているように見えたのだ。クックは事前にそのことを聞かされていた。１７６１年の観測は、その「ブラックドロップ効果」と呼ばれるもののせいで不首尾に終わっていた。当時観測をおこなった一人であるロシアの天文学者ミハイル・ロモノーソフは、それが金星の大気の影響だと気づいた。金星本体が太陽の手前に来る前に、金星の大気が太陽光を屈折させて吸収しはじめ、クックが「薄暗い影」と呼んだ視覚効果を生むのだ。クックは事前に注意を受けていたが、実際に太陽面通過が始まった時刻

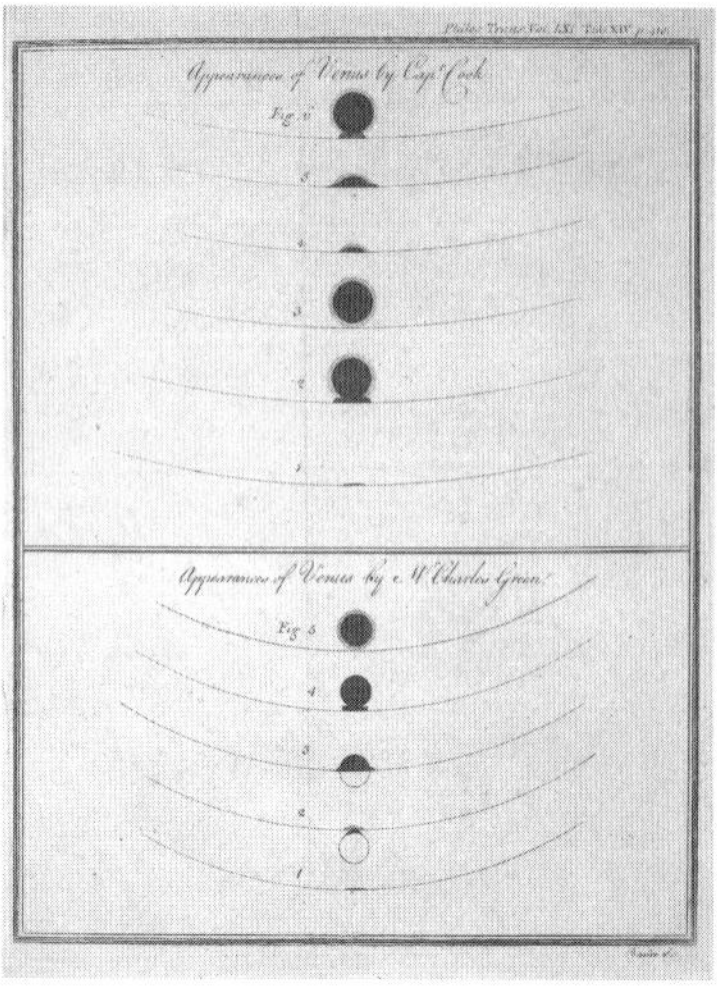

16. ジェイムズ・クックが1769年に描いた金星の太陽面通過のスケッチ。金星の大気の影響で「ブラックドロップ効果」が起こっていることに注目。

を「精確に判断するのはきわめて困難だった」。そこで万全を期して、目に見える形をスケッチした上で、太陽面通過の各段階の時刻を記録した。そうすれば、ほかの天文学者の報告と比較して、互いに同じ段階を観測しているかどうかをできる限り確かめられる。6時間後、太陽面通過は終了した。クックとバンクスは任務遂行に満足し、観測機器をまとめた。[40]

1771年にエンデヴァー号がようやくイギリスに戻り、クックは観測結果を王立協会に提出した。そうして王立協会の数学者たちは、タヒチ島での観測結果と北半球での観測結果を比較して、地球から太陽までの距離を計算することに成功した。最終結果は1億5084万キロ。驚くほど精確で、現代の値である1億4959万7870キロとの誤差は1%にも満たない。『プリンキピア』が世に出てから100年近く経ってついに、ニュートンの後継者たちは念願の数値を手にした。王立協会はクックを太平洋に派遣することで、太陽系の大きさを決定しおおせたのだ。[41]

*

太平洋で天体観測をおこなったのはイギリス人だけではない。ポリネシアの先住民もまた、おもに天文学と航海術に関する独自の高度な科学文化を持っていたのだ。ヨーロッパ人探検家はアンデスと同じく太平洋でも、とりわけ大海原を渡る上でその知識を頼りにした。ジェイムズ・クックとジョゼフ・バンクスはタヒチ島で地元の神官トゥパイアと親交を築いた。ポリネシアでは宗教的知識と航海術の知識は分かちがたく結びついていた。トゥパイアは一帯の地理に通じていて、何十年にもわたり島から島への航海の経験を積んでいた。そんなトゥパイアが、エンデヴァー号に乗り込もうと自ら申し出た。クックは当初疑っていたが、バンクスから、とりわけ南方大陸を探す上でトゥパイアはかけがえのない人材になると説得された。「何よりもありがたいのは、彼がこの人々の水先案内をしてきた経験と、この海域の島々に関する知識を持っていることです」とバンクスは説きつけた。ヨーロッパ人探検家が先住民の手腕をはっきりと認めた稀なケースである。海図のない海域を無事に渡りきって生還するには、太平洋の知識を持った人物が必要であるとバンクスは気づいていた。クックも納得し、トゥパイアは1769年7月13日、エンデヴァー号に乗り込んでタヒチ島を発った。[42]

トゥパイアは1725年、近くのライアテア島で身分の高い家に生まれた。若い頃はこの島のタプタプアテアに立つ巨大なマラエ（神殿のこと）で過ごした。1000年以上前に黒サンゴで建てられたその神殿は、ポリネシア文化の中心地だった。神官や使臣、商人があちこちからやって来て、供物を捧げたり航海路を学んだりしていた。ここでトゥパイアは天文学や航海術、歴史を学んだ。実はこの3つの分野は一体だった。ポリネシアの航海者は、陸地の見えない大海原をときに何週間も航海できなければならなかった。しかも海図や航法計器の助けを借りずにである。トゥパイアは恒星を基準とした航海指針を、一連の詠唱歌を使って暗記するよう訓練を受けた。世代から世代へと受け継がれたその航海指針の多くは、古代の航海を反映したものだった。古代ポリネシア人はいまから約4000年前に東南アジアを離れて徐々に太平洋に広がり、紀元1000年頃にタヒチ島に到達した。[43]

ポリネシア人の航海術を支える考え方は、単純でありながらきわめて有効だ。トゥパイアは海上での精確な位置を計算するのではなく、具体的なルート、たとえばタヒチ島からハワイ島へ向かうために目印とすべき恒星のリストを記憶していた（季節によって恒星の位置は変わるため、複数のリストを記憶しておかなければならず、もう少し複雑だった）。それらの「アヴェイア（星の道）」が彼らの航海術の基礎をなしていた。それを理解するには、GPSで精確な緯度経度を知る方法と、「この道を進んであの信号を直進し、次の交差点で左に曲がる」といった道順を記憶する方法との違いを思い浮かべればいい。ポリネシア人は緯度経度よりも道順のほうを好んで用いていたことになる。2つの島のあいだを渡ろうと思ったら、トゥパイアのような航海者はまず、その道順に関係した特定の恒星を見つける。その恒星は夜空の比較的低いところ、水平線近くになければならない。そうしたらその恒星に向かって進んでいく。とくに長い航海の場合には、決められた時間が経過したところで別の恒星に切り替える必要があるかもしれない。そうして何日も、ときに何週間も海上を進んでいけば、最終的に目的地にたどり着く。[44]

ポリネシアの航海者は夜間に航行することが多かった。しかしトゥパイアのような航海者は、必要となれば日中に船を進めることもできた。南半球では正午に影が北に延びるので、太陽の位置を使えば自

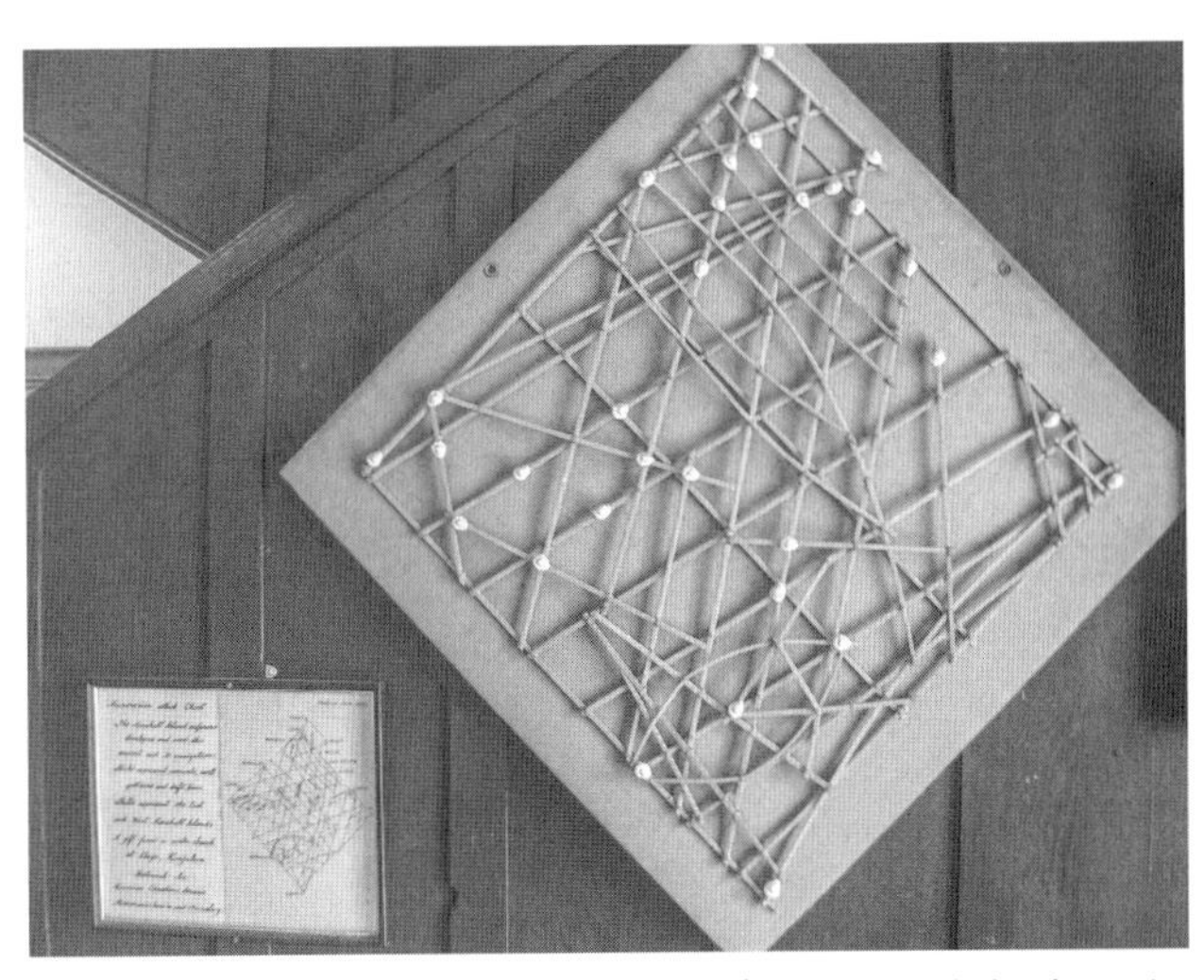

17. ミクロネシアの「マッタング（スティックチャート）」。太平洋の潮流と島々のあいだの経路を表している。

分の進んでいる方角を比較的容易に知ることができる。しかしポリネシアの航海者は空を観察しただけではない。潮流にも注目したのだ。潮流は陸地があると弱くなるし、大きな島によって跳ね返ったり、ときには回り込んだりする。ポリネシアの航海者は、そのような潮流のわずかな違いと、潮流どうしの影響を見極められるよう訓練を受けていた。マーシャル諸島の航海者はさらに、ヤシの葉の主脈をヤシの実の繊維で結ぶことで潮流を表現した海図まで作成していた。島はその海図に小さな貝殻を縛りつけて表現した。その「マッタング（スティックチャート）」は実際に海上で使われることはなく、神殿で若い航海者がさまざまな潮流のパターンを暗記するための訓練道具として使われた。注目すべきことに、18世紀当時ヨーロッパの航海士は実用的な潮汐理論を持ち合わせていなかったし、もっと複雑な潮汐理論はニュートンが『プリンキピア』の中で構築しはじめたばかりだった。[45]

極めつきに、ヨーロッパ人は太平洋をちっぽけな島が点在する茫漠な海域と考えていたが、ポリネシア人は太平洋そのものをいわば一つの地形として理解していた。太平洋では潮流や海流が数多く流れ、山や谷に相当するものを作っている。その地形を認識して、頭上を横切る星々を記憶することが、この過酷な大海原を航海するための鍵だったのだ。

トゥパイアは12歳で初めてタトゥーを入れた。両足と背中を覆うそのタトゥーは、トゥパイアが優れた学識を備えた人物になったことを表していた。基本的な航海術を修得したトゥパイアは、タプタプアテアの神殿を護る軍神オロに仕える、アリオイと呼ばれる航海者階級の一員となった。そうして、学んだことを実践しながら島から島へと渡り、大海原を股に掛けてはオロの教えを広めはじめた。アリオイの人たちは島に到着すると海岸で踊りを披露し、供物やときには人間の生贄を要求した。そして何か月か滞在して、島どうしの宗教的・外交的な関係を築いてから、再び海へと旅立っていった。[46]

トゥパイアはアリオイの一人として20年近くを過ごし、太平洋の地理に関する並外れた博識を身につけた。しかし一つ大きな挫折も経験した。1757年、ボラボラ島の戦士たちがライアテア島を侵略し、族長をはじめ数百人を殺害した。裕福となっていたトゥパイアは土地を奪われ、逃げ出すほかなくなった。そこで真夜中にオロの聖遺物を抱えてカヌーで海に出た。たった一人で大海原を200キロ以上進み、タヒチ島にたどり着いた。そしてこの島で、オロの宗教に改宗した現地の女王に気に入られた。トゥパイアは再び地位の高い神官として身を固め、女王とその夫に宗教や政治に関する助言を与えた。イギリス人がやって来たときには外交官の役割を果たした。女王に付き添ってエンデヴァー号に乗り込み、ジェイムズ・クックやジョゼフ・バンクスと交渉した上で上陸を許可した。タヒチ人たちが「アウトリガーのないカヌー」と形容したイギリスの戦艦には目を奪われた。またクックが夜空に関心を持っていることを知り、島の中を一緒に巡りながらいろいろな星のことを教えた。しかし何よりもトゥパイアは、イギリス人の助けを借りればライアテア島に戻れるのではないかと思った。[47]

クックはタヒチ島を出発して以降、トゥパイアに信頼を寄せた。そしてエンデヴァー号の航海長を務めてくれるよう頼んだ。10年前、トゥパイアはちっぽけなカヌーで故郷から逃げ出す羽目になった。しかしこのときには再び海に出て、星々や潮流の知識を大いに活かした。船の舷側(げんそく)に波がぶつかる中、船尾から祈りの言葉を唱えた。「オ・タネ、アラ・マイ・マタイ、アラ・マイ・マタイ(オ・タネ(神のこと)よ、我を順風に導き給え)」。夜間には星々を目で追い、潮流を念入りに観察した。クックもトゥパイアの謎めいた航海術を少しずつ理解しはじめた。「彼らはこの海域を島から島へ何百キロも渡る。日中は太陽が、夜間は月が方角の目印になる」。エンデヴァー号の別の船員は次のように述べている。「彼らの航海術は天体の運行を事細かに観察することに基づいている。彼ら航海者が天体の運行や変化を書き留めるその精確さには驚くばかりだ」。このイギリス人に言わせると、トゥパイアは「真の天才」だったのだ。[48]

それから何週間もかけてトゥパイアは、タヒチ島の北西250キロほどに浮かぶライアテア島へとエンデヴァー号を導いた。島は平和を取り戻していて、トゥパイアはタプタプアテアの神殿を訪れることができた。少年時代に航海術を学んだ場所だ。サンゴ造りの神殿に入ったトゥパイアは神々に祈りを捧げ、クックと船員たちの今後の航海のために祈った。そして太平洋の海図作成に力を貸してほしいというクックの願いを受け入れ、未知の巨大大陸を探すべく南へ向かうことにした。1769年8月9日、トゥパイアは故郷に最後の別れを告げた。クックは日記に、「偶然とトゥパイアが導いてくれるかもしれない陸地を探しに再び海に出た」と記している。エンデヴァー号はトゥパイアの助けを借りてさらに南へ800キロ進み、オーストラル諸島にたどり着いた。この地でトゥパイアは、文化交流の真の証しである、科学史上もっとも驚くべき創作物を生み出すこととなる。[49]

エンデヴァー号の海図台の前に座ったトゥパイアは、一枚の海図を描きはじめた。先ほど触れたように、ポリネシアの航海者は地図や海図を使おうとはせず、星々の指し示す経路を暗記しているだけだった。そのため、緯線と経線を表すマス目で区切られた海図を描くというのは、トゥパイアにとってほとんど馴染みのない発想だった。それでもクックのたっての願いで重い腰を上げ、現在のアメリカ合衆国と同じくらいの広さに点在する計74個の島を書き記していった。広大な海域で、ポリネシア人の航海術の知識がいかに深いかを物語っている。[50]

一見したところその海図は、ヨーロッパの一般的な海図とさほど違いはないように見える。しかし詳しく見ると、トゥパイアが必要性に合わせてその形式に巧みに手を加えているのが分かる。地図にはポリネシアの言葉がいくつか書き込まれている。ちょうど中央の、経線と緯線が交差している場所には、「エアヴァテア」という単語が記されていて、これはタヒチ語で「正午」を意味する。東西南北は、タヒチ語で日の入りと日の出、北風と南風を意味する単語に置き換えられている。そうするとこの海図は、ポリネシア人の航海術の知識をなぞらえたものだということが見えてくる。使い方は次のとおり。初め

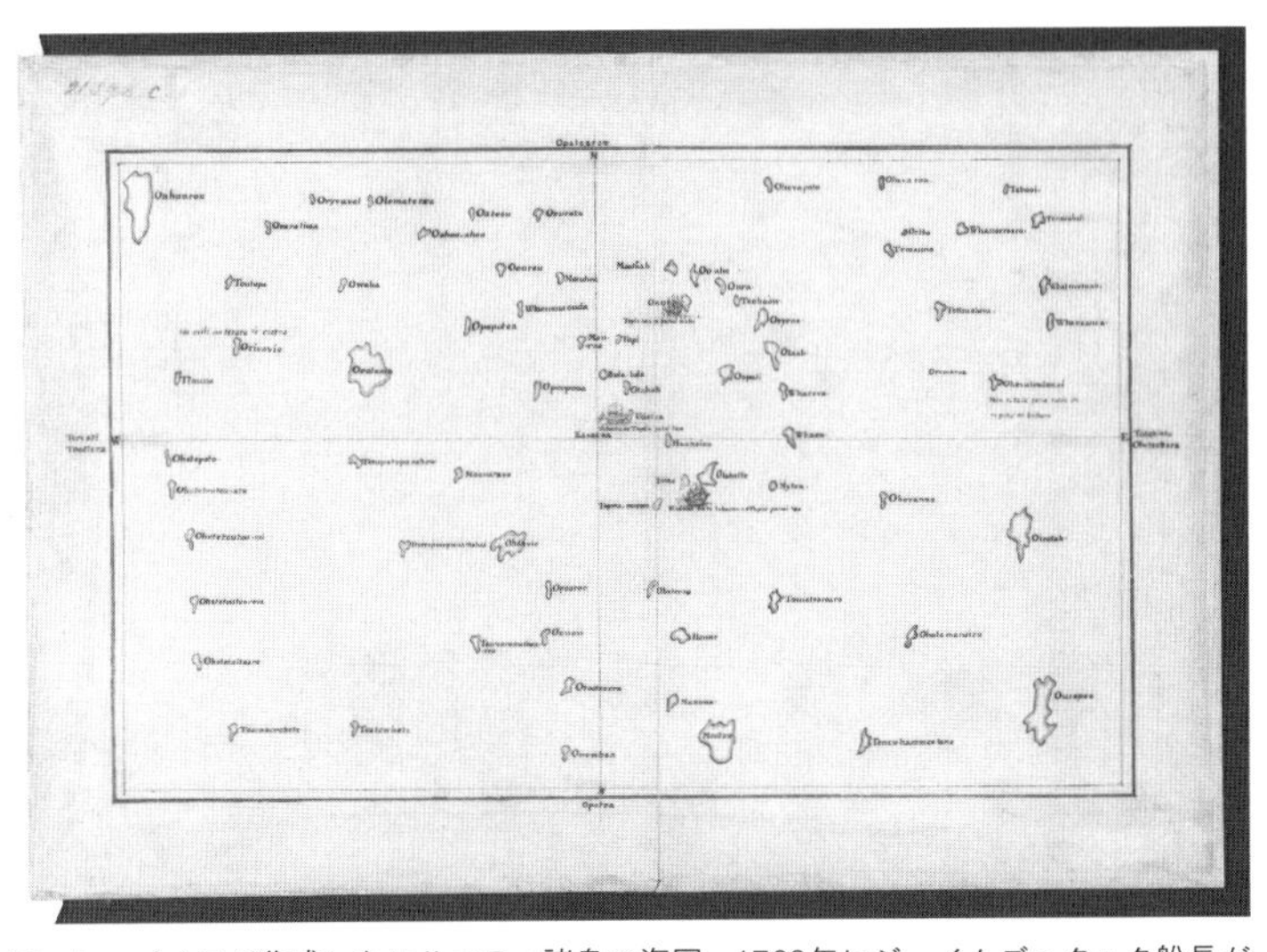

18. トゥパイアが作成したソサエティ諸島の海図。1769年にジェイムズ・クック船長が紙にインクで書き写した。

にいま自分のいる島、たとえばタヒチ島を見つける。そしてそこから中央の「エアヴァテア」に向かって直線を引く。次に、出発地点から目的地、たとえばライアテア島に向かってもう1本直線を引く。するとその2本の直線のなす角度が、進むべき方位となる。しかも巧妙なことに、その方位は風や海流に合わせてすでに補正されている。そのため、正午に船のマストが落とす影に対してその角度で進んでいくだけでいい。トゥパイアが作成したこの海図はほかにいっさい例がない。ヨーロッパとポリネシアの航海術の手法を組み合わせることで、単なる太平洋の海図でなく、いわば計算道具として使える海図を作成したのだ。[51]

　トゥパイアの海図とヨーロッパの一般的な海図には、分かりにくいがもう一つ違いがある。最初にこの海図を調べはじめた歴史家は、多少がっかりした。トゥパイアが記した島々は確かにすべて実在しているが、それらのあいだの相対的な距離が大きく間違っているように見えたのだ。しかしそのような形でこの海図を読むのは完全に的外れである。トゥパイアは、距離一定の絶対的な空間における島々の位置を表現しようとしたのではない。実はこの海図上での島どうしの距離は、空間でなく時間を表している。とても理にかなった方法だ。実用的には、2つの島のあいだの距離が100キロなのか300キロなのかはどうでもいい。重要なのは、そのあいだを渡るのに何日かかるかだ。長距離フライトを経験したことのある人なら誰でも知っているとおり、行きと帰りで所要時間は違う。それと同じことが海上にも当てはまる。風や海流のせいで、航海にかかる時間は進行方向によって必ず違ってくる。その点でもポリネシア人の航海術は太平洋に完璧に合わせられていて、距離は実際の空間的長さでなく航海にかかる時間を指しているのだ。そのように理解した近年の歴史家は、トゥパイアの海図を使うと太平洋の主要な諸島の多くに驚くほど精確にたどり着けることを証明している。[52]

ジェイムズ・クック船長はこの海図を携えてさらに南へ向かった。1769年10月、エンデヴァー号はニュージーランドにたどり着いた。そして数か月をかけて海岸線の地図を作成したのちに、ついに探していたものを見つけた。エンデヴァー号はタスマン海を渡り、1770年4月29日、オーストラリアのボタニー湾に上陸した。かの巨大な南方大陸だ。使命を果たしたクックは数か月をかけてオーストラリアの海岸地帯を探索したのち、イギリスへの帰途に就いた。悲しいことに、ポリネシア人の偉大な航海者トゥパイアはその途中で世を去った。エンデヴァー号がバタヴィア（現在のジャカルタ）に停泊中、おそらくマラリアで命を落としたのだ。[53]

それでも太平洋に関するトゥパイアの並外れた知識は生き長らえ、彼の海図はその後の数々の航海に用いられた。クックも太平洋への2回目の航海にその海図の写しを持っていった。1772年から75年にかけてトゥパイアの海図に従って船を進め、1回目の航海で見落としていた島の多くを訪れて、イギリスの代表として領有を主張した。そしてクックのロンドン帰還に合わせて、この海図が版画で印刷された。タイトルは『おもにトゥパイアの説明から得たオ゠タヘイテー〔タヒチ〕の住民の知識に基づいて南海の島々を描いた海図』。ロンドンでこのトゥパイアの海図が印刷されたことで、科学の歴史は大きな転換点を迎えた。18世紀初め、太平洋はヨーロッパ人にとってほぼ未知の海域だった。しかし18世紀末には、多少金に余裕のあるロンドン市民なら誰でも、ポリネシアの熟達した航海者が描いた海図の写しを入手できるようになっていたのだ[54]。

トゥパイアの海図には、詰まるところ18世紀科学の表と裏が両方見て取れる。一方では、ヨーロッパ人探検家は現地の知識、とりわけ天文学や航海術にどんどん頼るようになっていった。しかしその一方で、まさにその知識によってヨーロッパの各帝国は未知の地域へと拡大を続け、最終的に征服していった。帝国と啓蒙運動はつねに手を携えていたようだ。では次に、酷暑の南太平洋から凍りついたロシア北極地方へと舞台を変え、このストーリーの別の側面を掘り下げていこう。

4 ロシアにおけるニュートン科学

17世紀の大半を通して、ロシアは過去から抜け出せずにいた。もっとも教養の高いロシア人ですら、地球が宇宙の中心であるといまだに信じていた。科学アカデミーや大学もなく、学問教育は古代ギリシア哲学とロシア正教の神学を混ぜ合わせたものに等しかった。１６８２年に即位したピョートル大帝は、そんな状況をことごとく変えようと決心した。そして数十年でロシアを啓蒙時代の科学の拠点へと一変させた。[55]

ピョートル1世にとって、アイザック・ニュートンと『プリンキピア』に匹敵するほどの科学の進歩などほかになかった。ピョートル１世がニュートン本人と実際に会ったのはほぼ間違いない。１６９８年1月、皇帝はロンドンに到着した。オスマン帝国との戦いに備えて支援を取り付けるべく、ヨーロッパの各大国を歴訪中で、それと合わせてヨーロッパ各国で進められている新たな科学についてひととおり学ぶ機会も得た。ロンドンでは王立天文台や王立協会を訪れ、真空ポンプや顕微鏡、光を屈折させるガラスのプリズムなど、「ありとあらゆる驚異の品々」を目にした。何よりも注目すべきが、ちょうどニュートンが長官を務めていた頃の王立造幣局を訪れたことである。１６９８年2月にニュートンのもとに、「ロシア皇帝が明日ここを訪れる予定で、君にも会いたがっている」と伝える手紙が届いた。ニュートンもピョートルもその面会の記録を残していないが、ニュートンが皇帝に敬意を払ってのちの著作をロシア皇室に送ったことは分かっている。さらにピョートル大帝はニュートンの『プリンキピア』を一冊入手して自らの蔵書としている。[56]

ピョートルは１６９８年、ニュートンの科学に対する関心をさらに深めてロシアに帰国した。そしてすぐさま、ロシアの科学研究と教育を近代化するための機関を次々に設置した。その第一弾が、１７０１年にモスクワに創設された数学・航海術学校である。そうしてロシアの技術者や海軍士官は、ニュートンの原理に基づいた数理科学を教わるようになった。ピョートル大帝はまた、キリル文字を用いた従来のロシア数字を使わないよう命じた。代わりにロシアの学生は、ヨーロッパの数学者が用いているアラビア数字を使うよう求められた。最後にもっとも重要な点として、ピョートルは1724年にサンクトペテルブルク科学アカデミーを創設した。この機関はロシア版の王立協会としての役割を果たし、毎週会合を開いたり定期的に学術誌を刊行したりした。ピョートル本人の言葉によると、このアカデミーは「ヨーロッパで我々に尊敬と名声をもたらし」、「我々は科学を顧みない野蛮人である」という認識を拭い去ることになる。[57]

当時、高度な科学教育を受けたロシア人はまだごく少数だった。そのためサンクトペテルブルク科学アカデミーは当初、ほぼ外国人だけで占められていた。ピョートル大帝がヨーロッパを代表する科学者何人かを説得して、ロシアに来てもらったのだ。彼らは、高給を約束された上に特別な科学装置を使えることに惹きつけられた。サンクトペテルブルク科学アカデミーはまた、ヴァシリエフスキー島の3階建ての塔の上に設置された専用の天文台も擁していた。当アカデミーの初期の会員には、スイスを代表する数学者のレオンハルト・オイラーやダニエル・ベルヌーイも含まれていた。しかし1730年代になるとロシア人もアカデミーに加わりはじめた。たとえば、金星の大気を発見したミハイル・ロモノーソフや、北極圏で1769年の金星の太陽面通過を観測したステパン・ルモフスキーなどである。サンクトペテルブルク科学アカデミーはさまざまな面で啓蒙運動の縮図だった。イギリス人やフランス人、ドイツ人やスイス人、そしてロシア人の思索家たちが一堂に会しては、最新の科学理論について議論しあっていた。啓蒙運動全般と同じく、ニュートンの万有引力の理論をめぐっても当初意見が二分されていた。ベルヌーイはニュートンの説を支持したが、オイラーやロモノーソフはもっとずっと懐疑的だった。[58]

サンクトペテルブルク科学アカデミーが初めて送った公式書簡は、まさにニュートン本人宛だった。アカデミーの会長がニュートンに、「我々の観測結果が何よりも天文学の発展に役立つものと期待している」と伝えたのだ。ニュートンもすでにロシアの科学に関心を寄せていた。王立協会の会長として1713年に「ロシア委員会」の設置に尽力し、ロシアの学者や探検家と情報や手紙のやり取りを始めていた。とくにニュートンを始めヨーロッパの天文学者は、はるか北方、北極圏での科学観測に基づくデータをもっと多く必要としていた。ニュートンの『プリンキピア』には世界中から届いた情報が活かされていたが、そのデータの大部分は、西インドや西アフリカ、東南アジアなど赤道地方からのものだった。ニュートンとその後継者たちがどうしても必要としていたのは、はるか北方での同じくらい精確な観測結果だった。それが手に入れば、前に述べたとおり北半球と南半球とでの結果を比較して、太陽系の大きさや地球の真の形を確定できる。[59]

18世紀を通してロシアの天文学者や探検家は数々の国際的な科学研究に貢献した。それと同時にロシアは大帝国へと変貌しはじめる。16世紀から17世紀の大半を通して、ウラル山脈より東側の地域はロシアに緩く支配されているにすぎなかった。コサック人の数々の小集団がシベリア一帯に砦を築き、商人はヨーロッパで売るための毛皮を求めてはるか東に向かっていた。17世紀初頭にロシアの探検家が太平洋岸に到達してオホーツクに小さな砦を築いたが、のちにその砦は地元先住民に攻め落とされた。18世紀初頭になってもロシア極東の精確な地図はいまだになく、代々の皇帝にとってこの地域は未知の荒々しい原野にすぎなかった。しかしピョートル大帝は違う考えだった。ロシアを変革して近代的な科学国家にするだけでなく、西はヨーロッパから東はアメリカに至る強大で自信に満ちた帝国へと変えようとしたのだ。[60]

サンクトペテルブルク科学アカデミーはロシア帝国の領土拡大を後押しする上で重要な役割を果たした。18世紀を通して同アカデミーは、シベリアや北アメリカ大陸太平洋岸北西部への科学遠征を数多く企画した。中でももっとも有名なのが、ヴィトゥス・ベーリングの率いたものである。デンマーク人航海士のベーリングは、のちに第一次カムチャツカ遠征と呼ばれることとなる1724年から32年にかけての遠征の隊長に、ピョートル大帝から直々に指名された。ベーリングの使命は、ロシア極東のカムチャツカ半島の北に広がる陸と海を探検することだった。さらに、「その陸地がアメリカ大陸とつながっている地点を探す」ことになっていた。そして最後に、発見した地域全体の精確な地図の作成を託された。[61]

第1章で述べたとおり、アジアとアメリカがつながっているかどうかという疑問は、15世紀の新世界の「発見」以来ずっとヨーロッパの地理学者たちを悩ませていた。セミョン・デジニョフという名のコサック人航海者が、シベリア北岸から太平洋に船で抜けたと報告していたが、ただし確証は得られていなかった。おおかたの人はそのような海峡の存在をいまだ信じていなかった。この疑問に黒白付けられれば、ヨーロッパ人の目から見たロシアの科学的地位は間違いなく高まることとなる。ピョートル大帝はまた、そのような遠征の戦略的重要性も理解していた。シベリアや北アメリカ大陸太平洋岸北西部の地理に関する正確な知識が得られれば、金になる毛皮貿易をロシアが取り仕切るとともに、太平洋沿岸、とりわけスペイン領アメリカや日本との幅広い関係を築くことができる。そして何よりも重要な任務として、ピョートル大帝はベーリングに、アメリカ大陸にロシアの領土を確保することを期待していた。[62]

ベーリングは1725年2月にサンクトペテルブルクを発ち、雪と氷の大地を1万キロ近く進んだ。そして3年以上かけてようやくカムチャツカ半島にたどり着いた。そこから大天使ガブリエル号で太平洋を北へ進み、アジアとアメリカがつながっていないことをついに確認した。幅わずか90キロほどの狭い海峡で二つの大陸は隔てられていたのだ。今日ではその海はベーリング海峡と呼ばれている。しかしアメリカ大陸そのものを視界にとらえることはできなかった。1732年にサンクトペテルブルクに戻ってきたベーリングは、さらに野心的な2度目の冒険への支援を取り付けようと心に決める。[63]

ピョートル大帝はすでに世を去っていた。しかしその後の支配者たちも、同じくロシア帝国を東方に拡大させようという意志を持っていた。ピョートル大帝の4代後の女帝アンナも当然そのように考えた。そしてベーリングに、総勢3000人を超すさらに大きな遠征隊を率いてカムチャツカ半島を再び訪れるよう命じた。サンクトペテルブルク科学アカデミーも、この地域の測量のしかたを事細かに指南した。海上では24時間ごとに天文観測をおこなって緯度経度を計算し、海図にその地点を記すよう指示した。また、島から島へと渡りながら四分儀でその間の角度を測定することによって、海上で陸上と同等の測量をおこなうようにも勧めた。最後に当アカデミーはその測量を手伝わせるべく、代表的な会員を何人も探検隊に参加させた。その中には、ニュートン物理学の専門家で以前にロシア北部で重力の実験をおこなった、フランス人天文学者のルイ・ド・リル・ド・ラ・クロワイエールも含まれていた。[64]

第二次カムチャツカ遠征隊は1733年4月にサンクトペテルブルクを出発した。ベーリング本人は二度と戻ることはなく、1741年12月にカムチャツカ沖の小島でおそらく壊血病で命を落とした。それでも任務は全うした。死のわずか数か月前の1741年7月16日、アメリカ大陸の沿岸を視界にとらえたのだ。水平線の上には、現在セントイライアス山地と呼ばれている巨大な山並みが見えた。その数日後には一行で近くの島に上陸し、ヨーロッパ人として初めてアラスカに到達した。そしてベーリングに随行したロシア人航海士がルイ・ド・リルの助けを借りて一連の天文観測をおこない、地図上での精確な地点を特定した。[65]

ヴィトゥス・ベーリングによる遠征の成功を受け、ロシア政府の支援のもとで新たな航海が次々におこなわれた。18世紀のあいだに計5回の本格的な遠征が実施され、北は北極圏から南は日本近海の島々にまで到達した。中でももっとも有意義だったのが、1785年にエカチェリーナ2世が命じた遠征である。当時エカチェリーナは、北アメリカ大陸太平洋岸北西部でイギリスの存在感が増していることに懸念を募らせていた。ジェイムズ・クックが3度目の探検航海でベーリング海峡に到達し、1778年にアラスカ沖の島に上陸した。フランスも航海の範囲をさらに北へと広げていたし、スペインもカリフォルニアから海岸沿いに北上を続けていた。ヨーロッパの各帝国間の競争を受けてエカチェリーナは、ベーリング海峡周辺でのロシアの影響力を確保する必要があるという考えに至った。またそのための最善の方法は、本格的な科学測量を通じて軍隊を送り込み、探検地域の地図を作成することだと判断した。その測量遠征は、北東部地理学・天文学大遠征と呼ばれるようになる。一行を率いたのは、クックの3度目の航海で天文学者補佐として実際にアラスカへ渡ったことのある、イギリス人航海士ジョゼフ・ビリングス。測量作業の大部分を担ったのはロシア人海軍士官のガブリル・サリチェフである。[66]

ポリネシアと同じく北極圏でも、ヨーロッパ人探検家たちはニュートンの科学と現地の知識を組み合わせた。サンクトペテルブルク科学アカデミーも北東部地理学・天文学大遠征の公式指示書にそう明記している。1780年代にはロシアでもニュートンの理論は広く受け入れられるようになっており、そのためビリングスとサリチェフには、天文観測によって「経緯度を決定すること」が求められた。ベーリング海峡の幅をさらに精確に測定しようという狙いだ。しかしそれとともに2人は、先住民に現地の地理について尋ねるようにという指示も受けていた。同アカデミーは質問のリストまで作成した。たとえば、「たびたび訪れる場所の名称は何で、その土地または島の相対的な方角と距離はどれだけか?」といった質問だ。指示書にはそれに続いて、「相手が手振りで方角を指し示したら、ひそかに方位磁針を使って精確に測定すべし」と記されていた。[67]

ビリングスはその点でさらに上を行った。先住民にその地域の地理を尋ねるだけでは満足せず、実際に先住民を一人雇って遠征に同行させたのだ。1730年頃に生まれたその人ニコライ・ダウルキンは、チュクチ族と呼ばれる先住民族に属していた。何千年も前からシベリア北東沿岸で暮らしてきたチュクチ族は、その地域の地理に関する並外れた知識を持っていて、もちろんベーリングがやって来るはるか以前からベーリング海峡の存在を知っていた。[68]

チュクチ族の航海術はポリネシアのものとかなり共通点が多かった。北極圏のほとんどの先住民と同じくチュクチ族も星々を観察し、暗記しているルートに従って特定の島と島のあいだの方位を見定めていた。しかしポリネシアと北極圏の航海術のあいだにはいくつも微妙な違いがあった。まずは、極北のほうが季節の変化がはるかに極端である。夏の数か月間は太陽が沈まず、冬の数か月間は逆に昇らない。少なくともヨーロッパ人航海士にとってはさらに困ったことに、北極圏では日の出と日の入りの位置が一年のうちに極端に変化する。3月には常識のとおり東から昇って西に沈むが、5月になると北から昇って南に沈むようになる。そのため、太陽の位置に基づいて航海を進めるのはきわめて難しい[69]。

そこで北極圏の先住民は、こうした問題を解決するためのさまざまな手法を編み出した。まず、ダウルキンなどチュクチ族の航海者は、長い時間をかけて太陽と星々から月日を正確に特定する。各季節に先立って、特定の星々が夜空を横切る。たとえばわし座のアルタイルは、冬の数か月間は空が白みはじめる直前に昇ってくる。同様に、昼間が長くなるにつれてオリオン座は南に移動していく。そうして正確な月日が分かれば、さまざまに変化する太陽の位置を正しく活用できる。たとえば5月中旬だと分かれば、日の出の方角がほぼ北に相当する。しかし月日が分からないまま太陽の方角へ向かったら、実際には北に進んでいるのに自分は東に進んでいるのだと勘違いしてしまうことになる[70]。

北極圏の先住民は星々に加え、水や雪、氷も詳しく観察した。ポリネシアのトゥパイアと同じくダウルキンも、潮流を読むことで近くに陸地があるかどうかを判断していた。チュクチ族の人々はまた、海藻や海氷の流れ方を観察して海流を読み取っていた。最後にもっとも独創的な方法として、北極圏の先住民は雪に刻まれた模様を観察した。ダウルキンのような人は、吹雪の中でも進むべき方角を判断できなければならなかった。視程はせいぜい数十センチに下がってしまう。そのような場合、星々に関する

19. 北極圏の風食作用によって作られる、サスツルギと呼ばれる雪の隆起。チュクチ族などの現地人はこのサスツルギを使って、視界不良の中でも方角を見極める。

知識は役に立たない。そこでチュクチ族の人々は陸上で足下の雪を見て方角を特定した。北極圏では風食作用によって、「サスツルギ」と呼ばれる長い隆起が雪の上に形成される。その伸びる方向は、シベリア一帯に吹く風の向きと同じ南北になる。チュクチ族の人々はこの雪の隆起を読み取ることで、視界ゼロの中でも北の方角を確かめることができた[71]。

ダウルキンはチュクチ族の文化とロシアの文化を股にかけたという点で特別な存在だった。少年時代にロシア人探検家に囚われて、地元から何千キロも離れたシベリアの港町ヤクーツクに連れていかれた。その地でキリスト教の洗礼を受け、ロシア語の読み書きを教わった。そして、ピョートル大帝の改革を受けて新設された科学機関の一つである、シベリアのイルクーツク航海学校で研鑽を積んだ。卒業後は１７６０年代前半のあいだベーリング海峡周辺を小さなカヌーで巡り、現地のチュクチ族から話を聞いたりこの地域の測量をおこなったりした。そうして、学校で学んだ航海術と、チュクチ族から吸収した現地の知識とを組み合わせた。その成果が、アラスカ北岸を初めて詳細に記したベーリング海峡周辺の地図である（記しておくべき点として、この地域の初の地図を作成したのはクックとされることが多いが、ダウルキンがこの地図を完成させたのは1765年、クックがアラスカに到達する10年も前のことだった）[72]。

ビリングスはサンクトペテルブルクで北東部地理学・天文学大遠征の準備を進めている最中に、このダウルキンの地図のことを知った。そしていたく感心し、先住民の航海者を一行に加えたらかなり心強いはずだとすぐさま思い至った。そこで、イルクーツク航海学校で働いていたダウルキンに話を持ちかけると、遠征隊に参加してくれることになった。1790年5月、ビリングスとサリチェフ、そしてダウルキンは、スラヴァ・ロッシー号で太平洋に向け出航した。彼らは18世紀の科学の世界を体現していた。船長ビリングスはイギリス人、測量士サリチェフはロシア人、そして航海士ダウルキンはチュクチ人。一行はそれから3年をかけてベーリング海峡に浮かぶ島々の地図を作成した。この北東部地理学・天文学大遠征では、西はシベリアから東はアラスカまで計50枚を超す地図が新たに作成された。何を物語っているかは明らかだった。アメリカはいまやロシア帝国の一部となったのだ[73]。

5　まとめ

一般的には、1687年のアイザック・ニュートン『プリンキピア』の出版によって啓蒙運動が始まったとされている。そのようなストーリーでは、ニュートンは理性を駆使した孤高の天才として描かれることが多い。しかし『プリンキピア』を読めば明らかなとおり、それは正確ではない。この章では、ニュートンが啓蒙運動の先駆けとなったのは彼が孤立していたからではなく、幅広いつながりを持っていたからだと論じてきた。ニュートンが科学における大きなブレークスルーを果たせたのは、帝国や奴隷制、戦争というもっと幅広い世界と関わりを持っていたからこそだ。万有引力の理論を編み出す上でニュートンは、奴隷船で旅したフランス人天文学者や、中国と交易する東インド会社の船員の収集したデータに頼った。今日ではそれはほぼ忘れられているが、当時の人々は十分に気づいていた。フランス啓蒙主義の哲学者の中でもおそらくもっとも有名なヴォルテールは、「もしもルイ14世によって派遣された人たちが航海や実験を進めていなかったら、ニュートンが引力に関する発見をおこなうことはけっしてなかっただろう」と記している[74]。

この章ではニュートンを出発点として、啓蒙時代の科学の新たな歴史を紡いできた。18世紀を通してヨーロッパ諸国の科学アカデミーは、国家の支援を受けた遠征航海を次々に企画した。それらの航海によってニュートンとその後継者たちは、物理科学でもっとも基本的な疑問のいくつかに答えるためのデータを手に入れた。アンデス山脈へのフランスの遠征によって、ニュートンの唱える地球の形が正しいことが実証され、ジェイムズ・クック船長の太平洋への航海によって、太陽系の絶対的な大きさがようやく確定した。18世紀にはこれらの理論的な疑問に加え、航海術や測量術など、それに関連した数々の実用的な科学も発達した。イギリスやフランス、ロシアの各帝国は、最新のニュートン科学を駆使して新たに領土を広げていった。クックはタヒチから南へ進んではるかオーストラリアにまで到達し、ヴィトゥス・ベーリングはアラスカ沿岸の地図を作成して、アメリカ大陸の一部を初めてロシア帝国に組み入れた。

　とはいえ、ヨーロッパの科学が勝利したという単純な話ではない。ヨーロッパ人探検家は未知の海を渡ったり大山脈に登ったりする上で、独自の高度な科学文化を持った先住民の知識をつねに頼りにしていた。ペルーではフランス人測量士が図らずもインカの伝統的な天文学に頼った。太平洋ではクック船長がポリネシアの神官の航海術に頼った。そして北極圏ではロシアの探検家が先住民を仲間に引き入れて、凍りついた大地を横断するための道案内を頼んだ。彼らの貢献に目を向けると、18世紀科学のイメージは大きく様変わりする。結局のところ、啓蒙時代の科学の発展はグローバルな歴史の一部として理解する必要があって、そこには奴隷制や帝国の歴史だけでなく、先住民の知識の歴史も含まれる。ニュートンは確かに天才だったかもしれない。しかし孤立してはいなかったのだ[75]。

　この章の冒頭でニュートンが奴隷貿易に投資していたという話をしたが、そのストーリーには、いまではほぼ忘れられているもう一つの側面がある。1745年、フランシス・ウィリアムズという男がジャマイカの自分の書斎で一枚の肖像画を描いてもらった。その肖像画は多くの点で18世紀の典型的な学者の絵に似ていた。ウィリアムズの手前のテーブルには、『ニュートンの自然哲学』と並んで方位磁針や地球儀が置かれている。しかし、従来の科学史のストーリーではしばしばアフリカ系の人々が誤って排除されていることを踏まえると、この肖像画はあるきわめて重要な点で目を見張らせる。ウィリアムズは黒人だったのだ。ウィリアムズが生まれる少し前に、アフリカ人奴隷だった彼の父親は自由を与えられた。そのためウィリアムズも自由人だった。かなり裕福だったようで、のちにジャマイカの土地と奴隷を相続した。1720年頃には十分な資産を蓄えてイギリスへ渡り、ケンブリッジ大学に入学して数学と古典を学んだ。そしてちょうどニュートンが世を去った頃に、この大学で『プリンキピア』のことを知った。それから数年後、ジャマイカで学校を創設するために帰国し、その際にニュートンの著作を含む最新の科学書を何冊も持ち帰った。もちろんウィリアムズはけっして典型的な人物ではない。当時、カリブ海沿岸のほとんどの黒人にはニュートン科学を学ぶ機会などなかった。しかしウィリアムズは、奴隷制時代の科学史のもう一つの側面をいまに伝える重要な存在だ。次の章ではこのテーマをもっと細かくたどり、アフリカ人奴隷とその子孫たちが悲惨な環境の中でも、そしてのちに科学史から消されながらも、近代科学の形成に貢献しつづけたさまを掘り下げていこう。[76]

第4章 経済のための博物学

プランテーションの端で何かを探していたグラマン・クワシは、見たこともない植物を見つけた。その明るいピンク色の花に目が釘付けになった。そこでその小さな灌木を採集し、小屋に持ち帰って大事にしまった。そのときは知るよしもなかったが、この植物がやがて彼の人生を変えることとなる。グラマン・クワシは1690年頃、西アフリカの現在のガーナに暮らすアカン族に生まれた。わずか10歳のとき、敵対する部族のアフリカ人奴隷商人に襲われて囚われの身となり、鎖につながれて海岸まで歩かされた。到着するとオランダ人船長に買われ、船で大西洋の対岸へ運ばれた。18世紀にはほかにも600万のアフリカ人奴隷がアメリカへ輸送された。南アメリカに到着したクワシは、オランダ領スリナムの砂糖プランテーションで働かされた。子供の頃は、焼けつくような暑さのもとで一日じゅう雑草抜きをやらされた。成長すると、鉈(なた)を使って手作業でサトウキビを刈り取るという骨の折れる収穫作業をさせられた。[1]

しかしクワシは、オランダ人の主人たちが当初見込んでいたよりもはるかに才があった。南アメリカの多様な動植物に囲まれて、自然界の深い知識を育みはじめたのだ。そしてアフリカとアメリカの伝統的な医術を融合させ、植物を採集しては薬を調合した。プランテーションのアフリカ人とヨーロッパ人をどちらも治療し、小金を稼いだ。しかしとりわけある植物がクワシに名声をもたらす。スリナムのプランテーションで彼が採集した、ピンク色の花を付ける小さな灌木が、実は驚くべき薬効を持っていたのだ。樹皮を煮出した苦い茶はマラリアの特効薬になった。また、胃を丈夫にして食欲を復活させるようだった。クワシはその植物の薬効を、同じプランテーションで働いていたアメリカ先住民奴隷から教わったのだろう。その灌木は、第1章で説明した南アメリカの薬草の伝統の中で以前から使われていた。クワシの発見の噂はやがてスリナム全土に、さらにはヨーロッパにも広がっていった。当時、マラリアの特効薬といえば、「ペルーの木の皮」と呼ばれたキナノキの樹皮を使ったものしかなかった。しかしその貴重な産物はペルー副王領でしか採れず（そのためにこのように呼ばれていた）、スペインに独占されていた。その上、18世紀初めにはキナノキの樹皮は世界一高価な商品で、文字どおり同じ重さの金よりも価値があった。そのため、代わりのマラリア治療薬を見つければ莫大な利益が転がり込んでくるのは間違いなかった[2]。

1761年、クワシの発見した例の灌木の標本が、当時ヨーロッパでもっとも影響力のあった科学思索家の一人であるカール・リンネのもとに届けられた。スウェーデンのウプサラ大学で医学と植物学の教授を務めるリンネは、新たな命名体系を編み出して自然界の研究を一変させていた。その命名体系を初めて論じた著作『自然の体系』（1735）の中でリンネは、自然界を動物界・鉱物界・植物界の

3つの界に分けた。それらの下にはさらに4段階の分類レベルがあり、1段階下がるごとに個々の動植物がより細かく特定されていく。その4段階は綱・目・属と続き、最後が種となる。この体系では自然界のあらゆるものが適切な位置に納まる。それを踏まえてリンネは各種の動植物に、属と種からなる「二名法」の学名を与えた。たとえばライオンの学名はパンテラ・レオ。ライオンがパンテラという属（ヒョウ属、トラやヒョウやジャガーを含む）の一種で、種名がレオ（アフリカとアジアそれぞれに棲む亜種を含む）であることを表している。この命名法には、自然界を簡潔かつ統一的に分類できるという利点があった。またこの命名法によって博物学者は、いまの例でライオンがトラと同じ属に含まれるというように、異なる生物種どうしの類似性を表現できるようになった。リンネの二名法は、今日もなお生物の分類体系の基礎となっている。[3]

リンネに例の植物の標本を送ったのは、スリナムのスウェーデン人プランテーション経営者だった。その薬効を確認したリンネは感服し、著作『自然の体系』の新版に新種としてだけでなく新属としても記載した。その植物にはクワシに敬意を表してカッシア・アマラと命名した（「カッシ」はクワシのアカン語名をラテン語風に変えたもの、「アマラ」はラテン語で「苦い」の意味で、薬の味を指している）。この画期的な治療薬を発見してリンネから太鼓判を押されたことで、クワシの人生は一変する。この植物に関する知見が広まると、カッシア・アマラはスリナムのプランテーション経営者にとって主要な輸出作物となり、もっと高価なキナノキの樹皮に代わる商品作物として栽培されるようになった。そうしてまもなくクワシは自由を与えられた。そしてオランダに招かれて、オラニエ公ウィレム5世から功績を認められ、華麗な外套と金のメダルを与えられた。スリナムに戻ると、小さなプランテーションと、その土地で働く奴隷を与えられた。また、南アメリカの植物について知ろうとするヨーロッパの博物学者から次々に手紙を受け取るようになった。その中には、宛名に「スリナムの薬草学教授」と添えているものまであった。グラマン・クワシは幸運にも奴隷の身分を脱し、南アメリカの植物の薬効に関する大家として尊敬を集める立場になったのだ。[4]

グラマン・クワシのこの逸話は、さまざまな点で異例である。18世紀、アフリカ人奴隷が科学的知識の提供者としてヨーロッパで公に認められることなどきわめて稀だった。博物学に関して言うと、植物の多くには発見者であるヨーロッパ人男性にちなんだ名前が付けられた。たいていのヨーロッパ人はアフリカ人のことを、プランテーションで働かせるために売買する商品としてしか見ていなかった。その点でクワシは稀なことに、植物の薬効の知識を通じてそんな世界を抜け出した。あるいは少なくともその世界の表側に移った。しかし別の意味でグラマン・クワシは、もっとずっと多くの人に当てはまるある一面の典型例だった。

啓蒙時代の博物学に関する従来のストーリーは、新種の植物を「発見」して新たな分類体系を考案したカール・リンネのような、ヨーロッパ人男性の成果だけにほぼ焦点が絞られている。しかしそれは誤った印象を与える。科学史ではほぼ無視されているが、アフリカやアジア、アメリカの多様な人々が18世紀の博物学の発展に貢献した。彼らが伝えた独自の伝統的な科学は、ヨーロッパ人が外国の自然環境を理解して分類する上でよりどころとなった。アフリカ人奴隷を脅して植物の知識をむりやり引き出すなど、あからさまな搾取によることもあった。しかしその一方で、のちほど取り上げる江戸時代の日本のケースなど、もっと協力的な関係であることもあった。この章では、グラマン・クワシのように、啓蒙時代の博物学の発展に貢献しつつも忘れられた人々を、アフリカ人療法家からインド人神官まで解き明かしていく。

前の章では国家の支援を受けた遠征航海に焦点を絞ったが、この章では啓蒙時代の科学において国際貿易の果たした役割をひもといていく。17世紀から18世紀にかけ、ヨーロッパのいくつもの貿易会社の拡大によって世界は一変した。東南アジアや日本で活動したオランダ東インド会社や、大西洋で活動した王立アフリカ会社、そしてとりわけ有名な、インドや中国で活動したイギリス東インド会社などである。これらの会社は、さまざまな商品の供給を支配することで莫大な利益を得た。砂糖や香辛料、茶や藍が、貿易会社の船でヨーロッパに運ばれた。重要な点として、これらの交易品の大部分は自然界の産物だった。それゆえ、貿易会社が取扱商品を分類して査定する必要が出てくるにつれ、自然史をより詳細に研究していこうという気運が高まっていった。

その変化の大きさを以下の数値で感じ取ってほしい。17世紀初め、ヨーロッパの博物学者はおよそ６０００種の植物を同定していた。それが18世紀末には5万種を超え、その大部分はヨーロッパ以外の原産だった。前の章で述べたとおり、王立アフリカ会社やイギリス東インド会社などの貿易会社は、ロンドンの王立協会など当時の主要な科学機関と緊密な関係を築いていた。金と白金、シナモンとナツメグの違いを見極めることは、科学的にだけでなく商業的にも重要だった。ときに貿易会社は、金属や染料の純度を確認するために、最新の実験手法を使った化学分析を依頼することまであった。[5]

そのため啓蒙時代の博物学は、生物科学であると同時に経済的な科学でもあった。リンネも自身の研究をそのようにとらえていた。多くの人と同じく、世界貿易によって外国の商品への依存度が高まって、ヨーロッパの経済が弱体化することを懸念していた。とりわけ、母国スウェーデンなどの国々が大幅な輸入超過になって、ヨーロッパの貿易収支が赤字になることを恐れていた。それを踏まえてリンネは、スウェーデンで代替作物の栽培を始めたり、輸入作物を国内で栽培する取り組みを進めたりするよう唱えた。「このように自然界は、各国がそれぞれ何かしらのとくに有用な農産物を生産するようにできている。経済の役割は、生長したがらないそのような農産物を別の場所から運んできて栽培することである」。リンネにとってはそれこそが博物学の要だった。単にこの世界を分類するだけでなく、貿易収支のバランスをヨーロッパに有利なように傾ける術を探すということだ。リンネはさらに、中国からの絹の輸入への依存度を下げるために、スウェーデンでクワの木を育てられるかもしれないとまで提唱した。[6]

当然ながらリンネも気づいたとおり、冬の寒さが厳しいスウェーデンで熱帯の植物を栽培するのは難しかった。しかしもっと大きな領土を誇る国々ははるかに成功した。ヨーロッパの博物学者の助けを借りて、18世紀中に世界中の植民地に植物園が計数百か所設置された。目的は明らかで、輸入依存度を下げるために熱帯植物を栽培することだった。たとえば1735年にフランス東インド会社は、イル・ド・フランス（現在のモーリシャス島）に植物園を設立した。その植物園では、オランダによる香辛料貿易の独占状態の打破を狙って、フランス人博物学者がコショウやシナモン、ナツメグの栽培に取り組んだ（当時、ヨーロッパ人がこれらの香辛料を調達できたのは、オランダ東インド会社が支配する東南アジアの植民地だけだった）。フランス東インド会社はさらに、ピエール・ポワヴルという名の宣教師を買収して（ポワヴルはまさに「コショウ」という意味）、新たな植物園で栽培するための種子や苗木を東南アジアから密輸させた。イギリスもインドで同様の取り組みを進めた。1786年にカルカッタに植物園を開き、シナモンを栽培してオランダの独占状態を崩そうとした。18世紀末には、ジャマイカやニューサウスウェールズ、ケープ植民地など、ヨーロッパのほとんどの植民地に植物園が作られていた。それらの植物園は、ロンドンのキュー植物園などヨーロッパの主要な植物園と連携して、世界の自然史に関する重要な情報源の役割を果たした。[7]

1 奴隷制と植物学

1687年にジャマイカに到着したハンス・スローンは、山地へと向かった。馬にまたがり、一人のアフリカ人奴隷に道案内をさせて、シダやラン、イネ科の植物など、見つけられる限りの植物を採集してかばんに詰めた。用心が必要だった。その山地では逃亡した奴隷や山賊が襲ってくるかもしれず、ヨーロッパ人にとっては危険な場所だった。しかし危険を冒す価値はあった。翌年にかけてスローンは800点を超す植物標本を採集し、その一つ一つを念入りに乾燥させて一冊の標本帳に綴じた。スローンがジャマイカにやって来た公式の理由は、この島の新たな総督アルベマール公の専属医師を務めることだった。しかしスローンは総督の健康状態にはさほど関心がなかった（それもそのはず、スローンが到着してから1年もせずに総督は世を去った）。スローンの本当の狙いは、この島の自然史を研究することだった。1689年にロンドンに戻ると、自分の発見した事柄を文章にまとめはじめた。そしてその文章は、図版入りの全2巻の大冊『ジャマイカの自然史』（1707～25）として出版された。[8]

そうしてスローンは、18世紀前半でもっとも影響力を持つ博物学者の一人となった。著作の出版後に、王立協会会長と王立内科医協会会長の両方に選出されたのだ。カール・リンネもロンドンにスローンを訪ねて助言を求め、『ジャマイカの自然史』に収められた情報の一部を自著『自然の体系』に盛り込んだ。1753年にスローンが世を去ると、動植物や鉱物、古代の遺物などを含む計7万点を超す彼のコレクションはイギリス議会に買い取られ、大英博物館やのちのロンドン自然史博物館の基礎となった。スローンが成功したのは、博物学と経済学の関係性を理解していたことが大きかった。『ジャマイカの自然史』の1ページ目では、この島は「アメリカにある女王陛下のプランテーションの中でも最大かつもっとも重要である」と念を押している。またこの本には価値のある作物が残らず記載されている。ちょうどこの頃、イギリスは奴隷制の拡大を通じて、西インドを本格的なプランテーション経済へと転換させつつあった。スローン本人もその世界から恩恵を受けた。結婚によって、ジャマイカの大規模な砂糖プランテーションの収益の3分の1を手にしたのだ。また、キナノキの樹皮のもう一つの代替品となりうる「ジャマイカの木の皮」を販売する事業など、アメリカでのさまざまな事業計画に投資した。[9]

スローンが成功できたのは、彼が西インドで出会ったアフリカ人奴隷たちのおかげでもあった。しかし当時、そのことはさほど認識されていなかった。この章で取り上げる多くのヨーロッパ人博物学者の場合と同じく、アフリカ人の知識に対するスローンの態度や言い回しには、当時一般的だった人種差別的姿勢が反映されている。『ジャマイカの自然史』には、「ヨーロッパ人やインディアン、黒人を問わず、この島の住民」から植物に関する情報を得たという記述がある。スローンはとりわけある一種の植物に注目した。それは「コロマンティン〔アカン族の奴隷〕のネグロがビジーと呼んでいるもので、食べることもあれば、腹痛の薬として使うこともある」。「ビジー」とはジャマイカの言葉でコラの実のことで、興奮剤になる。また浄水効果や、胃のむかつきを鎮める効果もあったらしい。のちの19世紀になると、コカ・コーラの原材料の一つとなった。スローン『ジャマイカの自然史』に掲載されてはいるものの、実は原産地はジャマイカでなく西アフリカである。スローン本人もそれに気づいていて、コラは「ギニアの船で運ばれた種子」から育つと記している。西アフリカでは昔から薬として使われるとともに、儀式の際に友好のしるしとして隣人や来訪者とのあいだで受け渡されていた。西アフリカのイボ族には、「コラの実を持ってくる人は命を持ってくる」ということわざがある。本来は友情のしるしだったコラの実がジャマイカに伝わってきたというのは、何とも残酷な皮肉だ。アフリカ人奴隷はコラの実を噛みながら、耐えがたい境遇を凌ごうとしていたのだから[10]。

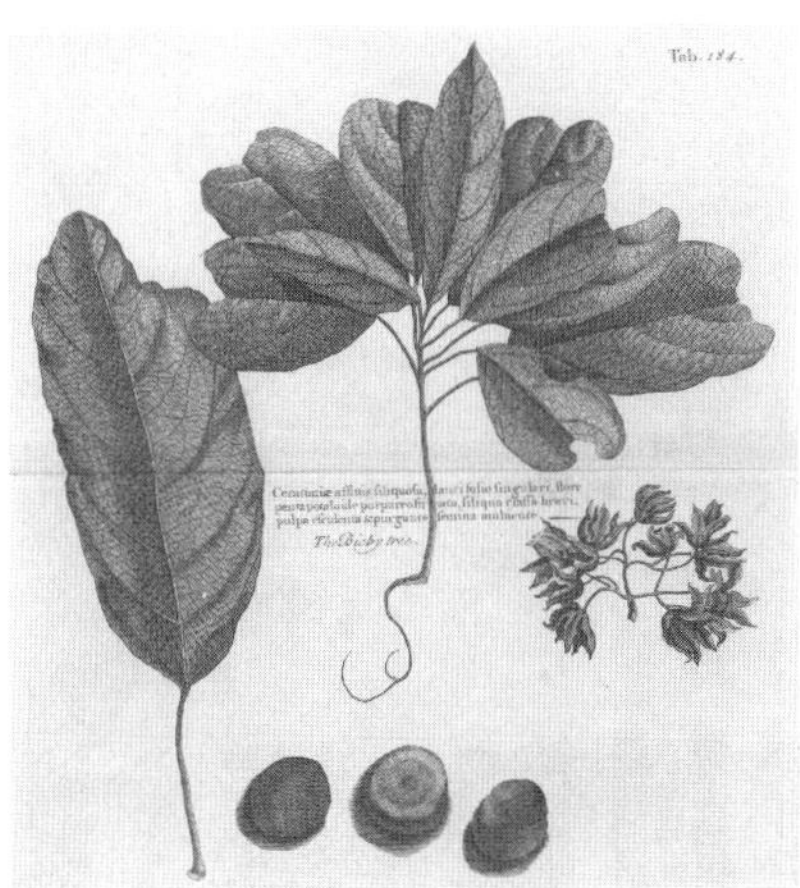

20. ハンス・スローン『ジャマイカの自然史』(1707–25)に描かれた、「ビジー」の木から採れるコラの実。

　スローンはすぐに、ジャマイカのほかの多くの植物も実はアフリカ原産であることに気づいた。そのうちの多くは、奴隷たちに与えられた「耕作地」で目にした。ヨーロッパ人プランテーション経営者は奴隷たちに十分な食料を与えず、代わりに生産性の低い小さな土地をあてがって、自分たちで作物を栽培させていた。スローンはジャマイカでかなりの時間を費やして、そうした「ネグロのプランテーション」を調査した。畑仕事をしているアフリカ人から話を聞いて、祖国から持ってきたさまざまな作物のことを教わった。そうしてアフリカの植物相のことを、西インドに関する事柄と同じくらい豊富に学んだ。奴隷の耕作地で目にしたヤムイモやキビ、ササゲなどの作物はすべて、奴隷船で大西洋を渡って運ばれてきたものだった。ジャマイカのアフリカ人奴隷にとってこれらの作物は、絶望的な境遇の中でも故郷の味を感じさせてくれる存在だったのだ。[11]

＊

ヨーロッパ人博物学者はアメリカ各地で奴隷たちから話を聞いては、金になりそうな新たな植物、とりわけ薬効を持った植物を見つけようとした。忘れてはならないのは、そこに暴力の力学が働いていたことだ。ヨーロッパ人奴隷所有者はアフリカ人とアフリカの知識を、利用すべき資産として扱った。1773年にスコットランド人プランテーション経営者のアレクサンダー・J・アレクサンダーは、彼いわく「ネグロ医者の医薬品」、すなわちアフリカ人奴隷の使っている薬草を用いた数々の実験の結果を報告した。エディンバラ大学で化学を学んだアレクサンダーは、グレナダ島にある自身のプランテーションで奴隷の人たちが使っている樹皮のことを知った。その樹皮は、皮膚が広範囲にかぶれて痛む、イチゴ腫（フランベシア）の特効薬になるという。「ネグロたちの用法では、小さな火を焚いた壺を入れた樽の中に1日2回立って大汗をかき、この国でボア・ロイヤルとボア・フェールと呼ばれる2種類の木を煎じたものを飲む」。その「驚くほどの」効能を、アレクサンダーはエディンバラ大学の化学教授ジョゼフ・ブラックに宛てた手紙の中で伝えた。この薬で治療した患者全員が2週間以内に完治したというのだ。アレクサンダーは標本をブラックに送り、その成分を化学分析するよう勧めた[12]。スローンと手紙のやり取りをしていた医師のヘンリー・バラムも、ジャマイカでの同様の経験について報告している。バラムは高熱と脚の炎症にさいなまれて希望を失いかけていた。するとプランテーションで働く一人のアフリカ人奴隷から、「ホグ・プラム（モンビンノキ）」という木の樹皮を使うよう勧められた。「私が水浴びをしていると、一人のネグロが家に入ってきて、『ご主人様、治してあげましょう』と声を掛けてきた。そしてすぐさま、何枚か葉の付いたその木の樹皮を持ってきて、それで身体を洗えと言ってきた」。バラムによると、その水薬で身体を洗ったところ「完全に回復し、すっかり気力も戻って、脚も以前と同じように使えるようになった」という。同じくジャマイカ在住の医師パトリック・ブラウンも、「ワーム・グラス（インディアンピンク）」の薬効について次のように記している。「この植物は、その効能を最初に知ったネグロやインディアンのあいだで昔から使われていて、その現在の名前は虫を殺すという独特の効能に由来する」。ヨーロッパの博物学者もアフリカ人の植物の知識に関心を示した。18世紀初めにロンドンで活躍した有名な博物学者のジェイムズ・ペティヴァーは、王立アフリカ会社の従業員が西アフリカで採集した「ギニアの植物」に関する報告を書物にまとめた。そこには、虫下しの「コンコン」や強壮剤の「アクロエ」など、各種植物のアフリカでの名称と薬としての利用法が列挙されている[13]。

18世紀末にはヨーロッパ人医師の中にも、一部の植物についてはアフリカ人のほうが知識が豊富なのかもしれないと、ためらいつつも認める者が現れた。スリナム在住のあるオランダ人医師は、「ネグロの男女は植物の効能を知っていて、ヨーロッパからやって来た医者には真似できないような治療法を駆使する」と記している。しかしそこまで納得しない者もいた。中には、確かにアフリカ人は植物のことをたくさん知っているが、分類法に基づく体系的な方法論には欠けていると論じる者もいた。ジャマイカの悪名高いプランテーション経営者エドワード・ロングもまさにそのように主張して、「野蛮人どもは本能で植物学をやっているだけだ」と言い張った。しかしそれは間違っていた。アフリカ人の植物学の知識は文章にこそほとんど残っていなかったが、それでも体系的であった。西アフリカに暮らすイボ族の療法家は植物を生育環境に基づいて分類し、「森林」で育つものと「サバンナ」で育つものを区別していた。さらにその分類は病気の種類と対応していて、各種の病気にはそれぞれ特定の環境で育つ植物が用いられた。ロングがあのように言い張り、その後の多くの歴史家も同じ主張を繰り返したものの、アフリカ人は植物の薬効を知っていただけではなく、その知識をまとめ上げて複雑な分類体系を構築していたのだ。[14]

治療に使われた植物ばかりではない。１７０５年にドイツ人博物学者のマリーア・ズィビラ・メーリアンが、スリナムで人工中絶に使われている植物について報告した。メーリアンはヨーロッパ人女性としては異色だった。貿易会社の従業員が男性に限られていたため、18世紀にこれほど遠くまで旅行できる女性はごく稀だった。離婚していたメーリアンは１６９９年に末娘を連れてスリナムにやって来た。そして、帰国後に執筆する予定の著作『スリナム産昆虫変態図譜』（１７０５）の予約販売で生活費を稼いだ（カール・リンネやハンス・スローンを含め当時の著名な博物学者の多くは、のちにその本を参照することとなる)。それから2年にわたって娘とともにスリナムの各地を巡り、プランテーションに滞在しては植物や昆虫を採集した。著作の中では、あるプランテーションで働く何人かの「女性奴隷」から教わった「クジャク花(ホウオウボク)」という植物のことを記している。メーリアンいわく、スリナムの女性奴隷はこのクジャク花の種子を使って「赤ん坊を堕ろし、子供が自分のような奴隷にならないように」していた。また、男女問わずアフリカ人奴隷がクジャク花の根を使って自ら命を絶っているとも書いている。奴隷制に対する抵抗の意志を示す行為で、彼らの置かれた絶望的な状況を改めて伝えてくれている。「彼らは生まれ変わって自由になり、祖国で暮らせるようになると信じている」とメーリアンは述べている。[15]

アメリカにやって来たヨーロッパ人医師たちは、危険な植物に関する報告に恐れおののいた。そもそも中絶や自殺に使える花であれば、毒薬としても使えそうなものだ。1701年にヘンリー・バラムは、ジャマイカ在住の仲間の医師が「ネグロの女に毒を盛られた」と記している。その医師は、サバンナに咲くある花の蜜を盛られた茶を飲んだところ、「激しい腹痛に襲われて吐き気を催し、身体のあちこちが細かく痙攣した」という。このようにアフリカ人の植物学の知識は、奴隷制に対する抵抗としても使われたのだ。しかし毒を盛られることに対するヨーロッパ人の恐怖は、若干逆説的な状況を生み出した。前に述べたとおりヨーロッパ人博物学者は、アメリカで見つけた多くの植物に関する知識をアフリカ人に頼っていた。だがその一方で、アフリカ人が薬草を扱うことを事実上禁止する植民地法が次々に制定されていた。1764年にサン゠ドマング(現在のハイチ)のフランス植民地政府は、アフリカ系のすべての人が「薬を与えたり手術をおこなったりすること、およびいかなる状況でも病気の治療をおこなうこと」を違法とした。同様の法律はサウス・カロライナでも制定され、「別の奴隷に有毒な根や植物、草や毒の知識を教えたり伝えたりした奴隷は全員」死刑に処すよう定められた。従来の科学史からアフリカ人が排除されているのは、このような法律もその一因だが、もちろんそこには構造的な人種差別というもっと根深い問題も関わっている。当然ながら奴隷の多くは、罰を恐れて植物学の知識を隠すようになった。ある歴史家の言う「奴隷の秘密の治療法」が明らかになりはじめたのは、ようやく最近になってからのことだった。[16]

17世紀から18世紀にかけて大西洋を挟んだ奴隷貿易が拡大したことは、ヨーロッパ社会の発展に大きな影響を与えた。アフリカ人奴隷の強制労働によって生み出された富が、芸術や建築から港湾や工場まであらゆるものにつぎ込まれたのだ。また奴隷制は科学の世界も一変させた。前の章で述べたとおり、アイザック・ニュートンとその後継者たちは、奴隷船で旅した人たちのおこなう天文観測を頼りにしていた。そしてこの章で見てきたとおり、カール・リンネやハンス・スローンなどヨーロッパの著名な博物学者は、西インドや南アメリカの植物に関するアフリカ人奴隷の話に頼っていた。奴隷制は非常に搾取的な制度で、絶え間ない暴力の脅威に根ざしていた。それと同じことが帝国全般にも当てはまり、この章の残りの部分ではその話をもっと細かく掘り下げていく。ヨーロッパの交易帝国が拡大するにつれて、アジアの自然史に対する関心も高まっていった。場合によっては、もう少し対等な立場で科学の情報交換がおこなわれることもあった。その一方で、ヨーロッパ人博物学者が威圧に頼る場合も依然としてあった。とはいえどの地域に目を向けようが、この時期における博物学の発展を、交易と帝国による商業的な世界から切り離すことはできない。次の節では、このような帝国と博物学の関係が東インドでどのように展開したかを探っていこう。出発点は一人のオランダ人軍司令官と、そのインド人先住民の使用人である。

2 東インドの自然史

ヘンドリク・ファン・レーデは、インド人の使用人が近くのヤシの木に登っていくのを見つめていた。高さ30メートル近いそのヤシの木のてっぺんにたどり着くと、使用人はナイフを取り出した。そして若枝に切り込みを入れ、少量の樹液を採取しはじめた。降りてきたインド人の使用人はファン・レーデに、この木は「カリム゠パナ」と呼ばれていると説明した。その樹液は、「トディ」、いわゆるヤシ酒を作るのに使われていた。ファン・レーデはその木の名称と用途を書き留め、増えつづけるインド産植物のコレクションにその切枝を加えた。今日ではパルミラヤシと呼ばれているこの「カリム゠パナ」を始め計780種の植物が、ファン・レーデの大作『マラバルの庭』（1678〜93）には収録されている。全12巻、700点を超す図版を収めたこの著作は、インドの植物について包括的に解説したヨーロッパ初の書物で、カール・リンネを始め啓蒙時代の重要な博物学者の多くに参照された。また、インドの伝統的な科学や医学に大きく頼った著作でもあった。[17]

ファン・レーデがインドにやって来たのは、博物学者としてではなく軍司令官としてであった。ユトレヒトの豪商の家に生まれ、わずか14歳でオランダ東インド会社に入った。そして次々に出世していき、1670年にはインド南西端にあるオランダの植民地マラバルの司令官に任命された。赴任地でファ

21. ヘンドリク・ファン・レーデ『マラバルの庭』(1678–93)に掲載されている「カリム＝パナ」、別名パルミラヤシの図。図の上部にこのヤシの名称が3つの言語(4種類の文字)で記されている。

ン・レーデは、ヤシの木や香辛料の木にあふれた深い森に目を丸くした。「植物が生えていないような場所はほんの少しもなかった。高い木が生い茂る広くて深いマラバルの森は、それほどの豊かさを放っていた。インドのこの地域は真に間違いなく世界中でもっとも肥沃な地域だ」。ヤシの実やバナナからカルダモンやコショウまで、マラバルは贅沢な環境で、オランダ東インド会社はこの地を是が非でも商業的に利用したいと考えた。[18]

それを踏まえてファン・レーデは、マラバルの各種植物を残らず採集・スケッチ・記述するという野心的な計画に取りかかった。一人で成し遂げられるような計画ではなかった。アメリカやアフリカの場合と同じく、東インドにやって来たヨーロッパ人博物学者も、現地の人々の知識を頼りにしてその地域の動植物相を理解しようとした。そもそも現地の人々は南アジアの自然史に関する知識を、どんなヨーロッパ人でもとうてい望めないほど豊富に備えていた。ファン・レーデは最初の調査で200人を超すインド人採集者を集め、あちこちに派遣してさまざまな植物を採させた。総督として、必要となれば実力で欲しいものを手に入れる力を持っていた。また外交官としてのコネを活かし、手紙で現地のインド人諸侯たちに植物標本を送るよう求めた。それを受けてコーチンとテックムクルの藩王が希少な植物を大量に送ってきた。そこでファン・レーデは3人のインド人画家に各種植物のスケッチをさせた。それらのスケッチがのちに、アムステルダムで出版される『マラバルの庭』に収められた。何よりも重要なのは、ファン・レーデがインド人学者を集めて各種植物の名称と用途を特定させたことである。その学者の中には、古代の宗教や科学に関する文書に通じた、ランガ・バット、ヴィナヤカ・バット、アプ・バットという地位の高い3人のバラモン（聖職者）も含まれていた。それに加えてファン・レーデは、イッティ・アチュデンという名の地元の医師も雇った。アーユルヴェーダと呼ばれるインドの伝統的な医学体系を学んだアチュデンは、マラバルの植物の薬効を特定する専門家だった[19]。

アフリカと違い、それらの知識の多くは文書に書き遺されていた。アチュデンはファン・レーデいわく「名高い医学書」を所有していて、南アジアの人々が以前から科学の知識を有していたことを改めてうかがわせる。しかしその書物は、あなたが持っているような印刷された本ではなかった。17世紀の南インドでは、文字は紙ではなく、乾燥させて糸で綴じたヤシの葉に書かれていた。新たなヤシの葉を縛りつけるだけでいつでも既存の文書に書き足せるという利点があった。イッティ・アチュデンが持っていた、現地のマラヤーラム語で書かれた医学書は、何世代にもわたって受け継がれたもので、何百枚ものヤシの葉に現地の植物のさまざまな薬用法が詳しく書かれていた。バラモンも、古代インドの一連の文書「ヴェーダ」の知識をよすがとしていた。サンスクリット語で書かれたそれらの膨大な文書には、各種植物の薬用法が記されていた。たとえば紀元前二千年紀に書かれた「アタルヴァ・ヴェーダ」には、288種の植物が記載されている。その中には、傷を治すとされるビロードモウズイカや、燃やすと蚊を遠ざけるとされる「ヤギの角」という植物が含まれている。[20]

ファン・レーデはヴェーダに収められている知識を尊重した上で、「医学や植物に関しては、それらの学問の知識は韻文として遺されている」と記している。それらの古代の文書には確かに膨大な情報が収められていた。「第1行の冒頭には、植物の正しい名称とともに、その種類・特徴・付帯的な性質・形態・各部位・生育地・季節・治療効果・用途などがきわめて正確に記されている」。ファン・レーデはバラモンたちからいろいろと話を聞きながら、インドの分類体系に基づく植物の命名法を身につけていった。多くの植物の名称には、種類を指す接尾辞が付いていた。たとえば「アティル＝アルー」「イッティ＝アルー」「アレ＝アルー」はいずれも各種イチジクの現地名で、イチジクの一種であることは「アルー」という接尾辞で表されている。これらの名称は『マラバルの庭』にも記載された。完成した著作では植物の名称は、マラヤーラム語（アラビア文字と現地のアーリヤエルットゥ文字の両方）、コーンクニー語（ヴェーダなどサンスクリット語の聖典に用いられるデーヴァナーガリー文字）、ラテン語（ローマ文字）の3つの言語で記されている。[21]

『マラバルの庭』は啓蒙時代の科学における著作の典型例だった。相異なる文化の伝統的な科学を一つにまとめて、南インドの自然史を独自の視点から説明している。それとともに、ヨーロッパの貿易会社の影響力が強まっていった状況も反映している。『マラバルの庭』には、ビャクダンやカルダモン、ショウガや黒コショウなど、貴重な産物が残らず挙げられている。17世紀末に博物学研究に対する関心が再び高まったのは、このような経済的関心に促されてのことだったのだ。

ゲオルク・エバーハルト・ルンフィウスは地面が揺れるのを感じた。初めはわずかな揺れだったが、やがて家全体が激しく揺れはじめた。1674年2月17日、現在のインドネシアにあるアンボンという小島を「もっとも激しい地震」が襲った。オランダ東インド会社の商人であるルンフィウスは、20年以上前からこの島に暮らしていた。それまでに経験したことのないような地震だったが、さらなる災厄が待ち受けていた。最初の揺れが収まると、水平線の上に何かが見えた。「3つの恐ろしい波が壁のようにせり上がった」とのちに振り返っている。津波だ。アンボン島は壊滅的な被害に遭った。村がすべて流され、2000人を超す住民が命を落としたとされている。とりわけルンフィウスにとっては、妻のスザンナと2人の子供を失った悲劇的な日となった。そこでルンフィウスは、ある花に妻を偲んだ名前を付けることにした。この島でよく夫婦一緒に植物を採集していた。ルンフィウスが選んだ白いランには、「生前、薬草や植物の採集において私の第一の仲間で協力者だった、そしてこの花を最初に見せてくれた人を悼んで」、「フロス・スザンナエ」という学名が付けられた[22]。

地震のときルンフィウスは、アンボン島の自然史に関する本格的な研究の真っ最中だった。その研究成果はのちに2冊に分けて発表された。貝類と鉱物を取り上げた1冊目のタイトルは『アンボン島の驚異の部屋』（1705）、植物を取り上げた2冊目のタイトルは『アンボン島の植物』（1741～50）。

どちらの著作にも、カブトガニからドリアンの実まで、あらゆる動植物を描いた計数百点の美しい図版が収められている。カール・リンネはこの2冊を参考にした上に、『アンボン島の驚異の部屋』からは数々の図版を有名な自著『自然の体系』に引用した。[23]

マラバルで活動したヘンドリク・ファン・レーデと同じく、ルンフィウスも、アンボン島の自然史を解明できればオランダ東インド会社の役に立つはずだと考えていた。東南アジアでは医薬品の入手が困難で、ヨーロッパ人の死亡率が高いことが知られていた。「困ったことに、会社がかなりの費用をかけて送ってくるヨーロッパの薬が古くなっているか、さもなければだめになっているというのは、日常茶飯事だ」。そこでルンフィウスはヨーロッパ人に、現地の薬草の効能を学ぶよう勧めた。入手しやすいだけでなく、風土病にはもっと効きそうだと訴えた。「どの国にも特有の病気があって、それは現地の治療法で治るはずだ」。また、東南アジアの多くの植物はとりわけ価値が高いことも知られていた。オランダはすでに、モルッカ諸島で採れるクローブやナツメグ、メース〔ナツメグの種皮〕の貿易を独占していた。ルンフィウスはそのほかにも価値の高い産物がないかどうか探していたのだ。[24]

ルンフィウスは現地の人々から東南アジアの動植物のことを教わった。まずは妻から多くを学んだ。スザンナはヨーロッパ風の名前だが、実はアンボン島の生まれである。おそらく祖先の中にヨーロッパ人がおり、1653年にルンフィウスがこの島にやって来てから間もない頃にキリスト教に改宗して結婚した。現地の植物について豊富な知識を持っていた。インドネシアの女性は療法家や薬草医の役割を務めることも多く、先住民が以前から科学の専門知識を有していたことを改めてうかがわせる。スザンナがまずはルンフィウスをアンボン島のあちこちに案内し、どの植物を著作に収めたら良さそうかを

1. 1580年の「地誌報告」の一環としてインディアス枢機会議に送られた、アステカ人画家の描いたメキシコ、オアステペックの地図。

2. アステカ人画家が『ヌエバ・エスパーニャ全史』(1578)のために描いた人間と動植物の図。

3. 1577年に建てられたイスタンブール天文台。主任天文学者のタキ・アル＝ディーンがアストロラーベを持っている。正面のテーブルに並べられた科学機器の中に機械式時計があることに注目。

4. 18世紀初頭にティンブクトゥで書かれた、アラビア語の天文学の文献。

5. 北京の欽天監跡には17世紀の科学機器が多数遺されている。

6. 1737年にインドのベナレスに建てられた、ガンジス川を見下ろすジャンタル・マンタル天文台。

7. タヒチのマタヴァイ湾に浮かぶタヒチ人の船を描いた油彩画。1769年にポリネシア航海者のトゥパイアがイギリス海軍エンデヴァー号の乗員となった。

8. 科学をめぐる意見交換をおこなう18世紀の中国と日本、オランダの学者たち。テーブルに解剖学の教科書と植物の標本が置かれていることに注目。

9. 1745年にジャマイカのスパニッシュタウンで研究をおこなうフランシス・ウィリアムズを描いた油彩画。正面のテーブルには『ニュートンの自然哲学』が置かれている。

10. セネガル沖のゴレ島に立つかつての奴隷貿易拠点。この要塞でフランス人天文学者のジャン・リシェがおこなった実験を、のちにアイザック・ニュートンが著作『自然哲学の数学的諸原理』(1687)の中で取り上げている。

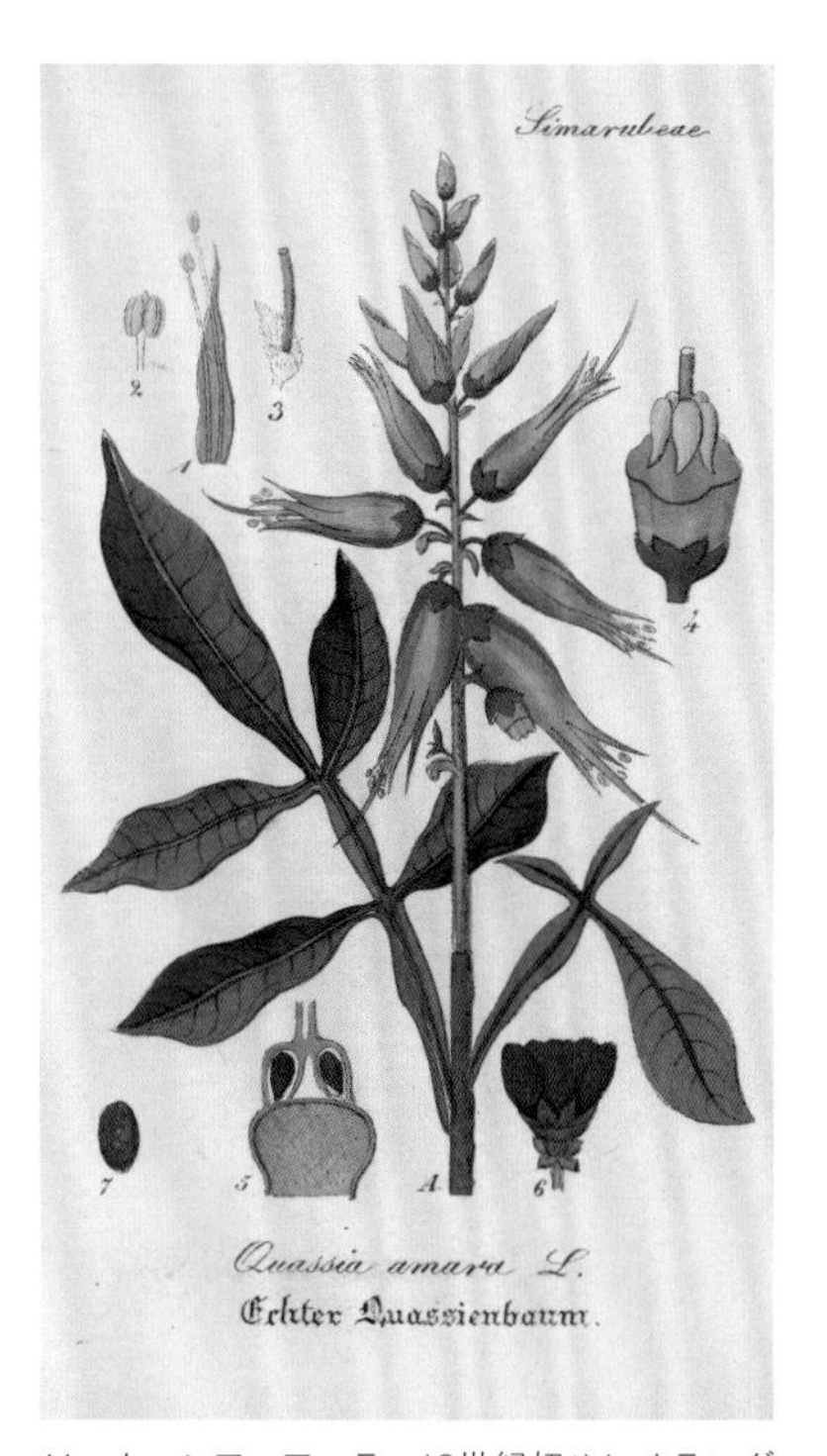

11. カッシア・アマラ。18世紀初めにオランダ領スリナムでこの植物を発見したアフリカ人奴隷、グラマン・クワシにちなんで名付けられた。

12. 16世紀にムガル帝国で著された博物学の文献。キョウチクトウ(上)とタコノキ(下)が描かれている。

13. 1729年に将軍に献上されたベトナムのゾウを描いた日本語の文献。

指し示した。この時点で視力を失いはじめていたルンフィウスは、スザンナを始め地元のガイドに頼り切って植物の同定や収集をおこない、のちに著作に収めるスケッチを描いてもらった。スザンナが世を去ると、ルンフィウスは最愛の人だけでなく、植物に関する最大の情報源も失ったのだった[25]。

ファン・レーデと同じくルンフィウスも、発見したすべての植物を複数の言語で記載した。『アンボン島の植物』には、ラテン語・オランダ語・アンボン語・マレー語で名称が記されている。いくつかの植物については、中国語・ジャワ語・ヒンドゥスターニー語・ポルトガル語の名称も挙げられている。これは、17世紀末に東南アジアに人種や文化の多様性があったことを反映している。オランダに加え中国やインド、アフリカの支配者も東南アジアに商人を派遣して、香辛料を調達していた。そのため現地で使われる複数の名称を知っておくことは、科学のためだけでなく交易にとってもきわめて重要だったのだ[26]。

ルンフィウスは郊外で植物を採集しないときには、たびたび市場に足を運んだ。アジアのいくつもの言語を話せたため、アンボン島の市場で商人や旅行者とおしゃべりをして、現地の野生生物についていろいろなことを学んだ。現地の漁師からは、マレー語で「ルマ・ゴリタ」と呼ばれる大型のタコ、アオイガイの話を聞いた。アオイガイの雌は複雑ならせん形の卵嚢(らんのう)を作り、それが貝殻のように見える。「漁師はこれを捕まえるとたいそうありがたがる。この貝はめったに見つからず、インド人のあいだでもかなりの高値が付くのだ」とルンフィウスは記している。近くのブル島ではイスラム教聖職者が、現地の木から油を抽出する方法を教えてくれた。さらにマニラの中国人商人が、おそらく催淫薬として使う、ランの根の砂糖漬けを売っていた[27]。

22. ゲオルク・エバーハルト・ルンフィウス『アンボン島の驚異の部屋』(1705) に掲載されている「ルマ・ゴリタ」(アオイガイ) とその卵嚢の図。

そうしてルンフィウスは、東南アジアで採れるきわめて貴重な天然産物の多くをリストにまとめ上げた。経済的にあまりにも重要なリストで、オランダ東インド会社は当初『アンボン島の植物』を「秘密文書」に指定したくらいだった。そのためその印刷はルンフィウスの死後まで先延ばしされた。香辛料貿易を独占したいオランダ東インド会社にとって、これらの産物の話が広まることは避けたかったのだ。ようやく出版の運びになっても、オランダ東インド会社は、ナツメグの栽培法を含めいくつかの節を削除するという条件付きでしか許可しなかった。[28]

*

オランダが競争を気に掛けるのも当然だった。17世紀にはヨーロッパのさまざまな貿易会社がアジアで活動していた。しかし18世紀になるとイギリスがとくにインドを牛耳るようになる。イギリス東インド会社が度重なる軍事征服によってインド亜大陸のかなりの部分を支配下に収めたのだ。18世紀後半までにオランダとフランスはおおかた排除され、小さな貿易拠点へと追いやられた。200年にわたってインドの大部分を支配していたムガル帝国ですら、最終的にイギリスに敗北した。イギリス東インド会社の拡大は、博物学の分野における新たな科学研究によって後押しされた面もある。イギリスはオランダが成し遂げたことを見て、それを真似ようとした。インドを熱帯プランテーション経済に移行させ、香辛料や砂糖から木材や茶まで、アジアでしか調達できないあらゆる産品を供給させるという発想である。

それを念頭にイギリス東インド会社は1786年、カルカッタ植物園を設立した。インド北東部のカルカッタは、イギリス東インド会社が現地の支配者を破って獲得したばかりのベンガル地方の都だった。この植物園の初代園長には、順当に軍司令官のロバート・キッドが就任した。キッドはロンドンにいるイギリス東インド会社の重役たちに、この新たな植物園の目的を次のように説明した。カルカッタ植物園の目的は「単に物珍しいものとして希少な植物を収集することではなく、先住民にもグレートブリテンの出身者にも利益をもたらしうる産品を普及させるための蓄えを確保することである」。重要な点としてキッドは、「有用な」植物を蓄えたこのような植物園が「いずれは国の商業と富を拡大させることになる」と考えていた[29]。

そのためカルカッタ植物園は、科学的な事業であるとともに経済的な事業でもあった。ベンガル地方におけるイギリス東インド会社の地位を固めるとともに、インド一帯のプランテーションで栽培できそうな価値のある植物を提供するための施設だった。キッドはただちに取り組みを始め、マラバルからは黒コショウを、東南アジアからはシナモンを取り寄せた。いずれも、現状の独占状態を打破してイギリスの輸入依存度を下げるためだった。イギリス東インド会社がこれらの貴重な植物を自前で栽培し、コストを下げて利幅を増やすという狙いだ。1790年には350種、4000株を超える植物が栽培されていて、そのほとんどがベンガル地方以外の原産だった。[30]

1793年にキッドが世を去ると、カルカッタ植物園の園長の職はスコットランド人外科医のウィリアム・ロクスバラに引き継がれた。ロクスバラはキッドと違い、博物学と医学を修めていた。エディンバラ大学の学生時代に、植物の解剖術と、リンネの分類法に基づく種同定の方法を身につけた。そして1776年、外科助手として雇われてインドにやって来た。カルカッタに移る前には、南インドのマドラス州サマルコッタで小規模の実験的なプランテーションを立ち上げ、黒コショウやコーヒー、シナモンを栽培した。また、多くの博物学者が安価で高カロリーの食料になるかもしれないと考えていたパンノキをはるばるタヒチから取り寄せて、栽培の実験をおこなった。[31]

それとともにロクスバラは、同じく貴重な産物であるインディゴ染料の代替原料を見つけた。古来この深青色の染料は藍の葉から製造されていた。当時、藍はおもにアメリカで栽培されていて、その貿易はスペインにほぼ独占されていた。インドでも栽培されてはいたが、小規模だった上にあまり成功してはいなかった。そのためロクスバラはどうしても地元産の代替品を開発したかった。そうして、カール・リンネの分類法で「ネリウム」（キョウチクトウ）の一種に分類される、まったく異なる種の植物が、葉から藍に似た青い色素を分泌することを発見したと主張した。そしてすぐさまロンドンにいるイギリス東インド会社の重役たちに手紙を書いた上に、化学分析に掛ける「ネリウム・インディゴ」の標本を送って、これは「計り知れないほどの利益をもたらす」かもしれないと訴えた。[32]

そうした経緯もあって、ロクスバラはカルカッタ植物園の次期園長の最有力候補となった。キッドと同じく商業を重視する姿勢と、生物の分類に関する最新の科学研究の深い知見を持ち合わせていた。園長の職に就くと、植物園の拡張に乗り出した。ほかにも多様な熱帯植物の栽培を開始し、その多くはインドから遠く離れた地域を原産地とするものだった。その中には、ジャマイカ原産のオールスパイスや、南アメリカ原産のサツマイモおよびパパイヤも含まれていた。ロクスバラはモルッカ諸島にも採集者を派遣し、ナツメグやクローブの標本を密輸させた。そうして植物の種類が増えると、今度は植物園の職員を増員しはじめた。外来の植物の多くには熟練者による管理が必要だった。そうしてロクスバラはヨーロッパのほかの博物学者と同じく、アジアの植物に関する知識がもっとも豊富なのはその原産地の人々であることに目ざとく気づいた。そこでアンボン島から、薬草医や香辛料農家としての専門的知識を持った、マホメドとゴルンという「2人のマレー人園芸家」を呼び寄せた。そして、東南アジア以外で栽培するのがきわめて難しいナツメグの世話をさせるためだけに2人を雇った。また、茶の木を育てさせるために何人もの中国人庭師を、南インド原産の香辛料を栽培させるためにタミル人を雇った。[33]

このような文化の多様性は、ロクスバラにとって初の本格的な学術書にも反映されている。イギリス東インド会社の支援を受けて出版された『コロマンデル海岸の植物』（１７９５）である。この書物にはロクスバラが初期に発見した植物の多くが詳しく記されている。植物名は英語とラテン語、および現地のテルグ語で書かれている。また取り上げられている各種植物に対応して、手作業で彩色された実寸大の図版が計３００点以上収められている。しかしそれらの絵自体は、ロクスバラ本人ではなく「２人の現地の画家」が描いた。カルカッタ植物園には創設時から、各種植物をスケッチして目録に収めるためにインド人画家が雇われていた。現地の環境に詳しいとともに、ヨーロッパ人にとってそれまで未知だった植物種を描写する腕前を持っていたからだ。彼らはヨーロッパとインドの伝統を組み合わせて、のちに「カンパニー・スクール」と呼ばれることになるスタイルを編み出した。カルカッタ植物園に雇われた画家の多くは、以前はムガル帝国のために働いて、動植物に関する図版入りの手稿を作成していた。そのため『コロマンデル海岸の植物』に収められた図版は、ベタ塗りでわりと平面的であるなど、いくつかの点でムガル帝国宮廷の典型的な絵画に似ている。しかしそれとともに、リンネの分類法の要件も反映されている。ロクスバラはインド人画家たちに、リンネ体系において種の同定に欠かせない生殖器官や種子を慎重に取り出して描くよう念を押した。[34]

カルカッタ植物園には啓蒙時代の科学の縮図が見て取れる。何よりも、拡大を続ける大英帝国が経済的利益のために設立した施設である。そして、イギリスが現地のインド人支配者から軍事力で奪い取った土地に建てられた。その一方で、スコットランド人外科医からインド人画家まで、多様な文化や科学的伝統の結集する場所でもあった。次の節では、17世紀から18世紀の中国における博物学の歴史を探っていこう。この地域にもイギリス東インド会社は進出を試みたが、はるかに大きな困難に見舞われた。そして中国には、イギリスの商人や博物学者がどうしても手に入れたい植物が一つあった。

3　中国の飲み物

1658年、ある風変わりな新薬がロンドンの街なかに届いた。医師の中には、腎臓結石から鬱病までさまざまな病気の治療に使える魔法の薬として勧める者もいた。その一方、酔いを引き起こす有害な代物で、アルコールや、さらにはアヘンと同じくらい危険かもしれないと考える医師もいた。当然イギリス人は夢中になったらしい。ある医師は、この薬が「無数のタイプの神経疾患を引き起こしている」と訴えた。別の医師は、「この煎じ薬をすすれば、眠気に耐えなくても一晩じゅう働きつづけられるかもしれない」と唱えた。論争を呼んだこの新たな治療薬とは何だったのか？　有名な日記を書いたサミュエル・ピープスはそれを「中国の飲み物」と呼んだ。我々にとっては茶と言ったほうが通りが良いだろう[35]。

イギリスに初めて伝わった17世紀半ば、茶は珍奇な商品だった。はるばる中国から運ばれ、重さあたりの価格はコーヒーの10倍だった。しかし18世紀末には、毎日のように消費されるようになっていた。イギリスは、あらゆる階級の人が習慣的に茶をたしなむ「茶飲み国家」とみなされるようになった。ヨーロッパに初めて茶葉が伝わったのは１６１０年、オランダ東インド会社の船によって運ばれた。当初イギリスはオランダから茶を購入していた。しかし需要の高まりを受けて、イギリス東インド会社は中国から茶を直接輸入することに力を注ぎ、１７１３年に初の船荷が届いた。ヨーロッパの各貿易会社は、茶に加えて絹や陶器、およびイチョウなどの薬用植物を中国から大量に輸入した。18世紀には中国産のあらゆる品々が大流行した。ヨーロッパの医師は鍼(はり)療法を試し、イギリスの庭園にはシャクヤクやモクレンなど中国原産の低木が盛んに植えられた[36]。

中国との貿易が盛んになるにつれ、ヨーロッパの博物学者のあいだでも関心が燃え上がった。とりわけ茶については、その分類法をめぐってかなりの科学的論争が起こった。ヨーロッパが中国から購入していた茶にはたくさんの種類があった。18世紀にはそれらは「ボヒー」(紅茶の一種)、「シンロー」(緑茶の一種)、「ビング」(インペリアルティーの一種)などと呼ばれていた。各種の茶葉は色も違うし、煎じたときの味も違う。しかし当時、原産地で実際に生えている茶の木を見たことのあるヨーロッパ人はほとんどいなかった。すでに処理された茶葉を広東やアモイなど中国沿岸の港で買い付けていた。その処理工程では、乾燥しては手で揉むという作業が何度も繰り返される。そのためヨーロッパ人博物学者は、各種の茶葉が一種類の植物から作られているのか、あるいはそれぞれ異なる種類の植物から作られているのかを判断できずにいた。カール・リンネも共著『茶飲料』(1765)の中でまさにこの問題を取り上げ、各種の茶葉はそれぞれ異なる植物種に由来すると誤って論じた(実際にはすべての茶葉が同じ植物から作られていて、ヨーロッパ人博物学者がそれを確実に知ったのは19世紀に入ってかなり経った頃だった)[37]。

ほかの地域で見てきたのと同じく、この科学的疑問には商業的な側面もあった。中国にやって来たヨーロッパ人商人には、各種の茶葉を区別するとともに、偽物を見抜く力も必要だった。だまされるのを防ぐにはそれが欠かせない。高価なインペリアルティーだと思って大金を払ったら、実はふつうの緑茶だったなどという事態は避けたい。イギリス東インド会社の役員の中には、茶葉の箱の中にセージなどの安い葉が混ぜられていたと報告した者もいたくらいだ。また財政上、ヨーロッパで茶の栽培を試みたいという大きな動機もあった。リンネ自身も、中国の産品と引き換えに莫大な金がヨーロッパから流出していると訴えて、このアイデアを熱心に唱えた。「中国からこの地に茶の木を運んでこようではないか。将来、一ペンスも払わずに茶葉を手に入れられるようになるだろう」。いずれも、前に見た「貿易収支」をめぐる議論の一環だ。中国が一方的に代金の銀塊を受け取っていて、リンネを始め多くの人が、中国との貿易によってヨーロッパの経済が弱体化することを懸念した。輸出品に比べ、茶葉などの輸入品のほうがはるかに多かったのだ。[38]

それを踏まえてヨーロッパの博物学者は、中国の植物の研究にかなりの精力を注いだ。1699年にジェイムズ・オヴィントンが、英語で書かれた初の詳細な茶の解説書を世に出した。その著作『茶の性質と品質に関する評論』には、各種の茶とともに茶の木の栽培法が記されている。しかしオヴィントンは、現地に実際に生えている茶の木を見たことがなかった。インド西部のグジャラートでイギリス東インド会社のために働いているときに、人から茶のことを教わっただけだった。グジャラートの商人は何百年も前から中国とのあいだで、茶や香辛料、絹を取引していた。「茶はインドのあらゆる人にとって一般的な飲み物で、砂糖とレモンを混ぜて飲んでいる」とオヴィントンは記している。またオヴィントンはグジャラートの宮廷で中国からの使節と会った。その使節は「何種類もの茶を持ってきていた」という。インドで交わしたこのようなさまざまな会話からオヴィントンは、処理法を含め茶に関する基本的な事実をつなぎ合わせた。「葉は最初は緑色だが、2回煎ると乾燥してパリパリになる。火から下ろすたびにテーブルの上で手揉みして丸める」。またオヴィントンは、標本さえ手に入ればヨーロッパでも茶を栽培できるかもしれないと唱え、「その低木自体は強くて丈夫な性質で、栽培されている地域の中にはイングランドの冬と同じかそれ以上に寒いところもある」と記している。[39]

オヴィントンの説明はおおむね正しかったが、ただし実際に中国に行ったことのないヨーロッパ人が知りうる事柄に限られていた。だがこの書物の出版からまもなくして問題は解決された。1700年にジェイムズ・カニンガムが舟山島に上陸し、原産地である中国の環境に生えている茶の木を初めて観察したヨーロッパ人の一人となったのだ。イギリス東インド会社に外科医として雇われていたカニンガムは、交易拠点の建設に携わるために、中国東海岸の沖に浮かぶ小島、舟山島に派遣されていた。結局その交易拠点は失敗に終わり、イギリス東インド会社はすぐさま計画を中止した。しかしカニンガムはこの島に残って、中国の自然史について学ぶことにした。滞在中には著名なイギリス人博物学者のジェイムズ・ペティヴァーと手紙を交わし、茶の木の標本を手に入れると約束した。またペティヴァーから、「彼らの栽培しているのがどの品種なのか、ボヒー茶がふつうの茶とどう違うのかを尋ねる」よう頼まれた。要するに、紅茶と緑茶が同じ植物から作られるのかどうかを知りたかったのだ。カニンガムはペティヴァーの疑問に答えられるよう最善を尽くした。何か所も茶園を訪ねては、美しく整えられた緑色の低木の列が並ぶなだらかな丘で中国人の男女が手で葉を摘む光景を伝えた。また、「茶は顕花植物で、その葉はイラクサのように鋸歯状であり、裏面は白っぽい」と説明した。カニンガムは舟山島で1年以上過ごし、収穫と処理を含め、茶の木のライフサイクルを最初から最後まで観察することができた。そうして中国国外では初となる、茶の木に関する正確な報告を書き上げた。[40]

　茶の木に関するカニンガムの報告は、ロンドンにある王立協会が発行する権威ある学術誌、『哲学紀要』に掲載された。その論文にはあるきわめて重要な観察結果が記されていた。「イングランドに多く運ばれてくる3種類の茶はすべて同じ植物から作られている」。違いは葉を摘む時期と、処理のしかたにあった。論文ではさらに以下のように説明されている。「ボヒーは3月初めに摘んだ最初の新芽を日陰で乾燥させたものである。それに対してビングは、4月に伸びる2番目の新芽を、火にかけた『タッチ』、すなわちフライパンで少々乾燥させたものである」。カニンガムはこの論文とともに、中国のさまざまな植物の標本数百点をイギリスに送った。ロンドン自然史博物館に現存する最古の茶の標本は、カニンガムが採集したものである。それは小さな木箱に収められていて、18世紀に貼られたラベルには「中国原産の茶の一種」と記されている。[41]

この時期に自然界の新たな分類法を編み出したのは、カール・リンネただ一人ではなかった。中国では数千年前からすでに博物学研究の伝統が確立されていた。茶の科学研究に特化した文献まで編まれた。中でももっとも有名なのが8世紀に陸羽という学者が著した『茶経』で、そこには、栽培地、各種茶葉の処理法、薬効、さらには保存法と、茶に関して読者が知りたいであろう事柄が漏れなく記されている。「茶はあらゆる家でふつうに飲まれる飲み物であり、酒と違って不摂生にはつながらない」。この『茶経』ののちにも中国では「茶の本」が１００冊以上著され、その多くはちょうどヨーロッパが茶の貿易に関わりはじめた17世紀から18世紀に書かれた。[42]

ヨーロッパと同じく中国でも、15世紀以降に幅広い世界との交易関係が築かれたことで、博物学研究に革命が起こった。商人がアメリカからトウモロコシを、インドから香辛料を、東アフリカから果物を持ち込んだことで、博物学に関する新たな書物を求める声が高まったのだ。中でももっとも重要な文献となったのが、16世紀末に南京で刊行されたものである。『本草綱目』（１５９６）というタイトルが付けられたその不朽の著作は、漢字で２００万字を超す大著で、１８９２種の動植物や鉱物を収めており、その多くがそれまで一度も分類されたことのないものだった。著者の李時珍（りじちん）は１５１８年に中

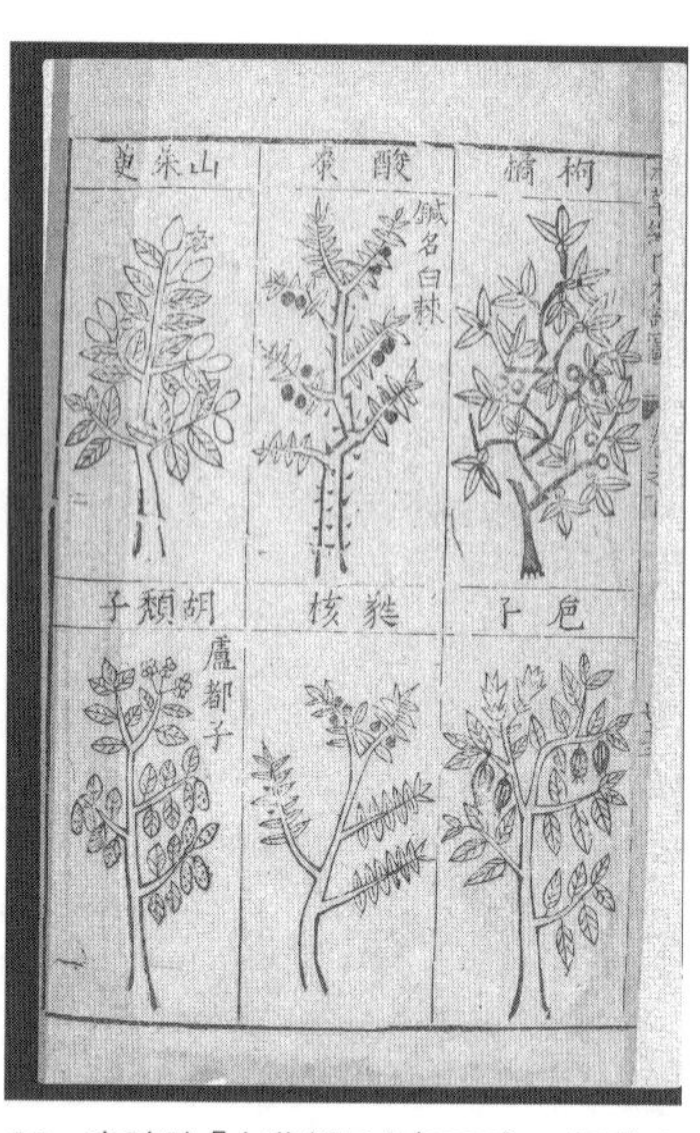

23. 李時珍『本草綱目』（1596）に掲載されているダイダイやクチナシなど各種植物の図。

国中部の医師の家に生まれ、官吏を目指したが科挙に落ちた。それでも医学の知識があったおかげで、北京の太医院（中央医療行政局）で職に就くことができた。[43]

李の職務は、中国全土の医療を統轄し、試験をおこなって医師免許を発行し、新薬を評価することだった。太医院で働いていたおかげで、膨大な薬を手にすることができた。また『茶経』を始め、博物学に関する古代中国の書物の多くを読むこともできた。しかしすぐに、地域ごとに植物の名称が異なるせいで太医院の業務がきわめて難しくなっていることに気づいた。同じ植物が異なる名称で呼ばれていたら、どうやって新薬を評価したり、薬にかかる税を徴収したりしたらいいのだろう？　茶がその良い例である。広東では茶は「チャ」（「チャイ」の由来）と呼ばれていたが、アモイでは「テ」（「ティー」の由来）と呼ばれていた。しかも中国は世界中と交易をしていたため、外来の植物が到着するとますます困難を極めた。そうして李は、中国国内で見られるすべての動植物や鉱物を表すための標準的な方法が必要だと判断した。[44]

そこで李はそれから30年をかけて中国全土を巡り、標本を採集するとともに現地の医師や農民から話を聞いて、『本草綱目』執筆のための情報を集めた。そのはしがきでは李の分類体系が次のように説明されている。「私の分類体系全体は『部』という16の区分からなり、それが『綱』という上位レベルをなしていて、それが『類』という60の種類に、さらには『目』という下のレベルに分かれている」。上位区分のもとになっているのは「五行」という中国伝統の世界の分割法で、それは古代ギリシア哲学における四元素とかなり似ている。その五つの行とは木、火、土、金、水で、それぞれ特定の性質（温かいや冷たいなど）および特定の味（すっぱいや甘いなど）と対応している。それらはさらに細かく分かれていて、その多くは「山の草」や「水の鳥」といったように動植物の生息環境に基づいている。また、トウモロコシなどさまざまな外来植物を分類する必要もあった。『本草綱目』には茶の木も取り上げられていて、それは単一の種であると正しく特定されており、有効な抗炎症薬として作用すると記されている。医師である李は膨大な時間をかけて、この書物に挙げたすべての動植物や鉱物の薬効を詳しく記載している。さらには、数百種の病気と各種の薬とを対応づけた章も別に設けている[45]。

こうして李は、中国全土の医師や官僚が使える標準的な自然界の分類法を確立した。この書物は空前の成功を収めた。最終版には、本文中に挙げられた動植物の多くを描いた細密画集2巻が追加された。皇帝にも一部献上され、17世紀を通して何度も改訂版が刊行された。1644年に清王朝が興ると、さらに評判を博した。18世紀半ばに清は、おもに西方への度重なる軍事侵攻によって、明時代の2倍の地域を支配下に収めた。そうして領土が拡大したことで、中国の博物学者はさらに新しい動植物、そして新たな分類体系と出合った。18世紀中国の博物学者は李の研究成果に最新の情報を組み込むことを目指し、改めて次々に学術書が刊行された[46]。

同じ頃、博物学に関する中国の書物がヨーロッパに伝わりはじめた。1742年、フランス人博物学者のピエール・ル・シェロン・ダンカルヴィルが北京から手紙で、「中国の薬草やいくつかの動物と昆虫の絵を収めた本を見つけた。まさに博物学の本である」と伝えた。ほかならぬ『本草綱目』のことである。ダンカルヴィルはすぐさま2つの巻を購入し、パリの王立植物園に送った。そしてまもなくしてフランス語訳と英語訳の抄録が出版された。王立協会会長のジョゼフ・バンクスは李の原著まで購入し、イギリス人商人がロンドンに送ってくる中国の植物を同定するのに役立てようとした。『本草綱目』は19世紀に入ってからしばらくするまでヨーロッパの博物学者の情報源でありつづけた。それについては次の章でもっと詳しく述べることにしよう。[47]

『本草綱目』が何よりも伝えてくれているとおり、ヨーロッパと中国における博物学の発展は鏡写しのように互いに似通っていた。李時珍はカール・リンネとさほど違わなかった。医師として研鑽を積み、交易と帝国の拡大する世界の中で、自然界の標準的な分類法が必要であることに気づいた。李の分類法もリンネのものと同じく、形態的特徴と環境要素に基づいていた。しかも経済や行政の要求によって促されたものだった。確かに細かい点はいくつか違っていて、とくに李は五行を用いている。しかし結局のところグローバルなスケールで考えれば、ヨーロッパにおける博物学の発展が唯一無二のものでなかったことは明らかだ。アジアの科学思索家も、結びつきを強める世界を理屈づけるために自然界の新たな分類法を編み出していた。そして次の節で見るように、それは近世日本にも当てはまるのだ。

4　江戸時代の日本における自然の研究

将軍はゾウを所望した。1717年、将軍徳川吉宗は江戸にある幕府の文庫で拾い読みをしていた。すると、かつてオランダ人商人から献上された一冊の本とめぐり合った。ヨハネス・ヨンストン著『鳥獣虫魚図譜』（1660）である。ライデンで出版された、図版の豊富なこの書物には、ラクダ、ライオン、トナカイなど、将軍が見たこともない数々の動物の版画が収められていた。しかし吉宗をもっとも惹きつけたのは、ゾウの絵だった。吉宗はすぐさま専属医師の野呂元丈（げんじょう）を呼び、このヨンストンの本をオランダ語から日本語に翻訳するよう命じた。とりわけ知りたかったのは、ゾウがどこに棲んでいて、何の役に立つかだった。「これらの動物はこのオランダ人が訪れた国々に何頭も棲んでいて、その牙は薬に使われている」と野呂は報告した。[48]

本もそれはそれで結構だ。しかし吉宗が本当に欲しがったのは、自分のゾウである。1729年にそのチャンスがめぐってきた。日本との有利な貿易関係をどうしても維持したかったオランダ東インド会社が、アジアゾウのつがいをベトナムから運んでくることに合意したのだ。4月、そのゾウは、オランダ東インド会社が小さな交易拠点を築いていた長崎に到着した。そして沿道で群衆が歓声を上げる中、日本縦断に出発した。まずは長崎から京都へ向かい、そこから江戸の吉宗のもとに届けられた。残念ながら雌のほうは到着からまもなくして命を落とした。しかし雄はそれから13年間生きつづけ、江戸城近くの美しい庭園で見世物として飼われた。ゾウだけではなかった。それから数十年のあいだに吉宗やその後代の将軍たちが異国のさまざまな動物を手に入れ、その多くがそれまで日本では知られていないものだった。18世紀末の江戸城には、北アフリカのヤマアラシ、ボルネオ島のオランウータン2匹、ペルシアのウマ、そしてヨーロッパから運ばれてきたヒツジの群れが飼われていた。[49]

啓蒙時代には、ヨーロッパだけでなくアジアでも博物学の研究が一変した。とりわけ日本にはそれが当てはまる。古代から中世にかけて、日本の博物学研究はもっぱら僧侶や神官によっておこなわれていた。博物学には宗教上の重要な役割があった。神社の多くには神聖な動物が祀られていたし、僧侶は博物学が輪廻転生の理解を深めるのに役立つかもしれないと考えていた。しかし18世紀初めまでにそんな状況が大きく変化した。国際貿易の拡大とともに、ヨーロッパと同じく日本の博物学も商業的側面を強めはじめたのだ。とくにそれが顕著だったのが、1603年、戦国日本を一人の支配者のもとで統一した徳川幕府の成立以降のことである。徳川幕府は鎖国政策を取って外国からの接触を制限したが、完全に貿易を停止したわけではない。矛盾するようだが鎖国政策によって貿易はかえって盛んになり、将軍から認可を受けた一握りのヨーロッパ人、中国人、日本人商人が、価値のある商品の輸出入を牛耳ったのだ。[50]

そのため吉宗が異国の動物に関心を示したのは、単なる好奇心ゆえではなかった。日本の今後の経済や政治に深い懸念を抱いていて、自然界の研究によって繁栄の道が開かれるかもしれないと考えていたのだ。しかも鎖国政策の影響で輸出よりも輸入がはるかに多く、貿易赤字に苦しめられていただけに、それはなおさら重大な関心事だった。そこで吉宗は、高価な輸入品に代わる国産品を見つけるべく、日本国内の自然史の調査を次々に命じた。中でも最大規模となったのが、1730年代に吉宗のもう一人の専属医師、丹羽正伯(しょうはく)によっておこなわれたものである。丹羽は李時珍が中国でおこなったのと同じく、日本中を巡った。そして各地で藩主に、「大地から採れるすべての産物」と「この地域に棲むすべての生物種を漏れなく」報告するよう求めた。吉宗本人の花押(かおう)入りの手紙を渡された藩主たちは、江戸の将軍に対する忠誠を改めて認識させられた。調査結果をまとめた『諸国産物帳』は３５９０の項目からなり、そこには動植物だけでなく、金属や鉱物、宝石の原石も含まれている。丹羽のこの調査によって吉宗の見立ては裏付けられた。日本には驚くほど大量の自然資源があり、中でも銅と樟脳(しょうのう)油はヨーロッパの貿易会社が是が非でも買いたがる産物だったのだ。[51]

　吉宗は各地の植物園、とりわけ江戸郊外にある小石川植物園の拡張も支援した。17世紀に創設された小石川植物園は、18世紀になって商業的な植物研究の拠点に生まれ変わった。ここにもヨーロッパでの経緯と驚くほど共通した点が見て取れる。カール・リンネがウプサラで異国の植物を栽培しようとしていたちょうどその頃、日本の博物学者も江戸で同じことを進めていたのだ。１７３０年代に小石川植物園では外来植物が何千株も栽培されていて、その多くは、中国のチョウセンニンジン、東南アジアのサトウキビ、アメリカのサツマイモなど、かつては莫大な金をかけて輸入していたものだった。小石川植物園は大成功を収め、１７８０年代に日本はチョウセンニンジンの輸入国から輸出国へと変わった。[52]

　貿易関係を通じて日本は異国の品々だけでなく、多様な科学文化とも出合った。当初、貿易関係の中でももっとも重要だったのは、中国とのつながりである。両国のあいだにははるか昔から学問や商業の交流があり、その歴史は優に１０００年を超える。日本語と日本哲学の大部分は、中国から取り入れたものが多い。この商品と思想の交流が17世紀、とりわけ１６０３年の徳川幕府の成立以降に強まった。中国の商人が絹や茶に加えて次々に書物を売りはじめ、天文学や医学、博物学に関する中国の著作が日本に持ち込まれた。１６０４年には、その数年前に南京で出版されたばかりの李時珍『本草綱目』が長崎で販売された。将軍が自らその一冊を購入し、江戸にある幕府の文庫に収めた。１６３７年には『本草綱目』は日本国内で完全な形で復刻された。それは驚くほどの影響をおよぼし、17世紀日本における博物学研究の大部分の基礎となった。[53]

18世紀初めにある日本人博物学者が一冊の書物を著そうと決心し、その書物によって中国の博物学の良いところと日本の最新の植物調査結果が組み合わさることとなる。その人、貝原益軒（えきけん）は低い身分の出身だった。１６３０年に九州で藩士の息子として生まれたが、のちに江戸時代でもっとも影響をおよぼした博物学者の一人となる。当時のほかの日本人博物学者と違い、中国の学者の教えを単になぞるだけでは満足できなかった。『本草綱目』については、「扱われている異国の動植物種の多くが日本には棲息していない」と不満を抱いた。そこで九州を発って日本中を巡り、「我が国で実際に人々が見られるすべての動植物種を一つの文書に記録する」ことにした。その方法論は日本の博物学の重要な転換点となった。貝原は既存の中国の書物だけを知識の土台とするのではなく、自身の経験を重視した。「高山に登った。深い谷に降りた。険しい道をたどったり、危険な地域を横断したりした。雨でずぶ濡れになったり、霧で道に迷ったりした。寒風や暑い日差しにも耐えた。それでも８００を超す村の自然環境を観察することができた[54]」。

旅から戻った貝原は『大和本草』（１７０９〜15）を書き上げた。さまざまな科学の伝統を融合させ

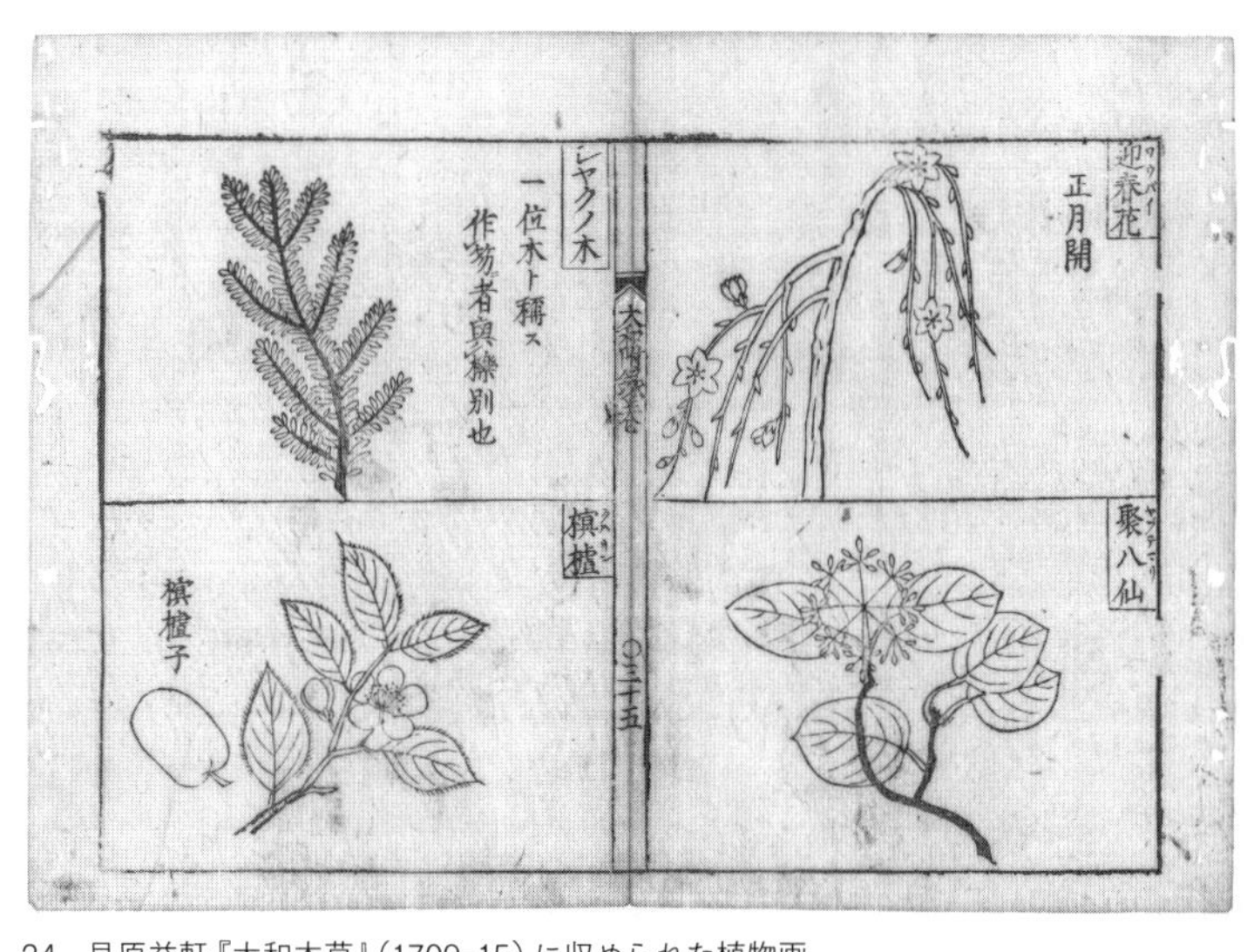

24. 貝原益軒『大和本草』（1709-15）に収められた植物画。

た名著である。李時珍に拠っているところはやはり多い。構成は『本草綱目』とそっくりで、とくに五行の考え方が用いられている。また、日本と中国で共通する動植物種の多くは『本草綱目』からそのまま写し取っている。しかしそれらについても、ただ中国の文書だけに頼るのではなく、日本名や地域的な変種を列挙している。さらにそれに加えて、日本固有の植物358種が追加されている。その中には、ピンクと白の美しい花を咲かせる日本の有名な木、サクラも含まれている。「私が長崎で話を聞いた中国の商人が言い切ったとおり、日本のサクラは中国には存在しない。もしもこのような木が中国に存在していたら、中国の書物に取り上げられていたはずだ」と貝原は記している。[55]

　実はそれは半分正しくて半分間違っていた。サクラをはっきりと取り上げた中国の博物学書はほとんどなかったが、実は中国の一部地域や朝鮮半島一帯にはサクラが生えていたのだ。とはいえ本当に重要なのは、貝原が広めた考え方そのものである。既存の中国の文書にただ頼るだけでは十分でない。日本の博物学者は旅をして、観察し、採集する必要がある。そうすることでようやく博物学は「我が国の人々にとって実際に役立つものとなる」と貝原は唱えた[56]。

日本における科学の知識のおもな情報源としては、中国に加えてもう一つ、オランダ東インド会社があった。先ほど述べたとおり、徳川幕府は17世紀初めから鎖国政策を取っていた。この政策のもと、ヨーロッパ人の訪日は厳しく制限されていた。キリスト教宣教師やほとんどのヨーロッパ人商人は完全に排除されていた。日本との貿易が認められていたのはオランダ東インド会社だけで、その上オランダ人は長崎の沖に浮かぶ出島というちっぽけな島に隔離されていた。それでも歳月が過ぎるとともに、日本とヨーロッパの科学文化が接触を始める。オランダの商人が江戸城で科学書を紹介するだけでなく、日本の博物学者がオランダ語を習って遠い国の事柄を学ぼうとした。鎖国政策が逆にとりわけ強固な文化交流を生み出して、一握りの日本人思索家とオランダ人思索家が密接に協力し合うようになったのだ。

先ほど見たとおり、吉宗はオランダ人の知識に感心していた。ヨンストン『鳥獣虫魚図譜』だけでなく、ルンフィウス『アンボン島の驚異の部屋』など、自然史に関する数多くのオランダの著作を入手した。そうして、ヨーロッパの書物の輸入を禁じる古い規制を緩和することを決めた（本来その規制はキリスト教の普及を食い止めるために17世紀に定められた）。そして何人かの学者を選んでオランダの書物の購入を許可し、日本語に翻訳させることにした。まもなくして、「蘭学」に専念する専門家集団まで生まれた。しかし重要な点として、それは単なる一方通行の関係ではなかった。日本の博物学者がヨーロッパから学ぶと同時に、ヨーロッパの博物学者も日本から学んでいったのだ。[57]

カール・ペーテル・トゥーンベリは出島から出たいと思っていた。外科医として1775年8月にオランダ東インド会社の船で日本にやって来た。すぐに異国の植物の採集を始めるつもりだったが、移動が厳しく制限されていた。「勤勉な日本人が開墾したあれらの珍しくも美しい丘を見て、そこへ行く自由がないことを思うと心が痛い」と友人宛の手紙で嘆いている。出島は2本の通りに木造の家屋や倉庫が並ぶだけの島だった。オランダ人のために雇われた日本人通訳の詰める館と、長崎の町につながる1本の橋もあった。トゥーンベリは希望を失いかけた。ウプサラ大学でカール・リンネのもと学び、日本の植物に初めて二名法の分類体系を当てはめることを夢見ていた。しかし長崎はおろか出島の外すら探索できなかったら、何も成し遂げられない。「これほど狭い地域に閉じ込められて、これほど自由がなく、愛しい植物からこれほど遠ざけられたことは、これまで一度たりともなかった」と不満をこぼしている。[58]

やがてトゥーンベリは、友人を何人か作る必要があると思い至った。そこで毎日、日本人通訳の館に立ち寄った。幸いにも日本人通訳の多くは、公式には貿易の支援をおこなっていたものの、医学の研鑽も積んでいた。日本の医師の中には、ヨーロッパの博物学や医学の書物を読むためにオランダ語を学んだ者もいたのだ。彼ら通訳はトゥーンベリの知識に舌を巻き、当時日本で流行していた梅毒の治療に水銀を使用するなど、さまざまな新しい治療法を教わった（残念ながら水銀を用いたその治療法は害のほうが多かった）。トゥーンベリはまた、ジャワ島で購入したサイの角など、商品になりそうな異国の産物も持ってきていた[59]。

そうこうすると、通訳の一人、茂節右衛門がようやくトゥーンベリの手助けを買って出た。医学に関する助言や書物と引き換えに、日本本土から標本を持ってきてやると約束したのだ。密輸で捕まった者には厳しい刑罰が科されていたため、信じられないほど危険な行動だった。茂は毎日、植物の種子や乾燥標本を詰めた袋を抱え、門番に中を探られないよう祈りながら出島へつながる橋を渡った。そして夜中に通訳の館でトゥーンベリと落ち合い、誰にも気づかれないよう机の下で包みを交換した。喜んだトゥーンベリは、「これまで知られていなかった、この国固有のさまざまな美しい希少な植物を茂が持ってきてくれた」と記している。その中にはクリの実や、博物学に関する日本のさまざまな書物も含まれていた[60]。

とはいえ、一人の人物から学べることには限りがあった。やはり自分の足で日本を調査したいと思っていたところ、幸運にも1776年3月にチャンスが到来した。オランダ東インド会社は毎年、将軍に謁見する代表団を江戸に派遣していた。そうしてトゥーンベリは初めて出島から離れる許可を得た。これでついに堂々と日本を調査できるはずだと思った。ところが事はそう簡単ではなかった。駕籠に乗って江戸まで行くしかなかったのだ。乗客が中に入って担ぎ手が担ぐ、インドのパランキーンに似た小屋状の乗り物である。日本人の番人から許可を得ないと駕籠から出られなかったし、好きなように歩き回る自由など当然なかった。トゥーンベリは数か月かけて長崎から江戸までの1000キロ以上の道のりを駕籠で運ばれた。美しい風景を横目に見ながら左右に揺さぶられ、ひどく歯がゆい思いをしたに違いない。可能な限り駕籠から飛び降りて、数株だけでも植物を採取しようとした。江戸に近づいて箱根の山を越えている最中には、番人の目を盗んで、呼び戻されるまでのしばらくのあいだ藪を歩き回った。そうしてモミジなど、それまでヨーロッパでは知られていなかった計62種の植物を何とか採集した。[61]

江戸に到着したトゥーンベリは将軍に謁見した。その際には、日本の伝統的な着物に似た、金色の飾りの付いた絹の黒いマントを羽織った。儀式は堪能したし、出島を出られたのも嬉しかったが、再び行動を制限されてしまう。代表団一行とともに、江戸城の外れにある小さな館に留まるよう命じられたのだ。街なかや郊外を歩き回ることは許されなかったが、それでも最善を尽くした。城内で、影響力のある2人の日本人医師、中川淳庵（じゅんあん）および桂川甫周（ほしゅう）と親交を築いたのだ。2人ともオランダ語が堪能で、ヨーロッパ初の解剖学の教科書を日本語に翻訳する集団に属していた。そんな中川と桂川は1か月近くにわたって毎日トゥーンベリを訪ね、ヨーロッパの最新の医学理論について話し合ったり、日本の自然史に関する知識を伝えたりした。中川は「薬や鉱物、そして生きた植物の小さなコレクション」を持ってきて、それぞれの日本名を教えた。また『地錦抄（ちきんしょう）』という日本語の書物をトゥーンベリに贈った。18世紀初頭に江戸で出版されたその書物には、日本の植物数百種の絵とそれらの栽培法が収められていた。

トゥーンベリは1か月におよぶ江戸滞在の末に長崎に戻った。帰途に立ち寄った大坂の植物園は、「鉢植えのきわめて希少な低木や高木」であふれていた。トゥーンベリはその植物園の園長に頼み込んで、ソテツなど標本何点かを譲ってもらった（厳密にはそれも違法で、「その輸出は固く禁じられていた」という）。そして1776年11月、ヨーロッパへ向かうオランダ東インド会社の船に乗り込んでついに日本を離れた。さまざまな困難を乗り越えて、日本の植物や書物を大量に収集していた。ヨーロッパに持ち帰った標本は計600点を超え、それをもとにトゥーンベリは『日本植物誌』（1784）を著した。日本の植物にリンネの分類体系を当てはめた初の書物で、これによりトゥーンベリは名声をものにした。そしてその出版からまもなくして、かつてリンネが務めていたウプサラ大学の医学・植物学教授の職に就いた[62]。

一見したところ『日本植物誌』はヨーロッパの典型的な博物学書のように見える。しかし詳しく見ると、トゥーンベリの日本滞在の名残が見て取れる。植物の多くには日本の伝統的な名前が添えられている。ソテツがその好例だ。トゥーンベリはソテツに「キカス・レヴォルタ」という学名を付けて、アジア一帯に生えるさまざまなヤシと同じ属であるとしている。しかしそれとともに、「ソテツ」という日本語名も記している。もちろんこれは、長崎や江戸で出会った日本人博物学者から教わらない限り分からなかったことである。このようにトゥーンベリの『日本植物誌』は、18世紀の科学が異文化間での知識の交流に頼っていたことを示すこの上ない例と言える。一方ではヨーロッパの博物学の書物であって、リンネの分類体系の適用範囲を極東の日本にまで押し広げた。しかし他方でトゥーンベリは、旅行中に出会った何人もの日本人博物学者の助けを借りない限りこの書物を書き上げられなかったはずだ[63]。

5　まとめ

本書を通して示されているとおり、近代科学の歴史を理解するには、グローバルな歴史における重要な瞬間について掘り下げていくのが最善である。博物学の場合には、17世紀から18世紀にかけての国際貿易の拡大に目を向ける必要がある。その拡大はヨーロッパの諸帝国の台頭によって勢いづいた。王立アフリカ会社やイギリス東インド会社などの貿易会社のために働く人たちが、遠い地から標本を携えてヨーロッパに戻ってきた。また各植民地の博物学者が、輸出のために珍しい植物を育てようと、植物園の設立に尽力した。ヨーロッパの各帝国の拡大はまた、多様な科学文化どうしの接触ももたらした。アフリカやアジアの人々は自然界に関する高度な知識を持っていたが、今日ではそれはほぼ忘れ去られている。ハンス・スローン『ジャマイカの自然史』に収められている植物の多くを同定したのはアフリカ人療法家だし、ヘンドリク・ファン・レーデは『マラバルの庭』を著す上でバラモンたちに頼った。中国や日本では、1000年を優に超す科学文書の長い伝統の一環として、自然史に関する知識がとくに豊富だった。18世紀末にはヨーロッパの博物学者は、異国の植物だけでなく外国の書物も収集するようになっていた。ロンドンにある王立協会の会長ジョゼフ・バンクスは、李時珍『本草綱目』を一冊所有していた。重要な点が、これらの動きとちょうど同時期に、中国や日本自体の科学文化も広い世界との結びつきによって変化していったことだ。

では、啓蒙時代の科学の歴史はどのように特徴づけるべきなのか？ 従来、啓蒙時代は「理性の時代」として解釈されていた。しかしここまでの2つの章で明らかになったとおり、啓蒙時代は帝国の時代としても記憶しておく必要がある。私の見解では、暴力や搾取を伴う帝国との関わり合いが、啓蒙時代の科学の発展をもっとも良く説明していると思う。それがはっきりと当てはまるのが、18世紀の科学の中でももっとも重要な天文学と博物学である。もしも帝国が存在していなかったら、アイザック・ニュートンは運動の法則を発見できなかっただろう。奴隷貿易船の航海の最中に観察された事柄に頼っていたからだ。また帝国が存在していなかったら、カール・リンネは生物の分類体系を編み出せなかっただろう。それもまた、ヨーロッパの交易帝国がアジアやアメリカへ拡大する中で収集された、植物学に関する情報に頼っていたからだ。次の2つの章では、科学と帝国の結びつきがますます強まっていった19世紀の科学の歴史をたどっていこう。それは工場と機械の時代、ナショナリズムと革命の時代、そして資本主義と紛争の時代である。科学は産業時代へと突入しようとしていた。

第3部

資本主義と紛争

1790年頃～1914年

第5章 進化論と生存競争

エティエンヌ・ジョフロワ・サンティレールは、にわか作りの梯子を伝って古代エジプトの墓の中に降りていった。表では強い日差しが降り注いでいたが、縦穴の底はほぼ真っ暗だった。梯子を降りきるとジョフロワは松明（たいまつ）に火をつけ、玄室の壁に向かって掲げた。自分の目が信じられなかった。壁一面がヒエログリフに覆われ、その多くは鳥やサル、甲虫やワニといった動物を描いているように見えた。これは幸先がいい。若きフランス人博物学者のジョフロワは、現地の人たちから「聖なる動物の共同墓地」の存在を聞かされていた。ここがそうなのだろうか？　ジョフロワは玄室の端に小さな穴を見つけた。這ってその穴をくぐると、抜けた先の部屋は土器の壺で埋め尽くされていたのだ。ジョフロワは壺を一つ拾い上げて床に叩きつけた。すると思ったとおり、中には何らかの種類の小鳥のミイラが入っていた。そこで、墓の入口を見張っているフランス人兵士たちに声を掛けた。一人の兵士が渋々降りてきて、大量の壺を運び出しはじめた。それらの壺はのちにパリの自然史博物館に送られることとなる。当時は知るよしもなかったが、ジョフロワのこの発見は、19世紀でもっとも重要な科学論争に火をつけることとなった。[1]

1798年の焼けつくような夏、ナポレオン・ボナパルト率いるフランス軍がエジプトを侵略した。エジプトを獲得することで、地中海と、インドへの陸路の支配を強め、この地域でのイギリスの優位性を脅かそうというもくろみだ。しかし単なる軍事作戦というだけでなく、科学事業でもあった。ナポレオンは兵士3万6000人に加え、数学者や技術者、化学者や博物学者を集めて学術芸術調査団を編成した。エジプトへ渡れるこのチャンスに、わずか26歳のジョフロワも飛びついた。調査団は3年以上にわたり軍隊に同行して、エジプトを収益の上がる植民地にすべく、測量を進めたり価値ある自然資源を探したりした。また、ナポレオンの軍隊が奪い取ったカイロの豪奢な宮殿にエジプト学士院が設立され、調査団はそこで毎週会合を開いたり、さらには学術誌を刊行したりした。[2]

今日ではジョフロワは、進化論を発展させた初のヨーロッパ人博物学者の一人としてもっともよく知られている。著作『解剖哲学』（1818）の中で、生物種は不変でなく、環境に応じて変化していくと論じたのだ。さらには、胚の発生について調べたり、一見大きく異なる動物どうしの構造を比較したりすることで、現生種の中に進化の証拠を見つけられるはずだとも主張した。それが、19世紀を通した現代進化論の発展の礎となる。従来そのストーリーではヨーロッパだけに焦点が当てられていた。パリの自然史博物館に収められた膨大な生物の標本に囲まれて、ジョフロワは19世紀初頭の何人ものフランス人博物学者とともに進化の存在を証明していったとされていた。しかしあまり知られていないが、ジョフロワが進化について考えはじめたのは、フランスでなくエジプトでのことだった。もっと言うと、ジョフロワの初期の重要な論文のいくつかはカイロのエジプト学士院から発表されている。そのため進化論の歴史を理解するには、北アフリカ滞在中のジョフロワとフランス軍から話を始めなければならない。[3]

カイロに到着してから1年も経たない頃、ジョフロワはナイル川をさかのぼる遠征に出発した。ナポレオンは南方に領地を広げたがっていたため、遠征には軍隊も同行した。しかしジョフロワはナポレオンの軍事的意図にはとくに関心がなかった。ナイル河畔にある古代エジプト最古の遺跡の一つ、サッカラ遺跡を調査したかったのだ。噂によると、そこの墓には動物、とりわけ古代エジプト人が神々と結びつけていた動物のミイラが収められているとのことだった。噂は本当だった。サッカラでジョフロワは、鳥やネコ、さらにはサルのミイラの入った壺を数百点発掘したのだ。[4]

この遺跡では、ジョフロワにとってもっとも重要な標本も収集された。「聖なるトキ」(クロトキ)と呼ばれる鳥のミイラだ。いまでもパリの自然史博物館に展示されているその標本は、進化をめぐってヨーロッパで繰り広げられた初期の論争の焦点となった。ジョフロワはそのミイラを、自身の新説を裏付ける重要な証拠になるかもしれないと考えていた。そもそもその動物種は3000年以上前から知られていた。しかもミイラにされたことで身体は完璧な状態で保存されており、ものによっては羽毛や皮膚まで残っていた。それを踏まえてジョフロワは、このミイラのトキと現代のエジプトに棲息するトキとを比較するよう提案した。両者の身体構造のあいだに何らかの違いが見つかるかもしれない。そうすればこの動物種が確かに進化したことを証明できるはずだ。[5]

しかし残念ながらそう簡単な話ではなかった。パリでは同じくフランスを代表する博物学者のジョルジュ・キュヴィエが、サッカラで発掘された動物のミイラを調べはじめていた。「時間の経過とともに生物種が形態を変化させるかどうかを知りたいと、長いあいだ願っていた」。そこでキュヴィエはこのトキのミイラを測定し、現代の標本と比較してみた。さらにはその2つの標本を、古代エジプトの神殿に彫り込まれたトキの姿とも比較した。しかし結果は予想と違っていた。「これらの動物は今日のものと完璧に同じである」。現代のトキは「ファラオの時代と同じままである」と結論づけたのだ。実は3000年くらいでは、両者の身体構造のあいだに意味のある違いを見つけるのは難しい。進化が作用するにはもっとずっと長い歳月が必要で、その事実は19世紀のもっと後のほうになるまで認識されなかったのだ。それでもいまから見ていくとおり、トキのミイラをめぐるこの論争は科学史における重要な瞬間となった。18世紀の博物学の世界が、進化論の新たな時代へと道を譲ることになるのだ。[6]

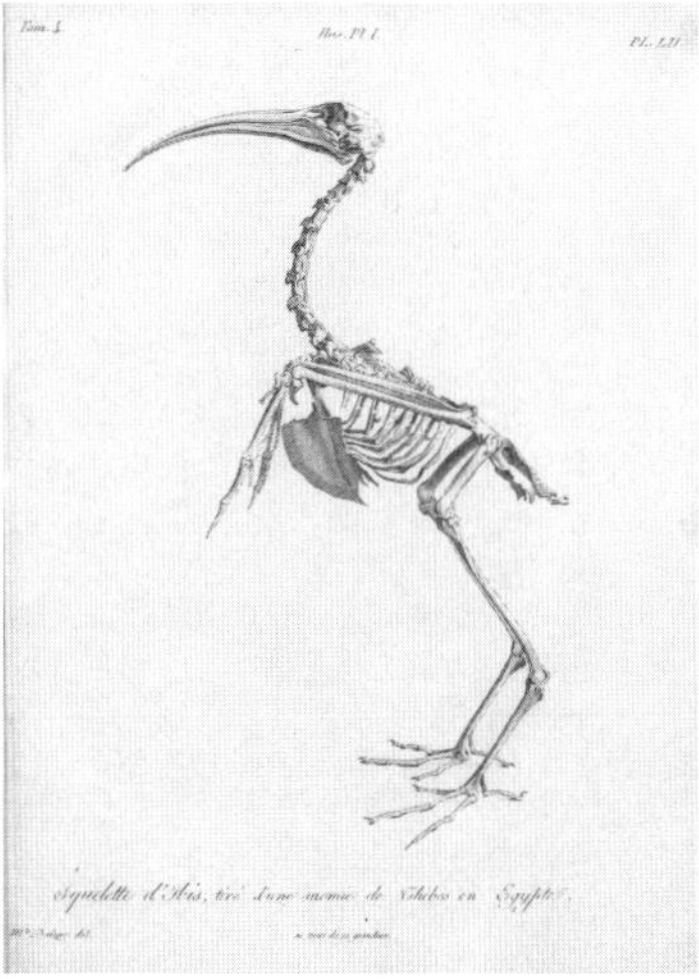

25. エティエンヌ・ジョフロワ・サンティレールが1799年にエジプトで発掘した「聖なるトキ」の骨格。

ナポレオンによる1798年のエジプト侵略は、グローバルな歴史の中で我々にとって重要な次なる時代を開いた。エジプトでのフランスの軍事行動を皮切りに、19世紀を通して壊滅的な戦争が次々に起こり、最終的には1914年の第一次世界大戦の勃発につながった。ナショナリズムも台頭し、各国が資源や領土をめぐって競い合った。19世紀は産業化の時代でもあった。産業化は北ヨーロッパ、中でもイギリスから始まったが、あっという間にアジアやアメリカにも広がった。ボンベイの紡績工場からアルゼンチンの鉄道まで、産業化はまさに世界中で人々の暮らし方や働き方を一変させた。

戦争、ナショナリズム、産業は、19世紀における人々の自然界のとらえ方に重大な影響を与えた。エティエンヌ・ジョフロワ・サンティレールも、エジプトでフランス軍とともにした経験を踏まえて、自然は「自らと戦っている」という絶妙な言い回しを使っている。この言葉には、原子から生物種に至るまで万物は崩壊と再生を繰り返すというジョフロワの信念が反映されている。のちにイギリスの博物学者チャールズ・ダーウィンが似たような言い回しを使って、進化を「生存を懸けた戦い」と表現したことはよく知られている。このような発想はヨーロッパ内外の幅広い科学思索家に引き継がれ、ダーウィン主義と呼ばれる大きな思想へまとまった。中でももっとも大きな影響をおよぼした思索家の一人が、イギリスの社会ダーウィン主義者ハーバート・スペンサーである。スペンサーは時代の趨勢をとらえて、著作『生物学原理』（1864）の中で「適者生存」という言い回しを考え出し、この本はのちに日本やエジプトでも読まれた。このような社会ダーウィン主義は、既存の差別体制、とりわけ人種差別の強化にたびたび用いられ、20世紀に入ってからかなり経つまで有害な影響をおよぼしつづけた。それについては本書の後のほうで取り上げよう。しかしここからの2つの章では、19世紀に資本主義と紛争の世界が科学の発展をどのように方向づけたのかを解き明かしていく。この章では進化論の歴史を戦場へとたどり、次の章では産業の成長と現代物理科学の発展との密接なつながりを探っていくことにする。[7]

進化論の歴史を考える際には、ダーウィンと英国軍艦ビーグル号での彼の航海について思い浮かべることが多いものだ。この若きイギリス人博物学者は１８３１年から36年まで世界中を巡り、南アメリカで大半の時間を過ごしたのちに太平洋を渡ってイギリスに戻った。現在のエクアドルの西１０００キロほどに浮かぶガラパゴス諸島を訪れたときには、南アメリカ本土で出合ったマネシツグミなどの鳥類種が微妙に違うことに気づいた。そしてそれから25年以上をかけて、この初期の観察結果を自然選択による進化の理論へと発展させ、著作『種の起源』（１８５９）を世に出した。この名著の中でダーウィンは次のように論じた。同じ生物種に属する個体どうしが生存と繁殖を懸けて競い合う。生存に有利となる特徴を持った個体ほど、その特徴を未来の世代に伝える可能性が高くなる。そうして十分な歳月が経ち、とりわけ地理的隔離を受けると、新たな生物種、つまりダーウィンが航海中に観察した違いが生まれる。この『種の起源』が、進化に関する現代の考え方の出発点になったとされている。[8]

ダーウィンももちろん重要人物だが、この章では進化論の歴史を別の見方でとらえて、『種の起源』の出版や、さらにはダーウィンとビーグル号での彼の航海よりもはるか昔にまでさかのぼっていきたい。そもそもダーウィンは、たとえヨーロッパに限ったとしても、初めて進化について思索した人物ではない。フランス人博物学者のジョフロワも、古代エジプトの遺跡やミイラに囲まれて、ダーウィンが生まれる10年ほど前に独自の進化論を構築しはじめた。それどころか進化の概念は、19世紀前半には世界中に驚くほど広まっていた。モスクワでは早くも１８２０年代に、あるロシア人植物学者が進化論を唱え、自然界を「絶え間ない変化の世界」と表現した。19世紀初頭の京都でも、ある日本人哲学者が、新たな生物種だけでなく地球全体を進化に基づいて説明する書物を出した。その哲学者は仏教の教えに触発されて次のように唱えた。地球そのものが火と水の組み合わせから進化し、それに続いて植物や動物が生まれた。そして「一つの植物種が変化して多種多様な植物になった。動物、虫、魚の一つの種が変化して、多種多様な動物、虫、魚になった」[9]。

このように、進化論の歴史を正しく理解するには、ダーウィンがビーグル号で航海する以前からすでに、生物種は変化するかもしれないという議論があったことを受け止める必要がある。それとともに、『種の起源』によって進化論が最終的に完成したわけではないことも覚えておくべきだ。それどころかダーウィンは未解決の疑問を数多く残し、とりわけ実際の遺伝のメカニズムやヒトの進化の起源は謎のままだった。ダーウィン自身ものちにそれらの疑問に挑んで、中にはある程度解決したものもあったが、いずれも世界中の科学者に引き継がれた。この章では、進化の概念をめぐる忘れ去られた歴史、紛争の時代における近代生物科学のグローバルな由来に焦点を当てた歴史を、ラテンアメリカから東アジアへとたどりながらひもといていくことにしよう。

1　アルゼンチンの化石ハンター

アルゼンチンの平原を歩いていたフランシスコ・ムニースは、一頭の獰猛な獣と出くわした。うっかり近づこうものなら、「巨大な牙」を持ったその「ジャングルの野蛮な王者」にさっさと片付けられてしまう。「その身体全体の強さに匹敵するものは何もない。アフリカのライオンですら、その牙の一撃を受けただけで喉が掻き切られ、奥深くのはらわたまで飛び出してくるだろう」とムニースは

1845年に現地の新聞で警告している。幸いにもアルゼンチンの人々はたいして恐れていなかった。その獣、サーベルタイガーは1万年以上前に絶滅しているのだ。実はムニースが記したのは、ブエノスアイレス州ルハンの近郊で発掘した化石のことだった。この地域は以前から化石ハンターにはよく知られていた。1788年、ルハン川の近くで働いていたスペイン人労働者が巨大な陸生哺乳類の化石を見つけ、その巨大なナマケモノの一種はのちに「メガテリウム」(まさに「大きな獣」という意味)と命名された。メガテリウムの骨は大西洋を渡ってマドリッドの王立展示館に送られ、ヨーロッパの博物学者のあいだに熱狂を巻き起こした。フランスの博物学者ジョルジュ・キュヴィエはこの化石を、「古代世界の動物が今日地球上で見られるものとまったく異なる」ことを示す決定的証拠とみなした。キュヴィエ自身は、古い種から新たな種が進化してきたかもしれないとまでは主張しなかった。しかし19世紀初めには多くの人が、自然界はかつての科学思索家が決めつけていたほど不変ではないのだと考えるようになっていた。[10]

ムニースももちろん進化は起こりうると考えていた。そもそも、現生種と絶滅種が驚くほど似ていることをそれ以外の方法で説明できるだろうか? サーベルタイガーに関する論文の中では次のように説明している。「問題の骨格はネコ属の個体のもので、その構造の数多くの特徴はライオンに似ていると認められる」。その「新たな種」はほかならぬ「ネコ属最初のモンスター」で、おそらく現代のライオンまたはトラの祖先だろう。ムニースはダーウィンと違って、自然選択の理論を完全な形で編み出すことはなかった。それでも、1859年の『種の起源』の出版以前から、ムニースだけでなく世界中の博物学者が、生物種は進化するかもしれないという説に取り組みはじめていた。[11]

1847年2月、サーベルタイガーに関するムニースの論文がダーウィンの手元に届いた。『種の起源』が出版される前のことで、ダーウィンの名はもっぱら、ビーグル号での航海の様子を描いた『ビーグル号航海記』（1839）の著者として知られていた。ムニースも知っていたとおり、ダーウィンは1830年代に南アメリカ滞在中に化石を数多く収集していた。しかしサーベルタイガーは「尊敬すべきダーウィン氏の記述の中にはなかった」。そこでムニースは論文をダーウィンに送り、スペイン語から翻訳してイギリスの学術雑誌で発表してもらえないかと頼んだのだった。にらんだとおりダーウィンは、絶滅した新種の哺乳類が発見されたことを知って胸躍らせた。そして王立外科医師会ハンタリアン博物館の学芸員リチャード・オーウェンに手紙で、ムニースの発見した「見事な化石骨の数々」について説明した。その上で、その化石か、または少なくともその石膏模型を王立外科医師会が買い取って、数年前にダーウィンが収集した化石と比較できるようにしたらどうかと提案した。また、ムニースの論文を英語に翻訳する手配もした。それがイギリスで出版されることはなかったが、翻訳の写しが王立外科医師会の図書室に収められ、オーウェンを始めイギリスの博物学者が参照するところとなった。ダーウィンとムニースは1840年代を通して手紙のやり取りを続け、アルゼンチンのウシの起源から野生のイヌの繁殖行動までさまざまな事柄について論じ合った。しかもダーウィンは、『種の起源』ののちの版を含め数々の著作でムニースの研究を取り上げている[12]。

18世紀末にアルゼンチンで生まれたムニースを皮切りに、ラテンアメリカでは新世代の博物学者が次々に登場し、その多くが進化の概念の発展に貢献した。ムニースはアルゼンチン独立戦争のさなかの1814年に、ブエノスアイレスにある軍医学校に入学した。1821年に彼が卒業する頃までには、アルゼンチンやチリ、ペルーやメキシコなど数多くの元植民地がスペインからの独立を宣言した。同じ頃に南アメリカのポルトガル帝国も衰退し、１８２２年から24年のブラジル独立戦争につながった。さらに18世紀末から19世紀初頭にかけては大西洋沿岸一帯で革命の嵐が吹き荒れた。ムニースは数々の軍事作戦に軍医として参加し、その初期の任務の最中に化石の収集を始めた。[13]

ムニースは収集した化石の大部分を、州政府の支援で１８２５年に設立されたブエノスアイレス公立博物館に寄贈した。以前だったら、メガテリウムのような見事な化石標本はスペインかポルトガルに運ばれていたかもしれない。しかし独立後のラテンアメリカの博物学者は、自分たちの成果を自国の新たなコレクションの構築の一環とみなすようになった。貴重な化石の数々がイギリスに持ち出されたことが明らかになると、ブエノスアイレスのある新聞は、「この土地でしか見つからないこれほど価値の高い品物が外国の博物館に展示されることを知って、我々の感情は高ぶった」と不満をあらわにした。それだけに留まらず、経済的繁栄と軍事力の鍵になるとされていた新たな科学機関を創設しようという、もっと幅広い運動も進められた。ブエノスアイレスを拠点とするアルゼンチン科学協会のとあるメンバーは、「独自の科学がなければ強い国は生まれない」と言い切っている。[14]

19世紀のアルゼンチンでもっとも数多く化石を発掘した化石ハンターの一人が、フランシスコ・モレーノである。１８５２年に裕福な家に生まれ、少年時代に、かつてのフランシスコ・ムニースと同じくルハン川の川岸で化石の発掘を始めた。14歳のときには、ブエノスアイレスの自宅に小さな標本室を作るまでになっていた。ガラス棚には歯の化石や貴重な石、光り輝く貝殻などを並べていた。

1873年、チャールズ・ダーウィン『ビーグル号航海記』を読んで奮起し、自分も科学探検に乗り出そうと心に決めた。そしてアルゼンチン科学協会から支援を受け、かつてダーウィンがメガテリウムの化石を含め貴重な標本を多数採取した、南方のパタゴニアへ向かった。それから5年にわたってダーウィンの足跡をたどり、サンタクルス川をさかのぼってはるか南のマジェラン海峡にまで到達した。そうして、絶滅した巨大アルマジロの甲皮やさまざまな海洋生物の化石を含め、膨大な標本を収集した。[15]

エジプトを訪れたフランス人博物学者と同じく、モレーノのパタゴニア探検も軍の助けがなければ不可能だったはずだ。1870年代を通してアルゼンチンは南に領土を拡大しようとしていた。政治指導者たちは、アルゼンチンがパタゴニアの領有を主張しなければ外国勢力に奪われかねないと懸念していた。すでにチリが太平洋岸の大部分を手中に収めていたし、イギリスもフォークランド諸島など南大西洋の数多い島々の領有を主張していた。ダーウィンもビーグル号での航海の途中でフォークランド諸島に立ち寄っており、その航海の目的である南アメリカの測量は、まさにイギリスがこの地域の領有権を確保するためのものだった。アルゼンチン政府はこれらの競合相手を念頭に置いて、1875年に軍事行動に打って出た。アルゼンチン軍は度重なる激しい戦闘でパタゴニアまで南下し、先住民数千人を殺害した。殺されなかった人たちは強制労働をさせられた。モレーノも軍隊の支援として測量をおこなったり、斥候を務めたりした。そしてその見返りに人員や武器、物資を与えられた。さらには軍から蒸気船まで提供され、そのおかげでパタゴニアの海岸地域をより詳しく調査できた。[16]

その頃にモレーノはヒトの進化に関心を持ちはじめた。「1873年にパタゴニアの地を初めて訪れたとき、かつてのインディアン野営地の墓地に何種類もの人間が葬られているのに驚いた」とのちに振り返っている。文化を破壊したり身体的な暴力を加えたりすることは何とも思わなかったようで、先住民の頭蓋骨を収集しはじめた。日記には興奮交じりに、「頭蓋骨や骸骨を大量に狩った」と記している。念を押しておくが、化石化したヒトの骨ではなく、死んだばかりの人の遺体だ。頭蓋骨の多くは先住民の墓から奪い取ったもので、残りはアルゼンチンの軍事作戦終了後の戦場で集めた。パタゴニアを案内してもらっていた先住民ガイドの遺体まで掘り返した。「月明かりの晩に彼の死体を掘り出して、その頭蓋骨はいまではブエノスアイレス人類学博物館に保管されている」と淡々と記している。[17]

モレーノがヒトの頭蓋骨をせっせと集めたことから分かるとおり、進化論の歴史には暗い一面がある。19世紀後半、とりわけダーウィン『人間の由来』(1871)が出版されて以降、世界中の博物学者がヒトの進化的起源について論じはじめた。そうして彼らは人種間の優劣関係をさらに強調し、各地の先住民は初期人類の進化の「名残」であると誤って決めつけた。モレーノが先住民の頭蓋骨の収集にあれほど執着したのもそれが一因だ。パタゴニアで収集した頭蓋骨から、アメリカにかつて暮らしていた「先史時代のインディアン」の起源について何か読み取れるかもしれないと考えたのだ。「この地は、南の果てに追いやられたアメリカの全人種の共同墓所なのだろう」と説明している。[18]

このような考え方によってさらに深まったのが、先住民は死にゆく文明の名残にすぎず、いずれ近代的な国民国家に取って代わられるという、19世紀末にラテンアメリカ一帯に広まっていたストーリーである。一時期アルゼンチン大統領を務めたドミンゴ・サルミエントは、ダーウィンの有名な喩えを引き合いに出してまさにそのとおりに指摘している。アルゼンチンによるパタゴニア征服のさなかの1879年に、「彼らはひとたび文明人と相まみえれば、最終的な絶滅を運命づけられる。これは全力を懸けた生存競争である」と言い放ったのだ。自然選択と軍事攻撃を意図的に混同している。パタゴニア先住民は単に滅んでいったのではない。アルゼンチン軍が彼らを絶滅させようとしたのだ[19]。

ブエノスアイレスに戻ってきたフランシスコ・モレーノは、1884年にアルゼンチン政府が新設したラプラタ自然科学博物館の初代館長に就任した。そうして彼の膨大な個人コレクションは、進化論に特化したこの新たな公共博物館の礎となった。パタゴニアで収集した化石は、時代とともに生物種が進歩してきたことを示すような順番に並べられた。モレーノは人間の遺体も同様に扱い、ガラス棚には「現代のアルゼンチン人と、先史時代のアルゼンチン人」という説明を添えた。そして同邦の多くの博物学者と同じく、パタゴニアは進化の研究にとってとりわけ重要な土地であると紹介した。「海や川を転がってきてパタゴニアの地下に堆積したこれらの動物の遺体は、かつて第三紀の大地で多様かつ豊かな生物がその奇妙な姿を見せつけていたことを物語っている[20]」。

1886年にモレーノはラプラタ自然科学博物館で、同じく野心的なアルゼンチン人化石ハンターのフロレンティーノ・アメヒーノと手を組んだ。1854年生まれのアメヒーノは、メガテリウムの発見で有名になったルハンの町で育った。そしてモレーノと同じく、少年の頃から化石の収集にいそしんだ。しかしモレーノと違ってもっとずっと低い身分の出身だった。父親は靴職人で、若い頃のアメヒーノはブエノスアイレスのもっと裕福なコレクターに化石を売って自活するしかなかった。しかし絶滅したアルマジロの完全な骨格を含め極上の標本は、自分のコレクションとして絶対に手放さなかった。そうして1882年、ブエノスアイレスで開催された、5万人を超す入場者を集めた科学と芸術の巨

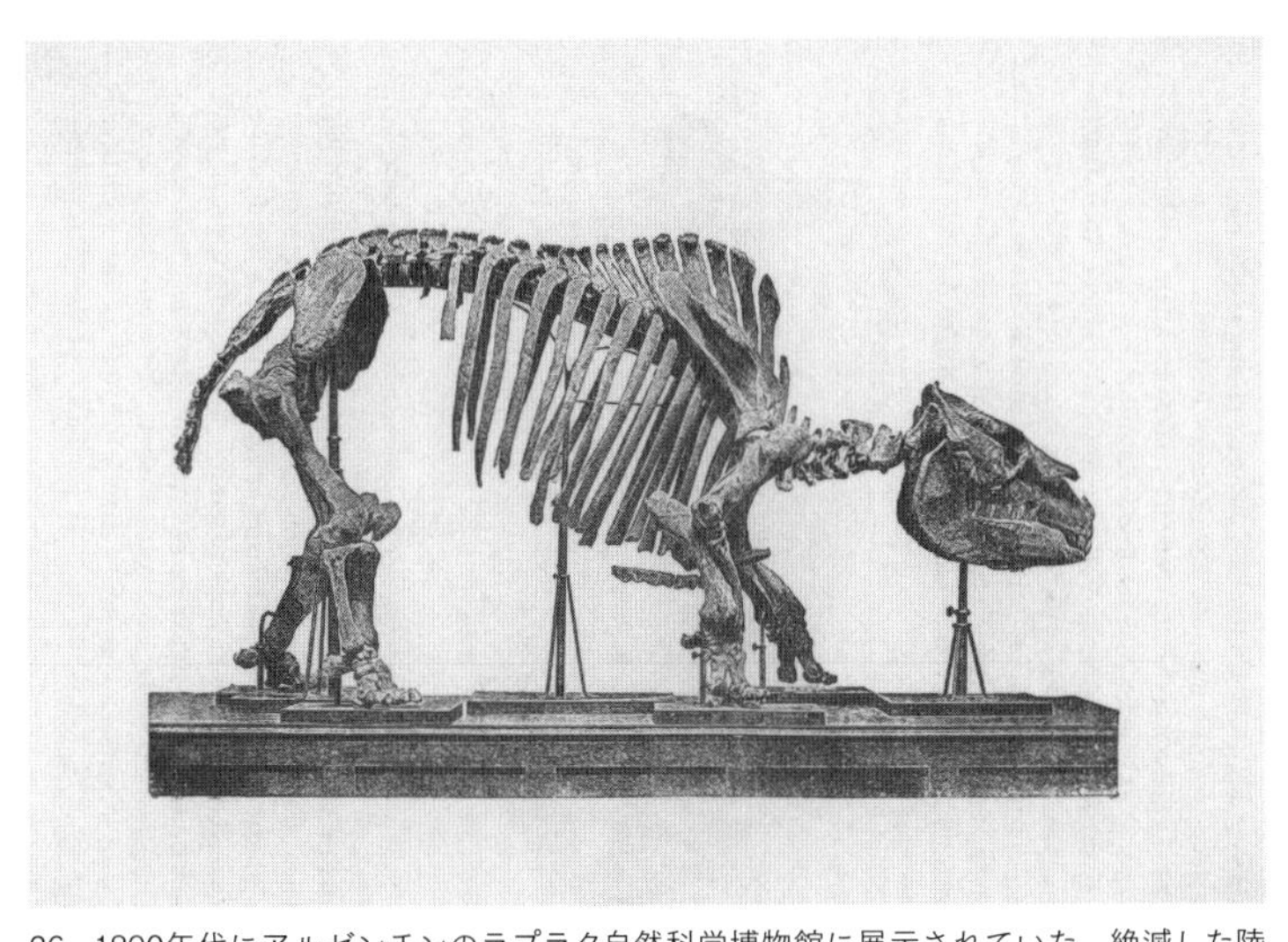

26. 1890年代にアルゼンチンのラプラタ自然科学博物館に展示されていた、絶滅した陸生哺乳類トクソドンの骨格。

大な祭典、南アメリカ大陸博覧会でそれらの化石を披露した。[21]

ラプラタ自然科学博物館で働きながらアメヒーノは、コレクションをどのように並べるのが最善なのかを深く考えはじめた。各化石の進化上の正確な関係についてモレーノと議論すると、たびたび口論に発展した。巨大アルマジロはサーベルタイガーとどのように関係づけるべきか？　メガテリウムの骨の正しいつなげ方は？　やがてアメヒーノは、このような議論をしていても無駄だと考えるようになった。人それぞれ意見が違うということだ。「標本が分類不能なのではなく、分類法に欠陥があるのだという結論にたどり着いた」と記している。そこでアメヒーノは「新たな根拠に基づく新たな分類法」を構築することにした。もっとずっと数学的な方法論で進化に迫るというアイデアだ。いわく、博物学者は正確な数式を使って各化石のさまざまな寸法を比較すべきである。そうすれば、「天文学者が星どうしの関係性を特定するのと同じ正確さで、つまり数値に基づく正確さで、化石どうしの関係性を決定できる」[22]。

このアイデアは、進化論に関する重要な著作『系統学』（1884）でもれなく披露された。ダーウィンにとって進化論は各生物種の起源を説明するおおざっぱな理論だったが、アメヒーノはそれを重力の法則と同じ一種の数学的な自然法則としてとらえた。そしてさらに過激な結論にたどり着いた。絶滅した動物種を数学的に分類できるとしたら、未発見の絶滅種の存在を数学的に予測することもできるのではないか？「記載されている化石動物の従う既知の関係性に基づいて、未知の動物を特定できるはずだ」とアメヒーノは唱えた。大胆な提案である。今日でもなお、進化論に予測能力があるなどと考える生物学者はほとんどいない。しかし1880年代にアメヒーノは、もしもダーウィンが正しいのであれば、いまだ発掘されていない生物種の存在を博物学者が予測できない理由は何もないと考えるようになったのだ[23]。

19世紀のうちにチャールズ・ダーウィンの学説はラテンアメリカ一帯の幅広い人々に伝わった。メキシコシティでは『種の起源』の安価なスペイン語訳が入手できたし、ウルグアイの医学生は学位課程の一環として進化論を学んだ。進化論はキューバにも伝わり、1870年代にはハバナ大学でダーウィン進化論が教えられた。カトリック指導者の中には、ダーウィン進化論が宗教に与える影響を懸念する者もいた。しかしラテンアメリカで進化論はおおむね熱狂をもって受け入れられた。とりわけアルゼンチンには、進化について思索する人たちの活発な集団が生まれた。ほかの地域と同じく、進化論に軍事紛争は付きものだったようで、アルゼンチンのコレクターは軍隊の後を追ってパタゴニアへ分け入り、化石を探した。そして彼らのコレクションが、ブエノスアイレス公立博物館やラプラタ自然科学博物館など、進化論に特化した新たな科学機関の基礎となったのだった。[24]

アルゼンチンの多くの人はそうした見事な化石コレクションを見て、我が国は科学の世界にもっとずっと貢献できるはずだと思った。そもそもダーウィンが進化について考えはじめたのは、パタゴニアで化石を収集しているときのことだった。政治指導者もその点を見逃さなかった。元アルゼンチン大統領ドミンゴ・サルミエントはブエノスアイレスでおこなった公開講演の中で、「我らがアルゼンチンの化石や種族がダーウィンに科学と名声をもたらしたのだ」と言い切った。中にはさらに、生命自体の起源がパタゴニアにあるのかもしれないと主張する者もいた。フロレンティーノ・アメヒーノは１８９７年、ラプラタ大学創立記念講演の中で、「アルゼンチンの領土には、現在ここに棲息している哺乳類だけでなく、世界中のあらゆる地域や気候に棲む哺乳類の祖先が暮らしていた」と唱えた。過激な説で、のちに間違いであることが判明する。それでも、ラテンアメリカ諸国が国家の新たなアイデンティティを探していたこの時代、進化にまつわるこのようなストーリーは人々を驚くほど惹きつけた。アメヒーノは、アルゼンチンがもはや大西洋岸に位置するただのスペイン植民地ではないことを世界中に知らしめたかった。新たな地球進化史の中心に位置していると訴えたかったのだ。[25]

2 ロシア帝国の進化論

ニコライ・セヴェルツォフは、大きなヒグマが険しい崖を下っていくのを見つめていた。空気は氷のように冷たく、地面は雪で覆われていた。セヴェルツォフは心臓の鼓動が速くなるのを感じた。クマが近づいてくる。セヴェルツォフはゆっくりとライフルを構え、引き金を引いた。周囲の山々に銃声がこだましてクマは横向きに倒れ、雪の上に血が流れた。数分後にクマは息絶えた。ほっとしたセヴェルツォフはクマに近づき、かぎ爪を調べはじめた。思ったとおり白かった。日誌を付けたセヴェルツォフは現地のキルギス人ガイドにクマの皮を剝ぐよう指示した。そして2人で、現在のキルギス共和国にある天山山脈の縦断を続けた。有力なロシア人博物学者のセヴェルツォフは、1860年代を通して中央アジア一帯を旅した。そしてクマやコウモリ、ワシなどを自ら撃って、動物の標本数百点を収集した。のちにそのコレクションの多くはモスクワ大学動物学博物館に寄贈した。またそれらの標本をもとに、博物学に関する主著『トルキスタンの動物の垂直および水平分布』(1872)を著した[26]。

ここまで取り上げてきた博物学者たちと同じく、セヴェルツォフの科学遠征ももっと広範な軍事作戦の一環だった。ロシア帝国は1847年にコーカンド・ハン国を攻撃したのを皮切りに、1840年代末から中央アジアに勢力を広げ、1865年にはトルキスタンを征服した。イギリスとロシア帝国が中央アジアでの覇権をめぐって争った、のちに「グレート・ゲーム」と呼ばれることとなる紛争の一環である。セヴェルツォフは軍人の家の出身だった。父親はフランスのロシア侵攻の際にナポレオンを相手に戦い、1812年のボロジノの戦いでは軍勢を率いた。セヴェルツォフも軍に入隊したが、発揮した能力はまったく違っていた。モスクワ大学で動物学を学んで卒業し、博物学者として軍に加わったのだ。ロシアによる中央アジア征服の間、サンクトペテルブルク科学アカデミーの支援を受けて10年以上にわたって標本を収集し、土地の様子を記録に残した。あるときはコーカンドの反乱者たちに囚われ、牢屋の壁に鎖でつながれたまま1か月間過ごした。結局はロシアの反撃によって自由の身になったが、その戦闘の際に顔に傷を負い、その目立つ傷跡は生涯残った[27]。

中央アジアから戻ったセヴェルツォフは1872年、モスクワ博物学者協会の会合で遠征の成果を発表した。フロックコートに身を包んだ富裕な紳士たちに囲まれて、若干場違いに見えたに違いない。長い髪がもつれ、白くなりかけた無精ひげを生やし、着古した毛皮のコートを羽織っていて、伝統的な科学者というよりも無骨な探検家に見えた。しかしその外見に反して鋭い科学的精神の持ち主だった。セヴェルツォフにとってトルキスタンの自然史は、環境が動物の進化に影響をおよぼすことをはっきりと証明していた。たとえばヒグマについてセヴェルツォフは、かぎ爪と毛皮の色が標高によってどのように異なるかを記録している。天山山脈で撃ち殺したような、標高の高い場所に暮らすクマは、かぎ爪が白くて毛皮の色が薄い傾向があった。それに対して標高の低い場所に暮らすクマは、かぎ爪が黒くて毛皮の色が濃いものが多かった。そこで、これは進化によって環境に適応した結果に違いないと推論した。雪景色の中では、毛皮の色が薄くてかぎ爪が白いほうがカムフラージュになるはずだからだ。またセヴェルツォフは「中央アジアの野生と家畜のヒツジの由来」についても記し、野生のヒツジが角が大きくて筋力が強いのは、「生き延びるために、また家畜の群れに追い払われるのを防ぐために、変化せざるをえなかったからだ」と論じた。家畜のヒツジが持ち込まれたことで、野生のヒツジは競争にさらされて適応し、より頑健になったというのだ。これらはいずれも「種の変化の法則」の証拠であると、セヴェルツォフは唱えた。[28]

主著が出版されたのは1870年代のことだが、実はセヴェルツォフは1850年代初頭から進化に関する論述をおこなっていた。1855年にはモスクワ大学の修士論文で、ロシア南西部ヴォロネジ近郊における環境と生物種の差異との関係について論じた。その中ではチャールズ・ダーウィンと同じく、生物種の変化を「生命の樹」を使って表現している。その後、1857年にサンクトペテルブルク科学アカデミーでおこなった講演ではそのアイデアをさらに拡張して、「生物には、進化すなわち変化の原理が備わっている」と論じた。ロシアの多くの博物学者と同じくセヴェルツォフも、進化の推進力として環境圧をとりわけ重視した。「環境の影響のもとで生物種の型は変化する」。この講演を受けてサンクトペテルブルク科学アカデミーは、セヴェルツォフがロシア軍に同行して中央アジアに遠征するための支援を与えることにした。アカデミーの会員の多くはすでに、生物種は変化しうると確信していて、そのためセヴェルツォフのアイデアに共感した。トルキスタンで収集される標本によって、このような学説の実証に必要な証拠が得られることを期待したのだ。[29]

1859年の『種の起源』の出版を受けて、チャールズ・ダーウィンの説は19世紀のロシアで受け入れられるようになった。その一因は、ほかの地域で見てきたのと同じく、ロシアの博物学者がすでに進化について思索していたことだった。サンクトペテルブルク科学アカデミーでは1820年代初頭から「漸進的な変態」の理論が論じられていたし、モスクワ大学では1840年代から進化論が教えられていた。ダーウィン自身も、ロシアの発生学者カール・フォン・ベーアが1820年代に進化論の発展に重要な貢献を果たしたと認めている。[30]

『種の起源』が出版されたタイミングも重要で、ダーウィンの学説が伝わったのはロシアの科学が再び発展しつつある時代だった。1853年から56年のクリミア戦争に敗れたのを受けて、皇帝アレクサンドル2世は教育と政治の徹底的な改革を指揮した。当時ロシアはヨーロッパのほかの国々よりも遅れているとみなされていて、17世紀末にピョートル大帝のもとでおこなわれたように再び近代化する必要があった。1855年に国家教育大臣が、「敵が我々よりも優っているとしたら、それは知識力のせいにすぎない」と言い切った。それを受けて政府はロシアのすべての学校に初めて科学教育を導入した。同じ改革の一環として、大学では教授の任命と予算の配分に関する裁量権が拡大された。そうして科学に特化した博物館や研究所が新たに作られ、1861年には先述のモスクワ大学動物学博物館が、1869年にはセヴァストポリ生物学研究所が設立された。[31]

ほかの多くの国と同じく、ダーウィン説に対する熱狂はこの近代化の波と密接に結びついていた。モスクワで新たに発行された進歩的な雑誌『ロスキ・ヴィスニク』は、『種の起源』を「自然科学に関してこれまでに書かれた中でもっとも輝かしい書物の一つ」と紹介した。サンクトペテルブルク博物学者協会の事務局長は、「現代の代表的な生物学者はほぼ全員がダーウィンを信奉している」と述べた。『種の起源』のロシア語訳は早くも1864年に出版され、イギリスの代表的な進化論学者の著作の多くもそれに続いた。トマス・ヘンリー・ハクスリー『自然界における人間の地位に関する証拠』（1863）やアルフレッド・ラッセル・ウォレス『自然選択の理論への寄稿』（1870）もロシア語に翻訳された。進化論はロシアの文学界にも浸透した。レフ・トルストイ『アンナ・カレーニナ』（1876）にも、登場人物の一人がアンナに「生存競争」や「自然選択」について説明し出す一節がある。同じく19世紀ロシアの偉大な作家フョードル・ドストエフスキーもダーウィンに心酔し、「ヨーロッパの進歩的思想のリーダー」とまで持ち上げた。ほかの国と同じく、宗教の権威層からは多少の抵抗があった。とりわけダーウィン『人間の由来』（1871）は政府によってしばらくのあいだ発禁となった。しかし全般的に見ると、19世紀のロシアでは、進化論を信じるのは至極まともなことだとみなされていた。[32]

しかし進化論に人々が熱狂したからといって、ダーウィンの説がそのまま受け入れられたわけではない。きわめて熱心なダーウィン信者ですら、『種の起源』には未解決の疑問が数多く残されていることに気づいた。とりわけロシア人博物学者は、進化の主要な推進力としてダーウィンは個体間の競争を重視しすぎているとたびたび批判した。そしてその代わりに、自然選択にとっては環境や病気が重要であると論じた。またダーウィンは競争を重視するあまり、人間や動物の社会において協力関係が役割を果たしていることを無視しているとも受け止められた。ダーウィン本人もそれに気づいていて、のちの著作、とりわけ『人間の由来』で説明を試みた。しかしそれでも、ハチの群体が力を合わせて巣を作ったり、オオカミが群れで狩りをしたりするといった複雑な協力関係が、残酷な競争の支配する世界からどのようにして生まれるのかはなかなか説明できなかった。それを受けて何人ものロシア人博物学者が、ダーウィンの初期の学説を引き継いで拡張し、ときに異議を唱えた。そうして進化論の発展に大きな貢献を果たしたのだ。[33]

イリヤ・メチニコフは顕微鏡を覗き込み、前日に採集したヒトデの胚を丹念に観察した。幻想的で美しい姿だった。発生中のまだ半透明の体内で細胞が動き回っているのが見えた。ここでメチニコフはちょっと残酷な行動に出た。鋭い針を手に取って胚に突き刺したのだ。そしてしばらく待った。すると予想どおり胚は反応しはじめた。顕微鏡で見ていると、一群の細胞が穴の場所に移動してきて針の周囲に群がった。そしてそれから何時間かかけて、その細胞集団が胚から針を押し出したのだ。メチニコフは自分が驚くほど重要な現象を観察していると悟った。動物の細胞が協調しあって免疫反応を生み出すという初の直接的な証拠だ。1883年に開かれたロシア博物学者・内科医協会の会合でメチニコフはこの観察結果を発表し、「食細胞学説」と自ら名付けた説を唱えた。白血球の存在は19世紀半ばから知られていたが、その役割はいっさい分かっていなかった。当時のほとんどの医師は、炎症は病気の一症状であって抑える必要があると単純に信じていた。しかしメチニコフは、それは間違いであることに気づいた。炎症は単なる病気の一症状ではなく、彼がヒトデの体内で観察した食細胞など、さまざまな細胞が協調して感染と戦う反応だったのだ。病気の科学的解明における大きなブレークスルーで、メチニコフは1908年にノーベル生理学・医学賞を共同受賞した。[34]

今日ではメチニコフは医療科学の先駆者として記憶されている。しかしそれとともに重要な進化論学者でもあった。19世紀半ばにハリコフで生まれ、1860年代にドイツ留学中にチャールズ・ダーウィンのことを初めて知った。そこでライプツィヒで『種の起源』のドイツ語訳を購入し、胸躍らせながら読み進めた。進化の概念には納得したものの、多くのロシア人博物学者と同じく、ダーウィンは同種

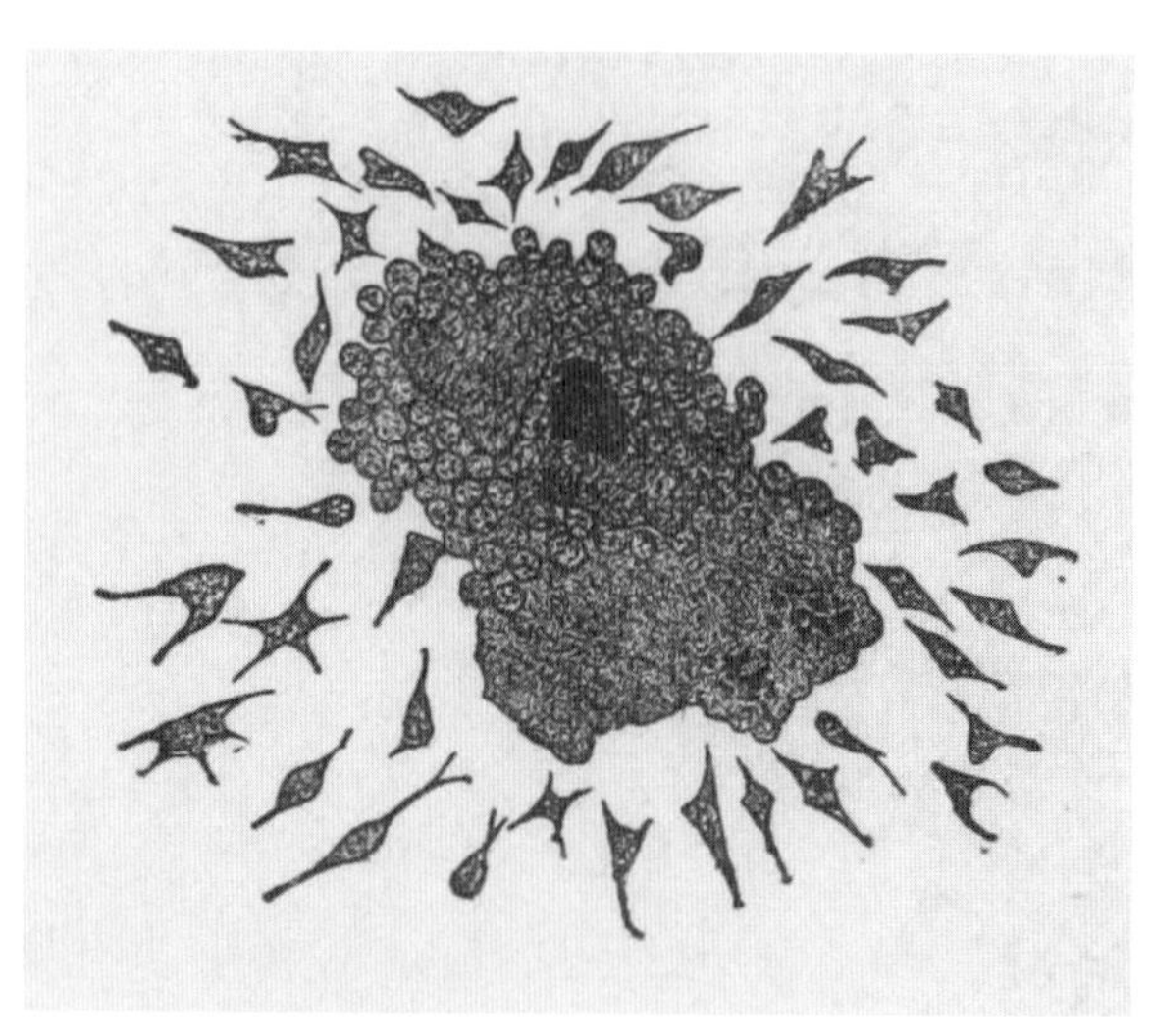

27. イリヤ・メチニコフが顕微鏡で観察した、ヒトデの胚に開けた穴の周囲に集まる食細胞。

個体間での資源をめぐる競争を重視しすぎていると考えた。「地球の隅々にまで生命があふれているという見方は明らかに間違っている」と記している。とはいえ、こうして進化論に興味を持ったメチニコフは免疫系の研究へと導かれていった。発生学の研究でサンクトペテルブルク大学から博士号を授与されると、1870年にオデッサ大学の教官となった。1865年創設のオデッサ大学は、アレクサンドル2世の教育改革の一環として新設された大学の一つである。黒海に面したこの大学でメチニコフは、海洋生物の免疫の進化に関する研究を始めた[35]。

ダーウィンは同種個体間での競争が自然選択に関わっていることを重視したが、メチニコフは病気の役割を強調した。19世紀を通して世界中が、コレラからインフルエンザまで何度もパンデミックを経験した。しかも年月とともに激しさが増していった。というのも、鉄道や蒸気船といった新たな産業技術によって世界中の結びつきがどんどん強まり、伝染病の広まるスピードが速くなっていったからだ。メチニコフ自身も、19世紀でもっとも多くの死者を出したコレラの流行を生き延びた。ロシアでは1846年から60年までに100万を超す人が命を落とした。しかも1873年にはメチニコフの最初の妻リュドミラが、わずか21歳で結核により世を去った。まさに生きることが戦いのようで、メチニコフも何度かあきらめかけた（2度自殺を企てており、1度目は妻の死の直後だった）。多くのロシア人と同じくメチニコフにとっても、命を脅かす最大の脅威は、結局のところ資源をめぐる競争ではなかった。生存競争とは、死に至る病気に直面して生き延びることだった。それが進化に関するメチニコフの考え方の土台となったのだ。[36]

19世紀のほとんどの進化論学者は、ヒトと類人猿とで身体構造が似ていることが、両者が共通の祖先を持つことの何よりの証拠だと考えていた。しかしメチニコフは違う考え方を取った。免疫細胞の存在が、すべての生物の祖先が共通であることの直接的な証拠であると唱えたのだ。細菌のような単細胞生物の多くは、もっと小さい生物を飲み込んで細胞内で消化することで生きている。メチニコフは、免疫細胞もまさにそれと同じことをやっていると指摘した。マクロファージなどの白血球は、細菌を飲み込んで細胞内で消化することで病気と戦っている。そこでメチニコフは、単細胞生物がおそらく別の細胞を飲み込むことで多細胞生物へと進化した際の名残、それが白血球であるに違いないと推論した。また、ヒトからヒトデまで数多くの種の動物が同様の種類の免疫細胞を持っていて、それは進化の歴史が共通であることの証拠だと指摘した。「ヒトが動物の血族であること」の何よりの証拠だというのだ。[37]

メチニコフは免疫細胞の存在こそが進化の直接的な証拠だと信じ、その上で、炎症は体内で起こる一種の自然選択であると考えた。各種免疫細胞は、細菌などの異物を打ち負かす役割を担っている。多くの場合、外来の細胞がさらに拡散して増殖する前に飲み込んで破壊する。「我々人体のもっとも奥まった場所で繰り広げられるまぎれもない戦いだ」とメチニコフは1903年に記している。軍事への喩えをさらに突き詰めることもあった。ロシア帝国が中央アジアに拡大しつつあったちょうどその頃にオデッサでおこなった講演では、「免疫系は野蛮な部族と戦う統制の取れた国家のようなもので、細菌と戦うためにアメーバ状の細胞の軍隊を送り込む」と言い切った。ここでも、19世紀におけるナショナリズムと戦争の拡大が、自然界に対する科学者の考え方をいかに左右したかが読み取れる。メチニコフにとって人体とはもう一つの戦場だったのだ[38]。

イリヤ・メチニコフがオデッサで研究を進めていた頃、黒海の対岸ではロシア人博物学者の別のグループが重要な研究を進めていた。セヴァストポリ生物学研究所を拠点とするその研究グループを率いていたのは、発生学の先駆者ソフィア・ペレヤスラフツェワ、科学の研究所の所長を務めた世界初の女性の一人である。ここまでの道のりはけっして平坦でなかった。皇帝アレクサンドル2世の教育改革によって男子大学生の人数は増えたが、女性にとってはそんなことはなかった。1861年にサンクトペテルブルク大学の学生たちが、女性の高等教育拡充を訴えてデモ行進した。するとアレクサンドル2世はその要求を無視するばかりか、ロシアの大学で女性が講義に出席することを正式に禁じてしまった（それまでは女性もロシアの大学で非公式に学ぶことができたが、ただし学位は得られなかった）。それでもあきらめない多くの女性は、自力で何とかすることにした。ロシア国内で状況が好転するのを待つのではなく、外国で学ぶ道を選んだのだ。ペレヤスラフツェワも1872年にそう決断し、スイスに移ってチューリヒ大学に入学した。チューリヒ大学では女性も学べただけでなく、正式な学位を取ることもできたため、当時ロシア人女性の多くにとって人気の留学先だった。ロシアで女性が同様の扱いを受けるようになったのは、1917年のボリシェヴィキ革命後のことである。[39]

ペレヤスラフツェワはずっと自然史に心酔していた。陸軍大佐の娘で、少女時代には故郷ヴォロネジの近郊でチョウを採集した。夢はプロの博物学者になることだった。そのため、アレクサンドル2世がロシアの大学に女性が入学することを禁じると、ペレヤスラフツェワは深い絶望に陥ったに違いない。それでも、女性教育運動に共鳴する父親を説得してスイス留学を認めてもらった。そして4年間勉学にいそしみ、1876年にロシア人女性として初めて動物学の博士号を取得した。1878年にロシアに帰国するとまもなく、セヴァストポリ生物学研究所の所長に任ぜられた。

それから10年以上にわたってペレヤスラフツェワは進化発生学の研究を進めた。黒海の海岸でさまざまな海洋生物の胚を採集し、研究所に持ち帰っては顕微鏡で観察した。この手の研究には高度な技術とすさまじい忍耐力を要した。ペレヤスラフツェワは胚発生の各段階を異なる生物種どうしで比較したかった。フランス人博物学者のエティエンヌ・ジョフロワ・サンティレールと同じく、そうすることで各種動物の進化史について何か知見が得られるだろうと考えていたからだ。しかしそのような比較をおこなうには、顕微鏡で胚の発生を何時間もぶっ通しで観察する必要があった。ときには30時間も実験台に張りついて、何度か短い休憩を取るだけのこともあった。[40]

女性教育を推進するペレヤスラフツェワは、セヴァストポリ生物学研究所での地位を活かしてほかの女性科学者のキャリアを後押しした。まもなくして、マリヤ・ロシースカヤとエカテリーナ・ワグネルという進化発生学の先駆者２人が仲間に加わった。３人の女性はそれぞれ異なる海洋生物の胚発生について調べ、互いの結果を比較した。ペレヤスラフツェワは扁形動物を、ロシースカヤとワグネルはエビ類を調べた。そして『モスクワ博物学者協会紀要』で発表した一連の論文の中で、胚発生に基づいて各種海洋生物の進化的関係を特定した。その業績が認められて、ペレヤスラフツェワは１８８３年、ロシア博物学者・内科医協会から大きな賞を授与された。科学者という職業がいまだ男性にほぼ独占されていた時代、科学への女性の貢献が認められた稀有なケースとなった。[41]

*

19世紀は資本主義と紛争の時代だった。しかしその一方で、社会主義や共産主義、無政府主義など、さまざまな政治体制を人々が唱えはじめた時代でもあった。ロシアでは、進化論に関心を持つ人たちと左翼政治体制に関心を持つ人たちはかなり重なり合っていることが多かった。１９１７年にボリシェヴィキ革命を率いるに至ったレフ・トロツキーは、１８９０年代に一時期囚われの身だった間にチャールズ・ダーウィンの著作を何冊も読み、のちに友人に「すっかり進化の概念の虜になった」と伝えている。同じ頃、ロシアを代表する無政府主義者のピョートル・クロポトキンは著作『相互扶助――進化の原因』（１９０２）を世に出した。この本では、動物界での協力関係を、人間が生きる上でともに働くことの必要性にそのまま当てはめている。また、政治的迫害を受けてロシアからロンドンに亡命していた頃には、「非社会的な生物種は衰退する運命にある」と唱えている。[42]

アンドレイ・ベケトフも、社会と自然界に関する従来と異なる考え方を社会主義に見出した一人である。1825年にヨーロッパロシアで生まれたベケトフは、反逆精神の持ち主だった。陸軍士官学校に入れられたものの、すぐに風紀違反で退学処分になった。それからしばらくのあいだサンクトペテルブルクに留まって、社会主義者の学習サークルに加わり、初期のフランス人社会主義者シャルル・フーリエの著作を読んだ。皇帝は異なる政治思想に寛大ではなかったため、そのような活動に関わるのは危険だった。それでもベケトフはトラブルをうまく避け、のちにカザン大学で植物学を学んで1858年に博士号を取得した。そしてまもなくして、サンクトペテルブルク大学の植物学教授に任命された。[43]

ベケトフは研究人生を通して、進化を方向づける上での環境の役割を重視した。サンクトペテルブルクの学生たちには、「実際の生存競争」は限られた資源をめぐって個体間で進められるのではなく、個体と環境のあいだで繰り広げられるのだと説いた。その好例として挙げたのが植物である。ベケトフは学生たちに、シベリアの凍りついた大地や、ロシアの吹きさらしの大草原を思い浮かべるよう言った。どちらでも植物は、生存を懸けて互いに競争しあっているのではない。生存を脅かす脅威は寒さや風だ。「自然界の力との絶え間なき厳しい戦い」が繰り広げられている。これらの地域に特有の適応形質が進化したことは、このような環境との戦いによって説明できるとベケトフは論じた。シベリアに生える植物は寒さへの抵抗力があり、岩だらけの大地に浅い根を張る傾向がある。一方、ロシアの大草原に生える植物は風から身を守るために背丈が低い傾向がある。[44]

ベケトフはまた、協力関係の進化も過酷な環境の圧力によって説明できると考えた。その例として、シベリアでもロシアの大草原でも、同じ種の植物は互いに風を遮るためにしばしば密集して生えていることを挙げた。その上で、今日なら「生態学」と呼ばれるであろう考え方を展開し、森林の植物は互いに支え合っていることが多いと指摘した。そして、「植物どうしの相互扶助」が生き延びるための鍵であると唱えた。熱心な社会主義者であるだけに、個体間の競争が生命に不可欠であるとするダーウィンの仮定は間違っていると考えていた。人間も動物も、さらには植物も、過酷な条件に直面しても協力しあうことで生き延びられる。「社会性は自己防衛のための強力な手段である」と結論づけたのだ。[45]

1882年にダーウィンが世を去ると、ロシア博物学者・内科医協会は、彼の生涯と研究を讃える特別会合を開いた。そしてほぼ誰もが、ダーウィンは19世紀でもっとも重要な科学思索家の一人であるという見解で一致した。しかしその一方で多くの人が、ダーウィンは未解決の疑問を数多く残していったと指摘した。「ダーウィンは自らの研究を完成させる前に世を去った」というある参加者の言葉は、当時のロシア人博物学者が広く共有していた心情を物語っている。確かに、彼らの生きる世界、とりわけクリミア戦争後の混乱状態に、「生存競争」の概念は完璧に当てはまると考える者もいた。しかし多くのロシア人博物学者は、『種の起源』ではすべてを説明することはできないとも感じていた。とくに、ダーウィンは個体間の競争を重視することで、自然選択における環境や病気の役割を無視していたように思われた。こうして進化論に対する関心には、ダーウィンの遺産は不完全であるという感覚が付いて回ることになった。イリヤ・メチニコフによる免疫系の研究からアンドレイ・ベケトフによる「相互扶助」の研究まで、ロシアの博物学者はダーウィンの学説を新たな方向へ押し広げていった。そうして、進化論を近代の生物科学に欠かせない基本要素として確立させる一翼を担ったのだ。[46]

3　明治時代の日本と「生存競争」の概念

エドワード・モースは演壇に立ち、進化論に関する3回連続講義の1回目を始めた。アメリカ合衆国から日本にやって来たのはわずか数か月前、長い進化の歴史を持った海洋生物、腕足類(わんそく)の日本固有種を調べるためだった。しかしこのときには、東京大学で８００人を超す聴衆を前に講演をすることになった。１８７７年10月６日、その講義の冒頭で自然選択の原理を印象的に説明した。モースは聴衆に次のようなシナリオを思い浮かべるよう求めた。

もしもこの講堂の扉にしっかりと鍵をかけたら、聴衆の中で身体の弱い人はたった数日で死者のリストに挙げられてしまうだろう。健康な人は2週間か3週間で死ぬことだろう。

モースはしばし待って、いま言ったことを聴衆にかみしめてもらった。中には振り返って、講堂の後ろの扉がまだ開いていることを確かめる者もいた。真っ先に倒れそうな人を頭の中で思い浮かべる者もいた。モースは話を続け、自然界もこの講堂のように「食料の不足した閉じられた空間」のようなものだと語った。そのような場面設定では、もっとも強い者だけが生き残って、自分の身体的特徴を後世に伝える。「この状況が何年も続いたら、未来の人間は現在の人間とまったく違ってくるだろう。力が強くて凶暴なタイプの人間が生まれるだろう」とモースは締めくくった。[47]

それから数週間にわたってモースは進化論に関する講義を続けた。2回目の講義では、「生存競争」

の概念をさらに突き詰めた。東京大学の聴衆が耳を傾ける中、「戦いで役に立つ形質を持った集団がもっぱら生き延びる」と唱えた。また、適者生存においては技術的進歩が重要であると説明した。「当然ながら、金属製の武器を作れる集団は骨や矢で戦う集団を打ち負かす」。自然選択は「進んだ種族が生き延びて遅れた種族が滅びる」という原理にほかならない。この章を通して目にしてきたこのような軍事への喩えは、19世紀の進化論には付きものだった。日本でもそのような話にはとりわけ説得力があった。この10年足らず前、日本人は激しい内戦に巻き込まれた。1868年に武士の集団が同盟を結び、徳川幕府を転覆すべく戦いを始めた。彼らは、将軍が日本の近代化を妨げていて、外国の軍事的圧力に対しても弱腰だと考えていた。武士たちは江戸まで進撃して幕府軍を倒し、若き明治天皇を皇位に就けた。こうして明治維新と呼ばれる改革が始まった。[48]

東京大学でモースの講演を聴いていた聴衆の中に、この内戦をじかに経験した若き日本人生物学者がいた。その人、石川千代松は1861年に江戸で生まれた。将軍に仕えていた父親は、日本古来の博物学や医学に関する著作を大量に集めていた。そのため少年時代に石川は、貝原益軒『大和本草』(1709~15)など前の章で触れた書物の多くを学んだ。そうして博物学、とりわけ動物学に強く惹きつけられた。毎年夏には江戸湾沿岸でチョウやカニを採集した。しかしそんなのどかな状況がいつまでも続くことはなかった。内戦が勃発して幕府方の人間が追われ、石川の一家も江戸から逃げ出さざるをえなくなった。1870年代に戻ってきたときには、すでに将軍は退位して、江戸は東京と改称されていた。[49]

父親は幕府での地位を失ったが、それでも明治維新は石川に新たなチャンスをもたらした。

1877年に明治天皇が東京大学（旧制、のちに東京帝国大学と改称）の創設を認可した。理学部を備えた日本初の近代的な大学である。それに続いて新たな大学がいくつも作られ、1897年には京都帝国大学が、1907年には東北帝国大学が創設された。明治維新の間に進められた近代化計画の一環で、そのほかにも全国に研究所や工場、鉄道や造船所が建設された。それとともに日本政府は外国の科学者や工学者を雇いはじめ、新たな教育機関の多くで教鞭を執らせた。それまでハーヴァード大学比較動物学博物館に勤めていたモースも、東京大学で生物学を教えるために招かれた一人だった。1868年から98年までに明治政府は、おもにイギリスやアメリカ合衆国、フランスやドイツから6000人を超す外国人専門家を雇い、日本で教えさせた。以前の時代からの大きな政策転換だった。前の章で述べたとおり、徳川幕府は外国人の入国を厳しく制限していた[50]。

石川はそんな明治維新後の改革の恩恵をいち早く受けた一人だった。創設時の1877年に東京大学に入学し、モースに師事した。毎年モースは石川たち学生を、横浜の南にある小島、江の島に連れていった。この島で石川は、水中から各種海洋生物を採取し、顕微鏡で観察して解剖するという、近代的な生物科学の基本的手法を身につけた。モースはハーヴァード大学時代に『種の起源』を読んでいて、チャールズ・ダーウィンの熱心な信奉者でもあった。江の島旅行の最中には、長い時間をかけて学生たちに進化論の原理を説いた。実はモースに東京大学で進化論の連続公開講義をおこなうよう勧めたのは、自然選択の概念に魅了された石川だった。また、モースの講義の内容をのちに日本語に翻訳して、『動物進化論』（1883）というタイトルで世に出したのも石川である[51]。

東京大学を卒業した石川は1885年、ドイツ留学の道を選んだ。このときすでに政府は、このまま外国人科学者を日本の大学に雇いつづけていたらあまりにも費用がかさみすぎると判断していた。そこで文部省は、優秀な学生を海外留学させて進んだ科学教育を受けさせたらどうかと提案した。彼らが帰国したら、全国に新設された大学で教職に就かせるというもくろみである。「先進国に人材を派遣して学ばせない限り、日本は進歩しない」と文部大臣は言い切った。このあといくつかの章で見ていくとおり、19世紀末から20世紀初頭にかけて大きな影響をおよぼした日本人科学者の多くは、外国、おもにイギリスやドイツ、アメリカ合衆国でしばらく学んでいた。石川はその先駆けの一人で、1885年から89年までフライベルク大学でドイツ人生物学者アウグスト・ヴァイスマンに師事した。当時ヴァイスマンは「生殖質理論」を発展させている最中で、精子と卵子によってのみ伝えられる何らかの遺伝物質が存在するはずだと予想していた。その主張によってヴァイスマンは、生きているうちに獲得した特徴が子孫に受け継がれるという、ダーウィンも支持した古い学説に異議を唱え、現代遺伝学の基礎を築いた。[52]

そんなまさに重要な時期に石川はフライベルク大学で学んだ。ヴァイスマンと共同研究もおこない、ドイツを代表する学術誌に6本の共著論文を書いた。うち1本の論文では、半透明の小さな海洋生物ミジンコの体内で生殖細胞が分裂する様子を観察した結果を報告している。顕微鏡でミジンコを観察していたところ、卵子が分裂する際に、その端に2個の小さな黒い点が作られるのに気づいた。染色体の複製と細胞の分裂によって生殖細胞が作られる、「減数分裂」と呼ばれるプロセスを観察したのだ。石川が見つけた黒い点は細胞分裂の名残だった。のちに「極体」と呼ばれるようになるその構造体は、ヴァイスマンの生殖質理論を裏付ける重要な証拠となる。精子と卵子が体細胞とは異なる細胞分裂によって作られるというヴァイスマンの主張が正しいことを示していたのだ。[53]

石川は1889年に日本に帰国して、東京帝国大学で教職に就いた。それから何年にもわたって新たな世代の日本人生物学者を育て、その多くが進化論に重要な貢献を果たす。ほかの多くの国と同じく、ダーウィン進化論は明治日本の近代化と密接に結びついていた。「生存競争」の概念は生物学者だけでなく政治思想家にも響いた。産業化と軍備増強の必要性を裏付けているとみなされたのだ。東京大学でのモースの講義に出席した政治学者、加藤弘之（ひろゆき）は、1894年から95年にかけての日清戦争の直前に次のように述べている。「自然選択による生存競争は、動植物の世界に当てはまるだけでなく、人間の世界にも同じ切迫性をもって通用する。この宇宙は一つの広大な戦場である」[54]。

ダーウィンの学説が人気を集めたのは、多くの日本人博物学者が以前から信じていた事柄を裏付けているように思えたためでもあった。石川も少年時代に日本の自然史に関する旧来の著作を通じて理解していた事柄だ。前の章で登場した17世紀の日本人博物学者、貝原益軒は、「すべての人間は両親のおかげで生まれたのだと言えるが、その起源をさらに掘り下げると、人間は生命の自然法則ゆえに誕生したことが明らかとなる」と記している。ヨーロッパのキリスト教圏と違って、日本の博物学者は以前から、すべての生命が何らかの共通の起源を持つという、仏教にも神道にも見られる考え方を受け入れていたのだ。モースもそのことに気づき、「祖国と違って神学的先入観に邪魔されずにダーウィン理論を説明できて幸いだった」と記している。19世紀初頭の仏教哲学者、鎌田柳泓（りゅうおう）は独自の進化論まで編み出していた。1822年、ダーウィンがわずか13歳のときに鎌田は、「すべての動植物は一つの種から分岐して多数の種になったに違いない」と書き記している。このように日本では、進化論の基本的な考え方は目新しいものではなかった。しかしそのメカニズムは目新しかった。「生存競争」というダーウィンの概念は日本人生物学者の想像力をしっかりととらえたのだ。[55]

丘浅次郎も石川千代松と似たような経歴を歩んだ。明治維新の年１８６８年に生まれ、大阪で新政府の官僚の息子として育った。しかし幼少期は悲劇の連続だった。妹が着物の燃える悲惨な事故で命を落とし、翌年には両親も世を去ったのだ。一人残された丘は東京に移って親戚に育てられた。石川と同じく東京帝国大学で動物学を学び、１８９１年に卒業した。そしてドイツへの留学生に選ばれ、同じくフライベルク大学でアウグスト・ヴァイスマンのもと研鑽を積んだ。１８９７年に日本に帰国して、東京高等師範学校の教授となった。それから数十年にわたって、日本に進化論を広める中心的な役割を果たした。東京高等師範学校での講義をもとにした著作『進化論講話』（１９０４）は売れに売れた。また丘は自身でも進化論に数々の重要な貢献を果たした。[56]

丘の専門はコケムシの生態学だった。この奇妙な生物は高名なドイツ人生物学者エルンスト・ヘッケルによって研究されていて、丘もドイツ語でそれを学んだのだろう。植物と動物の境界線をあいまいにするような存在だった。コケムシの個体は何千万もの単細胞生物の群体から構成されている。それらの細胞が集まると、植物そっくりの構造体を作りはじめる。丘は東京のあちこちに出向いては自分の手でコケムシを採集した。水たまり脇の下草の中を探して小さなガラス瓶に標本を採り、研究室に持ち帰っては顕微鏡で観察した。丘いわくコケムシは、自然界をさまざまな生物種に分けるという生物学者の方法が間違いであることを物語っている。「明確な境界線を引くのは不可能である」。これはダーウィン

『種の起源』の礎となった発想そのものだ。ある生物が別の生物に進化しうるとしたら、それを特定の生物種と表現することに何の意味があるだろう? 丘はこの考え方をさらに推し進めて、動物と植物など、自然界のもっとも基本的な区分すらもはや意味がないと論じた。動物がときに植物のように、植物がときに動物のように振る舞う。「自然界に見られるものはすべて変化の連続である」と丘は結論づけている。[57]

丘が著作『進化論講話』を世に出した1904年、日露戦争が勃発した。日本軍とロシア軍が朝鮮半島と満州の覇権をめぐって18か月にわたり戦火を交えた。

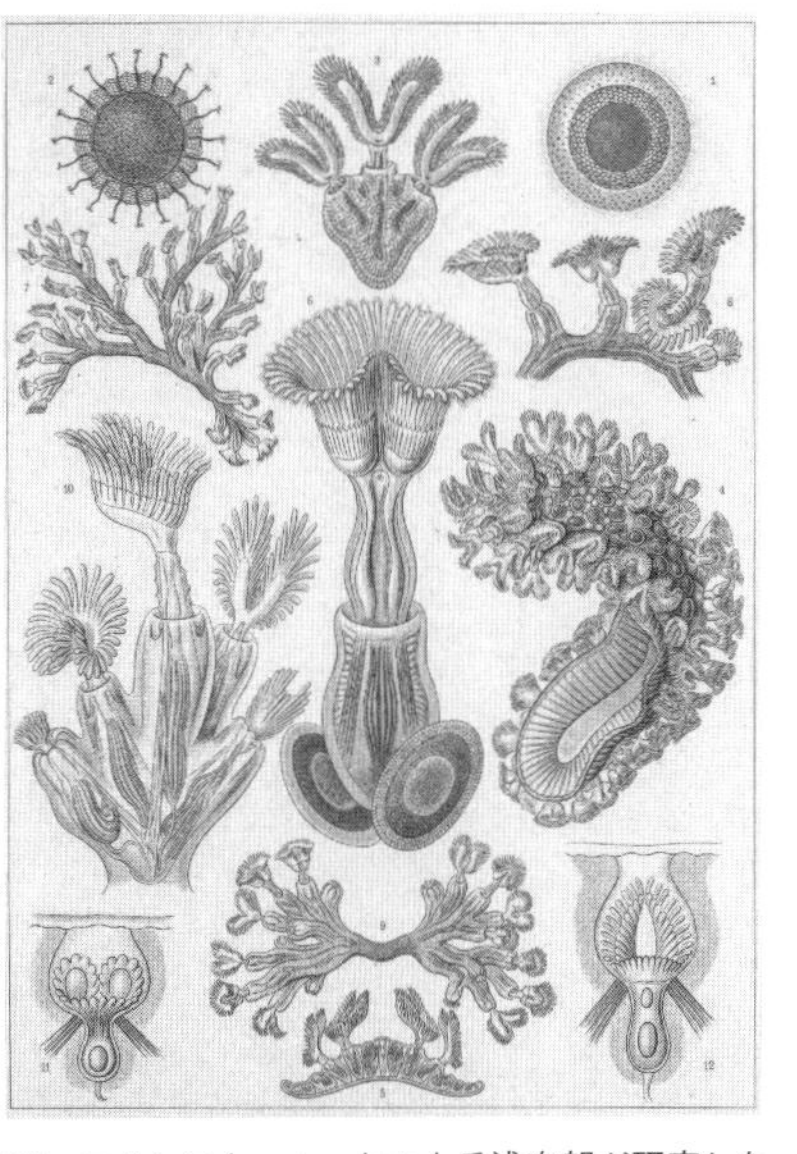

28. エルンスト・ヘッケルと丘浅次郎が研究したコケムシ。

20世紀で初となるこの近代戦で20万の命が失われた。最終的に日本が勝利したが、多くの日本人は戦争の意義に疑問を抱いていた。丘は再びコケムシについて考えはじめた。コケムシは人間社会とかなり似たような振る舞いを見せ、個々の細胞が集結して一つの強力な軍隊として戦う。一つの群体の中では各細胞が資源を共有してともに働く。丘はさらに、ピペットでシャーレに藻を入れてコケムシの群体に食べさせる実験もおこなった。群体のことを丘はしばしば「国家」と呼んだ。

「餌を摂取するとその栄養分は必ず均等に分配される」と丘は報告している。コケムシの個々の細胞は明らかに協力しあうことができるのだ。しかしその協力関係が争いを招くこともある。丘は1つの容器に2つの群体を入れて同じ実験をおこなった。するとその2つの群体が戦い、最後には一方だけが生き残った。さらに群体の中には、毒で満たされた特別な細胞を送り出して敵を攻撃するものもあった。化学兵器も進化的適応の一つであって、生存競争の必然的な産物であるように思われた。日本軍も、第一次世界大戦で塩素ガスが広く使われるのに先駆けて、日露戦争でヒ素化合物を使用した。「その点で人間もほかの生物と少しも変わらない」と丘は結論づけた。恐ろしいことに、一見無害な生物学の概念が最悪の暴力行為を正当化するのに用いられかねないことを、この一件は物語っている。[58]

ダーウィンの学説が日本に入ってきたのは、1868年の明治維新に始まる歴史的な変化の時代だった。アルゼンチンやロシアで見てきたのと同じく、「生存競争」の概念が日本の科学者に響いたのは、自分たちの生きる世界を反映しているように思えたからだ。1894年から95年の日清戦争と1904年から05年の日露戦争は、丘が「生と死の法則」と呼んだ原理を裏付けているように思われた。丘いわく、人間も彼が研究室で調べたコケムシと何ら変わらず、集まって大きな集団を作り、野蛮な戦争に突入する。これから見ていくように、この地域で日本の最大の宿敵だった中国において進化論に対する関心が高まったのも、それとほぼ同じような形で軍事対立をとらえていたためだった。[59]

4　清朝中国における自然選択説

厳復（げんぷく）は中国の旗艦が機雷に触れたのを見て恐れおののいた。装甲したその巨大巡洋艦は、建造から10年も経っていなかった。しかしいまや山東半島の港の沖合で立ち往生して炎を上げ、甲板から煙を吹き出している。中国海軍の技師だった厳復は、1894年から95年まで続いた日清戦争の最終場面を目の当たりにした。数か月前の1894年9月、中国艦隊の大部分が朝鮮半島沖で撃沈された。残る艦船も日本海軍に追撃され、1895年1月の威海衛（いかいえい）の戦いで4000人を超す中国人水兵が命を落とした。4月には中国政府が降伏し、日本が朝鮮半島と台湾を統治するとした平和条約に調印した。長いあいだ日本よりも優れていると思い込んでいた中国にとっては屈辱的な敗北で、深い自己反省へと駆り立てた。[60]

厳復は中国の教育体制と政治体制の徹底的な見直しを求める一人となった。近代化しなければ中国は外国に征服されかねないと考えていた。威海衛の戦いの直後には新聞記事の中で、「我が国は敵国に取り囲まれている。発展を遂げるだけの十分な時間がなく、インドやポーランドと同じ衰退の道をたどりかねない」と訴え、近いうちに中国はヨーロッパか日本の植民地になってしまうかもしれないと警鐘を鳴らした。日清戦争での中国の敗北を受けて、改革を求めるこのような声があちこちから上がった。厳復の記事が独特だったのは、自らの主張を進化論に当てはめて説いている点である。日本との戦いは「ダーウィン原理」の実例であると論じ、「自然選択」は個人と同じく国家や社会にも当てはまると訴えている。続いてダーウィン進化論の基本を中国人読者に説明し、「人間を含むすべての生物はそれぞれおびただしい数で地上に生まれては集団を作り、一人一人の人間や一つ一つの生物種が自己保存のために戦う」と説いている。その上で、中国は「生存競争」に囚われていると締めくくっている。選択肢は二つだけ。進化するか、さもなければ死ぬかだ[61]。

この章を通して見てきたとおり、進化の概念の発展は19世紀の戦争やナショナリズムの高まりと密接に結びついていた。中国でもそのとおりだった。以前にもダーウィンの学説は時折引き合いに出されていたが、中国に「生存競争」の概念を広めたのはほかならぬ厳復である。厳復がダーウィンのことを知ったのは、ロンドンの王立海軍学校で工学を学んでいるときだった。19世紀後半に清王朝は陸海軍の近代化を見据えて大勢の中国人学生に外国で科学を学ばせており、厳復もその中の一人だった。1870年代のイギリス滞在中に厳復は、『種の起源』を含めヴィクトリア時代の代表的な科学思索家の著作を読みはじめた。そして中国の艦船が撃沈されるのを見て、自然界を絶え間ない戦いととらえたダーウィンの冷徹な文章を突然思い出した。日本海軍が中国の沿岸に砲撃を加えるのを目の当たりにしながら、「生物種は生物種と戦い、集団は集団と戦い、弱い者は強い者に滅ぼされる」とつぶやいたのだった[62]。

厳復の記事によって中国ではダーウィンの著作に対する関心が広まった。その反応に背中を押されて厳復は、このテーマに関するもっと長い文章を書こうと決めた。そこでトマス・ヘンリー・ハクスリー『進化と倫理』を中国語に翻訳して、そこに自身の主張を付け加えた。『天演論』（1898）というタイトルで出版されたその書物は、厳復が以前の記事で取り上げたテーマの多くをさらに膨らませて、進化論を社会や国家の世界にまで拡張し、そこから物騒な結論の数々を導き出していた。厳復は、19世紀後半に起こった社会ダーウィン主義の発展に大きな役割を果たした数々の中国人思索家の一人だった。「生物は自然進化によって進歩する。したがって社会進化も間違いなく進歩的である」と唱えた。これは、社会をいわば「社会生物」と表現した、イギリスの進化論学者ハーバート・スペンサーの言葉を受けた主張だった（厳復はのちにスペンサーの主著『社会学研究』（1873）も中国語に翻訳している）。スペンサーと同じく厳復も、社会は競争によってのみ進歩すると考えた。「人間は休養を好んで労働を嫌う。競争をやめさせたら精神や肉体のパワーを使わなくなり、それゆえ進歩しない」。そこで、中国は資本主義と紛争の世界から身を退くのではなく、産業化と軍備増強にますます力を注ぐべきだと訴えた。さもなければ「民族の絶滅」に直面するというのだ。[63]

厳復訳『天演論』は、当時大きな影響力を持っていた多くの科学思索家や政治思想家に読まれ、彼らは中国の直面する諸問題の原因を「生存競争」に見出した。厳復を個人的に知っていた著名な中国人ジャーナリストの梁啓超（りょうけいちょう）も進化論に魅了された。そして同じく、中国は教育制度や政治体制を改革しなければ植民地になりかねないと警鐘を鳴らした。「強い者は栄え、弱い者は滅びる」と述べた上で、ヨーロッパによるアフリカやインドの征服を引き合いに出している。さらに過激な政治思想家のあいだでもダーウィンの学説は好評を博した。1911年の辛亥革命を率いた孫文は、香港の医科大学で学んでいたときに初めて進化論を知った。「ダーウィンの道に何よりも魅了された」とのちに記している。孫文も当時の多くの中国人思想家と同じ結論に達したが、そこからさらに一歩踏み出した。梁啓超が改革を訴えたのに対して、孫文は、中国を救うには清王朝を倒すほかないと堅く信じ、「戦わなければ生き延びる道はない」と訴えた。[64]

「ダーウィンの道」に関する孫文のこの言葉からも、19世紀の中国で進化論がこれほどまでに広まった理由が読み取れる。孫文はここで古代中国の「道（タオ）」の教えを引き合いに出している。さまざまな解釈があるが、一般的に「道」とは宇宙に内在する自然の力であって、人間はそれと調和して生きていくべきだと信じられていた。ヨーロッパのキリスト教圏と違い、中国の伝統的な宗教では創造主たる神は存在せず、人間を何らかの形で自然界と切り離すという考え方もなかった。古代にまでさかのぼる中国人思想家は、すべての生命は何らかの自然の力によってつながっていると考えた。3世紀の道教哲学者、王弼（おうひつ）は、「万物、万形がすべて一つに帰す」と記している。この思想が近世を通して発展し、もっと進んだ進化論につながった。前の章で登場した李時珍『本草綱目』（１５９６）には、さまざまな環境への生物種の適応や、ハスなどの植物に見られる遺伝のパターンに関する記述すらある。19世紀初頭までに中国人博物学者は、生物種が変化するという考え方を完全に受け入れていた。博物学者の趙学敏（ちょうがくびん）は『本草綱目拾遺』（１８０３）の中で、「時間の経過とともに種や変種は増えていき、……したがってそれらは新たな種類や変種である」と述べている。[65]

　ダーウィンも中国に進化論の長い歴史があることを十分承知していた。『種の起源』の中では、「古代中国の百科事典に自然選択の原理がはっきりと記されている」と述べている。ダーウィンの言う「古代中国の百科事典」とは、ほかならぬ李時珍『本草綱目』のことである。中国の博物学に興味を抱いたダーウィンは、ロンドンにある大英博物館の友人に、『本草綱目』の中で関係のありそうな箇所をいくつか翻訳してくれるよう頼んだ。ダーウィンのそのほかの数多い著作でも、同様に中国の文書が引き合いに出されている。『家畜・栽培植物の変異』（１８６８）では、カイコの各変種の出現に関する出典として、18世紀に中国で書かれた農法書のフランス語訳を引用している。結局のところ、中国では進化論の基本的な考え方はけっして目新しいものではなく、ダーウィン自身もそのことを知っていたのだが、今日ではそのことはめったに顧みられることがない。当時、目新しくて本当に人々を惹きつけたのは、「生存競争」の概念である。屈辱的な敗戦を受けて清王朝が危うくなる中で、中国人思想家が19世紀後半に取り組んできた疑問の多くに、ダーウィン進化論が答えを出してくれるかに思われたのだ。[66]

日清戦争を受けて清の皇帝は広範な近代化計画を承認した。その中には、伝統的な科挙制度の見直し（最終的に1905年に廃止される）や、一連の科学教育機関の創設なども含まれていた。1898年には、伝統的な高等教育機関の国子監が京師大学堂（現在の北京大学）へと改組された。中国初の近代的な大学で、カリキュラムには儒教の古典だけでなく、数学や物理学、生物学も含まれていた。厳復はのちにこの大学の学長に任命され、引きつづきダーウィン進化論を広めた。清王朝は大学の新設に加え、農業実験施設も次々に設立した。全国に何百も設置され、中でも最大規模のものが1906年に北京郊外に建てられた。進化論を援用することで、コメやコムギなどの主要作物の改良品種を生み出そうというもくろみだった。[67]

同じ頃に清王朝は学生を次々に留学させはじめた。大勢の学生がヨーロッパやアメリカ合衆国に渡ったが、日本で学ぶ者も多かった。それにはさまざまな理由があった。そもそも先の戦争で日本の軍事力や産業力が証明されていた。しかも日本のほうがはるかに行きやすかったし、文化や言語でも中国と共通点が多かった。1907年までに1万人を超す中国人留学生が日本の大学で学位を取得し、そのほとんどが科学系の学位だった。この時期には日本の多くの教科書も中国語に翻訳され、また何人もの日本人科学者が京師大学堂に招かれて教鞭を執った。こうして科学をめぐる両国の関係性が大きく変化した。前の章で述べたとおり、17世紀から18世紀の日本人博物学者は、中国の従来の文書をもとに多くの研究をおこなっていた。中には中国で学ぶ者もいた。しかし19世紀末にこの関係性が逆転して、日本の科学が中国の近代化の土台を築いたのだ。[68]

この時期に日本に渡った人物の中に、『種の起源』を初めて中国語に翻訳した者がいる。その人、馬君武（ばくんぶ）は、1881年に中国南部で生まれた。中国古典の伝統的な教育を受け、20歳で日本への留学生に選ばれて科学者としての研鑽を積むことになった。そして1901年から03年まで京都帝国大学で化学を学んだ。この大学で亡命中の孫文と出会い、それから過激な思想へと傾いていく。中国を救うには清王朝を倒すしかないという孫文の考えに共鳴したのだ。ダーウィン『種の起源』の翻訳に取りかかったのもこの時期のことである。初めてダーウィンのことを知ったのは、孫文と同じく亡命中だった梁啓超が日本で刊行していた中国語の雑誌『新民叢報（しんみんそうほう）』を読んでのことだったと思われる。この雑誌には進化論に関する記事がたびたび掲載されていた。ある記事にはダーウィンの詳細な経歴が写真付きで紹介されていた。馬も『新民叢報』で『種の起源』の抄訳を発表し、それから間もない1903年に中国に帰国した。[69]

中国に戻った馬は翻訳作業を続けた。しかしそれにはある程度の時間がかかった。最大の原因は、馬が過激な政治活動にどんどん時間を割くようになっていったことである。孫文率いる中国同盟会にひそかに加わり、上海で地元の活動家を取りまとめたり小冊子を配ったりした。『種の起源』の全訳は当分完成しないと思った馬は1903年、最初の5つの章だけを一冊にまとめて世に出すことにした。そこにはとりわけ重要な記述、たとえば「生存競争」や「自然選択」に関する章および、一つの共通祖先からさまざまな生物種が分岐したことを表す有名な樹形図などが含まれていた。こうして中国では、厳密には不完全でありながらも、ダーウィンの名著の翻訳を初めて入手できるようになった。[70]

馬の翻訳書を出版した広益書局という出版社は、中国同盟会が経営していた。それは偶然ではない。馬は当時の多くの人と同じく、ダーウィン進化論と中国の政治状況をあからさまに結びつけたのだ。「各国の人々が互いに争っており、生き残る国家は外国の侵略に対抗できるだけの力を持っていなければならない」と1903年に記している。実はこの記述は、1899年から1901年まで続いた義和団の乱に乗じて八か国連合軍が北京を占領した件を指している。『種の起源』の翻訳書にも、ダーウィンの原文を大きく逸脱して、国家間の争いに関する同様の言及があちこちにちりばめられている。「生き延びたいと願う者はみな、自然選択に関心を払わなければならない」と訴えた上で、見え透いた形で進化論を引き合いに出し、「侵略者に対して恐れることなく抵抗するために、自国民は進化しなければならない」と唱えている。もっとあからさまに主張する者もいた。同じく中国同盟会のメンバーで、『種の起源』を熱心に読んだある人物は、「革命は進化の普遍原理である」と言い切っている。[71]

1911年に馬の望みは叶った。中国同盟会が各地で次々に反乱を起こし、全国の主要都市を占拠した。それから4か月にわたって激しい戦闘が続き、20万を超す死傷者を出した。最終的に清の最後の皇帝が退位し、1911年12月29日に孫文が中華民国の臨時大総統に選出された。2000年以上続いた王朝支配はこうして幕を閉じたのだ。革命勃発時、馬はベルリン農業大学で学んでいた。そこで新政府の力になるために帰国し、ダイナマイトを製造する軍需工場でしばらくのあいだ働くとともに、時間を見つけては懸案の翻訳作業を続けた。戦争や革命によって中断したせいで20年近い歳月を要したものの、１９２０年に馬はついに『種の起源』の完訳を中国人読者のもとに届けたのだった。[72]

ほかの地域で見てきたのと同じく、中国人がダーウィン進化論に関心を寄せたのも、戦争とナショナリズムの拡大がきっかけだった。辛亥革命によって清王朝は突然終焉を迎えた。革命家が見る限り、そこにもダーウィン的な要素が含まれていた。同じく中国同盟会のメンバーで『種の起源』を読んだ胡漢民（こかんみん）は、「傑出した優れた我々多数民族が、邪悪で劣った少数民族に支配されている」と言い放った。この言葉は、多数を占める漢民族と、17世紀半ばの清王朝の建国以来中国を支配してきた少数の満州族との違いを指している。胡いわく、満州族は「不適応」な人種で、生存競争によって絶滅する定めにある。そのため胡にとって辛亥革命は、自然選択が作用した一例にほかならなかったのだ。中国が内戦に陥ったように、「すべては進化の問題である」と胡は結論づけた。このように社会ダーウィン主義は、人種差別と紛争を激化させることにも利用されたのだ。[73]

5　まとめ

第一次世界大戦の勃発までにチャールズ・ダーウィン『種の起源』は、ロシア語や日本語、中国語など、少なくとも15か国語に翻訳された。しかし多くの読者にとって、進化の基本的な概念は完全に目新しいものではなかった。ロシア帝国でも清朝中国でも、実は進化論は18世紀末から広く議論されていた。

中国や日本ではとりわけそうで、進化論のさまざまな考え方は道教や仏教など従来の伝統的な宗教や哲学の中に存在していた。ダーウィン本人もそのことを認めていて、『種の起源』にはロシアや中国のかつての著述家による著作も引用されている。したがって、ダーウィンの学説がここまで広まったのは、単に進化の理論だったからではない。そこに目新しい点は何一つなかった。当時の人々をここまでダーウィンの学説に惹きつけたのは、「生存競争」の概念だった。『種の起源』の中核をなしたのは、自然界を絶え間なき争いとしてとらえた見方である。ダーウィンは「自然の戦争」が繰り広げられていると論じた。進化は「命を懸けた激しい戦い」によって起こるのだ[74]。

　このように進化が戦いにたとえられたことで、19世紀にはヨーロッパだけでなくアジアやアメリカでもさまざまな科学思索家が想像力を掻き立てられた。自分たちの生きる世界の本質をとらえているように感じられたのだ。19世紀末にかけてダーウィン進化論は、動植物だけでなく社会や国家にも次々と当てはめられていった。この時期にはまた、社会ダーウィン主義の裏に隠された有害な考え方も膨らんでいった。進化論は、アルゼンチンのパタゴニア征服から日本の満州侵略まで、容赦ない紛争の時代から生まれた科学である。もっと言うと、進化論の歴史に関してもっとも注目すべき事実の一つは、その重要人物の多くが何らかの形で軍事に関わっていたことである。ラテンアメリカでいち早く進化について思索した一人であるフランシスコ・ムニースは、アルゼンチン独立戦争で軍医を務めた。中国にダーウィン進化論を広めた立役者である厳復は、もともと海軍の技術者として訓練を積んだ。次の章では、それと同じ資本主義と紛争の世界が現代の物理科学の発展をどのように方向づけたのかを探っていこう。

第6章　ナショナリズムと国際主義

エッフェル塔の頂からピョートル・レベデフはパリの町を見渡した。まさに「光の都」という異名のとおり、電灯が主要な名所をことごとく照らしていた。遠くに目をやると、セーヌ川の対岸にはグラン・パレのガラス屋根が、はるかモンマルトルには有名なサクレ゠クール寺院が見えた。しかしレベデフはこの光景を見るためにパリにやって来たのではない。もちろん観光客でもなかった。モスクワ大学教授のレベデフは卓越した物理学者で、光の研究に大きな貢献を果たしたばかりだった。１９００年8月、世界中の５００人を超す科学者とともに、第一回国際物理学会議に出席するためにパリを訪れたのだ。この会議と合わせたかのように、１９００年のパリ万国博覧会が開かれていた。19世紀後半から20世紀初頭にかけて大好評を博した本格的な国際展覧会の一つである。その皮切りは１８５１年のロンドン大博覧会で、ヴィクトリア朝の科学と産業を披露する場として開催され、その後まもなく世界中に広まった。19世紀末までに東京からシカゴまでさまざまな都市が同様の博覧会を開催し、その多くで科学会議が同時開催された。[1]

1900年のパリ万博には5000万を超す人が訪れた。多くの人のお目当ては、巨大なクジャクの羽根をかたどったアール・ヌーヴォー様式の傑作建造物、電気館だった。エッフェル塔の正面に広がるシャン・ド・マルス公園に建てられ、7000個を超す色とりどりの電球で覆われていた。館内ではさまざまな電気機器に触れたり、作動中の巨大な蒸気タービンを見学したりできた。近くの光学館では、巨大望遠鏡を覗いたり初期の映画を観たりできた。シーメンスやゼネラル・エレクトリックなどの大手民間企業もパリ万博に営業担当者を送り込み、世界各国に産業機械を売り込んだ。[2]

国際主義と産業化の時代だった。1900年のパリ万博はその風潮を完璧にとらえていた。1830年代に発明された電信などの新たな通信技術や、1810年代に発明された航洋蒸気船などの新たな輸送技術によって、世界中がそれまでよりもはるかに密接に結びつくようになった。多くの人は、これらの技術革新によって科学の発展も加速したと考えていた。「さまざまな考えが融合して世界中を駆けめぐり、まるで細いフィラメントを人間の思考が電光石火のごとく伝わるようだ」と、パリ万博開会式でとあるフランスの政治家は言い切った。世界中から物理学者が集まったのはそれも一因だった。第一回国際物理学会議の目的について主催者は、「科学者たちが育んだこの分野で最終的に得られた知見の総決算」と説明した。「世界中の国から物理学者が集まる初の会議」となった。[3]

第一回国際物理学会議に参加する科学者たちは、エッフェル塔や電気館を訪れる合間に最新の研究成果について議論しあった。その多くは電磁気理論に関するものだった。それまで何百年にもわたって、光や電気、磁気のさまざまな性質が研究されていた。しかし19世紀後半になって、一見別々であるこれらの現象に共通点があるという認識が広まっていった。理論面からの最初の貢献は、イギリスの物理学者ジェイムズ・クラーク・マクスウェルによる。１８６４年に発表した論文の中でマクスウェルは、光・電気・磁気のあらゆる性質を、振動する波を伝える「電磁場」の存在によって説明できると論じた。

19世紀初頭から、電荷が運動すると磁場が発生することは知られていた。また磁石を運動させると電場が発生することも分かっていた。この2つの原理に基づいて、初期の電気モーターや、コイルの中で磁石を動かして電流を発生させる発電機が開発された。しかしマクスウェルは、電場と磁場を「電磁場」という単一の概念にまとめられることに気づいた。そしてこれが重要な発想となって、光は電気と磁気に関係があるという解釈にたどり着いた。マクスウェルいわく、光はこの場の中を移動する「電磁気的な擾乱（じょうらん）」にほかならず、それは海を伝わる波に似ている。マクスウェルはまた、ほかにも光と同じように振る舞う電磁波（電波など）が存在するはずだと予想した。このマクスウェルの論文を受けて世界中の物理学者が電磁波の性質を調べはじめた。そしてモスクワからカルカッタまで至るところで繰り広げられたその競争によって、マクスウェルは正しいことが証明された。[4]

近代の物理学や化学の歴史に関する従来の書物では、少数のヨーロッパ人先駆者だけに光が当てられていることが多い。ジェイムズ・クラーク・マクスウェルのほかにおもに取り上げられるのは、その後にヨーロッパで暮らして研究をおこなった科学者たち、たとえば１８８７年に電波を発見したドイツの物理学者ハインリッヒ・ヘルツや、１８９８年に放射能を発見したポーランド出身の物理学者マリ・スクウォドフスカ・キュリーなどである。確かに19世紀末には、ここまでの章で見てきたようにおもに帝国主義の拡大による経済的優位性のおかげで、ヨーロッパが科学界の中心地となっていた。しかしだからといって、ヨーロッパ以外の科学者がいっさい貢献しなかったというわけではない。それどころか、第一回国際物理学会議の参加者リストをあたっていくと、19世紀末から20世紀初頭にかけての科学がもっとずっと多様性に富んでいた様子がすぐさま浮かび上がってくる。イギリスやフランス、ドイツの科学者と並んで、ロシアやトルコ、日本やインド、メキシコからの物理学者も集まっていた。しかもただ座って話を聴いていただけではなく、彼ら世界中の科学者も自身の研究成果を発表している。物理学のブレークスルーはヨーロッパの研究室だけで成し遂げられたとする考え方には、このように疑問符が付くのだ。[5]

ピョートル・レベデフはその好例である。パリでの会議では、モスクワ大学でおこなったばかりの実験に関する論文を発表した。19世紀末にはほとんどの物理学者が電磁波の存在を受け入れていたが、いまだに未解決の問題が数多く残されていた。マクスウェルの理論から導き出される結論の中でももっとも関心を惹いたのが、光そのものの性質に関する事柄である。マクスウェルいわく、光が波だとしたら運動量を持っているはずで、そのため力をおよぼすはずだ。一見したところ直感に反する。完全に非物質的であるはずの光がどうやって物理的な力をおよぼすというのか？　しかしマクスウェルの方程式からはそのとおりの結論が導き出される。その力はごく弱いため、１９００年まで誰もそれを直接測定できていなかった。そのためパリの会議の聴衆は、レベデフの実験結果の発表に大興奮で耳を傾けた。レベデフは、真空中に吊るした金属製の風車に電球の光を当てることで、光が確かに力をおよぼすことを実証した。電球のスイッチを入れると、ちょうど風が当たったときのようにその風車が回り出したのだ。[6]

会議ではレベデフに続いて大勢の科学者が発表をおこなった。この章でのちほど登場する日本人物理学者の長岡半太郎は、磁場中で金属が膨張・収縮する、「磁気ひずみ」と呼ばれる現象の研究について発表した。会議にはインド人科学者も何人か出席していた。その中の一人が、同じくこの章の後のほうで詳しく取り上げるベンガル人物理学者、ジャガディッシュ・チャンドラ・ボースである。電波物理学の先駆者であるボースはパリの会議の聴衆に、カルカッタでおこなったいくつかの実験について説明した。金属塊から生きた植物までさまざまな物体に電気を流した末に、生物体と非生物体に根本的な違いはないという結論に達したのだ。すべての物体が電気に対して何らかの形で反応するように思われた。1900年頃の多くの科学者と同じくボースにとっても、電磁気理論は万物の理論だったのだ。神経活動と電波の作用をどちらもマクスウェル方程式で記述できることから考えて、自然界には「根本的な一貫性」が存在するとボースは唱えた。[7]

1900年のパリにこれほど多彩な人たちが訪れていたことは、近代の物理科学の歴史に忘れ去られた一面が存在することを思い起こさせてくれる。19世紀を通して、ロシアやトルコ、インドや日本などヨーロッパ以外の研究室で働く科学者は、近代の物理学や化学の発展に数々の重要な貢献を果たした。そして世界中の都市に集まっては、自分たちの研究結果を論じたりアイデアを交換しあったりした。19世紀には近代的な科学会議も開かれるようになり、その多くは産業博覧会と同時期に企画された。第一回国際物理学会議はその点で典型例だった。

前の章では、資本主義と紛争の世界が近代生物科学の発展をいかにして方向づけたかを見てきた。この章ではそれと同じテーマを、近代物理科学の視点から探っていく。19世紀に新たな商用通信技術が発展したこともまた、電気と磁気の性質に強い関心が持たれるようになった一因である。19世紀前半にはイギリスやドイツで試験用の電信線が敷設された。断続的な電流を金属線に流すという仕掛けである。その断続的な電流は何らかのコード、通常はモールス符号に対応していて、それを人間の通信士が文章に翻訳する。このシステムの大きな特長は、長距離にわたって情報をほぼ瞬時に送信できることだった。これらの初期の実験を受け、ジェイムズ・クラーク・マクスウェルが電磁気の理論を編み出しつつあった１８５０年代から60年代にかけて、世界中に電信線が延びていった。アイルランドとニューファンドランド島を結ぶ初の大西洋横断電信線は１８５８年に完成した。続いて１８６５年にはイギリスとインドの各植民地を結ぶ電信線が開通した。そうして世界各国の政府が、平時と戦時を問わず国際通信にとって近代科学が重要であることに目ざとく気づいた。そして突如として物理学者や工学者が重宝され、新たな電信線の敷設や電波受信機の軍事利用に助言を与えるために雇われるようになった。[8]

この時期には物理学に加え、化学がもう一つの主要な産業科学となった。19世紀を通して、新たな鉱山の開発や鉱石の精製技術により50を超す新元素が発見された。物理学におけるブレークスルーも後押しとなり、電流を使って各種元素を分離できるようになった。しかしおそらくもっとも重要なブレークスルーとなったのは、もっとも軽い元素の水素から始まってすべての元素を原子量の順に並べた、周期表の発明である。１８６９年にロシア人化学者のドミトリ・メンデレーエフが初めて提唱した周期表にはいくつも空欄があり、未発見の元素が数多く存在することが予測された。そこで、それらの新元素の発見を目指す競争が始まった。そこには国家間の対抗意識もあった。新元素には発見者の出身国にちなんだ名称が付けられることが多かった。19世紀半ばにロシア人化学者のカール・クラウスが発見した新元素には、ロシアのラテン語名にちなんで「ルテニウム」という名称が付けられた。「我が祖国に敬意を表してこの新たな物質に名前を付けた」とクラウスは説明している[9]。

これに似た「化学のナショナリズム」の例はいくらでもある。ゲルマニウム、ガリウム、ポロニウムはいずれも国名にちなんだ名称だ。その中には比較的新しい国もあった(ゲルマニウムの発見は1886年、ドイツ統一はその十数年前の1871年)。国自体よりも先に元素が命名されることもあった。マリ・スクウォドフスカ・キュリーが祖国ポーランドにちなんで新元素にポロニウムという名称を選んだのは、この国がいつか独立した国民国家になることを望んでいたからだ(ポロニウムが発見された1898年当時、ポーランドはドイツ・ロシア・オーストリア゠ハンガリーによって分割されたままだった)[10]。

ナショナリズムと国際主義は互いに手を取り合っていたらしい。そもそも19世紀というのは、科学者が世界中を旅して外国の大学で研鑽を積み、複数の言語で成果を発表し、国際学会で顔を合わせる時代だった。しかしその一方で、科学が国力、とりわけ産業力や軍事力を高める手段とみなされる時代でもあった。1900年、パリの第一回国際物理学会議に参加した多くの科学者は、まだ楽観的な未来展望を抱いていた。「数多くの新たな考え方が生まれ、数多くの友情が築かれては深まった」と、会議から戻ったある物理学者は記している。しかし第一次世界大戦が勃発する1914年までに、そのような国際秩序は崩壊していったらしい。この章では、1790年から1914年まで繰り広げられたナショナリズムと国際主義の拮抗について探っていこう。19世紀の物理学と化学の歴史をもっとも正しく理解するには、孤立したヨーロッパ人先駆者たちの歴史を通じてではなく、詰まるところナショナリズムと戦争、産業のグローバルな歴史を通じてとらえる必要がある。まずは嵐の吹き荒れるロシア北部から話を始めていこう。[11]

1 戦争とロシア帝国の科学

アレクサンドル・ポポフは嵐が近づいてくるのを目にした。新たな発明品をテストするチャンスがやって来た。ポポフは何年ものあいだ、フィンランド湾の東の端、クロンシュタットにあるロシア海軍魚雷学校で電気科学を教えていた。そして1895年春、教えてきたことを実践に移すことにした。近くの塔に登り、銅線を結んだ小さな気球を空高く揚げた。そして遠くで雷鳴が轟く中、その銅線を「嵐検知器」と名付けた装置につないだ。すると期待どおり装置が作動した。嵐はまだ20キロ以上離れていたが、稲妻が光るたびに小さなベルが音を立てた。海軍に勤めるポポフは、この発明品の威力をすぐさま見抜いた。海上や陸上で嵐を未然に検知できるはずだ。だがどのような仕掛けなのか？　装置自体は雷が発する電磁波をとらえて動作する。ポポフはその電磁波を遠方から検知する手法を開発し、結果として世界初の電波受信機を完成させた。ロシア帝国では電波通信は嵐の科学から生まれたのだ。[12]

ポポフの装置の動作原理は、フランス人物理学者エドゥアール・ブランリーの研究成果に基づいていた。1890年にブランリーは、電磁波が金属の削り屑に何らかの影響をおよぼすと報告した。それ

29. アレクサンドル・ポポフの「嵐検知器」。ベルの上方にある、ゴムのカバーを巻いた小さなガラス管に注目。この「コヒーラー」は電波を検知して、自動的にリセットされる。

に基づいて、「コヒーラー」と呼ばれる発明品が誕生した。初期の電波受信機の原型となったその装置は、金属屑を詰めた小さなガラス管からできている。そのままだと金属屑はあまり電気を通さない。しかしガラス管を電磁波が通過すると、金属屑がいっせいに整列して「密着（コヒア）」し、突如として電気が流れるようになる。この装置のおかげで、電波研究の先駆者たちは電磁波を検出できるようになった。ただ唯一の問題として、検出器をリセットするには、管を手で振って金属屑を再び混ぜ合わせる必要があった。それがポポフの大発明によって解決した。ポポフの嵐検知器では、電磁波で発生した電流によってハンマーを駆動してガラス管を叩くことで、金属屑を再び混ぜるのだ。こうして、雷が鳴るたびに発生する電磁波を一回ずつ検出できるようになった[13]。

ロシアの電波研究の先駆者が海軍学校で働い

ていたというのは重要な事実である。19世紀の物理学は理論的であると同時に実践的でもあり、純粋科学であると同時に産業の産物でもあった。1859年生まれのポポフはウラル地方にある大規模なボゴスロフ製錬所の近くで育ち、あたり一面には有毒な煙がたなびいていた。少年時代のポポフは近所の工場や鉱山にある機械類に魅せられた。小さな電気式目覚まし時計も自作し、自宅の寝室に誇らしげに飾っていた。産業科学に対するこうした興味に掻き立てられてサンクトペテルブルク大学に入学し、1877年から82年まで物理学と数学を学んだ。しかし実家はさほど裕福ではなかった。父親は収入の少ない司祭で、もともと息子には神学校で学ぶことを望んでいた。そこでポポフは大学での勉強と並行して、サンクトペテルブルクに新たに設立された電気技術会社で働いて金を稼いだ。町の遊園地に照明を設置する手伝いをしたり、1880年にはこの町で開かれた大規模な産業博覧会のガイドを務めたりした。この博覧会には世界中の企業が出展して、電信装置や電気照明、さらにはさまざまな病気の症状を緩和するという触れ込みの電気治療器など、最新の電気装置の数々を披露した。[14]

卒業したポポフは、サンクトペテルブルク大学で教職に就く機会を与えられたが、給料が十分でなかった。恋人と結婚するために安定した職に就く必要があったため、代わりに海軍に入った。そして1883年、クロンシュタットの魚雷学校の教官となった。19世紀ロシアの駆け出しの科学者にとっては、海軍で働いたほうが給料が良いだけでなく、優れた施設を使えるというメリットもあった。魚雷学校の研究所には、先進の装置に加え、外国の科学文献を収めた図書室もあった。魚雷艇に乗り組むことになる訓練生たちにポポフは、電磁気学から爆薬の化学まであらゆることを教えた。そしてこの魚雷学校の実験室で電磁波を発生させ、嵐検知器を海上での通信にも使えるかもしれないと訓練生たちに説いた。「海軍にとってこれらの現象の応用法は、信号灯としても、また船どうしで信号を伝える上でもきわめて有用であろう」。それまで海上での通信には、何百年も前と同じく旗や明かりが使われていた。[15]

当然ながらポポフはこの発明品に誇りを持っていた。それだけに、ある競合相手がこれとそっくりの装置を売り込んでいることを知ってショックを受けた。1897年、ロシアの工学雑誌の最新号に目を通していたところ、イタリアの工学者グリエルモ・マルコーニが自身の設計した電波受信機の特許をイギリスで取ろうとしていることを知ったのだ。今日ではマルコーニがラジオの発明者として広く認められているが、実際にはポポフが必死で指摘したとおり、同じ頃にほかに何人もの科学者がほぼ同じ装置の開発を進めていた。「マルコーニの受信機はそのすべての部品に至るまで、1895年に私が作った装置と同じものである」とポポフは訴えた。電磁波の応用研究が急速なペースで進んでいるのは明らかだった。それを念頭にポポフは、自らが発明した嵐検知器を商用の電波通信システムに発展させる取り組みを進めた。そしてフランスの工学者ウジェーヌ・ドゥクレテと組んで、パリで電波検知機の製造を開始した。1898年にドゥクレテはポポフの装置の改良版を使って、エッフェル塔からパンテオンまで3キロ以上の距離を伝わる電波の検出に成功した。エッフェル塔が電波塔として使われたのはこのときが初めてで、その役割は今日まで続いている。[16]

*

前の章で見たとおり、19世紀後半はロシア帝国で科学に再び力が注がれた時代だった。それは生物科学と同じく物理科学にも当てはまる。1853年から56年のクリミア戦争の敗戦を受けて、皇帝アレクサンドル2世は経済と軍事の近代化を決意した。そうして軍事学校や大学に次々と研究所が新設され、産業や軍事の問題解決のための科学研究が推進された。アレクサンドル2世は要するに、ロシア帝国が生き延びるための鍵は近代科学技術の応用にあると信じていた。1856年9月にモスクワで執りおこなわれた自身の戴冠式に備えては、軍事工学者に命じてクレムリンを電球で飾らせた。公式報告によると、一連の電球は「燃え立つようなサファイヤやエメラルド、ルビーをあしらった巨大な王冠」をかたどっていたという。皇帝の権力を産業によって知らしめたのだ。アレクサンドル2世にとって、未来は電気にかかっていた。[17]

クロンシュタットの魚雷学校の研究所以外にも、19世紀後半にロシアでは科学機関が次々に新設された。1866年にアレクサンドル2世はロシア技術協会の創設を認可した。サンクトペテルブルクを拠点とするこの協会は、鉄道工学や写真術、電信技術などのテーマに特化した学会を何度も開いた。また学会に加えていくつもの学術誌を刊行し、その中には『電気』というそのままの誌名のものもあった。さらに大規模な産業博覧会も開催し、その中の一つが、サンクトペテルブルクでの学生時代にポポフがガイドを務めた電気博覧会である。[18]

各大学も物理科学に注力しはじめたものの、工業学校や軍事学校には後れを取っていた。1874年、ロシアの物理学者アレクサンドル・ストレトフがケンブリッジ大学を訪れた。そしてジェイムズ・クラーク・マクスウェルと面会し、実験物理学の新たな拠点であるキャヴェンディッシュ研究所の開所式に立ち会った。このイギリスの例に触発されたストレトフは、モスクワ大学に戻って教授職に就き、物理学研究室の拡充と近代化に力を尽くした。そうして１８８０年代末には、モスクワ大学物理学科に電磁波発生器など最新の科学機器がひととおり揃った。のちにここでピョートル・レベデフが、この章の冒頭で取り上げた「光圧」の研究をおこなうこととなる。[19]

皇帝は電磁気の研究に加え、近代化学の発展にも力を注いだ。そもそも化学は、物理科学の中でもあからさまに実用的な分野である。19世紀後半を通してロシアの何人もの化学者が政府に雇われ、火薬の製造からウォッカの蒸留までさまざまな助言をしていた。当時、工業化学にかけてはドイツがもっとも進んでいると広く認識されていた。そこでロシア政府は、何百人もの若手科学者をドイツの大学で学ばせた。その中の一人が、この時代のロシア人化学者の中でもおそらくもっとも有名なドミトリ・メンデレーエフである。メンデレーエフは１８５９年にハイデルベルク大学に派遣された。１８６１年にロシアに帰国するとサンクトペテルブルク大学で教職に就き、ドイツを手本にして拡充した実験室でそれまでよりもはるかに実践的な教育をおこなうなど、化学課程の近代化に尽力した。また１８６８年のロシア化学会の創設にも手を貸し、翌年に同学会はロシア語の学術誌を独自に刊行した。[20]

今日、メンデレーエフの業績の中でももっともよく知られているのは、すべての元素を原子量の順に並べて18の族にまとめ、周期表を考案したことである。既知の元素が当てはまらない場所が空欄として残されたことで、新元素の存在とその諸性質を予言することができた。しかし忘れられることが多いが、メンデレーエフは単なる理論家ではなかった。ロシア帝国の産業や軍事の発展にとって化学は欠かせないと信じる実践的な人物だったのだ。大きな影響をおよぼした教科書『化学の原理』（１８６８〜70）では、「化学は実践的目的のための道具で、天然資源の活用と新物質の創造への道を開く」と説いている。近代化学の発展にメンデレーエフがどのような貢献を果たしたのかを理解するには、詰まるところ周期表にこだわっていてはいけない。19世紀の科学を特徴づける産業と戦争の世界に立ち返る必要があるのだ[21]。

ドミトリ・メンデレーエフは手を上げ、大砲の準備を命じた。それを受けてロシア海軍の将校がそばの大砲に砲弾を込めた。メンデレーエフは手を下ろし、「発射！」と掛け声をかけた。将校はすかさずひもを引き、野原に向けて砲弾を発射した。メンデレーエフが見つめる中、砲弾は遠くで爆発した。新たな発明品は成功だったようだ。1893年4月のひんやりとした朝、メンデレーエフは、「ピロコロジオン」と名付けた火薬の初の実地試験をおこなった。煙を出さない新たなタイプの火薬で、その開発は3年前から進めていた。開発を依頼したのは誰あろう皇帝アレクサンドル3世。ヨーロッパ諸国の軍事力向上に懸念を抱き、当時世界的に有名な化学者の一人だったメンデレーエフにすがったのだ。その研究を支援するために、サンクトペテルブルクを流れるニヴァ川の小さな中州に海軍科学技術研究所を創設するよう命じた。メンデレーエフは1890年から93年までこの研究所で大半の時間を過ごし、化学の知識を使って新たな爆薬の開発に取り組んだ[22]。

無煙火薬の発明は、19世紀後半に起こった大きな軍事技術革新の一つである。従来の火薬は、硝石と硫黄と木炭を混ぜて製造されていた。しかし化学の進歩を受けて軍事科学者は、もっと強力な化合物の探索に乗り出した。その多くは、1840年代に初めて単離されたニトログリセリンとさまざまな化学物質を混合して作られた。中でももっとも有名な話として、のちにノーベル賞という名称の由来となったアルフレッド・ノーベルは、何種類かの新たな火薬の開発で一財産を築いた。その中の一つが、バリスタイトと呼ばれる無煙火薬である[23]。

無煙火薬はその名のとおりほとんど煙を出さない。視程が伸びて軍隊や艦船の統制が容易になるため、戦闘、とりわけ海戦の際には明らかに有利だ。しかし利点はそれだけではない。無煙火薬のほうがはるかに強力な爆発を起こすのだ。従来の火薬はその大部分が燃えて煙になってしまうが、無煙火薬はほぼすべて爆発力に変換される。爆発の威力が大きくなれば砲弾の射程・精度・速度が向上し、海戦ではこのいずれもが大きなメリットとなる。とりわけ、19世紀後半に建造されはじめた鋼鉄製の艦船に対しては有効だった。威力の強い砲弾でないと、近代の装甲艦の船体を貫くことはできなかった。こうしたさまざまな理由からアレクサンドル3世は、ロシア海軍が独自の無煙火薬を開発することを強く望んだのだ[24]。

サンクトペテルブルクの海軍科学技術研究所でメンデレーエフは、イギリスやフランスで製造された既存の無煙火薬のサンプルを分析しはじめた。実は以前にロンドンのウリッジ兵器工場を視察したことがあり、そのときにコルダイトというイギリス製の無煙火薬のことを知った。サンプルを分析したところ、炭素・水素・窒素・酸素からなる新たな化合物を合成する必要があることに気づいた。また、フランスやイギリスの無煙火薬を改良して、さらに強力でありながらほとんど煙を出さない火薬を製造したいとも考えた。ここで各元素の原子量に関する知識がものをいい、点火した際の爆発力が最大になるような混合比を正確に導き出すことができた。そうして1892年末までに、少量ながら新たな無煙火薬を製造することに成功した。「化学的に新たな生成物で、一般的な火薬とは大きく異なり、化学反応や生成物に深く精通していることが求められる」とノートに記している。[25]

メンデレーエフは生涯にわたってロシア帝国の軍事と産業の発展に強い関心を示した。政府のために研究したり、民間企業のために研究したりした。火薬のほかにはロシアの石油産業にも深く関わった。1860年代にはバクー石油会社に雇われて、石油精製工場の建設に関する助言をおこなった。この少し前にロシア帝国が、現在のアゼルバイジャンを含むカフカス山脈周辺の地域をペルシア帝国やオスマン帝国から奪い取った。そしてすかさず油田地帯の領有を主張し、バクー石油会社などの民間企業に長期貸与した。ここでもメンデレーエフの化学の知識が産業に活かされ、彼は原油から商品となる各種化学物質を分離するための助言をおこなった。のちの1870年代にはアメリカ合衆国に派遣され、アメリカの石油産業に関する報告をおこなった。当時ロシアはいまだに石油の大部分をアメリカ合衆国から輸入していた。しかし19世紀末にはその関係性が逆転した。メンデレーエフなどの工業化学者によって技術が進歩したこともあり、ロシアが世界の原油の90％近くを供給するようになったのだ。[26]

*

ドミトリ・メンデレーエフは19世紀で間違いなくもっとも有名なロシア人科学者だったが、彼はけっして独特の存在ではなかった。メンデレーエフが抱いていた産業的な科学像は、実はその世代にはありふれたものだった。この時期に物理科学に対してほぼ同じ姿勢で取り組んだ一人が、ロシア人化学者のユリア・レルモントワである。前の章で見たように、19世紀は専門的な科学の世界に次々と女性が進出した時代だった。レルモントワもまた、物理科学の正式な教育を受けるために当時の偏見と闘った新世代のロシア人女性の一人だった。[27]

1846年にサンクトペテルブルクで生まれたレルモントワは、陸軍将校の娘だった。幼い頃から科学に対する情熱を見せ、自宅のキッチンに小さな化学実験室を作った。20歳のときに農芸化学の道へ進もうと決心し、モスクワにあるペトロフスカヤ農林アカデミーに入学を志願した。皇帝アレクサンドル2世が1860年代に新設した農業学校や工業学校の一つである。しかしアレクサンドル2世が近代化を自負する一方で、女性はいまだにロシアの高等教育システムから排除されていた。レルモントワも、この講座に女性の居場所はないと無下に伝えられて入学を拒否された。[28]

それでもあきらめないレルモントワは、この時期の多くのロシア人女性と同じく留学する決心をした。1869年にドイツへ移り、ハイデルベルク大学で講義に出席しはじめたのだ。そして「ブンゼンバーナー」の名称の由来になったロベルト・ブンゼンなど、当時のドイツを代表する化学者や物理学者のもとで学んだ。ベルリン大学化学研究所やゲッティンゲン大学でもしばらく学び、1874年にゲッティンゲン大学から博士号を授かった。若いロシア人女性留学生にとって、生活はけっして楽ではなかった。ベルリンでは「おんぼろアパートに住み、ひどい食べ物を食べ、健康に悪そうな空気を吸っていた」とのちに振り返っている。それでもレルモントワは、成功を収めて、男性に牛耳られた工業化学の世界の一員になる決心をしていた。[29]

レルモントワがドイツに滞在したのは、たまたまメンデレーエフが活躍したのと同時期のことだった。2人は顔を合わせ、会話に花を咲かせた。メンデレーエフはレルモントワに、周期表に関する自身の最新の論文について話した。また、すべての元素を正しい順番に並べようとしてもどうもうまくいかないと説明した。とくに「白金族」と呼ばれる一群の元素が難物だった。白金族の元素はどれも非常に似た特徴的な銀色をしている上に、同じ鉱石の中から見つかることが多かったため、ひとまとめにする必要があることは分かっていた。しかし一つ問題があった。白金族、とくにイリジウムとオスミウムの原子量として受け入れられている値の大小が、メンデレーエフの提唱した周期表の順番と食い違ってしまうのだ。そこでレルモントワは、ハイデルベルク大学の化学研究室でこの問題の解決に没頭した。そして白金鉱石を繰り返し溶解しながら複雑な実験を繰り返した末に、イリジウムとオスミウムの純粋なサンプルを単離することに成功した。続いてブンゼンが開発した手法を使って、白金族の各元素の原子量を慎重に測定した。満足のいく結果が得られ、サンクトペテルブルクのメンデレーエフに手紙で伝えた。喜んだメンデレーエフは、自著の教科書『化学の原理』に掲載した原子量の数値をすぐさま改訂し、レルモントワの実験結果に基づいて白金族の各元素の順番を改めた。[30]

　レルモントワは１８７４年にロシアに帰国した。そして輝かしい経歴を歩んだが、ロシアの科学や産業に対する彼女の貢献はいまではほぼ忘れ去られている。１８７５年には、白金族に関する研究でメンデレーエフの周期表の正しさを証明した功績に基づき、ロシア化学会の会員に選出された。それらの元素の正しい原子量が明らかになったことで、19世紀にわたってウラル山脈で採掘された白金鉱石をより効率的に処理する方法も開発された。レルモントワはその後の研究人生の大半をモスクワ大学で過ごし、原油の新たな分析法の開発に尽力した。また、カフカス地方を拠点とするロシアの石油会社に自らの資産の一部を投資した。１８８１年には石油産業のための研究が認められて、ロシア工学会の初の女性会員にも選ばれた。レルモントワの経歴が物語っているとおり、19世紀には工業化学の世界にロシア人女性が知られざる貢献を果たしていたのだ。[31]

1914年に第一次世界大戦が勃発すると、皇帝のもとで進められていた科学の強みと弱みが一気に露呈した。アレクサンドル2世は1860年代から、ロシアの科学技術の近代化を目指して一連の改革を進めていた。そうして研究所や工業学校、軍事学校が次々に新設された。19世紀に成功を収めたロシア人科学者の多くは、産業と戦争の世界に何らかの形で関わっていた。この時期にロシア人科学者は外国で学び、国際会議や産業博覧会に参加しはじめた。アレクサンドル・ポポフは1900年にパリで開かれた第一回国際物理学会議に出席したし、ドミトリ・メンデレーエフは1876年にアメリカ合衆国に渡ってフィラデルフィア万国博覧会に参加した。[32]

しかしこのように進歩はしたものの、ロシア帝国がドイツの工業や軍事の体制に太刀打ちできないことがやがてはっきりしてきた。1914年8月にドイツとの国境が封鎖されると、ロシア人科学者は突如としてよりどころを失った。当時ドイツで製造されていた不可欠な科学機器や化学薬品を輸入できなくなってしまったのだ。「これまで我が国は、独自の科学機器や教材を製造して、ドイツに掛けられた喉輪攻めから自由になるための真剣な取り組みをしてこなかった」と1915年にロシアのある学術誌は不平を訴えている。ロシアの科学者を戦争目的で動員しようという試みは何度かあった。1916年に政府は、ロシア物理学会とロシア化学会の会員から構成された戦争化学物質委員会を設置した。その任務は、従来ドイツから輸入していた重要な工業化学物質や軍事化学物質を製造することだった。その中には、シアン化物やヒ素化合物、塩素ガスなどの化学兵器も含まれていた。[33]
しかしいずれも中途半端で、しかも遅きに失した。事態がさらに悪化したのは1917年11月のこと、革命を目指す社会主義者の一派ボリシェヴィキが、サンクトペテルブルクの冬宮殿に進撃した。そうしてロシア革命が勃発し、1918年7月には最後の皇帝ニコライ2世とその家族が処刑されるに至った。革命の混乱が広がり、モスクワやサンクトペテルブルクの街なかで戦いが繰り広げられる中、ロシアの科学者はますます孤立していった。ロシア帝国の科学は、ナショナリズムと産業と戦争の世界から生まれた。そして最終的に同じ世界に滅ぼされた。次の節では、19世紀に改革に取り組みながらもほぼ同じ運命をたどったもう一つの帝国、その物理科学の歴史を掘り下げていこう。

2 オスマン帝国の工学

スルタンのアブデュルメジト1世が見つめる中、一人のアメリカ人工学者が試験用の電信線の設置に取りかかった。1847年8月、ヴァージニア大学の卒業生ジョン・ローレンス・スミスが、イスタンブール郊外に立つベイレルベイ宮殿の入口に小さな電気機器を据えた。そしてその機器から長い銅線を延ばし、金色に塗られた戸口を通して宮殿の主応接室まで張った。銅線を別の機器につなぐとスミスは、演示実験の準備が整ったと伝えた。アメリカ合衆国からはるばる運ばれてきたその装置は、アメリカ人の電信技術の先駆者サミュエル・モースの設計に基づいていた。当時オスマン帝国のスルタンのもとで鉱山技師として働いていたスミスは、電信を使えば「どんな距離でも瞬時に」情報を伝えられると言い切った。[34]

装置の準備が整うとスミスは、スルタンに電信のしくみを説明しはじめた。その場に居合わせたアメリカ人外交官は、「陛下は電気流体の性質をとても良く理解された」と記している（「電気流体」とは電信線を伝わる電流のこと）。続いてスミスはアブデュルメジトに、２台の装置のあいだで送信したいメッセージを尋ねた。そして内容を確認した上で、それをモールス符号で叩きはじめた（「フランスの蒸気船は到着したか？　ヨーロッパから何か知らせはあるか？」）。すると請け合ったとおり、メッセージは電信線を伝わって応接室に届き、細長い紙に点と線の並びとして印字されていった。スミスはそのメッセージをオスマン・トルコ語に翻訳した。スルタンはいたく感心し、この「驚くべき発明品」によってオスマン帝国全土の通信事情を一変させられるとすぐさま理解した。それどころかあまりの感心ぶりに、アメリカ合衆国のモースに直々に手紙を書いて、「余の前で実演された」電信の発明者を褒め称え、ダイヤモンドをちりばめた装飾品を同封した。[35]

それから何年かをかけてアブデュルメジトは、オスマン帝国全土に全長数千キロの電信線を設置するよう命じた。初の電信線が設置されたのは、最終的にロシア帝国を破った１８５３年から56年のクリミア戦争のさなかだった。オスマン帝国を支援したイギリスは、セヴァストポリからイスタンブールまでの電信線の設置に力を貸した。これらの電信線は軍事行動の統制に利用され、最終的にオスマン帝国の勝利に資した。電信技術は軍事力の面で大きな強みをもたらすとともに、アブデュルメジトが見逃さなかったとおり国家の統治にも寄与した。クリミア戦争終結からまもなくして、イスタンブールに電信科学学校と、電信装置の製造工場が設立された。１９００年までにオスマン人技術者によって全長３

万キロを超える電信線が敷かれ、各地方が帝国支配の中心地イスタンブールと結ばれた。それまではほぼすべての通信が郵便でおこなわれていて、カイロからイスタンブールまでメッセージを伝えるのに何日も、あるいは何週間もかかっていた。それがものの数秒に短縮されたのだ。[36]

ロシア帝国で見てきたのと同じく、19世紀はオスマン帝国も改革の時代だった。かつてイスタンブールは、とくに16世紀から17世紀にかけては科学の進歩の中心地だったが、18世紀末にはもはやその面影はなかった。18世紀後半に相次いで戦争に敗れ、とくに1768年から74年の露土戦争に敗北したことで、オスマン帝国の力の限界が露呈していた。19世紀に入ってからも、1821年から29年までのギリシア独立戦争によってさらなる領土がイスタンブールの支配下から脱し、その後の数十年間でこの無力感はますます強まった。ヨーロッパの帝国主義の拡大と各地の反乱に懸念を深めたオスマン帝国は、軍事の近代化のために数々の科学機関を新設した。たとえば露土戦争での敗北を受けて1775年には海軍工学校と陸軍工学校が創設された。オスマン軍将校には近代的な数学・化学・物理学を学ぶことが求められるようになった。とくに1820年代にオスマン海軍に蒸気船が導入されて以降は、この種の科学的知識がますます重要性を増していった。[37]

このような初期の改革に続いて、さらに広範におよぶ近代化計画が進められた。1839年に権力の座に就いたアブデュルメジト1世は、「タンジマート」（まさに「改革」という意味）と呼ばれる一連の改革に着手した。電信システムとともに鉄道の建設にも取りかかり、カイロとアレクサンドリアを結ぶ初の鉄道が1856年に開通した。タンジマートの一環として新たな科学機関も多数創設され、既存の機関も拡充された。1827年にイスタンブールに設立された帝国医学校は、1839年に近代的な化学実験室を擁する新たな建物に移転した。1868年にはイスタンブールに工業技術学校も新設され、のちにここで多くの著名なオスマン人工学者が研鑽を積む。1870年代末まで続いたこの時期の改革は、ロシア帝国で見たものと瓜二つだった。19世紀の大半を通してロシア帝国とオスマン帝国は、中央アジアにおける軍事、産業、科学の覇権をめぐって競い合ったのだ。[38]

タンジマートの期間に設立された科学機関の中でももっとも重要なものの一つが、イスタンブールのオスマン大学である。1846年創設のオスマン大学は19世紀から20世紀にかけて何度も改称されたが、アブデュルメジト1世の治世の間には「科学の館」と広く呼ばれていた。トプカプ宮殿の隣に立つ新古典主義の建物に入るこの大学は、大講堂や広大な図書室、近代的な科学実験室を備えていた。代表的なオスマン人科学者の多くが学んだ自然科学科や、のちには土木工学部も設置された。公式報告によると、オスマン大学は「あらゆる学問の普及と発展」を後押しすることになっていた。[39]

オスマン大学の教官の中に、ダルヴィシュ・メフメト・エミン・パシャという名前の化学者がいた〔パシャはオスマン帝国の高官に対する称号〕。新世代のオスマン人科学者としてはよくある経歴だった。1817年にイスタンブールで生まれ、1830年代初頭に陸軍工学校で学んで科学の世界に足を踏み入れた。この学校で、酸とアルカリの識別法など、化学や物理学の基礎を身につけるとともに、火薬の製造法などのもっと実用的な知識も学んだ。卒業すると留学生に選ばれた。19世紀を通してオスマン帝国からは前途有望な若き科学者や工学者が何人も、おもにイギリスやフランス、ドイツなど、ヨーロッパ各国に学問修得のために派遣された。ロシア帝国と同じく、ライバルの各帝国から学んで科学の知識を蓄積するという、もっと幅広い戦略の一環だった。メフメト・エミンを含むオスマン人学生の一団は1835年にパリへ渡った。うち何人かは医学を、何人かは工学を学んだ。メフメト・エミンは格式の高い鉱業学校に入学し、化学と地質学を専攻した。毎朝、パリの街なかを歩いてリュクサンブール庭園を横切り、オテル・ドゥ・ヴァンドームで講義を聴いた。卒業時には同期生から、「数学にも、また化学や物理学や鉱物学にも長けている」と評価された[40]。

メフメト・エミンはパリで5年間学んだのちにイスタンブールへ戻り、陸軍工学校の教職に就いた。そして教鞭を執る傍ら、科学に関する自身初の本格的な著作、『化学の基本』(1848)を世に出した。オスマン・トルコ語で書かれた初の近代化学の教科書で、原子論や近代的な化合物命名法など、18世紀末から19世紀初頭にかけての進歩が漏れなく取り上げられている。また当時としてはよくあったように、物理科学の実用的価値が重視されている。化学は「新たな産業の獲得と無数の恩恵の達成」に資すると記されている。またこの教科書にはナショナリズムも垣間見られる。メフメト・エミンは外国で学んでいながら、オスマン人科学者には英語やフランス語でなく自国語で執筆をしたり学んだりするよう説いた。『化学の基本』ではすべての化学式がオスマン・トルコ語で書かれている。「トルコの化学の本にヨーロッパの化学用語」を使う必要はなかったようだ[41]。

メフメト・エミンはそれ以降の人生をオスマン帝国に捧げ、少々幅のある経歴を歩んだ。あるときには鉱山技師として働き、またあるときには軍の測量士として、オスマン帝国とペルシア帝国の国境線を画定する事業に加わった。新設のオスマン大学で教鞭も執りはじめた。1860年代初頭に大学の新たな建物の落成を祝しておこなった連続公開講義は、当時の地元新聞各紙で大熱狂とともに取り上げられた。1863年1月13日午前11時、メフメト・エミンの講演を聴きにオスマン大学の新たな講堂に300人が押しかけた。聴衆の中には有力政治家も多数含まれており、その多くは近代科学がオスマン帝国の発展にどのように寄与するかを知りたいと思っていた。メフメト・エミンは1回目の講義の冒頭で、誘導コイルを使って電気火花を発生させた。オスマン帝国のある新聞はすかさず次のように報じた。「特別な装置から火花が出た。そして電気力が細い針金を通って人の身体に伝わった。身体のどの場所に針金を触れさせても青い火花が出た」。メフメト・エミンはこの演示実験をおこないながら電気の流れの基本原理を説明し、それが電信などさまざまな実用的用途に使えると説いた[42]。

講義が終わると、聴衆の中から一人の政治家が立ち上がって話しはじめた。その人、大宰相メフメト・フアト・パシャはメフメト・エミンの物理学の知識を褒めそやし、近代科学の発展がオスマン帝国の未来に欠かせないという考え方に心からの賛意を示した。そしてタンジマートの主導者の一人として、「古い物理学と新しい物理学の違いは、帆船と蒸気船の違いのようなものだ。科学技術の発展を後押しするのは国家の責務である」と唱えた。また聴衆の中にイスラム教聖職者が大勢いることを踏まえて、近代科学の宗教的な価値も強調した。いわく、物理学と化学における近年のブレークスルーはイスラムの長い伝統に根ざしている。そもそも中世イスラムの思索家は化学に関する初期の重要な文書を数多く遺しているし、「アルカリ」など近代の化学用語の多くはアラビア語由来である。このように、イスラムの「黄金時代」という発想はすでにオスマンの改革者のあいだにも広まりはじめていた。大宰相いわく、電流の理論もまた「神の哲学」の一例であるのだ[43]。

いずれも、イスラム教自体の近代化の一環としてオスマン帝国を近代化することを目指した、もっと幅広い戦略の一部だった。それからまもなくして、イスタンブールに暮らすイスラム教徒はメッカに鉄道や蒸気船で旅し、カイロでは電信を使って祈りの時間を合わせるようになった。今日では宗教と近代科学は緊張関係にあると考えられることが多いが、オスマン帝国にはそれはもちろん当てはまらなかった。多くの人と同じく大宰相も、19世紀末の産業科学をイスラム教の近代性の一環としてとらえていたのだ[44]。

1868年初め、オスマン帝国のスルタンが、ボスポラス海峡を望む丘の上に新たな天文台を建設するよう命じた。帝国天文台と呼ばれたその施設は、16世紀以降にイスタンブールに初めて建てられた専門の天文台だった。第2章で取り上げたものを含むそれ以前の天文台と同じく、その役割の一つはイスラム暦の編纂だった。しかしこの帝国天文台は天文学と並んで、気象と地震の観測所としても機能した。物理学と化学の進歩によって大気のしくみがかなり詳細に至るまで解明され、この時期には、かつてない精度で天気を観測し、さらには予報できるようになっていた。オスマン帝国にとってそれは、とりわけ陸上や海上の軍事作戦を立てる上で明らかに大きな価値を持っていた。1870年代末には、帝国天文台を中心として全国に気象観測所のネットワークが構築され、すべて電信線で結ばれた[45]。

19世紀には気象学と並んで地震学にも革命が起こり、化学や物理学の新たな考え方に基づいて地震の原因の解明が進んだ。イスタンブールはその研究をおこなう上で世界でもっともふさわしい場所の一つだった。オスマン帝国の支配するこの地域はヨーロッパとアジアを分ける断層線の上に位置し、たびたび大地震に見舞われていた。帝国天文台の台長を務めたオスマン人科学者のアリスティデ・クンバリは、

19世紀にイスタンブールを襲った中でも最大の被害を出した地震を経験した。1894年7月10日12時24分、大勢のイスラム教徒が正午の祈りから戻りつつあるちょうどそのとき、地面が揺れはじめた。15秒ほど続く大きな揺れが何度も襲い、イスタンブールの町の大部分が瓦礫と化した。死者数百、負傷者数千、数々のモスクを含め多くの建物が倒壊した。「この地震の破壊的な影響の跡を残していない区画など、この町にはほとんど存在しない」と国際通信社のロイターは報じている[46]。

オスマン帝国のスルタン、アブデュルハミト2世はただちにクンバリを呼んだ。スルタンにとってこの地震は、危機であるとともにチャンスでもあった。近世と同じく、地震は予想外の天文現象と同様に政治的危機を引き起こす恐れがある。大衆が守護者兼支配者としてのスルタンに対する信頼を失いかねない。しかしこの地震はアブデュルハミトにチャンスももたらした。国際社会にはオスマン帝国の科学力を見せつけ、イスタンブールの住民には近代化の恩恵を知らしめる絶好の機会だった。そこでアブデュルハミトはクンバリに、この地震の原因に関する報告書を作成するよう命じた[47]。

1827年にイスタンブールでギリシア人一家に生まれたクンバリは、新世代の近代的なオスマン人科学者の典型だった。アテネ大学で数学を学んだのちに、パリへ移ってさらに科学の勉強を進めた。1868年にイスタンブールに戻った頃には、地震学の最新の進歩に通じていた。地震の報告書を作る上でクンバリは、ディミトリオス・エギニティスという名のギリシア人物理学者に協力を求めた。2人は4週間をかけて、スルタンから提供された蒸気船でオスマン帝国全土をめぐった。そして各地の被害状況を見積もり、瓦礫を詳しく調べて写真を撮ることで、地震波のやって来た方角、ひいては震央を特定しようとした。またクンバリは各地の地震観測所や生存者から証言を集めた。さらに、遠くはパリやサンクトペテルブルクの科学者など、国外からも電信で報告を取り寄せた[48]。
そうして完成した報告書は、スルタンに提出されると同時にフランスの一流の学術誌にも掲載され、それまででもっとも詳細な地震研究結果の一つとなった。当時、プレートテクトニクスの理論はまだ完成していなかったものの、物理学や化学の進歩によって、地震は地球内部の動きによって引き起こされるという漠然とした理解はなされていた。クンバリらは各種の地震データをイスタンブール周辺の地図に記していって、地震波が北から南へ伝わったことを示した。また、イスタンブール沖のマルマラ海の地下に伸びる地殻の裂け目がこの地震を引き起こしたと特定した。そしてクンバリとエギニティスは警告を発した。いわく、イスタンブールを襲う地震はこれが最後ではない。この地域の「地質学的運動」はけっして終わっていないというのだ[49]。

ロシア帝国と同じく、オスマン帝国の科学も資本主義と紛争の世界で生まれ、その同じ世界によって滅ぼされた。第一次世界大戦が勃発するとオスマン帝国のスルタンは、ドイツを始めとした中央同盟国と連携することを決めた。当時のドイツの軍事力や工業力を考えれば賢明な選択に思われた。ドイツがオスマン帝国の科学や産業の発展を後押ししてくれるかもしれないという思惑があったのだ。トルコ語のある新聞は、「我々には大勢の教師が必要だ。ドイツの教育システム、ドイツの経済観念、規律と秩序を取り入れる必要がある」と熱を込めて論じた。折良くドイツも「大勢の教師」を派遣してくれた。1915年にドイツ人科学者の一団が、オスマン大学で教えるためにイスタンブールにやって来たのだ。一団を率いたのは、ブレスラウ大学で教えていた化学者フリッツ・アルント。ロシア帝国と同じくオスマン帝国のスルタンも、近代科学技術が戦場での勝利をもたらしてくれることを期待した。[50]

だが結局、いかなる科学をもってしてもオスマン帝国の直面する軍事上の根本的な問題を改めることはできず、帝国はイギリス・フランス・ロシアからなる連合国の板挟みになった。1918年11月、イギリス軍がイスタンブールに侵攻した。アルントらドイツ人科学者はかなり前に逃げ出していた。こうしてオスマン帝国の終焉の始まりが到来し、第一次世界大戦後に帝国は分割された。最後のスルタンは1922年に退位した。オスマン帝国の滅亡後、中東は新たな紛争の時代を迎えた。それについてはのちの章で取り上げよう。ここでは19世紀の化学と物理学の歴史に関する話を続け、イギリス領インドにおける科学とナショナリズム、戦争の関係を掘り下げていくことにする。

3　植民地インドにおける科学と産業の発展

ジャガディッシュ・チャンドラ・ボースは装置の組み立てに丸一日を費やした。その晩、ロンドンの王立研究所で「電気磁気放射」に関する講演をおこなうことになっていた。1799年創立の王立研究所は、19世紀イギリスでもっとも名高い科学機関の一つで、ヴィクトリア時代を代表する科学者のほとんどがここで名を上げていた。1897年1月、王立研究所での講演に招かれた初のインド人科学者であるボースが「電気線」の威力を披露すると、話を聴いていた500人を超すイギリスの代表的な思索家は畏敬の念に打たれた。[51]

講演の冒頭にボースは、火花コイルに電池をつないだり切ったりして、断続的な電気を何度か流した。

「火花を1回出すごとに、実験に用いる突発的な放射が得られます」。ボースは聴衆に向けて、いままでは電波と呼ばれているこの「電気線」は「目に見えず、発生した波も見ることができません」と念を押した。では、電波が発生したことをどうやって聴衆に納得させるのか？　ボースは正面の木製テーブルに置いた小さな装置を指差した。インドで組み立てた電波受信機である。その「非常に感度の高い」機械を使えば「電気放射」を検知できる、とボースは説明した上で、その装置が動作するさまを見せた。実験は単純だが、ヴィクトリア時代の聴衆にとってはまったく信じられなかった。ボースが電波送信機のスイッチを入れると、講堂の反対端に置いた受信機のベルが鳴ったのだ[52]。

弁の立つボースは聴衆に、「我々全員を取り囲むエーテルの海が、このおびただしい波で掻き乱されたのです」と説明した。さらに、我々の感覚のおよばない物理的な宇宙の魅力的なイメージを描き出し、可視光から赤外線、そして電波におよぶ電磁波スペクトルの各領域について説明した。

エーテルの音程がもっと高くなると、一瞬温かさを感じます。さらに音程が高くなると我々の目が影響を受けはじめ、最初は赤い微かな光が見えてきます。振動数がさらに高くなると、我々の知覚器官はいっさい役に立たなくなります。我々の知覚の持つ大きな欠陥のせいで、それ以上は見えません。一瞬の光の後には暗闇が途切れなく続くのです。

講演の意義を十分に自覚していたボースは、話の最後にヨーロッパとインドの科学の隔たりを橋渡しするよう訴えた。「遠くない将来、西洋と東洋のどちらか一方ではなく、西洋と東洋の両方が手を組んで、知識の境界線を押し広げることに力を出し合い、次々にさまざまな恩恵をもたらそうではありませんか」と心からの願望を述べた。聴衆は立ち上がって喝采を送り、この謎めいたインド人物理学者のあとを付いて電磁気の隠された世界に足を踏み入れることを心に誓った。[53]

ボースは王立研究所でこの講演をおこなうまでに、長い道のりをたどってきた。1858年、イギリス領インドのダッカの北にある小さな町（現在のバングラデシュに属する）で生まれた。植民地政府の執政官を務める父親は、息子を地元のベンガル人の学校で11歳まで学ばせた。科学を学ぶ機会はほとんどなく、ましてや物理学にブレークスルーを起こすなど論外だった。この時期のイギリスは、インド人が科学研究に携わることを良しとしていなかった。ボースの人格形成期にベンガル州の公教育庁長官を務めていたアルフレッド・クロフト卿は、「インド人は気性の面で、現代科学の厳密な方法を教わるのには不向きである」と平然と言い放った。このようにイギリスの統治下でインド人科学者は人種差別に遭っていた。[54]

植民地政府からの支援がほとんど得られないため、インド人知識人のグループは自分たちで行動を起こすことにした。その活動を率いたのは、ベンガル人の裕福な医師でインドの科学教育のために闘うマヘンドラ・ラル・サルカール。サルカールは10年近い歳月をかけて多方面から経済的・政治的支援を取り付けた末に、1876年、カルカッタにインド科学育成協会を設立した。この新たな機関は講堂と図書室、小さな実験室を備え、物理学と化学の講座を開講した。サルカールいわく、この機関によって「インドの先住民がすべての分野で科学を育むことが可能になる」。これ以上ないというタイミングだった。その少し前にボースはカルカッタにやって来て、カルカッタ大学の入学試験に合格したところだったのだ。インド科学育成協会はロンドンの王立研究所と同じく、熱力学から電気までさまざまなテーマの夜間講演を定期的に開いた。そこでボースは、日中に正式な学位を目指して勉強を進める傍ら、夜間はインド科学育成協会の講堂や実験室で過ごした。そうして物理学の世界に初めて出合ったのだった。[55]

学位を取得したボースは物理学の虜になっていたが、父親の希望は、当時ベンガル人の大学卒業者にとってもっと安定した職業だった医者を目指すことだった。そこで親子は歩み寄った。イギリスに渡ってケンブリッジ大学で博物学を学ぶという道だ。科学への情熱を追求できると同時に、医学の学位取得に欠かせない準備にもなる。ありがたいことにうってつけのコネがあった。数年前にケンブリッジ大学で学んだ義理の兄が、同大学のクライスツ・カレッジで教職に就いていたのだ。カルカッタのときと同じく、ケンブリッジに到着したのも絶好のタイミングだった。ボースが入学した1882年、ケンブリッジ大学は科学教育の改革をおこない、実験を用いたもっと実践的な講座を開講したのだ。しかもそのわずか数年前に、電磁気理論の先駆者ジェイムズ・クラーク・マクスウェルがキャヴェンディッシュ研究所を立ち上げていた。こうしてボースは世界一進んだ物理学研究室で学ぶ機会を手にし、電波の科学に真剣に取り組んだ。[56]

1885年にカルカッタに戻るとすぐにボースは、医師を目指すという計画を完全に捨てた。キャヴェンディッシュ研究所の推薦状のおかげで、カルカッタ大学プレジデンシー・カレッジ初のインド人物理学教授にすぐさま任命されたのだ。しかし給料は同大学のヨーロッパ人教授のわずか3分の1であり、やはり植民地支配の不公平さを物語っていた。このような差別と闘う決心をしたボースは、再びインド科学育成協会に戻った。今度は学生でなく講師としてである。同協会では教授法に磨きをかけ、新世代のインド人学生のやる気を掻き立てた。また、拡張されたばかりの実験室で電磁波の性質に関する本格的な研究にも取りかかった。電磁波の存在はこの頃にはすでによく知られていた。しかし、光や電波など各種の電磁波がすべて同じ物理的性質を持つことを実証するという難題が残されていた。そのためには、電波が偏光する（垂直成分と水平成分に分けられる）ことと、屈折する（異なる物質の中に入ると速さと進行方向が変化する）ことを示す必要があった。それを示せれば、電波と光は本質的に同じものであると言い切れる[57]。

それらの実験に必要な装置の開発に、ボースの優れた独創性が発揮された。カルカッタは蒸し暑く、またなかなか専門家に相談できなかったため、必ずしも容易なことではなかった。ヨーロッパから高価な機械を輸入する余裕がなかったため、地元のベンガル人板金工を訓練して一から科学機器を組み立てさせるしかなかった。しかしこうした困難が逆にボースを新発見へと掻き立てる。手に入るものなら何でも活用した。電磁波を偏光させる材料を探す上では、19世紀末のインドの産業界に頼った。ベンガルはジュート貿易の中心地で、何千もの工場で輸出用のジュートが加工されていた。ボースが電波送信機と受信機のあいだに「ねじったジュート」の切れ端を置いたところ、このありふれた植物繊維の重なり合った糸が電波を偏光させることが分かったのだ[58]。

また新たな電波受信機を使って実験をおこなおうとしたところ、電波の検知に用いる鉄の削り屑がインドの気候のせいで錆びてしまっていた。そこで削り屑の代わりに鉄線を用い、湿気から守るためにそれをコバルトでコートした。すると問題は解決した。しかしそこでボースは、土台の金属でなく表面のコートだけが受信機の感度に影響を与えることを発見した。熱帯の環境下で科学研究を進めるという難題から生まれたこの大発見は、一流の学術誌『ロンドン王立協会紀要』に論文として掲載され、電波通信分野の発展に寄与した。当時、電磁波を使ってメッセージを伝える方法に対する期待が高まるにつれ、商用の無線電信システム構築の第一歩として、高感度で信頼性の高い電波受信機の開発が急務となっていた。そこでボースの新たな装置設計は「実用的でおそらく金を生むさまざまな目的」に応用できると、ロンドン発行のある工学学術誌は伝えている。[59]

売り込みの才もあるボースは、1895年にカルカッタ市公会堂で自らの装置の数々を大衆に披露することにした。通常の物理学の講演とは趣が違っていた。複雑な仕掛けを次々に組み立てて、電波の存在だけでなく、それが信号の送信に使えることを示そうとしたのだ。さまざまな点で、2年後に王立研究所でおこなう講演よりもさらに印象的だった。ある部屋に送信機を設置した上で、そこから75メートル以上離れた別の部屋で、受信機にベルと、火薬を詰めた小さな壺をつないだ。そしてベンガル州副総督アレクサンダー・マッケンジー卿に、2つの部屋のあいだ、ちょうど電波の通り道に置いた椅子に座ってもらった。単純な実験だが人々をあっと言わせた。ボースが電波送信機のスイッチを入れると、瞬時に受信機が作動した。ベルが鳴りはじめ、火薬が大きな音とともに爆発したのだ。電波は2枚の壁とアレクサンダー・マッケンジー卿の身体を通り抜け、マッケンジーはインド初の無線電信の公開実験に当然舌を巻いた。カルカッタでおこなわれたこの実験の知らせはすぐにヨーロッパにも届いた。そしてこの成功のおかげでボースは、再びイギリスを訪れて、1897年に王立研究所で先述の有名な講演をおこなう機会を得たのだった。[60]

ジャガディッシュ・チャンドラ・ボースは19世紀末でもっとも有名な物理学者の一人にまで登りつめた。王立研究所での講演に続いて、ドイツのプロイセン科学アカデミーやアメリカ合衆国のハーヴァード大学など、世界中から講演の招待を受けた。この章の冒頭で触れたとおり、１９００年にパリで開かれた第一回国際物理学会議にも出席した。代表的な学術誌で論文を次々に発表して、電波機器の特許を多数取得し、１９２０年には王立協会の正会員に選ばれた。しかしこのような功績にもかかわらず、今日ではボースはインド国外ではほとんど忘れ去られている。その一因は、ボース自身が生涯の大半を通して闘った植民地主義と人種差別がいまだ尾を引いていることである。しかしまた、インドの科学の歴史がもっと広いグローバルな歴史の一部とはみなされていないせいでもある。ほかの地域でもたびたび見てきたのと同じく、インドにおける近代物理科学の発展も、産業とナショナリズム、戦争の拡大によって大きく方向づけられていたのだ。[61]

19世紀末のインドの科学史を理解するにはまず、植民地支配の性格が変化したことに目を向ける必要がある。ボースが生まれた１８５８年、それまで東インド会社が治めていた植民地インドの支配権が正式にイギリス国王に移された。そうして成立した英領インド帝国は、１９４７年のインド独立まで続くこととなる。この正式な植民地支配とともに数々の科学機関が新設された。英領インド帝国の成立直前に東インド会社は、カルカッタとマドラス、ボンベイの3都市に、インド初となる大学を創設していた。それに続いて英領インド帝国のもとでも新たな大学が次々に作られた。たとえば１８８２年にはパンジャブ大学が、１８８７年にはアラハバード大学が開校した。インドでの高等教育の拡充は、インドの行政府に大学卒業者を供給するという植民地政策の一環だった。インド地質調査所で鉱石を分析するにせよ、気象庁で気象観測をおこなうにせよ、多くの行政職には何らかの科学教育が求められた。[62]

インドの植民地支配の拡大と時を同じくして、産業化も進んだ。それもまた、東インド会社から国王に支配権が移ったことが一因だった。東インド会社はインドとの貿易を独占していたが、英領インド帝国はさらに大きな資本投資に門戸を開いた。イギリスとインドの投資家が鉄道や工場に資金をつぎ込み、20世紀初頭に植民地政府は「産業化したインドが帝国にパワーをもたらす」とあからさまに売り込んだ。1900年までにカルカッタは大工業都市に変貌し、フーグリー川を蒸気船が行き来したり、ジュート工場が世界市場に布地や縄類を供給したりするようになった。ほかの都市と同じく、電気は近代産業の証しと広く受け止められた。電信線が国じゅうに張りめぐらされて、インドと大英帝国の各地を結び、さまざまな民間企業が電灯を製造してはインドの各都市に設置しはじめた。ボースも1891年にカルカッタに初の電灯が導入される際に助言をおこなった。[63]

植民地支配のもとで科学と産業は成長したものの、インド人が独自の研究をおこなう機会はまだ多くなかった。植民地政府の科学系省庁における指導的ポストはイギリス人科学者によって占められていた。インドの大学における教職の大部分も同じだった。1885年に物理学教授となったボースは、カルカッタ大学で科学を教える初の、そして数年後まで唯一のインド人だった。のちにボース本人は自身の直面した人種差別を振り返って、「インド人には科学の重要な地位に就く能力がないという、偏見とは言わないまでも強い疑念があった」とこぼしている。植民地支配の根底には構造的な人種差別があった。インド人科学者にはイギリス人科学者の3分の1から3分の2の給料しか支払われなかったし、ベンガル州の公教育庁長官は「インド人には特有の知性の劣化が見られる」とあけすけに述べた。インド人は明らかに人口の大部分を占めていたにもかかわらず、１９２０年代になっても植民地政府の科学系職員の中でインド人の占める割合は10％にも満たなかった[64]。

イギリスの不公平な統治がやがて、インドでの反植民地的ナショナリズムに火をつけた。それについては後のほうの章で、20世紀初頭の反植民地運動の台頭と合わせてもっと詳しく探ることにしよう。しかし19世紀のあいだですら、英領インド帝国では緊張が高まっていった。インド人が集結して政治結社を作ったり、待遇改善や参政権拡大を求める運動を起こしたりしはじめたのだ。ほかの地域と同じく、インドにおけるナショナリズムの台頭も科学に深い影響を与えた。ボースが学んでのちに教鞭を執ったインド科学育成協会がその好例である。その創設は、インドのナショナリズムの理想を掲げる初の政治結社の一つ、インド民族協会が設立されたのと同じ年、同じ目標を目指すためだった。「先住民だけが占める、純粋に民族的な組織にしたい」と創設者のマヘンドラ・ラル・サルカールは記している。サルカールいわく、インド人の科学的成果に問題があるのは、「機会不足、手段不足、支援不足のせいであって、徳性の欠陥ではない」。サルカールやその支援者たちが資金を提供したインド科学育成協会は、独自の科学研究を進めるインド人に場所と設備を提供した。もはや「インド先住民が自然科学の発展に寄与する機会を奪うものは何もない」のだった[65]。

インド科学育成協会は新世代のインド人科学者に活動拠点を提供した。その恩恵を受けた一人が、プラフラ・チャンドラ・レイという名のベンガル人化学者である。レイの経歴は、産業とナショナリズム、戦争が相まって植民地インドの近代科学の発展を方向づけたさまをまざまざと物語っている。

1861年に生まれたレイはベンガル東部の小さな村の学校で学んだのち、1870年に両親とともにカルカッタに移り住んだ。この町のさまざまなイギリス人学校で数年間学び、カルカッタ大学プレジデンシー・カレッジに入学した。ジャガディッシュ・チャンドラ・ボースと同じく、インド科学育成協会での講演にも出席した。そして、普段は植民地政府の化学分析助手として働くタラ・プラサンナ・ラーイのおこなう化学演示実験に衝撃を受けた。レイは興奮冷めやらぬまま学生寮に戻り、「ミニチュア実験室」を作った。あるときには、水素と酸素の混合気体に点火して「激しい爆発」を起こしたこともあった。[66]

1882年夏、レイはカルカッタ大学を卒業した。そして当時の多くのインド人科学者と同じく、さらに研鑽を積むべくイギリスへ渡った。数週間後にボースはケンブリッジへ向かったが、レイはスコットランド行きの列車に乗り込んだ。エディンバラ大学で学ぶことになっていた。寒冷な気候には多少面食らったものの、スコットランドでの日々を心から満喫した。毎朝、下宿のスコットランド人女家主の作るオートミール粥を器一杯平らげた。そして毛織りのコートとマフラーで身を包み、「雪に覆われた歩道をてくてくと歩いて」講義に向かった。[67]

レイは1888年にエディンバラ大学で理学博士号を取得して卒業し、インドに帰国した。その1年後にはプレジデンシー・カレッジの化学助教授に任命され、数少ないインド人教官の一人としてボースと同僚になった。当時、植民地政府は、インド人科学者が意味のある研究を進められるなどとは思っていなかった。レイとボースには、近代科学の基本を教えて、おもにインドの行政府に就職する学生の支援をすることを期待していた。この頃のカルカッタ大学は博士号すら授与していなかった。そのためプレジデンシー・カレッジの化学実験室は設備も貧弱で、かなり危険だった。「有毒ガスの排気管もなかったし、換気設備もかなりお粗末だった」とのちにレイは振り返っている。呼吸困難になることもあった。「実践的な講座の最中には部屋に煙が立ちこめて息が苦しくなり、とても健康に悪かった」。そこでレイは植民地政府に何度も掛け合い、何とか追加の予算を取り付けた。1894年にプレジデンシー・カレッジに新たに作られた化学実験室は、エディンバラ大学の実験室を手本としており、適切な換気設備と実験台、化学薬品の保管庫を備えていた[68]。

この新たな実験室でレイは、自身もっとも重要な科学研究に取りかかる。ドミトリ・メンデレーエフ『化学の原理』の英語訳を読んだばかりで、この本を「化学文献の分野における名著」と評していた。この著作に掻き立てられたレイは、新元素の探索を始めた。「インドで産出する何種類かの希少な鉱物の分析に着手した。新元素を一つか二つ見つけて、メンデレーエフの周期表の空白を埋められればとの思いだった」。インド地質調査所で働く友人を通じてさまざまな金属鉱石を入手し、新元素の発見に期待をかけたのだ[69]。

結局レイは新元素を見つけられなかったが、それでもまったく新たなタイプの化合物を発見し、それが工業化学の発展にとって並外れて重要なものとなる。1894年にプレジデンシー・カレッジの化学実験室で、水と硝酸、水銀を混合した。すると約1時間後、混合液の表面に「黄色の結晶」がいくつかできているのに気づいた。それまで知られていなかった「亜硝酸第一水銀（亜硝酸水銀（I））」と呼ばれる化合物である。さらにレイは、硝酸との反応を使えばほかに何種類もの「亜硝酸塩」を作れることを明らかにした。『ネイチャー』を含めヨーロッパの一流の学術誌で報告されたこの発見は、現在「亜硝酸化学」と呼ばれている科学研究の新たな一分野を開いた。世界中の科学者が同様の化合物の探索に着手し、その多くが実用に資することが明らかとなった。今日では亜硝酸塩は、食品保存料から医薬品までさまざまなものに使われている。[70]

亜硝酸第一水銀を発見したちょうどその頃、レイ自身も工業化学の世界に手を伸ばした。1893年、カルカッタ郊外の化学工場に3000ルピーの私財を投資したのだ。レイが専用の実験室を設置したその工場は、ベンガル化学・製薬工場と呼ばれるようになった。当時インドで使われていた化学物質や医薬品の大部分は、いまだにイギリスから輸入されていた。そこでレイは、地元で生産を開始すれば輸入コストが掛からずに済むと考えた。また、インド、ひいてはインド人がイギリスに依存せずに済むようになればという願いもあった。そのためベンガル化学・製薬工場は、工業においてインド科学育成協会に相当する役割を果たすこととなった。インドの科学と工業の自主性を知らしめる「模範の機関」になるとレイは訴えた。次の章で見るとおり、このような初期の「自給自足」の試みが20世紀の反植民地運動の下地を敷き、レイ自身ものちにその運動に関わることとなる。[71]

レイの経歴が国際的な産業科学の世界によって形作られたのは間違いない。スコットランドで学んで、フランスやドイツの学会に出席し、ロシアの教科書の英語訳を読んだ。しかしけっして自らの出自を忘れることはなかった。生涯を通して、インド文化には近代科学の発展の源としての価値があると訴えた。また、ヒンドゥー教を改革して復活させることを目指す、ブラフマ・サマージと呼ばれる宗教改革団体にも深く関わった。ここにも、イスラム教の改革と近代化の一環として近代科学を取り入れたオスマン

30. プラフラ・チャンドラ・レイ『インド化学の歴史』(1902–04) に掲載されている、インド伝統の「水銀抽出法」の図。レイはこれと似た方法で1894年に亜硝酸第一水銀を発見した。

帝国との類似点が数多く見られる。１９１０年にレイは、「私は誰にも増してインド人の栄光に誇りを持っている」と記した上で、「古代インド人の化学への貢献」について説明している[72]。

実は水銀と硝酸の実験をおこなっていたちょうどその頃、レイは『インド化学の歴史』（１９０２～04）という全２巻の著作の執筆を進めていた。その中で、ベンガル・アジア協会に収められている古代のサンスクリット語の文書や、聖地ベナレスで自ら買い集めた文書に基づいて、古代や中世のインドの人々は化学の高度な知識を持っていたと主張した。さらには、アーユルヴェーダと呼ばれる古代の体系に基づいて、ベンガル化学・製薬工場でインドの伝統薬の生産も開始した。「必要なのは、その有効成分を最新の科学的手法で抽出することだけである」と説明している[73]。

レイはとりわけある中世の文書に目を奪われた。12世紀にサンスクリット語で書かれた『ラサールナヴァ（金属調合薬の書）』というその文書には、さまざまな医薬化合物の合成法が記されていた。レイいわく、「膨大な情報と化学の知識」が収められた文書である。とりわけその大部分は、インドの伝統薬に広く使われていた水銀の化学に関する記述に充てられていた。レイが水銀の化学に興味を持って亜硝酸第一水銀を発見したのも、この中世のサンスクリット語の文書を読んで奮起したからだろう。このようにレイもまた、近代科学の誕生を支えた複雑な文化交流の様子を今日に伝えているといえる。工場経営者でありながら敬虔なヒンドゥー教徒、近代的な科学者でありながら古代サンスクリット語学者、インド民族主義者でありながらのちにイギリス政府からナイトの称号を授かった。今日なら、レイは矛盾の塊だったと思ってしまいかねない。しかし19世紀末の科学の世界、産業とナショナリズムの台頭によって多様な科学文化が絡み合った世界において、レイはむしろ典型的な人物だったのだ[74]。

１９１４年に第一次世界大戦が勃発すると、イギリスは中央同盟国を打破するために帝国全体を動員した。１００万を超すインド人兵士が戦い、その多くが故郷から遠く離れた西部戦線で命を落とした。イギリスは戦力に加えてインドの科学技術にも目を向けた。ここまで見てきたとおり、それまで何人ものインド人科学者が近代の物理学や化学の発展に重要な貢献をしていたが、植民地政府から直接の支援はほとんど得られていなかった。そんな状況が第一次世界大戦の勃発によって一変した。長年にわたって無関心だった植民地政府が、科学や工業の新たな機関に資金をつぎ込みはじめたのだ。戦時中には、ベナレス、マイソール、パトナ、ハイデラバードに計４つの大学が新設された。近代的な物理学実験室と化学実験室を備えたこれらの大学は、１９１６年設置のインド工業委員会と１９１７年設置のインド軍需品委員会の活動を支援することになっていた。こうしてインドは、兵士だけでなく爆薬や化学物質を供給することで、戦争に直接関与するようになった[75]。

インド人科学者もしかるべき役割を求められた。プラフラ・チャンドラ・レイはインド工業委員会に加わり、ベンガル化学・製薬工場は火薬や軍事用医薬品の製造に転用された。レイが1919年にナイトの称号を授かったのは、第一次世界大戦中のこうした貢献による。それからまもなくしてレイは次のように記している。「先の戦争では持てる限りの科学の知識が求められた。科学の戦いが実験室の人間によって繰り広げられていた」。次の節では、これと非常によく似た、産業とナショナリズム、戦争の歴史を、まったく異なる帝国の視点から探っていこう。[76]

4 明治の日本の地震と原子

午前6時38分、時計が止まって地面が揺れはじめた。東京では建物が崩れはじめ、大阪の郊外では大きな鉄橋が川に崩れ落ちた。1891年10月28日、日本は国内史上最大の地震に見舞われた。7000人以上が命を落とし、10万人以上が家を失い、本州太平洋岸の大部分の地域が廃墟と化した。前の章で見たとおり、1868年の明治維新によって日本社会は一変した。皮肉なことに、1891年の濃尾地震がこれほどの被害を出したのはそれが一因だった。工業化と都市化によって人口密度の高い都市に人々がますます集まっており、それらの都市をつなぐ鉄道や電信線の多くが地震で破壊されたのだ。[77]

オスマン帝国で見たのと同じように、1891年の濃尾地震も国家の危機になりかねなかった。明治政府はそれまで数十年にわたって近代的な科学技術に力を注いできたのに、この自然災害の破壊的な影響から国民を守ることができなかった。より良い国に変える力が近代科学にあると人々に信じ込ませるなら、いまが絶好の機会だ。そこで政府はただちに震災予防調査会の設置を命じた。田中舘愛橘という名の日本人科学者が率いる同委員会は、翌年にわたり全国を巡って被害状況を調査した。いみじくも田中舘は地質学者でなく物理学者としての研鑽を積んでいた。物理学の近年のブレークスルーが、地震の原因の解明だけでなく地震の予知にも役立つと考えていた。[78]

1856年に東北地方で生まれた田中舘は、明治維新後に育った新世代の近代的な日本人科学者の典型だった。武士である父親は当初、田中舘に伝統的な書道と武道を学ばせた。ところが明治維新によって武士の政治力が著しく低下し、19世紀を生き延びるには自分を変えなければならないことを思い知らされた。そこで田中舘は武士としての伝統的な教育を受ける道を捨てて、東京大学で物理学を学び、1882年に理学士号を取得して卒業した。多くの元武士と同じく、近代科学は兵法を工業時代にふさわしいものに変える手段になると考えていた。実は田中舘が学んだ頃の東京大学では、軍事や工業に関する何らかの事例を通じて科学を教えることが多かった。物理学や化学の基本は大砲の動作を通じて説明され、学生は近くの工場をたびたび見学した。[79]

多くの日本人科学者と同じく、田中舘も海外へ留学した。1888年に明治政府によってスコットランドのグラスゴー大学に派遣され、著名なイギリス人科学者のケルヴィン卿の研究室で2年間学んだ。ケルヴィン卿は物理学の先駆者であるとともに、電信技術の発展に貢献した優れた工学者でもあり、師と仰ぐには理想的な人物だった。田中舘はあっという間に最新の科学、とりわけ電磁気学の分野を身につけた。また近くの工場や造船所を見学して、ヴィクトリア時代のイギリスの産業界を目の当たりにした。このグラスゴー滞在中には、磁気に関する自身初の科学論文を何本か発表している。これから見ていくとおり、それが地震の原因に関するのちの研究で欠かせない役割を果たすこととなる[80]。

　1891年夏に田中舘は日本に帰国して、東京大学の物理学教授となった。濃尾地震が発生したのはそのわずか数か月後のことである。明治政府はただちに田中舘を呼び、震災予防調査会の会長に任じた。ついに科学の知識を実践に活かせるときが来た。田中舘は日本中の地質と地磁気の調査をおこなうことを考えた。断層や地震活動の活発な地域を特定する地質調査のほうは比較的単純で、イスタンブールを襲った地震ののちにオスマン帝国がおこなった調査とそうは違わない。しかし地磁気の調査はもっとずっと独創的だった。19世紀初頭から知られていたとおり、地磁気は世界中の各地点ごとに異なる。つまり地点によっては、北極点の方角（「真の北極」）と方位磁針の指す方角（「北磁極」）が必ずしも一致しないということだ。このような地磁気の違いの原因については、19世紀を通して広く議論が続いた。しかしほとんどの科学者は、地殻中に存在する金属元素と何か関係があるはずだという点で見解が一致していた[81]。

　1830年代以降、地点による地磁気の違いを地図に表すさまざまな取り組みがおこなわれた。その多くには、科学機器や航海計器の較正に役立てるという実用的な狙いがあった。田中舘も以前に地磁気調査に参加していた。グラスゴーに旅立つ直前の1887年に東京大学の指導教官から、「日本の全般的な地磁気の特徴」を地図に表す手伝いを任されたのだ。そこで6か月をかけて、ときに蒸気船で、ときに鉄道でのべ5000キロ以上を旅し、何百回も測定をおこなった。北は併合したばかりの朝鮮半島、南は太平洋に浮かぶ小笠原諸島にまで足を延ばした。各地点に着いたら、天文観測によって緯度と経度を精確に求める。それで分かるのは「真の北極」の方角である。また、電磁石で駆動させる特別な方位磁針で「北磁極」の方角も決定する。この二つの差を計算すると、その地点での「磁気偏角」が得られる。科学者や技術者、航海士が日本国内で機器を較正するために必要となる値だ。[82]

田中舘は物理学者としての研鑽を積んでいたおかげで、地震の科学に対して独自の視線を向けることができた。ほとんどの地震学者は地質学の観点から地震について考えていたが、田中舘は電磁気学の観点から考えてみた。のちに正しいことが明らかとなる彼の仮説では、地震が発生すると局所的に地磁気が乱れる。また、地磁気の変化を入念に監視すれば地震の予知も可能になるかもしれない。1891年の濃尾地震はこの仮説を検証するまたとない機会となった。少し前に日本全国の地磁気調査は完了していた。そのため必要なのは、震源地付近を再び調査して地磁気に変化が見られるかどうかを確かめることだけだ。案の定、仮説は正しかった。1893年に東京大学から発表された最終報告書には、地震によって「磁気状態の変化」が引き起こされたことがはっきりと示されている。また、濃尾地震の前後における磁気偏角の等値線を比較した一連の地図も挙げられている。震央に近い名古

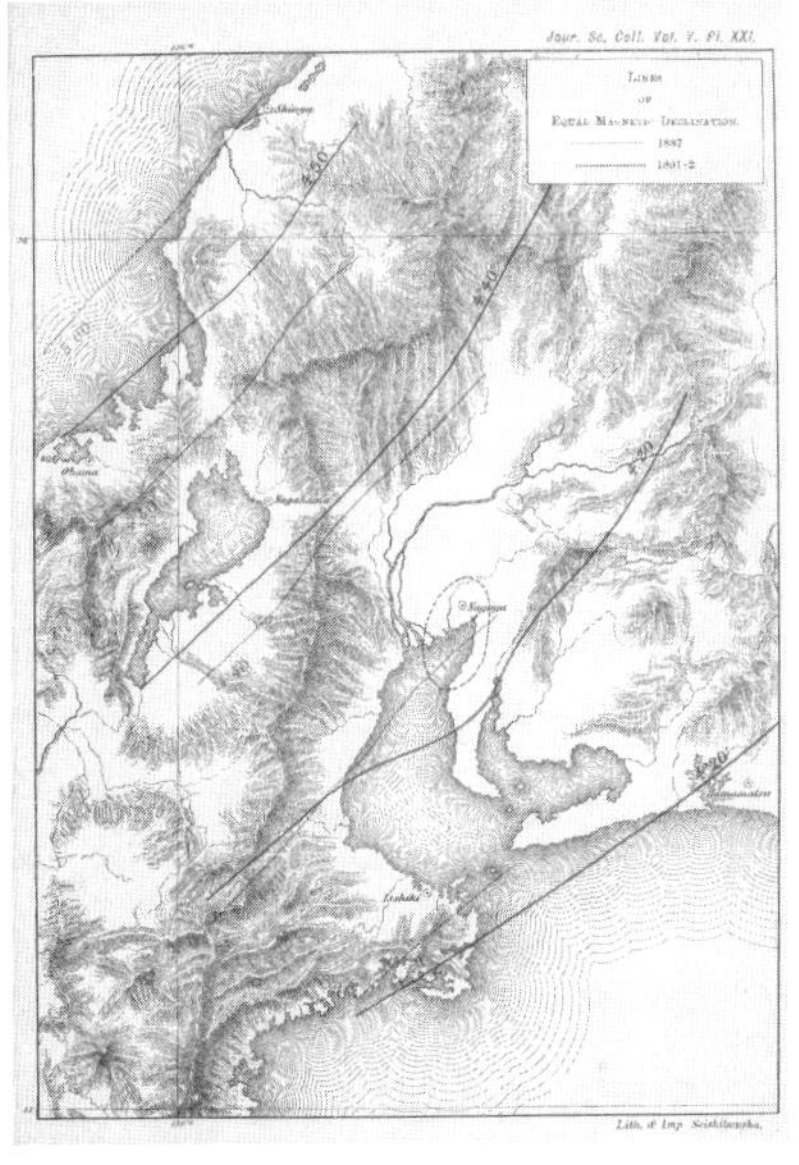

31. 田中舘愛橘が作成した、1891年の濃尾地震の震源地付近における地磁気の変化を示した地図。名古屋（丸印）の近くで「等磁気偏角線」が移動していることに注目。

屋周辺では等値線が明らかに移動している。これは「地震活動が地域の磁気要素に影響をおよぼす」ことの明確な証拠であると、田中舘は結論づけた。[83]

ロシア帝国やオスマン帝国と同じく、19世紀は日本も改革の時代だった。それはおもにヨーロッパやアメリカの帝国主義の脅威を受けたものだった。1853年にアメリカ合衆国海軍が江戸湾を封鎖して、徳川幕府にアメリカとの貿易の開放を迫り、1863年にはイギリスの商人が殺されたのを受けて英国海軍が薩摩藩の沿岸を砲撃した。幕府はこのような砲艦外交に懸念を深めて科学機関や軍事機関を次々に新設し、中でも1855年創設の長崎海軍伝習所では海軍士官に工学や物理学が教えられた。それからまもなくして日本海軍に初めて蒸気船が導入された。政府による近代的な科学技術へのてこ入れは、1868年の明治維新後にますます加速した。そこにはほかの国と同じくナショナリズムの一面があった。「国力を維持して未来永劫にわたり人民の幸福を保障するには、科学の成果を介した道しかない」と1886年に日本の首相は訴えた。ここまでも見てきたとおり、この時代の多くの政治家や科学者は国家間の争いを中心として世界をとらえていたのだ。[84]

明治維新と時を同じくして日本では、政府主導のもとで急速な工業化が進められた。「今日、産業を発展させて国富の礎を築くことが急務である。産業に応用可能な科学を探究して工業学者を育成する必要がある」と1885年に文部大臣は訴えている。このような産業の将来像に多くの日本人科学者が貢献した。田中舘愛橘も地震の研究の傍ら、磁石の製造法や、日本海軍への気球の導入について助言をおこなった。実は1888年から1920年までに東京大学で博士号を取得した人の大部分は、物理学や工学を専攻していた。田中舘も物理科学を国力に欠かせないものとみなしていて、「すべての科学の基礎である物理学を究めることで、我が国に欠けているものを完全に埋め合わせたい」と記している。[85]

化学もまた日本の産業発展において重要な役割を果たした。すでに19世紀初頭には化学に関するヨーロッパのさまざまな書物が日本語に翻訳されていた。江戸の医師、宇田川榕菴（ようあん）は、フランスの著名な化学者アントワーヌ・ラヴォアジエの著作をもとに、『舎密開宗（せいみかいそう）』（1837）というタイトルの書物を著した。この本は近代化学の用語を紹介するとともに、電池の製造法など、近代化学の実用的側面の入門書にもなっている。工業化学に対するこのような関心は、明治維新後にさらに高まった。東京大学には、「我が国で繁栄している産業を発展させるために学生を教育する」目的で、専用の化学実験室が設置された。このように化学を実践的学問ととらえる見方は、多くの日本人科学者が共有していた。東京帝国大学の応用化学教授、高松豊吉は、自らの研究の主目的を「原材料から有用な品物を製造すること」と表現している。[86]

明治の日本で飛び抜けた成功を収めた工業化学者が、高峰讓吉である。1854年生まれの高峰は、この時期の多くの日本人科学者と同じく、武士の息子だった。明治維新を受けて同じく進路変更を決心し、東京にある工部省工学寮（のちの東京大学工学部）に入学して化学を学んだ。卒業すると、海外でさらなる研鑽を積む留学生に選ばれた。そして1880年から82年までグラスゴーのアンダーソンズ・カレッジ（現在のストラスクライド大学）で学んだ。こうして工業化学者としての長く輝かしい経歴を歩みはじめ、のちに莫大な富を手にすることとなる。1883年に日本に帰国した高峰は、数年のあいだ農商務省で働き、酒造りなど日本の伝統産業の近代化に力を尽くした。[87]

酒蔵で働いているときに高峰は、ある重要な発見を成し遂げる。昔から日本の酒は、菌類の一種である麹かびで米を発酵させて作る。高峰はグラスゴーで学んだ手法を使って、この麹かびが生成する化学物質を抽出し、その物質がさまざまな産業用途に利用できることに気づいた。まずはモルトの代わりに麹かびを使ってウイスキーを醸造してみたところ、発酵期間が6か月からたった数日にまで短縮された。さらにこの抽出物に「タカジアスターゼ」という商品名を付けて、消化薬として売り出した。そうして1900年代初頭には、世界一有名な実業家の一人となった。日本とアメリカ合衆国に工場をいくつも所有し、資産総額は3000万ドル超（現在の通貨換算で10億ドル近く）と伝えられた。本書に登場する多くの人物と同じく、高峰が成功したのも、相異なる文化の知識をうまく組み合わせたことによるところが大きかった。すべては酒から始まったのだ。[88]

明治維新後、何人もの日本人科学者が近代の物理学や化学の発展に重要な貢献を果たした。しかしある一人の人物はさらに先へと歩を進め、物質の正体そのものに関する我々の知識を一変させる。その人、長岡半太郎も、この章で登場したほかの日本人科学者と同じく武士の息子だった。1865年に生まれ、幼い頃からヨーロッパの科学に接していた。父親は明治維新を支え、天皇の命を受けて1871年に岩倉使節団の一員としてヨーロッパに渡った。岩倉使節団の目的は2つあった。1つめは各国との外交関係を発展させること、2つめは、日本の改革をさらに推し進めるためにヨーロッパの科学技術に関する情報を集めること。ヨーロッパで目にしたものに感銘を受けた長岡の父は、息子のためにイギリスで科学の本を何冊も購入して日本に持ち帰った。そんな父親に背中を押されて長岡は1882年、東京大学に入学して物理学を学びはじめた。[89]

そこから長岡は揺るぎない経歴を歩んだ。1893年から96年までドイツとオーストリアで学び、ヨーロッパを代表する何人もの物理学者と出会った。そしてこの間に研究者として大活躍した。この時期の物理学が国際的性格を帯びていたとおり、長岡は科学論文を英語・フランス語・ドイツ語・日本語で書いた。しかし、ヨーロッパで進められている科学研究をただなぞるだけでは満足できなかった。近世と同じく、日本が科学研究の世界を牽引できることを証明したかったのだ。「他人の研究の後を追ったり、外国から学問を持ち込むのに人生を賭けたりするつもりはなかった」と語っている。さらに内輪では、物理学を研究する動機の裏には競争的なナショナリズムがあると打ち明けていた。ある友人には手紙で、「あらゆる面でヨーロッパがこれほど秀でている理由など何一つない」と伝えている。その友人とは誰あろう、物理学者の田中舘愛橘である。[90]

1896年に東京帝国大学に戻ってきてまもなく、長岡は教授に昇進した。そして日本の地で、自身にとってもっとも重要なブレークスルーを成し遂げる。1903年12月5日に東京数学物理学会で一本の論文を発表し、その中で「化学原子の実際の構造」を論じたのだ。何百年ものあいだ科学者は物質の正体について頭をひねっていた。19世紀には、その基本構造をめぐって激しい論争が繰り広げられた。その論争に長岡がついに決着をつけて、原子物理学の分野を切り拓いた。一連の複雑な計算に基づいて、原子は負に帯電した電子の群れが「正に帯電した大きな粒子」のまわりをめぐってできているに違いないと証明したのだ。土星を思い浮かべればいいと長岡は説明している。中心にある正に帯電した粒子が土星本体で、負に帯電した電子が環に相当する。この「土星モデル」が物理的に安定であること

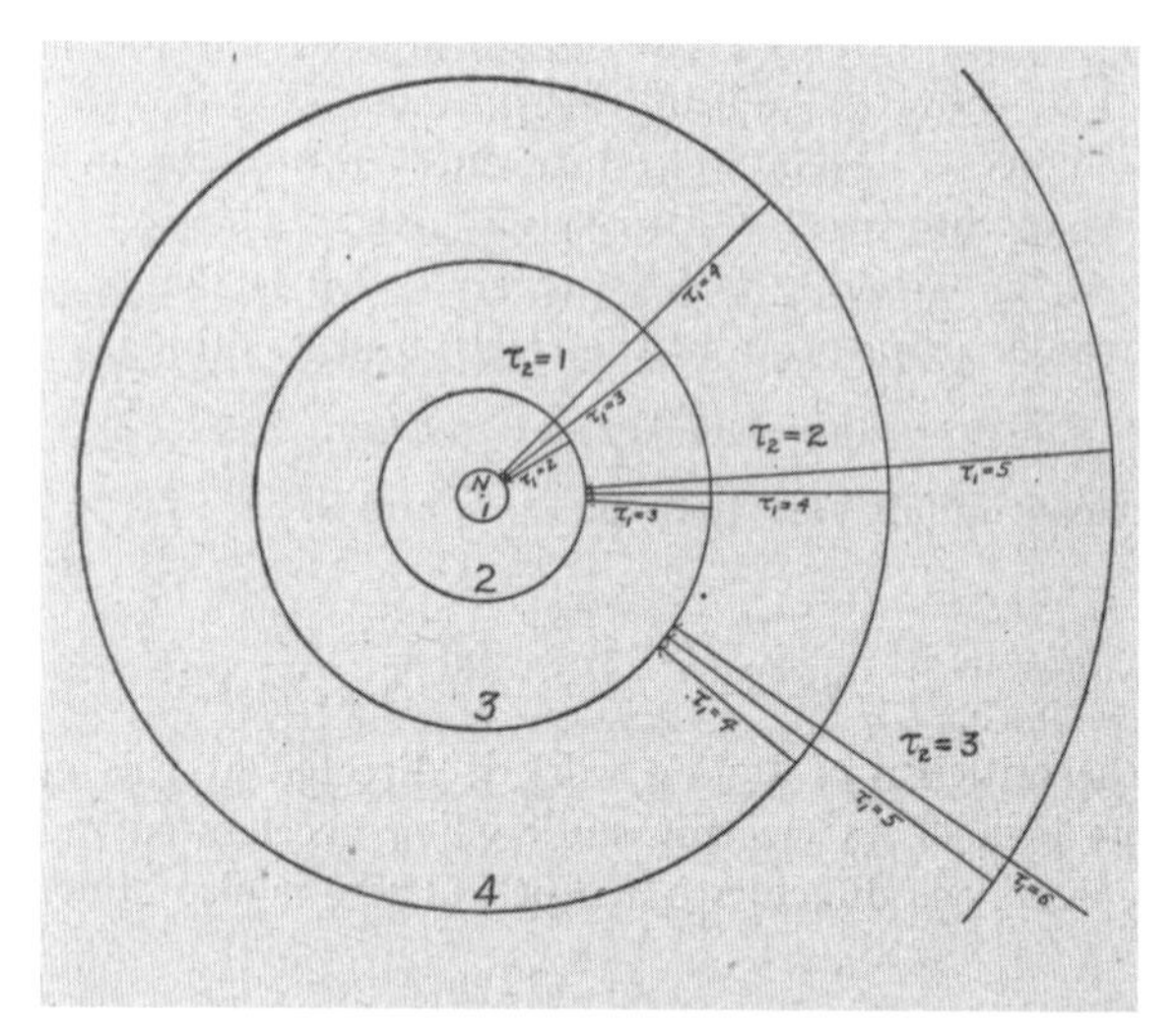

32. アーネスト・ウィルソン『原子の構造』（1916）に掲載されている、長岡半太郎による「原子の土星モデル」の図。中心にある正に帯電した原子核を、電子の公転軌道を表す円が取り囲んでいることに注目。

を長岡は示したのだ。[91]

この重要なブレークスルーのきっかけは何だったのか？　ある面では、ヨーロッパで過ごした時期の影響がはっきりと認められる。この章の冒頭で述べたとおり、実際に長岡は1900年にパリで開かれた第一回国際物理学会議に参加して、電子を発見したイギリス人科学者J・J・トムソンと出会っている。しかし長岡の考え方は、日本特有のある事情からも影響を受けている。ドイツに発つ少し前に長岡は震災予防調査会から、1891年の濃尾地震を調査する田中舘に手を貸してほしいと声をかけられた。そこで6か月にわたり田中舘に同行して日本中を巡り、山を登ったり下ったりしながら、地震が地磁気におよぼした影響を精確に測定した。田中舘の最終報告書にも共著者として名前が挙げられている。このように日本で地震研究に携わったことが、原子の物理に関する長岡の考え方に根本的な影響を与えたのだ。[92]

１９０５年初頭に長岡は別の論文の中で、電磁波が原子核と相互作用すると何が起こるのかを突き止めた。注目すべきことに、その効果を説明する上では地震学を引き合いに出している。いわく、原子の中心にある正に帯電した大きな粒子は「山や山脈」のようなものである。そのため、この原子の中心を通過すると電磁波は散乱し、その様子は地震の際に地震波が山を貫くときとそっくりであると長岡は論じた。１９０５年から06年には、「地震波の散乱」と「光の散乱」を直接比較した2本の論文も発表している。このように長岡もまた、１９００年頃に異なる文化、異なる科学分野が合流して、グローバルな文化交流から科学が生まれたことを物語る好例といえる。長岡は物理学と化学の考え方を組み合わせ、ヨーロッパと日本両方での経験に頼った。そうすることで、近代物理学におけるもっとも重要なブレークスルーの一つを成し遂げたのだ。[93]

今日では、原子の構造を突き止めたのはイギリスの物理学者アーネスト・ラザフォードであるとされることが多い。ヨーロッパ以外の科学者が近代科学の歴史から消されていることを示すこの上ない実例である。ラザフォードが原子の構造に関する有名な論文を発表したのは１９１１年、長岡がまったく同じテーマに関する一連の論文を発表してからかなりのちのことだ。それだけでなく、ラザフォード本人も長岡の研究についてよく知っていたし、そのことを隠してもいない。それどころか2人は顔を合わせておのおのアイデアについて議論している。１９１０年9月、ラザフォードはマンチェスター大学の自分の研究室を長岡に喜んで見せて回り、原子の構造を裏付けるための実験を進めていると説明した。１９１１年2月には長岡に手紙で、近く発表する論文について次のように知らせた。「私の仮定した原子の構造が、あなたが何年か前に論文で提唱したものに似ていることをお伝えします」。当然ながら１９１１年に自身の結果を発表した論文でも、長岡の１９０４年の論文を参考文献として挙げている。その脚注には、またもや近代科学の隠された歴史が垣間見える。イギリスだけでも日本だけでもなく、両者が組み合わさった結果生み出された歴史だ[94]。

日本は19世紀末の科学の世界で大きな一翼を担っていた。この時期の日本人科学者はほぼ例外なくヨーロッパでしばらく学び、うち多くの人が第一次世界大戦勃発直前まで国際学会に出席しつづけた。しかしこの章で何度も見てきたとおり、国際主義とナショナリズムはたいてい並行して進んでいた。科学とナショナリズム、戦争の関係性は、日本でとりわけ強く、１８６８年の明治維新後に研鑽を積んだ科学者の大部分は武家の出身だった。彼ら武家出身の科学者は、軍事力に対する従来の信念と、近代科学技術に対する新たな価値観とを組み合わせた。「国を豊かにして軍事力を高めるには、物理学と化学を完璧なものにしなければならない」と、元武士のある東京帝国大学教官は記している[95]。

ほかの国と同じく、国際主義とナショナリズムの繊細なバランスがいつまでも続くことはなかった。１９１４年8月、日本は連合国の側に付いて第一次世界大戦に参戦し、東アジアや太平洋一帯のドイツ植民地の多くを次々に奪取した。一部の日本人科学者、とりわけドイツで学んだ人たちは心乱されたものの、自らの役割は果たした。田中舘愛橘は日本軍に航空機の設計に関する助言をおこない、高峰譲吉は軍需化学物質の製造を専門とする工業研究所の設立に助力した。オスマン帝国やロシア帝国の場合と違い、第一次世界大戦で日本が政治危機に陥ることはなかった。逆に後のほうの章で見ていくとおり、第一次世界大戦後に日本は東アジアで大きな科学力、軍事力、産業力を持つこととなる。[96]

5 まとめ

近代科学の歴史を理解するには、グローバルな歴史に当てはめて考える必要がある。とりわけ19世紀の物理科学についてはまさにそうだ。ロシアであれトルコであれ、インドであれ日本であれ、科学者たるもの世界中を旅してさまざまな言語で発表し、各国の聴衆に向けて話をするものだった。その結果、科学出版の世界は今日よりもはるかに言語的に多様だった。日本人科学者がドイツで論文を発表し、ロシア人科学者がフランス語の文献を読んだ。ドイツ人物理学者のハインリッヒ・ヘルツは、1890年に田中舘愛橘と会ったときに半分冗談で、「いまから日本語を習わなければならなくなりそうだ。これは大変だ」とこぼした。[97]

どこで研究を進めたかに関係なく、この章で紹介した科学者はみな、近代物理科学の発展に大きな貢献を果たした。そのことは現代よりも当時のほうがよく知られていた。今日、ジャガディッシュ・チャンドラ・ボースや長岡半太郎、ピョートル・レベデフの名を聞いたことのある人は、同邦人以外にはほとんどいないだろう。しかし19世紀には、ヨーロッパの代表的な科学者は彼らの活躍を重く受け止めていた。アーネスト・ラザフォードは原子の構造に関する有名な論文の中で長岡に言及しているし、ケルヴィン卿も、ジェイムズ・クラーク・マクスウェルの電磁気理論が正しいことを最終的に確信させたのは光圧に関するレベデフの実験結果だったと認めている。[98]

19世紀の科学は産業的な取り組みだった。多くの物理学者や化学者が時間を割いて企業や政府のために働き、工場の設計や電信線の敷設に力を貸した。今日でも物理学者が重宝している有名な「マクスウェル方程式」を最初に導き出したのは、マクスウェル本人ではなく、計算をもっと素早くおこなう方法を探していたある電信技師だった。とはいえ、産業化時代にそれ以前の考え方が一掃されることはなく、19世紀の多くの科学者は従来の文化的伝統をよすがにして研究を続けた。プラフラ・チャンドラ・レイは古代のサンスクリット語の文書を読んだのがきっかけで亜硝酸第一水銀を発見し、高峰譲吉は酒造りの知識を通じて工業化学の世界に革命を起こした。[99]

19世紀、世界各国の政府は科学力を軍事力や産業力と同一視していた。明治の日本でもオスマン帝国でも、それが近代科学への新たな注力を促したのは間違いない。ナショナリズムと国際主義はつねに共存していたようだ。多くの科学者が共同研究を進める一方で、ほかの科学者は戦争に向かっていた。1860年代に明治政府は日本人学生をロシア帝国に派遣して学ばせていたが、1904年に両国は満州をめぐって戦いを始めた。このような紛争が続いた末の1914年、第一次世界大戦が勃発した。このあと2つの章ではさらに時代を下り、このグローバルな紛争の影響を受けて近代科学がどのように発展したのかを探っていこう。イデオロギーをめぐる[100]20世紀の戦いは、世界政治だけでなく、宇宙、そして生命に関する我々の知識をも一変させることとなる。

第4部

イデオロギーと戦争の余波

1914年〜2000年頃

第7章 政治の時代の物理学

蒸気船、北野丸は揚子江を上って上海に近づいていた。一人の非常に重要な乗客が乗っていた。1922年11月13日朝、アルベルト・アインシュタインが中国に到着したのだ。タラップを下って上海の埠頭に降り立つと、大勢の記者やカメラマンが待ち構えていた。新聞各紙が事前に情報をつかんでいた。アインシュタインはある心躍らす知らせを聞かされる。揚子江の川岸で手渡された一通の電信で、ノーベル物理学賞の受賞が決まったことを知ったのだ。アインシュタインにとって人生最高の日、20世紀でもっとも重要な科学思索家の一人としての地位を確信する日となった。しかし上海に到着したばかりのアインシュタインには、自らの偉業の重要性を振り返る時間などほとんどなかった。すぐさま市内を連れ回されたのだ。日記によると、20世紀初頭の上海は「恐ろしいほどせわしく、歩行者や人力車があふれ、ありとあらゆるごみやほこりがこびりついていた」という。昼食に連れていかれた地元の食堂では、ぎこちないながらも箸で食事をしてみた。晩には、裕福な実業家で現代芸術家の王一亭の家に主賓として招かれた。夕食後の短いスピーチでは、「中国人の若者について言うと、将来彼らは科学に大きな貢献をするものと信じている」と述べた。[1]

翌朝アインシュタインは再び北野丸に乗り込んだ。上海での短い滞在は、5か月におよぶアジア歴訪の一環だった。すでにセイロン、シンガポール、香港をめぐっていて、次の目的地は日本。1922年11月17日、アインシュタインは神戸に到着した。1920年代初頭の日本はすでに近代的な産業経済に転換していた。アインシュタインは「大勢の群衆とフラッシュを焚くカメラマン」を引き連れて鉄道で日本列島を縦断した。京都では満員の聴衆に向けて、自身にとってもっとも重要な科学的ブレークスルーである、特殊相対論と一般相対論について講演した。その中では自らの画期的な考え方を次のように説明した。時間の流れは一定ではなく、各観測者の相対速度に応じて変化する。この結論は、この宇宙では光の速さよりも速く運動できる物体は存在しないという、単純だが深遠な仮定から導き出される。続いてアインシュタインは、重力も時間に対して同様の効果をおよぼすと説明した。強い重力場の中にいる観測者は、弱い重力場の中にいる観測者に比べて、時間の流れをゆっくりと感じる。いずれの結論も、それまでのニュートン物理学の世界観を完全に否定するものだった。アインシュタインは、空間と時間はそれぞれ別の不変の存在ではなく、曲がったりゆがんだりすることを示した。革新的な理論で、物理学の分野全体に重大な影響をおよぼした。それまでにおこなわれたほぼどんな実験も、空間と時間は一定のままであるという考え方に基づいていた。たとえばある物体の速さを測定するには、単に移動した距離をかかった時間で割れば良かった。しかし空間が縮んだり時間の流れが遅くなったりするとしたら、どうやって速さを精確に測定できるというのか？[2]

ドイツ語でおこなったその講演の内容は、日本人物理学者の石原純によってすぐさま翻訳されて書物となった。ベルリンで物理学を学んだ石原は、当時ヨーロッパ以外で相対論を本当に理解している数少ない人物の一人だった。アインシュタインも石原を尊敬しており、共著論文を書いて『日本学士院紀要』で発表するという話までつけた。誰が見ても日本でのひとときを心から楽しんでいた。講演の合間には日光の森へハイキングに出掛け、皇居外苑で毎年開かれる菊祭りにも参加した。「この国を愛し崇めずにはいられない」と日記には記している。[3]

日本を発ったアインシュタインは歴訪の後半戦についた。マラッカとペナンに立ち寄ってからインド洋を渡り、スエズ運河までやって来た。そしてエジプトの町ポートサイドで再び下船し、エルサレム行きの列車に乗り込んだ。わずか数か月前の1922年7月、国際連盟がイギリス委任統治領パレスチナの創設を承認した。「ユダヤ人の祖国」となるこの新たな地域が、現在のイスラエル国の前身となる。ユダヤ人であるアインシュタインはドイツで反ユダヤ人運動に見舞われていた。新聞からは「ユダヤの物理学」を広めていると非難され、ユダヤ人を排斥する「反アインシュタイン同盟」からたびたび講演を監視され妨害されていた。アインシュタインがアジアに向けて出発するまでの数か月間には、ほかに何人もの傑出したドイツ系ユダヤ人が攻撃を受けていた。1922年夏には、アインシュタインは身の危険を感じるようになっていた。「極右の暗殺対象に私は含まれているようだ」と物理学者マックス・プランクへの手紙には記している。アジア歴訪を決めたのはそれも一因だった。数か月離れているあいだに事態が沈静化しないかと願ったのだ。[4]

アインシュタインはかなり以前からユダヤ人の祖国の建設を訴えていた。早くも1919年には、

「ユダヤ人の国家、我々同胞がよそ者とみなされないような地球上の小さな一角が良い方向に発展すると、大いに確信している」と記している。それだけに、ようやくパレスチナに到着すると喜びをかみしめた。1923年2月3日、エルサレム旧市街を巡って岩のドームと嘆きの壁を訪れた。そして創設されたばかりのヘブライ大学で公開講演をおこなった。冒頭はヘブライ語で話し、科学的内容に入るとドイツ語に切り替えた。世界一有名な科学者の一人となったアインシュタインの訪問は、パレスチナのユダヤ人指導者にとって大きな意義があった。この2年後の1925年、ヘブライ大学は彼を讃えてアインシュタイン数学研究所を設立した。さらにアインシュタインに、エルサレムに移住してヘブライ大学で教職に就いてほしいと持ちかけた。ドイツでの反ユダヤ人運動の高まりを受けて、アインシュタインはその誘いを真剣に検討したものの、最終的には受け入れられなかった（「心はイエスと言うが、頭はノーと言っている」と日記に記している）。少なくともまだこのときには、ヨーロッパを永遠に離れる覚悟はなかったのだ[5]。

アインシュタインはベルリンに戻ったものの、政治的状況はいっさい好転していなかった。ハイパーインフレがドイツ経済をむしばみ、ナチスが党員数を増やして影響力も高めていた。それから何年かのあいだ、政治的状況は悪化の一途をたどった。1933年1月30日、アドルフ・ヒトラーがドイツ首相に就任した。そしてユダヤ人差別を目的とした法律を次々に制定した。ドイツ系ユダヤ人は市民権を剝奪され、公立学校から放逐され、強制不妊手術の対象となった。アインシュタインはそんな状況を前もって予期していて、1か月前の1932年12月、ベルリンにきっぱりと別れを告げていた。アメリカ合衆国に渡ってドイツの市民権を放棄し、プリンストン大学の教授職に就いたのだ。二度とドイツに戻ることはなかった。プロイセン科学アカデミーに送った辞職の手紙では、「法のもとの平等や、好きなことを言ったり学んだりできる自由を一人一人が謳歌できないような国に暮らしたくはありません」と説明している。[6]

アルベルト・アインシュタインは、孤高の天才、学問や政治の広い世界とはほぼ無縁の人物とみなされることが多い。確かにアインシュタインの特殊相対論と一般相対論は、物理宇宙に対する科学者の理解を一変させた。しかし彼はけっして孤高ではなかった。むしろ世界中を旅して、上海からブエノスアイレスまで数々の都市で自らの考えを説いた。それだけでなく、世界中のさまざまな国の科学者とともに研究をおこなった。いずれも、国際協力の価値を信じるアインシュタインの深い政治的信念の表れだった。第一次世界大戦後には、科学者が結集して「相互協力、相互発展」を進めることがかつてなく重要であると考えた。「世界大戦によって完全に破壊された国々のあいだの一致団結を取り戻すという政治的課題を、誰一人ないがしろにするべきではないと考える」。それを踏まえてアインシュタインは国際知的協力委員会に加わった。1922年に国際連盟によって設立されたこの委員会は、「各国の科学者集団や知識人集団のあいだの」結びつきを深める使命を帯びていた。委員にはほかに、いずれも前の章で登場したインド人物理学者のジャガディッシュ・チャンドラ・ボースや日本人物理学者の田中舘愛橘も含まれていた。[7]

アインシュタインが国際的な科学と政治の世界に関心を持っていたのは、その世代としてはありふれた姿勢だった。この時期にはほかに何人もの物理学者が、かなりの時間を割いて世界中を巡った。ドイツ人物理学者のヴェルナー・ハイゼンベルクは１９２９年末にインドを訪問した。ジャガディッシュ・チャンドラ・ボースの甥でベンガル人物理学者のデベンドラ・モハン・ボースからの招待だった。ハイゼンベルクは20世紀初頭の物理学におけるもう一つの大きな分野、量子力学の先駆者である。彼はインド人科学者の聴衆の前で、原子どうしのあいだを含め、あらゆる物理的相互作用では、交換されるエネルギーに最小量が存在するらしいと説明した。「量子」と呼ばれるものである。さほど重要な指摘には聞こえないかもしれないが、そこからは尋常ならざる数々の結論が導き出される。第6章で述べたとおり、19世紀の物理学者は光を電磁波の一種として理解していた。しかし量子力学によって、厳密にはそうではないことが示された。光は波動と粒子の両方として考える必要があるというのだ。それから何年かのあいだに事態はますます奇妙さを深めていき、物理学者は因果関係や科学的観測の本質にまで疑問を抱きはじめた。「不確定性原理」を打ち立てたことで有名なハイゼンベルクは、どんな物理的測定の精度にも根本的限界があって、そのために原因と結果が逆転する場合があることを示した。それは利用できる科学機器の精度だけの問題ではなく、この宇宙の根本的性質なのだ。[8]

　ほかにも、イギリス人物理学者のポール・ディラックやデンマーク人物理学者のニールス・ボーアなど、何人もの著名な科学者が同様の外国歴訪をおこなった。電子の相対論的な理論を初めて編み出したディラックは１９２９年、日本で一連の講演をおこなったのちに、シベリア横断鉄道でヴラディヴォストークからはるばるモスクワへ向かい、ソ連の科学者の会合に出席した。量子論的な原子モデルを初めて提唱したボーアも、１９３７年春に中国に2週間滞在した。上海交通大学でおこなった講演の様子は中国全土にラジオで生放送された。そしてボーアは１９３７年６月にヨーロッパへ戻った。その

1か月後、日本軍が北京を攻撃して日中戦争が勃発し、まもなくしてもっと大規模な第二次世界大戦に組み込まれた。[9]

20世紀前半は社会と政治が大きく激動した時代だった。中国では１９１１年の辛亥革命によって清朝が倒れ、ロシアでは１９１７年の十月革命によってボリシェヴィキが権力を握った。革命を起こさなかった国々でも同様の大きな政治的変化が起こった。第一次世界大戦後にオスマン帝国が滅亡し、パレスチナ周辺で政治と宗教をめぐり激しい紛争が起こった。日本では１９１２年に明治天皇が崩御してリベラルな方向に政治が傾き、インドではとりわけ１９０５年のベンガル分割後に反植民地運動がはるかに勢いを増した。

そこでここから、グローバルな歴史におけるこの次なる重要な時期を取り上げていくことにしよう。１９００年以降の数十年間に、ファシストや社会主義者、民族主義者や参政権拡張論者が政治の世界の変化に関与した。この政治の世界は、ヨーロッパだけでなく世界中で科学の世界に深い影響を与えた。この章では20世紀初頭における物理学と国際政治の関わりを探っていく。それとともに、通常は現代物理学の歴史で取り上げられない国々の科学者による重要な貢献をひもといていく。次の章ではさらに時代を下って、冷戦と脱植民地化が現代遺伝学の発展に与えた影響を描き出していく。20世紀の科学の歴史を理解するには、この時代を決定づけたグローバルな政治的争いに目を向ける必要があるのだ。

1　革命後のロシアの物理学

毎年夏、ピョートル・カピッツァはレニングラードに母親を訪ねていた。1934年8月もいつもと変わりなく始まった。しかし用事を片付けたり、食料品を買ったり旧友を訪ねたりしているうちに、何かがおかしいと気づきはじめた。どこに行っても誰かに後をつけられているのだ。秘密警察である。カピッツァはそれまで10年間、博士号を取得したケンブリッジ大学のキャヴェンディッシュ研究所で働いており、すでにいくつか重要な発見をおこなっていた。ロシアに里帰りする直前の1934年初頭には、液体ヘリウムの大量生成に成功した世界初の科学者の一人となっていた。それはきわめて困難な作業で、ヘリウムを液化するには、圧縮して極低温まで冷やすという操作を何度も繰り返さなければならなかった。カピッツァはまた、最先端の物理学に特化した新たな研究拠点である、ケンブリッジのモンド研究所の所長に着任したばかりだった。こうしたことでカピッツァは国際的な評価を得ていた。しかしそれはまた、ソ連当局に目をつけられることにもつながった。[10]

1934年9月、ヨシフ・スターリンが、カピッツァにロシアに留まるよう命じる文書に署名した。「カピッツァは正式には逮捕されないが、イギリスに戻らずにソ連に残らなければならない」。カピッツァはケンブリッジに戻ろうとするも、案の定すぐさま引き留められた。パスポートを没収され、出国してはならないと告げられた。スターリンがカピッツァを留めさせると決めたのは、別の著名なロシア人科学者の行動を受けてのことだった。量子力学の専門家ゲオルギー（ジョージ）・ガモフが、ヨーロッパでの学会に出席すると見せかけてアメリカ合衆国に亡命したばかりだったのだ。またソビエト政府は、外国で働くロシア人科学者がスパイ活動をおこなったり、大国の軍事力強化に貢献したりしているのではないかという懸念を募らせていった。[11]

カピッツァはすっかり意気消沈した。ケンブリッジに残してきた妻に宛てた手紙では、「いまや人生がむなしい。怒り心頭で、髪を引きちぎって叫び声を上げたいくらいだ」と訴えている。研究所から引き離されてしまったいま、どうしたら自分なりの科学研究などできようか？「おかしくなりそうだ。ここにたった一人で座っている。何のためにだって？　分からないよ」。ケンブリッジの同僚たちは数か月にわたってありとあらゆる手を尽くした。キャヴェンディッシュ研究所所長のアーネスト・ラザフォードはロンドン駐在のロシア大使に手紙を書き、ポール・ディラックはカピッツァの解放を取り付けようとモスクワに赴いた。しかしすべて無駄だった。スターリンの意志は堅かった。ロシア人科学者はロシアに留まって、ソ連のために最善を尽くせというのだ。[12]

しばらく経ってカピッツァは新たな運命を受け入れはじめた。「不当な扱いをしてきたところで、私を八方塞がりにすることはできない」とニールス・ボーアへの手紙に記している。ケンブリッジに戻れないのであれば、ロシアでできる限りのことをするしかない。1934年末頃、カピッツァは妥協案に同意した。ロシアに留まってソ連の科学の発展を支えることにしたのだ。その見返りとしてソビエト政府はカピッツァに、本格的な科学研究のための機器と場所を提供することになった。そうしてカピッツァは、モスクワに新設された研究拠点、物理問題研究所の所長に着任した。ソビエト政府はまた、カピッツァが必要とする実験装置をケンブリッジのモンド研究所から3万ポンドで買い取ることでも合意した。その中には、超強力電磁石2台とヘリウム液化装置も含まれていた。[13]

33.「超流動相」の液体ヘリウム。この相では液体ヘリウムはガラス容器の壁を乗り越えて流れはじめ、そのため容器の底に小さな液滴が見える。

この投資は功を奏した。1938年1月1日、カピッツァは『ネイチャー』に掲載された短い論文の中で、のちに「超流動」と呼ばれることになる現象を発見したと発表した。論文では、モスクワでおこなった液体ヘリウムの粘性を測る実験について論じている。簡単に言うと、2つの容器をつなぐ非常に小さい穴を液体ヘリウムがどれだけ容易に流れるかを測定する実験である。「その測定結果はかなり衝撃的だった」とカピッツァは述べている。沸点よりわずかに低いマイナス約269℃に冷やした液体ヘリウムは、通常の液体のように振る舞って、2つの容器のあいだを比較的遅い一定の速さで流れた。ところがさらに冷却して絶対零度(マイナス273℃)に近づけると、突如として信じられないほどの速さで流れ、いわば「超流体」として振る舞いはじめたのだ。こうして、低温物理学と呼ばれるまったく新たな研究分野が誕生した。カピッツァは、ある種の物質を極低温に冷やすと新しい奇妙な性質が現れることを発見したのだ。カピッツァの実験結果の中には、既知の物理法則に反するかのようなものもあった。液体ヘリウムを十分に冷やすと、ガラス容器の壁を這い上がったり、完全に塞いだはずの隙間を抜けてきたりするのだ。いずれの現象も、分子の相互作用をまったく新たな形で理解しない限り説明できなかった。[14]

*

ピョートル・カピッツァは超流動の発見によってノーベル物理学賞を受賞した。彼を皮切りに新世代のロシア人科学者たちが、20世紀のあいだに次々と大きなブレークスルーを成し遂げることとなる。そのほとんどは量子力学と相対論という新たな分野に属するものだ。しかしカピッツァの人生は、ソ連の科学の表裏両面を物語っている。一方では、1917年のロシア革命によって科学に力が注がれるようになった。しかしその一方で、ソ連の科学は政治やイデオロギーの干渉をたびたび受けたのだった。

ここまでの章で見てきたとおり、ロシア帝国で研究した科学者は近代科学の発展に数々の重要な貢献を果たした。17世紀のピョートル大帝から19世紀のアレクサンドル2世まで、歴代の皇帝はロシア帝国の近代化と国力増強の手段として科学を推進した。そのため、ロシア革命が起こっても過去から完全に決別したわけではなかった。逆に1917年以降、科学への投資はかつてない規模に増え、それと同時にイデオロギーをめぐる争いも激しさを増していった。1917年に権力を奪ったボリシェヴィキは、ソ連の軍事と産業の発展にとって科学への適切な投資は欠かせないと考えた。それを彼らは「社会主義的改革」と呼んだ。ニコライ・ゴルブノフを含めソビエト初期の著名な政治家の多くは、科学を学んだ経歴を持っていた。ウラジーミル・レーニンの個人秘書を務めたゴルブノフは、化学工学者になるべく研鑽を積んでいて、ソ連当局に最先端の科学機関を設立するよう訴えた。その一つが、十月革命から1年も経たない1918年9月にレニングラードに設立された物理技術研究所である。それとともにソビエト政府は、モスクワ物理学会付属の研究所を含め、既存の複数の民間研究所を国有化した。1930年にはソ連の科学予算は年間1億ルーブルを超えていた（軍需品の製造に費やした額にほぼ匹敵する）[15]。

当初ソビエト政府は、ロシア人科学者が外国で学ぶことを推奨していた。第一次世界大戦を受けてボリシェヴィキが、ヨーロッパの科学者との関係を再構築することが重要だと認識したためである。そこでカピッツァを含め何人ものロシア人科学者が外国の大学で学んだ。彼らの多くは、やはり祖国の科学力を高める狙いで、機器や書物を購入してくることを求められた。それとともにソビエト政府は外国の数多くの科学者をロシアに招いた。ロシア物理学者協会は1917年から30年まで毎年会合を開き、その多くにヨーロッパを代表する科学者が出席した。1928年にモスクワで開かれた会合にはポール・ディラックとドイツ人物理学者マックス・ボルンが出席し、量子力学の最新の進歩についてロシア人科学者と意見交換した。初日の会合が終わるとディラックやボルンを含め出席者全員が蒸気船に乗り込み、ヴォルガ川を下りながら議論を続けた[16]。

しかしソ連の科学にはもう一つの側面があった。カピッツァも経験したとおり、ソ連の科学者はイデオロギーをめぐる激しい争いの時代を生きた。とりわけそれが当てはまるのが、1922年にヨシフ・スターリンが権力を掌握して以降のことである。1930年代初頭にはスターリンは被害妄想を膨らませ、内向きになっていた。とりわけ1934年にゲオルギー・ガモフが亡命してからは、外国旅行をほぼ完全に禁じた。科学者はまた、とくにソビエトのイデオロギーに対する忠誠が不十分だとみなされると、政治的粛清の対象になった。マルクス主義を公に支持するかどうかだけの問題ではなかった。イデオロギーをめぐる疑義は、現代科学の基本的要素にまでいともたやすく当てはめられた。レーニンを含め初期のボリシェヴィキの多くは、物理科学で最近起こった革命とロシアで起こった政治革命とを直接結びつけていた。そのためソ連の科学者には、革新的で新しい考え方を推し進めることが求められた。レーニン自身も有名な著作『唯物論と経験批判論』(1909)の一つの章を「自然科学における近年の革命」に充てている。その中では、アルベルト・アインシュタインの相対論によって暴き出された「現代物理学の危機」を、社会における近年の危機に当てはめている。レーニンいわく、アインシュタインは現代の「偉大な改革者」の一人なのだ[17]。

レーニンのお墨付きを受けてアインシュタインはロシア科学アカデミーの外国会員に選出された。1920年代初頭には、モスクワやレニングラードで物理学を専攻する学生には相対論が教えられ、ときにアイザック・ニュートンの古典的世界観に対する革命的な対抗手段として刷り込まれた。とはいえ、レーニンによるアインシュタイン評に誰もがうなずいたわけではない。相対論は確かに革命的かもしれないが、いまだに「ブルジョアの科学」の臭いがすると見る者もいた。1930年代初頭にモスクワ数学会会長を務めたエルンスト・コルマンは、アインシュタインのことを「科学者としては偉大だが哲学者としては劣っている」と評した。コルマンにとって特殊相対論と一般相対論はあまりに抽象的で、日常の経験からかけ離れているように思えた。そしてアインシュタインを、「物理的現実を数学記号に置き換えてしまった」として非難した。とりわけスターリン支配下のソ連では、相対論と量子力学に対するこのような批判がどんどん広まっていった。そこに反映されていたのは、科学は物質世界に根ざした実践的取り組みだからこそ重要であるとする、マルクス哲学に基づく根深い信念である。ソ連では科学は人民のためになるものでなければならなかったのだ[18]。

20世紀前半のロシア人科学者はこのような世界に身を置いていた。ソ連の指導的な政治家が科学に深い関心を示し、進んで科学を支援した時代だった。しかしそれとともに、いつ政治的風潮が変わるかもしれず、ソ連指導層の誤った側に付いていたら命を奪われてもおかしくない時代でもあった。それでもソ連初期の科学者の多くはロシア革命を支持した。中には直接関わった者もいる。

物理学者のヤコフ・フレンケルは革命家の家に生まれた。父親は、1880年代に革命組織の一員と断定されてシベリアに流刑された人物だった。フレンケルもそんな父親の政治信条を受け継いだ。十月革命によって皇帝の支配が終わると、野心ある若き科学者にとってのチャンスを最大限に活かした。ペトログラード大学で物理学を学んだのち、1918年にクリミアに移ってタヴリダ大学で教職に就いた。ボリシェヴィキによって新設された大学の一つである。クリミアでフレンケルは、ニールス・ボーアによる量子論的な原子モデルなど、現代物理学を揺さぶる最新の学説を吸収しはじめた。また政治への関心も失わず、クリミア評議会に加わって、この地域の教育を社会主義に沿った形へ改革する取り組みに力を注いだ[19]。

先の見えない時代で、ロシア革命は本格的な内戦を引き起こしていた。ボリシェヴィキはロシア中部の大部分を掌握したものの、南部や西部では共産主義に反対する白軍が戦闘を続けていた。そして1919年7月、白軍がクリミアに進撃し、クリミア評議会の一員だったフレンケルは逮捕されて投獄された。それでもあきらめることはなかった。獄中からは母親に手紙で、「ぜんぜん退屈していません。むしろかなりの時間を読書に費やしています」と伝えて安心させている。また同房者とチェスも打ったが、それも看守にチェス盤を没収されるまでのことだった。実はフレンケルにとってかなり生産的な時期だった。信じられないかもしれないが、ロシア内戦のさなか、投獄されているこの最中に、自身にとってもっとも重要な理論研究に取り組みはじめたのだ。[20]

1900年頃以降、金属中の電気の流れは電子の自由運動によって簡単に説明できるものとされていた。負の電荷を帯びた小さな粒子である電子が、ちょうど気体の分子のように原子核のあいだの空間を自由に運動しているのだと考えられていた。しかしフレンケルは、そんなことはありえないと気づいた。量子力学によるとそれは許されないのだ。ボーアは量子論的な原子モデルにおいて、電子は原子核を取り囲む特定の軌道しか占められないことを示していた。フレンケルいわく、そのため電子は「言葉どおりの意味で自由ではない」。では電子はどのように運動して電気を生み出すのか？ フレンケルが量子力学に基づいて提唱した新たなモデルでは、電子は原子から隣の原子へといわば飛び移り、それによって電気の流れが生まれる。電子がまったく「自由に」どこにでも動けるなどと考える必要はないのだ。[21]

クリミアの監獄の中でフレンケルは、量子力学に基づく世界初の電気の理論を構築した。驚くことにその理論は、フレンケル自身が不自由の身だった最中に、電子にとって「自由」とはどういう意味なのかを改めて考えなおしたことで生まれた。その上フレンケルは、もっとずっと幅広く適用できる重要な理論的概念を提唱した。金属中の電子の振る舞いは新たなタイプの粒子を思い浮かべることで説明できると論じ、その粒子を「集団励起状態」と名付けたのだ。ここでも言葉の選択には慎重を期した。ソビエトのイデオロギーと完璧に合致する量子力学像を表現したのだ。個人は存在せず、存在するのは「集団」だけだというイデオロギーである。のちにヨーロッパやアメリカ合衆国で「準粒子」と呼ばれるようになるこの新粒子の概念が、20世紀を通した量子力学の発展においてまさに中心的な役割を果たすこととなる。簡単に言うと、未発見の粒子の集団的作用が存在すると考えることで、奇妙な物理現象の数々をもっと簡単に説明できるようになるのだ[22]。

1924年に準粒子に関するヤコフ・フレンケルの論文が発表されると、基礎物理学の分野で新しい本格的な研究計画が動き出した。そこではソ連の科学者が主導的な役割を果たした。フレンケルの研究を発展させた科学者の中には女性も大勢いたが、彼女たちが現代物理学に重要な貢献を果たしたことはロシア国内ですらほぼ忘れ去られている。前の2つの章で見たとおり、19世紀のロシアでは一握りの女性が外国でどうにかして科学を学んだものの、女性は一般的に高等教育から排除されていた。そこでボリシェヴィキは、必ずしも実現はしなかったものの、ソ連の科学と産業の発展に女性が貢献するという構想を喧伝した。その結果、1917年の十月革命によって、聡明な若い女性が科学の世界に足を踏み入れる機会が広がった。そうした女性の一人がアントニナ・プリホトコである。1906年にロシア南部で生まれたプリホトコは、レニングラード工科大学で物理学を学んだ初の女性の一人だった。

1920年代にこの大学では、白軍の敗北によって解放されたフレンケルが教鞭を執っていた。学生プリホトコはレニングラードの凍りつくように冷たい講堂の椅子に座って、相対論や量子力学に関するフレンケルの講義に耳を傾けた。そのため、ヨーロッパのほとんどの物理学者が準粒子という名前すら耳にする前から、その概念について学べる独特の立場にあった[23]。

プリホトコは1929年に卒業し、翌年、ハリコフにあるウクライナ物理技術研究所でポストを得た。ソ連全土に科学と工学の専門的知識を普及させる狙いでボリシェヴィキが新設した研究拠点の一つである。プリホトコは10年にわたって研究を進め、フレンケルの理論的アイデアを実践に移していった。まずは低温物理学の実験を次々におこない、さまざまな結晶の構造を調べた。ピョートル・カピッツァの場合と同じく、それらの実験にはヘリウム液化器などの巨大な産業機械が用いられた。プリホトコはハリコフの実験室に夜遅くまで残り、スパナを手に液化器をいじり回した。低温で各種結晶が吸収・放射する光の量を測定することで、原子の挙動を推測した。そして何よりも、フレンケルが存在を予言した準粒子の一つ、「励起子」の存在を初めて実験的に証明した。かなり抽象的な研究に聞こえるかもしれないが、実際にはもっとずっと実用的な側面があった。プリホトコが扱った結晶の多くは、ナフタレン（殺虫剤に用いられる）やベンゼン（製鉄の際に溶媒に用いられる）など、工業化学物質の製造に使われているものだった。そのためプリホトコは、さまざまな意味でソ連の科学者の手本であった。量子力学の最新の科学理論を使って実践的な実験をおこない、現実世界の産業発展に貢献したのだ。この研究によってのちにプリホトコは、ソ連の民間人にとって最高の栄誉であるレーニン賞と社会主義労働英雄という2つの称号を授かった。[24]

アントニナ・プリホトコはとりわけ刺激的な時代にハリコフで研究を進めた。1930年代のウクライナ物理技術研究所は、現代の世界で名を上げたいと思う野心的な若手科学者であふれかえっていた。その中でもおそらくもっとも才能にあふれていたのが、レフ・ランダウである。1908年にバクーで生まれたランダウは、13歳で微積分を習得するなど、誰から見ても神童だった。しかし帝国の硬直した教育制度にはそぐわずに学校に飽き飽きし、校長をなじって自ら退学処分を受けた。ランダウにとっては幸いなことに、その同じ年にバクーにもロシア革命の波が届いた。ボリシェヴィキは大衆に教育の門戸を開こうと、地元の各大学の形式的な入学要件をすべて撤廃した。わずか14歳のランダウはこのチャンスに飛びつき、バクー大学に入学して物理学を学びはじめた。数年後にはレニングラード大学に移り、学位取得のための勉強を片付けることにした。レニングラードで出会った若手物理学者の多くは、自分と同じく革命的信条を持っていた。そこで彼らと一緒に量子力学や相対論に関する最新の論文、およびウラジーミル・レーニンやレフ・トロツキーの政治的文書を読んだ。[25]

1927年にランダウは卒業し、レニングラード物理技術研究所で研究員として働きはじめた。その後、ロックフェラー財団奨学生に選ばれてヨーロッパに留学した。アメリカ合衆国を本拠地とするロックフェラー財団は、20世紀を通して、科学者どうしの国際協力を支援する資金を提供した。ソ連の政治には強い疑念を抱いていたものの、科学協力が国際平和を促す手段になると見ていた。そのおかげでランダウは、ヨーロッパを代表する科学者の多くと1年以上にわたって一緒に研究することができた。

ベルリンではアルベルト・アインシュタインに、ライプツィヒではヴェルナー・ハイゼンベルクに会い、そこからコペンハーゲンに移ってニールス・ボーアとともに研究を進めた。そうして1931年、量子力学の新たな研究に以前にも増して心掻き立てられたままロシアに戻ってきた。しかしレニングラードにはうんざりしはじめる。フレンケルのような若い物理学者の一部が改革を進めようとしていたものの、この研究所の科学はいまだに年上の世代に牛耳られていた。そこでランダウは、ハリコフにあるウクライナ物理技術研究所に移って新たなポストに就く道を選んだ。1934年、わずか26歳でこの町にやって来て、すぐさま理論部門の長に就任した。[26]

それから何年かのあいだにランダウは、理論上の大きなブレークスルーを次々に成し遂げた。研究対象は幅広く、恒星の形成に関する物理から磁気の基礎原理にまでおよんだ。しかしもっとも情熱を傾けたのは低温物理学である。ハリコフでは並外れた若手科学者のチームとともに研究を進めた。ほとんどの研究は、いずれも1920年代にレニングラードで物理学を学んだ、レフ・シュブニコフおよびその妻オルガ・トラペズニコワと協力して進めた。ランダウの目覚ましい活躍ぶりは、まもなくモスクワの上の世代の物理学者から注目を集める。そして1937年3月にピョートル・カピッツァから手紙で、設立まもない物理問題研究所のポストに招かれた。先ほど述べたとおりこの研究所は、とりわけカピッツァの低温物理学の研究を支援するために創設されたものだ。ランダウは大きなチャンスだと思った。物理問題研究所には、おもにケンブリッジのモンド研究所から買い取った、ソ連でも最高の科学機器が揃っていた。しかもカピッツァはレニングラードの古株と違って、斬新な理論研究を進める物理学者の支援に積極的だった。[27]

1937年春、ランダウはモスクワに移って新たなポストに就いた。実は絶好のタイミングでハリコフを離れたといえる。1936年から38年までヨシフ・スターリンが、のちに恐怖政治と呼ばれる大規模な政治的弾圧を進めた。少しでも「反革命的」と疑われた者は根こそぎ逮捕され、銃殺されるか、または強制収容所に送られた。この期間に100万近い人が殺された。1937年初頭、その恐怖政治がウクライナにも広がってきたのだ。ランダウとともに研究していた科学者の多くが姿を消した。レフ・シュブニコフは自分の研究室で逮捕され、投獄されて拷問を受け、「私はウクライナ物理技術研究所内で活動するトロツキー主義者の破壊活動団体の一員である」という自白書に署名させられた。そして数か月後、銃殺隊によって処刑された。その妻で物理学者のオルガ・トラペズニコワだけは、レフとの唯一の息子が生まれたばかりだったために難を逃れた。[28]

やがてランダウにも手が伸びてきた。そして1938年4月28日にモスクワで逮捕された。ウクライナ時代の同僚何人かが、おそらく脅迫を受けて、ランダウもシュブニコフと同じ「反革命集団」の一員であると証言したのだ。ランダウは次の年を獄中で過ごした。何時間も尋問され、つらい姿勢を取らされ、腕を後ろ手に縛られたまま地べたに座らされた。もしも友人で師のピョートル・カピッツァが行動に出てくれなかったら、間違いなく処刑されていただろう。ランダウが逮捕されたその日にカピッツァはスターリン本人に次のような手紙を書いた。「彼の優れた才能に鑑みて、この一件に対する細心の配慮を命じるようお願いいたします。当研究所にとってもソビエトにとっても、そして世界の科学にとっても、もしもランダウが失われれば、間違いなく周知となって深い衝撃が広がるはずです」。このときカピッツァは超流動の発見について発表したばかりだった。逮捕時にランダウは、この興味深い新現象の解明に取り組む研究チームを率いていた。ランダウを失えばその研究を進められなくなることが、カピッツァにも分かっていたのだ。[29]

スターリンへの手紙は功を奏したらしく、逮捕からちょうど1年後にランダウは釈放された。重い栄養失調で歩くこともままならなかったが、それでも数週間後には物理問題研究所に復帰した。カピッツァの見立ては間違っていなかった。ランダウはまさに「優れた才能」の持ち主だった。逮捕から3年後、超流動の問題をついに解決したのだ。ランダウは、極低温における液体ヘリウムの挙動を初めて理論的に説明する論文を発表した。カピッツァの発見以降、物理学者たちは次のように決めつけていた。超流動について考える上では、液体ヘリウムが気体のように振る舞いはじめて、原子がどこでも自由に移動できるようになるとイメージするのが一番であると。しかしランダウは、その考え方が完全に間違っていることを明らかにした。量子力学に関するヤコフ・フレンケルの以前の研究に基づいて、超流体の中の原子は完全に自由ではなく、小さな渦を巻いて運動していることを示したのだ。適切な温度では、渦を巻くそれらの原子によって、液体ヘリウムの摩擦が事実上ゼロになる。超流動に関するこの研究によってランダウはのちにノーベル物理学賞を受賞した。20世紀にノーベル賞を受賞したソ連の科学者はわずか9人である。[30]

ランダウの人生もまた、ソ連の科学が二つの顔を持っていたことを物語っている。一面では、ランダウのような物理学者が活躍できたのはソ連だけだった。過激ながら知性の高いランダウはとくにモスクワの物理問題研究所で奮起し、革新的な新しい科学理論を編み出して、人類になしえる事柄の範囲を押し広げた。ソビエト政府はまた、最先端の研究、とりわけ低温物理学の研究をランダウらが進める上で必要な機器も調達した。いずれも、ボリシェヴィキが科学を手段に使って、第一次世界大戦後のソ連の学問と産業をさらに発展させようとした表れである。しかしその一方で、ランダウはソ連の多くの科学者と同じく、イデオロギーをめぐる激しい争いに苦しめられた。ランダウは幸運なほうで、逮捕されながらものちにスターリンの命令で釈放された。彼とともに研究を進めた多くの人はそこまで幸運ではなかった。１９３６年から38年の恐怖政治を生き延びた人たちも、日陰で暮らすはめになった。１９３０年代にソ連の科学界の寵児だったカピッツァは、スターリンの失脚後に物理問題研究所を解雇された。ランダウも残りの人生を秘密警察の監視下で送った。科学に対するこのようなイデオロギー的側面は、ソ連でとりわけ強かった。しかしこのあと見ていくとおり、それはけっしてソ連だけでの話ではなかった。[31]

2　中国におけるアインシュタインの相対論

１９１９年5月4日、北京の街なかに４０００人を超す学生が集結した。辛亥革命で清朝は倒れたが、若い世代の多くの人は新政府にも不満だった。彼らは中国語でスローガンを書いた横断幕を掲げた。「軍国主義者打倒！」「儒教家打倒！」。こうして、のちに五・四運動と呼ばれることになる集団抗議運動が始まり、第一次世界大戦終結後には中国全土に広まった。抗議活動の最初の引き金は、ヴェルサイユ条約に対して中国政府が弱腰の姿勢を見せたことだった。第一次世界大戦で中国は連合国を支援したものの、この条約で中国東部のドイツ権益は日本に譲渡されたのだ。しかし五・四運動はやがて、中国の伝統社会に対するもっと幅広い抗議運動へと変質していく。多くの学生が、中国はいまだ過去に囚われていると感じていて、民主主義などの新たな政治体制に加え現代科学への投資拡大も要求した。天安門広場をデモ行進する学生からは、「科学が国を救う！」「新しい科学、新しい文化！」といった叫び声も聞こえた[32]。

アルベルト・アインシュタインの相対論は、多くの人が中国に欠けていると感じていた現代科学そのものだった。北京大学で学ぶ学生は、ある過激な若手教授からアインシュタインのことを教わったに違いない。その人、夏元瑮（かげんり）は政治改革者の家に生まれた。父親は、辛亥革命後に中華民国の創建に関わった重要人物の多くと親交があった。その息子である夏は、アメリカ合衆国のイェール大学シェフィールド科学校で物理学を学んだ。また第一次世界大戦前にはヨーロッパにしばらく滞在して、ベルリン大学で大学院生として学び、ドイツ人物理学者のマックス・プランクから相対論を教わった。１９１１年に清朝が倒れると中国に帰国し、まもなくして北京大学の物理学教授に着任した[33]。

夏元瑮は五・四運動の勃発直前に北京大学でおこなった講義で、相対論を「今日の物理学でもっとも新しく、もっとも進んでいて、もっとも深遠な理論」と評した。そしてアインシュタインの研究の結果を次のように説明した。「絶対時間という概念は存在しえない。時間と空間は独立性を失った」。夏いわく、アインシュタインの相対論は「ニュートンやダーウィン以来もっとも重要な成果であり、物理学の大革命である」。学生たちはもっと学びたいという意欲を見せてきた。そこで夏は１９２１年、アインシュタイン自身の著作『特殊および一般相対性理論について』（１９１６）をドイツ語から中国語に翻訳することにした。相対論に関する中国初の書物である[34]。

中国国内でアルベルト・アインシュタインは、1922年の上海訪問の前から革命と結びつけられていた。中国のある新聞は相対論を「科学界全体の革命の出発点」にほかならないと評した。別の新聞は、「アインシュタイン革命の影響は、ドイツのルターの宗教改革やマルクスの経済革命よりもさらに大きい」と伝えた。[35]

実はアインシュタインを中国に招いた蔡元培は、五・四運動のリーダーの一人だった。辛亥革命後に教育大臣に任命された蔡は、中国に現代科学を広めようとした。そこには、第5章で見た風潮の延長線という側面もあった。19世紀半ば以降、とりわけ清朝末期の自強運動の間に中国の政治改革者たちは、古代からの儒教思想を排除して、代わりにヨーロッパやアメリカ合衆国から現代科学を取り入れようとしてきた。その流れで蔡は1921年3月、ヨーロッパの代表的な科学者を中国に招こうとドイツを訪れた。ベルリンではアインシュタインと面会し、報酬1000ドル（今日の通貨換算で1万ドルを超える）で北京大学で連続講義をしてほしいと持ちかけた。アインシュタインは承諾したが、結局は多くの時間を日本で過ごすこととなった。それでも蔡はこの「20世紀思想のスター」が中国の地を踏むことに心躍らせた。[36]

辛亥革命によって現代科学に対する関心が改めて高まり、力も注がれるようになった。のちの1949年に起こる中華人民共和国の成立と違って共産主義革命ではなかったが、それでもソ連で起こった出来事と多くの共通点がある。中国の指導者はロシアと同じく、政治革命と科学革命の密接な関係を見て取った。五・四運動を受けて中国政府は科学機関を次々に新設した。1919年、学生抗議の直後に蔡は、北京大学に新たな物理学研究室を設置することを承認した。1930年までには武漢大学や上海大学を含め、中国全土で11の物理学科が作られた[37]。

中国は国内で才能を育むとともに、外国との新たな関係も築きはじめた。アインシュタインやニールス・ボーア、ポール・ディラックなど、ヨーロッパの著名な物理学者は漏れなく中国に招かれて講演をおこなった。また何千人もの中国人学生が、ヨーロッパやアメリカ合衆国、日本の大学に派遣された。これはかなり昔から続いていた趨勢の一環ともいえる。本書を通して見てきたとおり、中国は科学に関してはけっして孤立していなかった。近世以降、中国の学者は世界中の人々と意見交換をしてきたし、19世紀半ば以降、中国人学生はヨーロッパやアメリカ合衆国の大学で科学を学んできた。とはいえ、辛亥革命によって知的交流の規模は大幅に拡大した。20世紀初めの40年間で1万6000人を超す中国人学生がアメリカ合衆国に留学し、その多くが科学や工学を学んだのだ[38]。

アメリカ合衆国に留学した中国人学生の多くは、アメリカ政府の創設した新たな制度を活用した。1908年にセオドア・ローズヴェルト大統領が庚子賠款奨学金制度の創設を承認した。当時、中国はアメリカ合衆国に対して2400万ドルを超す負債を抱えていた。1901年、中国に駐留するヨーロッパとアメリカの軍隊に対して起こされた暴動、いわゆる義和団の乱による損害の賠償金である。ローズヴェルトは、中国政府が賠償金を直接支払う見返りに、その資金をアメリカの大学で学ぶための奨学金に活用することに同意した。しかしそれは善意ゆえではなく、狡猾な外交戦略だった。アメリカの大学に資金を流し込むとともに、中国の学問の発展に対して影響力を行使するという狙いである。ある大統領顧問が、「現世代の若い中国人を教育した国が、道徳・学問・商業の影響においてもっとも多くの見返りを得る国になる」と助言したのだ。[39]

20世紀前半に外国で学んだ数多くの中国人学生の中に、周培源（しゅうばいげん）という人物がいた。周は江蘇省の裕福な家に生まれた。しかし辛亥革命後には、武装勢力によって各地が次々と襲われる中、一家であちこちを転々とした。最終的には上海に腰を落ち着け、アメリカ人宣教師の運営する学校で学びはじめた。しかし同世代の多くの人と同じく、中国社会の現状に深い疑念を抱きはじめる。そして五・四運動が勃発すると学生抗議活動に加わった。校門の前では「帝国主義打倒！」と声を張り上げた。校長はそれを快く思わず、周は退学処分になった。父親は激怒した。これからの人生どうするつもりだ？[40]

しばらくのあいだ周は放浪生活を送った。上海の西に広がる森に囲まれた寺でしばらく過ごし、何日も瞑想した末に、ようやく新たな道へ進む決心がついた。中国人学生には留学の機会があるという話を耳にしていた。アメリカ合衆国に渡って研鑽を積み、「世界クラスの物理学者」になろう。野心に燃えていた。しかしアメリカに渡るには、まずは北京の清華大学に入学しなければならない。この新たな大学は1911年、庚子賠款奨学生としての留学を望む中国人学生の予備教育のために創設された。周はこの清華大学で学ぶ間に相対論のことを知った。アルベルト・アインシュタインの上海訪問を報じた新聞記事を読んで、すぐさまアインシュタインの著作の夏元瑮訳を購入した。[41]

周は1924年に清華大学を卒業した。そして同じ年に蒸気船で太平洋を渡り、アメリカ合衆国で学びはじめた。シカゴ大学で2年間過ごしたのに続き、カリフォルニア工科大学に移って博士研究に取りかかった。のちに『アメリカ数学ジャーナル』に掲載された博士論文では、アインシュタインが一般相対論の中で提唱した「場の方程式」に対して初の厳密解を与えた。1915年にその方程式がアインシュタインによって発表されてからというもの、さまざまな数学者が実際の物理系を記述する解を探していた。たとえば、惑星や恒星の質量が空間の湾曲や時間の流れにどのような影響をおよぼすか、それを精確に表現した解である。退学になってから初めて物理学に目を向けた周が、その答えを導き出したのだ。[42]

周は1929年に中国に帰国し、清華大学の物理学教授の職に就いた。学生活動家から大学教授への大転身だ。それから何年かにわたって周は相対論の研究を続けた。そして1935年、この上ない誘いを受けた。ドイツから亡命したアインシュタインを擁するプリンストン高等研究所から、1年間の招聘を受けたのだ。プリンストンで周とアインシュタインは、何時間も会話を交わしては、一般相対論から導き出されるさまざまな帰結、とりわけ宇宙の構造について議論した。宇宙は静的なのか？　それとも膨張しているのか？　これは1930年代における物理学の大問題の一つで、それを解く鍵はアインシュタインの方程式が握っていた。周を含め何人かは、一般相対論からは膨張宇宙の存在が導き出されると的確に論じた。アインシュタインは周に、物理学だけでなく、中国を訪れたときのこと、そして中国文化への称賛の気持ちを話した。「私と一対一で話をしていると、アインシュタインは中国の労働者に深い共感を示して、長い文明の歴史を持つ我が国に大きな期待を掛けてきた」と周はのちに振り返っている。[43]

1937年初め、周は再び中国に帰国した。その夏、日本軍が北京に侵攻した。周は清華大学の教員や学生とともに逃げ出して、2000キロ以上離れた南西部の雲南省に大学を移転するしかなかった。アインシュタインはできる限り手を差し伸べて、日本の侵攻を非難する手紙にも署名した。再び大規模な国際紛争が始まることを懸念していた。周は支援に感謝して、雲南省の仮のオフィスからアインシュタインに手紙を書いた。「我々の主張に対する支持と、日本製品不買運動に対する取り組みには感謝せずにいられません」。ここでも物理学と政治は切っても切れないのだった。[44]

周培源を始めとする新世代の中国人科学者の多くは、現代物理学の発展に重要な貢献をした。何人もの中国人科学者が相対論に加えて量子力学の研究も進めた。周と同じく外国で研鑽を積み、中国に戻って新たな研究室の立ち上げに尽力した。その中に、アメリカ人物理学者ロバート・ミリカンのもとで学んだ学生が何人かいた。[45]

葉企孫と趙忠堯は互いに似たような出自だった。この時期の多くの中国人科学者と同じく、2人とも伝統的な学者の家に生まれた。葉の父親は清朝で役人を務め、趙の父親は学校教師だった。葉も趙も、それぞれ官僚と儒学者の違いはあれど、一族の職業を継ぐはずだった。しかし辛亥革命によってその道は完全に閉ざされた。同世代の多くの人と同じく、一から身を立てるしかなくなったのだ。そこで2人は現代科学の研究者になる決心をする。先にアメリカ合衆国に渡ったのは葉で、1918年にシカゴ大学でミリカンのもと学びはじめた。その頃ミリカンは、量子力学の新理論の多くを検証する実験に取り組んでいた。そこで葉はプランク定数の測定実験をすることになった。ドイツ人物理学者マックス・プランクにちなんで名付けられたこの定数は、あらゆる物理的相互作用に関わる最小のエネルギー量、まさに「量子力学」の「量子」そのものを表している。そのような微小な値を測定するために葉は、新たな実験を工夫しなければならなかった。気体を満たした「電離箱」にX線を通過させることで、そのX線のエネルギーを精確に測定するという実験である。葉は、電離箱を通過するX線が気体分子と衝突したときに発生する微弱な電流を測定し、それをもとに計算をおこなった。そして1921年、ハーヴァード大学の物理学者ウィリアム・デュアンとの共著論文の中で、当時もっとも精確なプランク定数の値を発表した。その値は何十年ものあいだ世界中の物理学者のあいだで標準値として使われつづけた。[46]

1921年、ミリカンがシカゴ大学からカリフォルニア工科大学に移った。その数年後に趙忠堯が庚子賠款奨学生としてアメリカ合衆国に渡った。意欲的な中国人科学者を支援することですでに評判だったミリカンのもとで学ぼうと、カリフォルニアにやって来たのだ。ミリカンはふさわしいテーマについて少々話し合った末に、趙を博士課程の学生として受け入れた。すると趙は、量子力学におけるある最新の理論的発見を検証するという、すさまじく野心的な研究計画に取り組みはじめる。去る1929年にコペンハーゲンの2人の物理学者が、光などの電磁波が原子核に入ってきた際に起こる現象を説明できるという触れ込みの方程式を発表していた。趙はその方程式が成り立つかどうかを確かめることにしたのだ。そこで、高エネルギーの電磁波の一種であるガンマ線をさまざまな元素に照射した。そして各元素について、原子核に吸収、または放出されるエネルギーの量を測定した。結果は驚くべきものだった。何種類かの原子核については方程式がきちんと成り立った。ところがそれ以外の原子核、とりわけ鉛などの重元素では、方程式と合致しない過剰なエネルギーが検出されたのだ。そのエネルギーはどこからやって来たのか？　当初、趙には見当もつかなかった。とはいえ結果自体は重要だと

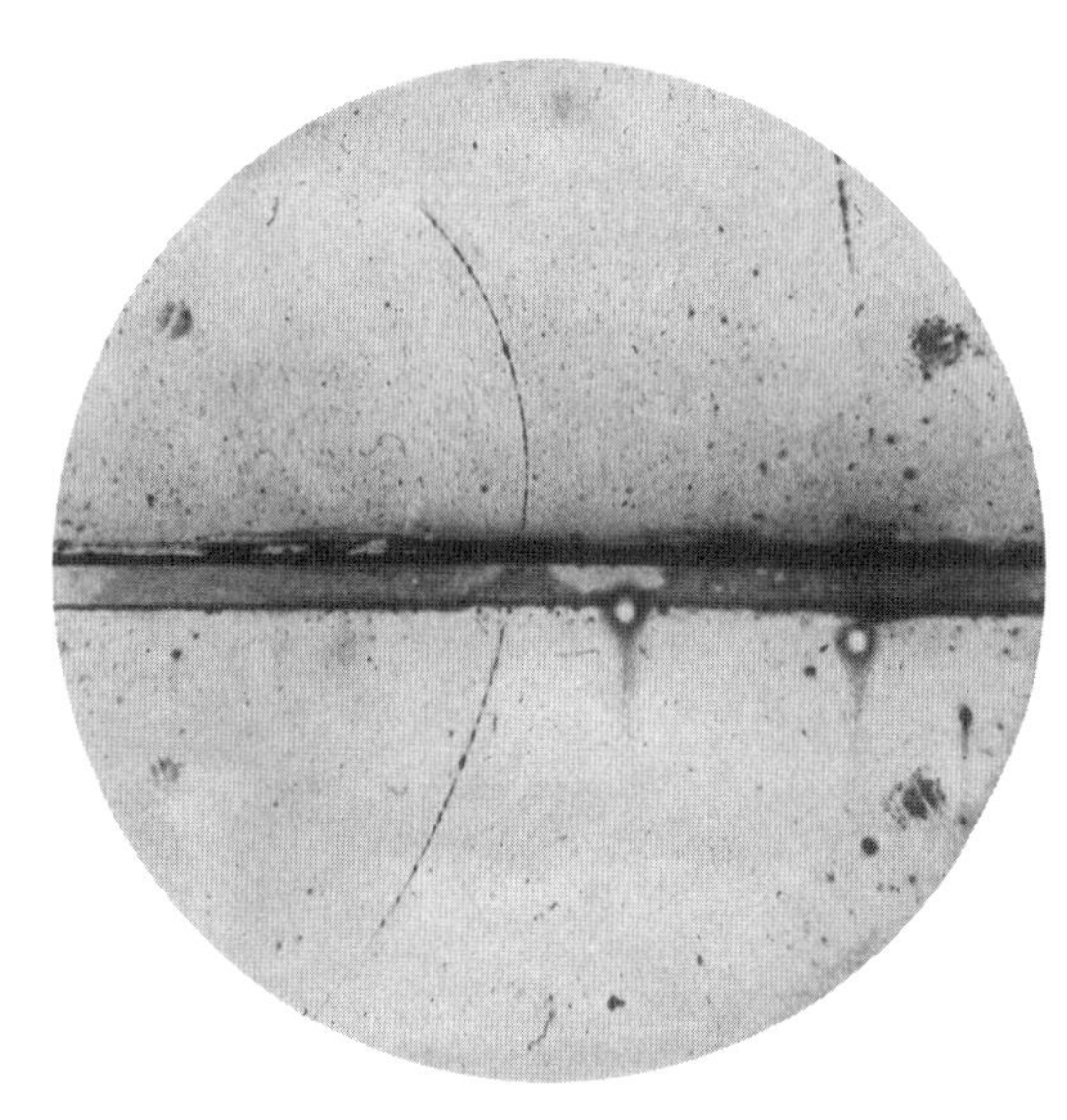

34. 電離箱中の陽電子の写真。左下から左上に走る黒い曲線が陽電子の飛跡。

考え、一流の学術誌『米国科学アカデミー会報』で発表した。[47]

実は趙は、「陽電子」と呼ばれる新たな素粒子を世界で初めて観測していた。陽電子の存在は1928年にイギリス人物理学者のポール・ディラックによって予言されていた。ディラックは、状況によっては電子が負の電荷でなく正の電荷を持つことがあると論じていた。この奇妙な粒子は、のちに「反物質」と呼ばれるまったく新たな種類の物質の代表例だった。ディラックはまた、陽電子はごく短時間しか存在できないことに気づいた。負の電荷を持った電子にすぐさま引き寄せられ、互いに合体して「消滅」してしまうのだ。ここで重要なのが、この反応ではエネルギーが一気に発生することである。趙が実験で検出したのはまさにそのエネルギーだった。電子と陽電子が対消滅することで過剰なエネルギーが発生したのだ。

趙は1930年に博士号を取得した。そして翌年、中国に帰国して北京の清華大学の教授に就任した。あのような重要な実験をおこなっていながらも、陽電子の発見者として認められることはけっしてなかった。その栄誉は、同じくカリフォルニア工科大学でミリカンに師事したアメリカ人物理学者、カール・アンダーソンに与えられた。趙とアンダーソンは同じ廊下に通じる研究室にいて、ほぼ毎日、実験のことをしゃべっていた。のちにアンダーソンは、「彼の発見にとても興味を持った」と記している。趙が中国に戻ると、アンダーソンはさらなる実験をおこなって、ディラックが正しかったことを最終的に証明した。陽電子は実在したのだ。1936年にアンダーソンはその発見によりノーベル物理学賞を受賞した。当時は、「偶然に」陽電子を見つけたと言い張っていた。しかしのちに、趙が前におこなった実験から直接着想を得たと認めた。[48]

20世紀前半には趙のほかにも大勢の中国人物理学者が外国で学んだ。アメリカ合衆国に留学した者も、ヨーロッパや日本で学んだ者もいた。彼らは、一般相対論の基礎をなす数学から新たな素粒子の存在に至るまでさまざまなテーマに取り組んで、現代物理学の発展に数々の重要な貢献を果たした。うち多くの人は伝統的な学者の家の出身で、辛亥革命と清朝の滅亡を受けて新たな天職を探した。そして儒学者でなく現代科学の研究者として中国に戻ってきた。ソ連と同じく中国の政治指導者も、科学を国の近代化の手段とみなしていた。そして相対論と量子力学という新たな理論により良い未来を結びつけた。それがとりわけ良く当てはまるのが、1919年春に中国全土で起こった学生抗議運動に関わった人たちである。五・四運動のリーダーの一人である蔡元培は、「中国に欠けていてもっとも必要なのは自然科学である」と訴えた。次の節では現代物理学の歴史の持つもう一つの側面を探っていこう。20世紀初

1. 19世紀にマドリッドで展示されていたメガテリウムの骨格。1788年にアルゼンチンのルハン川の近くで発掘された。

2. ロシア人動物学者で進化論学者のイリヤ・メチニコフ。1908年にノーベル生理学・医学賞を受賞した。

3. 1897年にロンドンの王立研究所で講演をおこなうベンガル人物理学者ジャガディッシュ・チャンドラ・ボース。

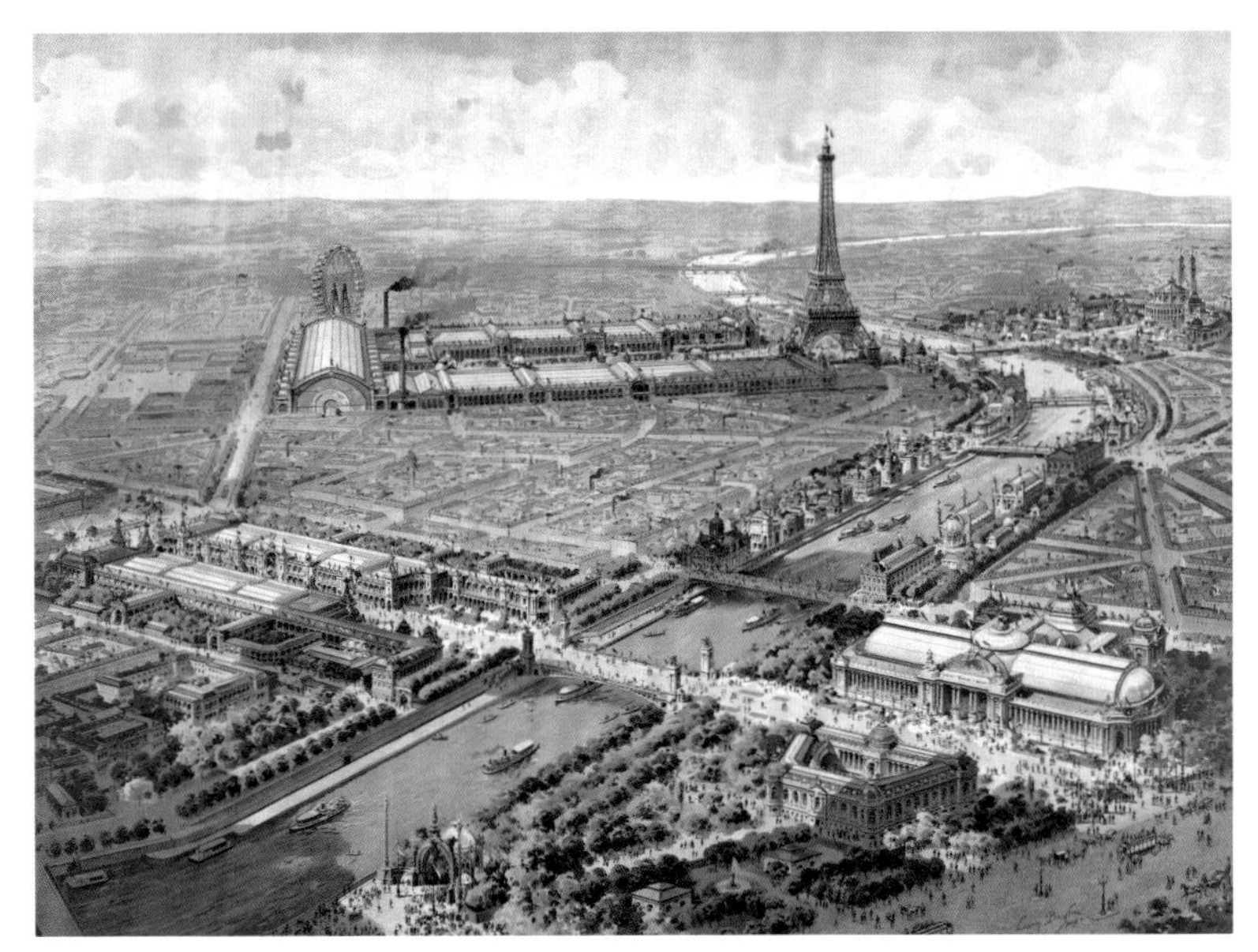

4. 第一回国際物理学会議と同時期に開催された1900年パリ万博のポストカード。

5. 一般相対論の研究に大きな貢献を果たした理論物理学者の周培源（左端）。20世紀初頭の中国を代表する知識人たちと並んで写っている。

6. 1922年11月の日本滞在中に歓待を受けるアルベルト・アインシュタインと妻エルザ。

8. インド人科学者として初めてノーベル賞を受賞したチャンドラセカール・ヴェンカタ・ラマン。バンガロールのラマン研究所でダイヤモンドの構造を調べている。

7. 日本人物理学者の田中舘愛橘。東京大学のオフィスにて。

9. 1949年に日本人科学者として初めてノーベル賞を受賞した物理学者の湯川秀樹。

10. 実験室で種子を調べる学生たちを描いた、1960年代の中国共産党のプロパガンダポスター。キャプションには「若い苗木を育てよ」とある。

11. 遺伝学者のオバイド・シッディーキー（上段左端）とヴェロニカ・ロドリゲス（上段左から2人目）、およびボンベイにあったタタ基礎研究所の科学者たち。1976年。

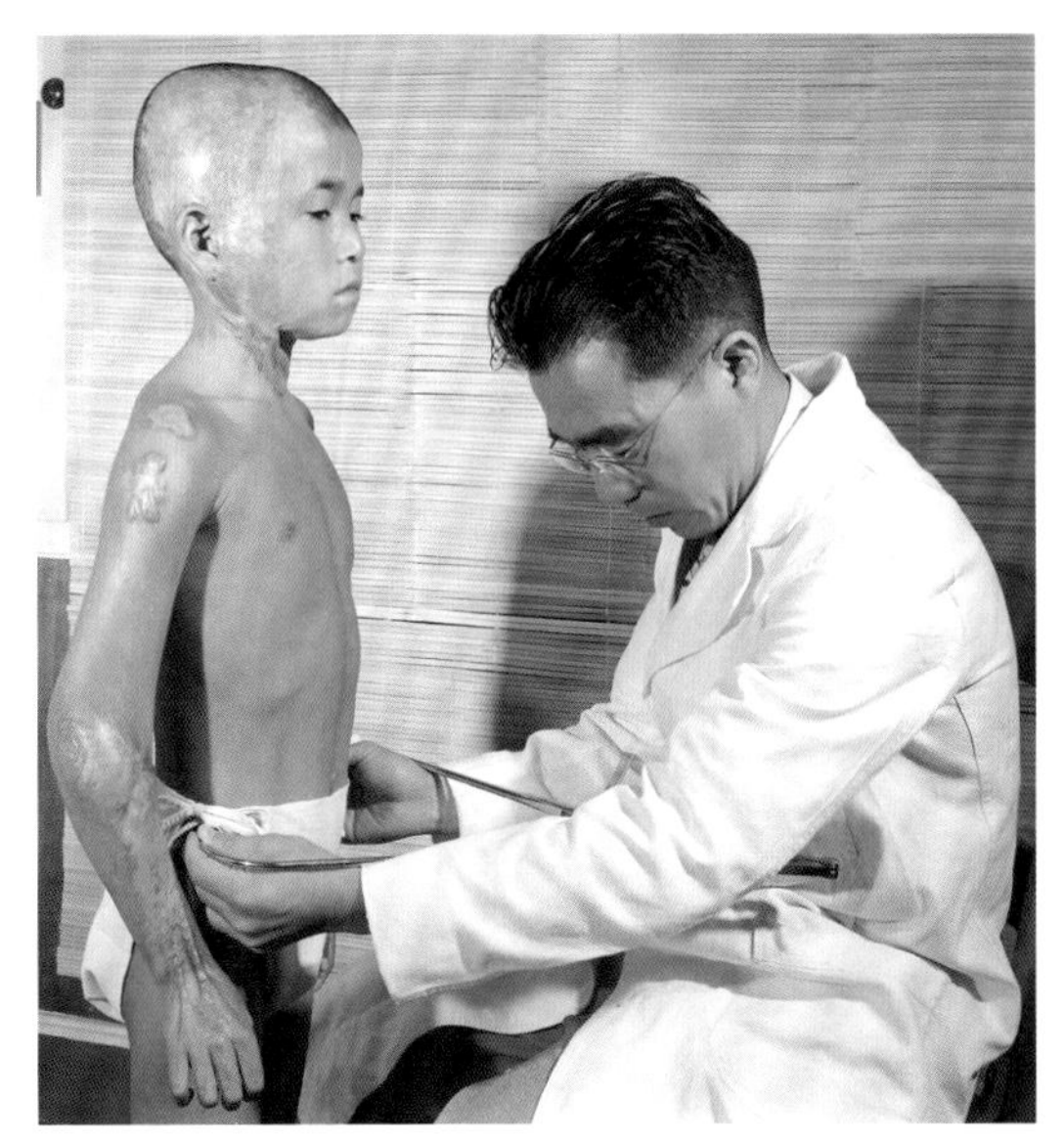

12. 原爆傷害調査委員会のために1949年に広島で幼い患者を診察する日本人医師。放射線火傷を負った患者の骨盤の大きさを測って発育具合を確かめている。

13. 1949年にイスラエルの移民収容施設に到着したイエメン系ユダヤ人家族。20世紀半ばに集団遺伝学者がユダヤ人移民の大規模な調査をおこなった。

15. アラブ首長国連邦宇宙機関の長で2020年UAE火星計画の副マネージャーを務めたサラ・アル・アミリ。

14. イスラエル人集団遺伝学者のエリザベト・ゴルトシュミット。1912年にドイツでユダヤ人一家に生まれ、1930年代のアドルフ・ヒトラーとナチスの台頭を受けて国外脱出した。

16. ガーナのアクラにあるグーグルAIセンターの主任研究科学者で所長のムスタファ・シセ。

頭の日本では政治革命こそ起こらなかった。それでもこれから見ていくとおり、日本の科学もまた、もっと広いイデオロギーをめぐる争いの世界によって一変したのだった。[49]

3 日本の量子力学

積み上げられた学術誌の山を取り囲んで、日本人学生のグループが量子力学の最新研究について議論を始めた。まずは水素原子に関するポール・ディラックの新たな論文、続いて「電子跳躍」に関するヴェルナー・ハイゼンベルクの論文。中国と同じく、彼ら若い学生にとって量子力学は未来を象徴していた。日本の科学は「古典理論」から踏み出す必要がある、と一人が唱えた。「今日の退屈な教授法は時代遅れだ」ともう一人が言い放った。1926年3月に東京で結成された物理学輪講会の初会合でのことである。毎週開かれるこの会合に参加した学生たちは、東京帝国大学の講義に失望感を募らせていた。当時、物理学の主要な課程では、アイザック・ニュートンの古典力学に加え、ジェイムズ・クラーク・マクスウェルの電磁気理論が少々取り上げられているだけだった。新しい物理学は影も形もなかった。量子力学もしかり。そこで彼ら学生は、自分たちの手でどうにかしようと決めたのだった。[50]

政治革命こそ起こらなかったものの、日本にとって20世紀初頭は大きな社会変革の時代だった。1912年に明治天皇が崩御すると、若い世代の多くの人がその機に乗じた。新しい民主的な政治と、それとともに新たな文化を求めたのだ。若い男女は伝統的な歌舞伎の観劇をやめ、映画を観たりジャズを聴いたりしはじめた。東京帝国大学の例の学生たちが量子力学の論文を読む一方で、ほかの学生たちは結成されたばかりのマルクス主義者の団体に参加した。のちに代表的な物理学者となる学生の多くも、1922年創設の日本共産党に加わった。しかしマルクス主義に傾倒する者ばかりではなく、さまざまな政治派閥が影響力を懸けて競い合った。ナショナリストは第一次世界大戦後の軍事力増強を訴え、自由主義者は国会改革を求め、無政府主義者は政府転覆を画策した。誰もが何かしらの日本の将来像を抱いているようだった。[51]

多くの人は科学がその未来の鍵を握っていると見ていた。第一次世界大戦後、日本は科学技術にますます力を注いでいった。前の2つの章で見てきた趨勢が続いていったとも言える。1868年の明治維新後、日本政府はアメリカ合衆国やヨーロッパに学生を留学させはじめた。その世代の日本人科学者たちが帰国して、大学に初の物理学科や生物学科を設立する取り組みに尽力した。しかし中国と同じく、科学への投資の規模が著しく拡大したのは第一次世界大戦後のことだった。1930年に日本の大学で学ぶ学生の数は、戦前の10倍近くに達した。また日本政府はこの時期に大学や科学機関を次々に設立した。1931年には大阪帝国大学が、1932年には日本学術振興会が創設された。[52]

新設されたそれらの機関の中でも飛び抜けて重要な役割を果たしたのが、理化学研究所(理研)である。1917年に東京に設立され、実践的な目標と学問的な目標の両方に取り組んだ。第一次世界大戦後に日本は、東アジアにおける産業と軍事の優位性を維持したいと考えた。理研の創設に携わった委員会は、「先の戦争によって、独立性および、軍需品や工業材料の自給自足が是が非でも必要であることを学んだ」と説明している。それとともにこの新たな機関は、科学の各分野における最先端の理論研究の拠点を目指した。この2つの目標は相補うものだった。前の章で紹介した裕福な工業化学者、高峰譲吉も出資した理研は、さまざまな化学プロセスや工業プロセスの特許を次々に取得した。その中には日本酒の特別な醸造法も含まれていた。それらの特許の使用料による収入が、とくに物理学のさらなる理論研究に投入された。そもそも理研の目的には、産業支援だけでなく、「世界の文明に貢献して我が国の地位を高める」ことも含まれていた。日本人科学者が各分野でリーダーになることを目指したのだ。理研はやがて、科学の新たな問題に取り組もうとする野心に燃えた若き大学卒業者の就職先として評判を高めていった。[53]

大学を卒業してこの理研にやって来た野心的な若者の一人が、仁科芳雄である。19世紀末に仁科は、名家でありながら苦境に陥る家に生まれた。祖父は武士だったが、父親は身分が低く、岡山郊外で慎ましく農業を営んでいた。しかし仁科は学校で良い成績を収め、1914年、第一次世界大戦勃発の年に東京帝国大学の電気工学科に入学した。大学でも優秀で、1918年に学科首席で卒業した。誰もがうらやむ栄誉である。卒業式では天皇から直々に銀の腕時計を授かり、戦争特需で潤う数々の一流工学メーカーから声をかけられて、どこでも好きな職に就ける立場に立った。しかし思いは別のところにあった。工学に秀でていながらも、科学者になりたいと思っていた。理論物理学の研究をすることを夢見ていたため、給料の高い工学メーカーには就職せずに、理研の物理学部門の研究者として働く決心をしたのだ。[54]

この時代、日本人科学者は一時期外国で過ごすのがきわめて一般的だった。仁科も例に漏れず、1921年4月に東京から蒸気船でヨーロッパに旅立った。1年間ケンブリッジ大学で物理学を学ぶことになっていた。留学の手配をしてくれたのは、理研の物理学部門を率いる長岡半太郎。第6章で見たとおり、長岡は日本の初期の物理学を牽引した一人で、ケンブリッジ大学キャヴェンディッシュ研究所所長アーネスト・ラザフォードと驚くほど似た原子モデルを提唱していた。1920年代にはヨーロッパの物理学者のあいだでも名の通った存在だった。前途有望な学生をケンブリッジ大学に大勢送り出していて、このときもラザフォードに宛てて仁科を推薦する手紙を書いてくれた。仁科は1年にわたって現代物理学の基本的な実験手法を学び、素粒子の残す飛跡を記録できる、霧箱と呼ばれる特別な装置を駆使した。また、前に登場したピョートル・カピッツァなど、ラザフォードとの共同研究のためにケンブリッジにやって来た世界中の物理学者と出会った。しかし仁科は満足していなかった。実験物理学は確かにやりがいがあったが、本当にやりたいのは量子力学の根幹をなす理論の研究だった。宇宙そのものの根本的性質を理解するにはそれしかない[55]。

1921年末、帰国の準備をしているはずの時期に仁科はニールス・ボーアに手紙を書いた。ボーアがケンブリッジを訪れてきたときに少しだけ顔を合わせたことがあった。仁科はコペンハーゲンのボーアのもとで研究ができないかと尋ね、「実験か計算で手助けが必要な人がいたら喜んでやります」と伝えた。ボーアはその申し出を受け入れ、コペンハーゲンの理論物理学研究所に仁科を招き入れた。そして仁科がラスク゠エルステッド財団から奨学金を得られるよう力を貸した。この財団は第一次世界大戦後にデンマーク政府が国際的な科学協力の推進のために設立したもので、仁科はそれから5年間コペンハーゲンで過ごした。1年だったはずの留学が10年近くにまで延びたのだ[56]。

1928年、コペンハーゲンを離れる直前に仁科は理論上の大きなブレークスルーを成し遂げる。

その年、イギリス人物理学者のポール・ディラックが、相対論と量子力学を組み合わせて電子の物理を記述する論文を発表していた。ケンブリッジ時代から仁科のことを知っていたディラックは、その論文の別刷りをコペンハーゲンにも送った。その論文は大熱狂を巻き起こした。それまでほぼ完全に別々に扱われていた相対論と量子力学を、少なくとも原理的には組み合わせられることを示したのだ。しかし仁科はさらにその一歩先へ進もうとした。スウェーデン人物理学者のオスカル・クラインとともに研究を始め、ディラックの方程式を拡張した数式で、実際の物理現象、この場合には電子にX線を当てたときに何が起こるかを記述しようとしたのだ。[57]

仁科とクラインは数か月のあいだ研究に集中し、コペンハーゲンで毎日顔を合わせては議論を重ねた。そうして完成した論文は、1929年初めにドイツの一流の物理学誌で発表された。実に難解な数学だったが、それでも2人はやってのけた。のちに「クライン＝仁科の公式」と呼ばれるようになるその数式は、相対論と量子力学を初めて具体的な物理現象に当てはめたものとなった。前に登場した中国人物理学者の趙忠堯に実験をおこなうきっかけを与えたのも、まさにこの公式である。コペンハーゲンで研究する日本人科学者がカリフォルニアで研究する中国人科学者を奮い立たせたというように、この時期に物理学は驚くほど国際的になっていたことが読み取れる。20世紀初頭の短い間、科学協力はもっと平和な世界を導いてくれるかに思えた。[58]

1928年に東京に戻った仁科芳雄は、変わり果てた町の姿を目の当たりにした。留学中の1923年に関東大震災が発生したのだ。死者は10万人を超え、多くの建物が倒壊した。科学の世界も影響をこうむった。東京帝国大学のある学生は、「物理学科の本館にひびが入っていまにも崩れそうだった。数学科の建物は全焼した」と記している。仁科が帰国したとき、日本はいまだ復興途上にあった。それでも多くの人は一から再起するチャンスととらえていた。そうして、瓦礫の中から新たな日本が生まれることとなる[59]。

仁科は日本の科学の将来を担う分野の一つとして、量子力学を誰よりも積極的に広めた。1929年にはポール・ディラックとヴェルナー・ハイゼンベルクを日本に招き、2人の連続講演では通訳を務めた。のちにその講演録を仁科自身が日本語に翻訳して、量子力学の基本的概念の数々を学生たちに伝えた。また全国で講演をおこなって新世代の物理学者を奮起させ、のちにその多くの人が独自の重要な研究を進めることとなる。日本の科学に対して仁科がおそらくもっとも重要な貢献を果たしたのは、1931年5月に京都帝国大学でおこなった講演においてだろう。聴衆の中に湯川秀樹という名前の物理学専攻の若き学生がいた。量子力学の奇妙な世界を説明する仁科の話に湯川はじっと耳を傾け、講演後には仁科に質問をした。仁科は知るよしもなかったが、この若者がのちに日本人科学者として初めてノーベル賞を受賞することとなる[60]。

湯川は1907年に東京で生まれた。父親は地質調査所で働いていた。1882年創設の地質調査所は、前の2つの章で取り上げた明治維新の頃に新設された科学機関の一つである。世界中を巡って中国やヨーロッパの地質学者とともに研究した湯川の父親は、19世紀の近代的な日本人科学者の模範ともいえる人物だった。ただし湯川の幼少期に影響を与えた人物がもう一人いる。漢学に造詣が深い祖父である。そのため湯川は現代的な学問と伝統的な学問の両方に接した。父親からは物理学や化学を教わり、祖父には中国の古典を暗誦させられた[61]。

最終的に湯川は父親の跡を継いで科学者になることを決め、1926年に京都帝国大学に入学して物理学を学んだ。しかし日本の多くの若い学生と同じく、講義にはかなり退屈した。時代遅れの講義内容よりも、新たな物理学である量子力学のほうにはるかに心躍った。そこで独学で習得する決心を固め、物理学科の図書室で何時間も過ごした。「書棚に並んだ古い本には目もくれず、過去2年か3年以内に外国で、とくにドイツで発表された、新たな量子論に関する論文をできるだけ早く学びたかった」とのちに記している。19歳の学生が独学で量子力学を身につけようなんてかなり大胆だ。しかし湯川は夢中だった。そして同じく京都帝国大学の野心的な学生、朝永振一郎と仲間になった（朝永ものちに、日本人科学者として2人目のノーベル物理学賞受賞者となる）。湯川と朝永は毎晩、合間に囲碁を打ちながら量子力学について語り合った[62]。

湯川が大学を卒業したのは不況のさなかのことだった。まもなく世界経済を崩壊させる大恐慌の最初の兆しである。1929年末、湯川はさまざまな進路を天秤にかけた。卒業しても職がない。僧侶にでもなろうか。少なくとも祖父は喜ぶだろう。しかし仁科が京都でおこなった講演を聴いて、湯川は自分が情熱を傾けるものにこだわろうと決めた。理論物理学者を目指すことにしたのだ。そもそもまだ人を雇っていたのは大学くらいだった。1932年に湯川は京都帝国大学物理学科の講師の職に就いた。そしてすぐに量子力学の科目を新たに開講し、学生たちを喜ばせた。その1年後には大阪帝国大学のポストに招かれた。全国に科学を普及させる取り組みの一環として、1930年代に政府が新設した大学の一つである。刺激的な新たな研究を進める大学としてすでに評判になっていた。最終的にこの大阪で湯川は、ノーベル賞につながるブレークスルーを成し遂げる。[63]

1934年11月17日、湯川は日本数学物理学会の会合で最新の研究結果を発表した。しかし聴衆はほとんど関心を示さなかったようで、現代物理学におけるもっとも重要な理論的成果を聴いているなどとは思いもしなかった。その論文の中で湯川は、当時最高の科学者たちでも歯が立たなかったある問題を解決した。2年前にケンブリッジ大学の物理学者ジェイムズ・チャドウィックが中性子を発見した。電荷を持たないその粒子は原子核の中にあって、正の電荷を帯びた陽子と結合している。しかしそこに一つ問題があった。何が原子核を一つにまとめているのかが定かでなかったのだ。電荷ではありえない。中性子は電荷を持っていないし、正の電荷を帯びた陽子は互いに反発してしまうからだ。そこで物理学者たちは、中性子と陽子をつなぎ止める何か別の力が存在するはずだと考えた。だがそれはどんな力だろうか？　湯川はその答えを示した。1935年初頭に発表された論文の中で、まったく新たな素粒子が存在すると予言し、その素粒子はのちに「中間子」と呼ばれることになる。湯川の説によれば、この中間子が強い核力を伝えて、陽子と中性子をつなぎ止めているというのだ。[64]

その数年後、湯川は正しかったことが証明された。誰あろう恩師の仁科芳雄が中間子の存在を裏付けたのだ。当時、理研の物理部門を率いていた仁科は、湯川の学友で同じく量子力学に熱中する朝永振一郎を招き入れたばかりだった。2人は中間子探しを始めた。いくつかの手掛かりが湯川によって与えられていた。中間子はかなり高いエネルギーでしか検出できず、質量は電子の約200倍だろうと予言していたのだ。1937年末、仁科は霧箱の中に、その条件とちょうど合致する飛跡を見つけた。そのとき、高エネルギーの宇宙線が霧箱の中の粒子と衝突する際に起こる現象を観察していた。するとときに新たな粒子が短時間出現し、仁科が撮影した写真上にそれが細く白い線として見えた。まさに予言されていたとおりの粒子だった。仁科はそれを「湯川粒子」と呼んだ。中間子は実在していたのだ。[65]

中国やロシアと違って日本は20世紀前半に革命こそ経験しなかったが、それでも日本の科学は幅広い国際政治の世界によって方向づけられた。1912年の明治天皇の崩御を受けて、日本社会の改革を求める声が高まった。若い世代は政治と学問の変化を望んだ。ある者は日本共産党に加わり、またある者は量子力学を学びはじめた。大阪帝国大学で湯川の同僚だった物理学者の武谷(たけたに)三男はその両方だった。この頃に日本は、東アジアでの軍事的・経済的地位を盤石なものにする意志を固めていた。そこで理研などの新たな科学機関は、政治と学問両方の目標に尽力した。「国を栄えさせるとともに、物理学と化学の分野で創造的な研究を後押しする」こととされた。そうして1930年代に、理研などの新たな研究機関で働く日本人科学者は大きなブレークスルーを次々に成し遂げた。ロシアや中国の科学者と同じく、彼ら新世代の物理学者は現代物理学の中により良い未来を見て取った。湯川にとって量子力学はこの時代の「自由な精神」を体現していた。新たな日本にとっての新たな科学だ。次の節では、同じ時期にイギリス領インドで明るい未来展望が現代物理学の発展を方向づけたさまを探っていくことにしよう。[66]

4　物理学と帝国との闘い

メグナード・サーハーは何もかもなげうとうとしていた。ベンガルの貧しいインド人一家に生まれたサーハーは、現在のバングラデシュ、ダッカにある一流の国立中等学校に入学したばかりだった。学校にも馴染んで、数学と物理学、化学を学んでいた。ところが１９０５年夏にある抗議活動に参加し、それが人生を変えることとなる。当時ベンガルは、イギリス領インドの一部として植民地支配のもとにあった。そして19世紀末から多くのインド人が帝国の不公平に抗議する活動を繰り広げていた。しかしこの頃、植民地支配に対する闘いは新たな段階に突入する。１９０５年7月にインド副王が、ベンガルを2つの地域に分割する計画を発表した。ヒンドゥー教徒が多数を占める西ベンガルと、イスラム教徒が多数を占める東ベンガルである。サーハーは多くのベンガル人と同じく、祖国の分割に激しく憤った。ベンガル副総督がダッカの国立中等学校を訪れると、学生たちはストライキを決行した。授業に出ず、校門の前に立って副総督をやじったのだ[67]。

翌日サーハーは退学処分になった。一家の中で初めて中等教育を受けていただけに、ひどく衝撃を受けたに違いない。しかしあきらめようとはしなかった。ちっぽけな村に戻って父親と同じく商店を経営するなんて嫌だ。サーハーはダッカに留まることにした。そしてイギリス人でなくベンガル人の運営する別の学校に入学した。貧しい一家には支えてもらえなかったため、家庭教師をやって生活費を稼ぐしかなかった。錆びついた自転車で町じゅうを回り、自分より裕福な学生の家で数学や物理学を教えた。そんな苦労も最終的には報われた。試験の成績が良かったおかげで、名門カルカッタ大学プレジデンシー・カレッジへの入学が認められたのだ[68]。

１９１１年、ベンガルの片田舎出身の貧しい少年サーハーが、イギリス領インドの中心地にやって来た。カルカッタでは、第6章で取り上げた人たちを含め、一つ上の世代の一流科学者たちに師事した。

プラフラ・チャンドラ・レイからは化学を、ジャガディッシュ・チャンドラ・ボースからは物理学を教わった。そして優れた成績を収め、1915年に理学修士号を取得して卒業した。とくに量子力学の新たな研究に興奮を覚え、ヴェルナー・ハイゼンベルクやマックス・プランクの原論文を読もうと、独学でドイツ語まで習得しようとした。ところが政治の世界が足を引っ張ってくる。プレジデンシー・カレッジの同級生の中には過激な学生が大勢いて、その多くがのちに反植民地闘争で先導的な役割を果たすこととなる。第二次世界大戦でナチスドイツを支持したインド人民族主義者のスバス・チャンドラ・ボースや、急進的なユガンタル党の指導者の一人アトゥルクリシュナ・ゴーシュなどである[69]。

サーハーは卒業こそしたものの、選べる進路はかなり限られていた。数学や物理学を専攻した優秀なインド人卒業生のほとんどは、カルカッタにある財務省に入省して植民地経済の運営に力を尽くした。しかしサーハーには採用試験を受験する許可が与えられなかった。少年時代にベンガル分割に抗議したこと、またカルカッタ大学で学生革命家たちとつながりがあったことを、植民地政府が良しとしなかったからだ。ほかに選択肢がほとんどなかったサーハーは、カルカッタ大学で物理学の講師の職に就いた。インドや中国、日本などの多くの過激な学生と同じように、政治状況のせいでほかに選択肢がなくてやむをえず科学者の道を選んだのだ[70]。

20世紀初頭は、インドで反植民地運動が盛り上がりを見せた時代だった。以前からイギリスの支配に対する抵抗はある程度あったが、1905年のベンガル分割を受けて、メグナード・サーハーを含め多くの人が帝国支配を打倒する運動に積極的に関わりはじめた。インド人の願い事をことごとく無視してきたイギリスが、無慈悲な分割統治の試みの一環として導入した政策、それがベンガル分割だった。ほかの地域と同じくインドでも、この政治的な世界が科学の発展を方向づけた。サーハーはこの時期の多くのインド人科学者と同じく、反植民地運動に身を捧げた。また、科学そのものが植民地支配を終わらせる役割を果たせると信じた。サーハーいわく、1920年代以降の世界でインドが独立を勝ち取るには、工業化を推進して、イギリスに科学技術を依存している現状を脱する必要がある。反植民地運動に関わった多くの人が同じ展望を抱いていた。ジャワハルラール・ネルーは1938年にカルカッタで開かれたインド科学会の会合で、「いつの日か再びインドは、知的活動の一つとしてだけでなく、人民のさらなる発展の手段としての科学の拠点となるであろう」と言い切った。ケンブリッジ大学で博物学を学んだネルーは、1947年の独立後にインドの初代首相となる。[71]

インド民族主義者のあいだに広がっていたこのような科学への熱狂ぶりは、サーハーにとてつもない恩恵をもたらした。1915年にサーハーはカルカッタ大学理工総合カレッジで博士研究を始めた。この新たなカレッジは前年に創設されたばかりだった。その構想を思いついたのは、インド独立に力を尽くす2人の裕福なベンガル人法律家で、うち一人は、イギリスからの独立を目指す政治組織、インド国民会議の一員でもあった。同カレッジは「インド帝国の隅々から学生が集まる、全インドのための理系カレッジ」を目指した。サーハーは理学博士号を取得するとすぐに、外国でポスドク研究を進めるための奨学金を獲得した。行き先にはアメリカ合衆国を望んだが、結局イギリスまでしか叶わず、1920年初頭にロンドンにやって来た。友達もいない帝国の大都市に身を置くことになって、不安だったに違いない。それでもできる限りのことをして、インペリアルカレッジ・ロンドンの物理学者アルフレッド・ファウラーのもとで研究を始めた。そしてここで自身初の大きなブレークスルーを成し遂げる[72]。

インペリアルカレッジでサーハーは、物質を超高温まで加熱すると何が起こるのかを調べはじめた。19世紀末以降、超高温で物質はプラズマという奇妙な状態になることが知られていた。プラズマ状態では原子のあいだを電子が自由に運動して電荷の雲を作り、エネルギーを放射する。しかしこのように基本的な事柄は解明されていたものの、高温で起こることを詳細に記述したり説明したりする術は知られていなかった。そんな状況を変えたのが、1920年3月にサーハーが学術誌『フィロソフィカル・マガジン』で発表した一本の論文である。その論文の中でサーハーは量子力学の知見を使って、プラズマの温度と圧力、および電離度（電気エネルギーの強さ）のあいだの関係を正確に記述した。その数式はのちに「サーハーの電離公式」と呼ばれるようになり、理論的観点からだけでなく、さまざまな物理現象を説明する上でも驚くほど有用であることが明らかとなった。恒星内部の元素の同定や、太陽表面での現象の記述にも用いられることとなる[73]。

サーハーは1921年にインドに戻り、カルカッタ大学の教授となった。そしてそれから何年かにわたって、科学への興味と政治への関心を結びつける取り組みを続けた。独立を目指してインド国民会議に積極的に関わり、1930年代には国家計画委員会と科学工学研究委員会に携わった。またソ連の科学者と定期的に交流した。1945年にはロシアを訪れて、モスクワのソ連科学アカデミーでピョートル・カピッツァと顔を合わせ、現代科学が政治的な力を発揮するという思いをますます強くしてインドに帰国した。そして、「インド民族主義者もソ連でかつておこなわれたのと同じく、科学や工業の手法を応用するという重要な課題に集中する必要がある」と訴えた。ついにインドが独立を勝ち取ると、サーハーは政治家に転身して新たな議会の選挙に出馬した。そして1952年、愛するベンガルから革命社会党の一員として当選した。どんな意味から言ってもまさに急進的な人物だった[74]。

メグナード・サーハーだけでなく、ほかに大勢のインド人物理学者が科学と政治を結びつけた。誰もがサーハーほど大胆だったわけではなく、独立達成の手段について異なる意見の人もいたし、ソ連と同じ道をたどることにそこまでこだわった人も少なかった。しかしこのような違いはあれど、この時期のほとんどのインド人科学者は、自らの研究と、帝国との闘いとを結びつけた。物理学の未来とインドの未来の両方に関してサーハーと同じ展望を抱いていた一人が、サティエンドラ・ナート・ボースである。1905年夏にボースはベンガル分割に反対する独自の抗議活動を進めた。わずか11歳でありながら、カルカッタの家々を訪ねてはイギリスから輸入された織物を集め、道路に積み上げて火をつけたのだ。このように、植民地支配に反対する民族主義者がイギリス製品の不買を訴えたスワデーシ運動は、当時ベンガル一帯を席巻した。イギリスからの輸入への依存度を下げて、インド国内の生産を喚起するというもくろみだ。しかしボースはサーハーと違い、抗議活動に関わったからといって大きなしっぺ返しを食らうことはなかった。カルカッタにあるヒンドゥー・スクールに通い、1909年にプレジデンシー・カレッジに入学して、卒業後には新設のカルカッタ大学理工総合カレッジで物理学の講師となった。そしてそこでサーハーと出会った[75]。

サーハーとボースは出自がまったく違っていた。サーハーは片田舎の低い身分の家の出だったが、ボースが生まれたのはカルカッタの高い身分の家だった。しかしそんな違いをよそに2人は生涯の友情を築いた。2人とも、インドがイギリス支配から脱する上で現代科学が役に立つと信じていた。そして2人とも、相対論と量子力学という新たな物理学に強い興味を抱いていた。一緒にドイツ語を学び、手に入る限りのドイツの学術誌を買い集めた。ここにも反植民地主義の一端が見て取れる。イギリスの科学を拒絶して、ドイツ発の刺激的な研究を積極的に取り入れたのだ[76]。

さらにサーハーとボースは注目すべきことを成し遂げた。特殊相対論と一般相対論に関するアルベルト・アインシュタインの原論文を、ドイツ語から英語に翻訳したのだ。カルカッタで出版されたその『相対論の原理』（1920）は、実は世界で初めてアインシュタインの研究論文を英訳したものとなった。イギリスやアメリカ合衆国の学生はのちにこの本を購入して、インド経由でアインシュタインの理論を学んだことになる。しばし考えてみてほしい。ドイツの科学を英語圏にもたらしたのは2人のベンガル人だったのだ。ここからもまた、この時期の科学が驚くほど国際的だったこと、そして現代物理学の発展においてインドが重

THE PRINCIPLE OF RELATIVITY

ORIGINAL PAPERS BY A. EINSTEIN AND H. MINKOWSKI

TRANSLATED INTO ENGLISH BY M. N. SAHA AND S. N. BOSE

LECTURERS ON PHYSICS AND APPLIED MATHEMATICS UNIVERSITY COLLEGE OF SCIENCE, CALCUTTA UNIVERSITY

WITH A HISTORICAL INTRODUCTION BY P. C. MAHALANOBIS

PROFESSOR OF PHYSICS, PRESIDENCY COLLEGE, CALCUTTA

UNIVERSITY OF CALCUTTA · THE ADVANCEMENT OF LEARNING

PUBLISHED BY THE UNIVERSITY OF CALCUTTA 1920

Sole Agents R. CAMBRAY & CO.

35. 1920年にカルカッタで出版された、アルベルト・アインシュタインの研究論文の初の英語訳。

要な役割を果たしたことが読み取れる。[77]

1921年にボースは、第一次世界大戦後に新設された大学の一つ、ダッカ大学に講師として雇われた。それから数年間、相対論と量子力学を教えるとともに独自の研究を進めた。そして1924年6月、勇気を出してアインシュタイン本人に一通の手紙を書いた。「論文を同封しますので、目を通していただいて意見を伺いたく存じます。お考えをお聞かせいただければ幸いです」。その数か月前にボースはロンドンの『フィロソフィカル・マガジン』に論文を投稿したが、編集者に掲載を拒否されていた。そこでめげずに同じ論文をアインシュタインに送り、「公表に値するとお考えかどうか」尋ねたのだ。[78]

アインシュタインは面食らった。インド国外では当時ほぼ無名だったボースが、古典物理学でなく量子力学に基づいて素粒子の挙動を理解するまったく新しい方法を考えついていたのだ。ボースは気づいた。ミクロレベルでは一個一個の粒子が互いに区別できなくなるケースがある。そうすると、熱力学の従来の方程式は役に立たない。そこでボースは、このようなケースを記述する新たな統計学的方法を編み出した。のちに「ボース゠アインシュタイン統計」と呼ばれる方法である。まもなくして、この統計パターンに従うのは特定の種類の粒子に限られることが明らかとなった。今日ではそれらの粒子は、ボースにちなんで「ボソン」と呼ばれている。[79]

アインシュタインは返信の手紙の中で、「これは重要な一歩で、私は大変嬉しい」と伝えた。それどころかあまりの感銘ぶりに、ボースの論文を自らの手で英語からドイツ語に翻訳し、ベルリンの一流の物理学誌で発表する手筈を整えた。またボースに、ヨーロッパに来てもらって2人でこのアイデアについて議論しようと提案した。当初ダッカ大学はボースを行かせることを渋っていた。しかしアインシュタインが推薦状を書いたことで事態は一変した。大学が即座にボースの休暇申請を許可したのだ。そうして1924年9月、ボースはヨーロッパ行きの蒸気船に乗り込んだ。「アインシュタインの名刺を見せただけでドイツ領事館からビザをもらえた」とのちに振り返っている。しばらくパリに滞在してからベルリンに向かい、ついにアインシュタイン本人と相まみえた。この頃にはアインシュタインは量子力学をあまり信じられなくなっていたが、それでも2人は量子力学の未来について語り合った。政治の話もした。前に述べたとおり、アインシュタインは第一次世界大戦後の社会状況に懸念を深めていた。おのずから話題はイギリス領インドへと移っていった。「イギリスが君の国から手を引くことを本当に望んでいるのかい」とアインシュタインが尋ねると、ボースは「もちろんです。みな自分の運命は自分で決めたいと思っています」と答えた[80]。

ボースと会ったことでアインシュタインは、インドの科学と政治の両方に対する関心を大幅に深めた。そしてたびたび時間を割いては、博士課程の学生を含め何人ものインド人科学者からの手紙に対して返事を書いた。またマハトマ・ガンディーやジャワハルラール・ネルーなど、20世紀初頭の指導的なインド人政治家の多くと手紙のやり取りをした。国際平和を訴える者として、ガンディーの非暴力主義からは大いに刺激を受けた。そして1931年9月にガンディーに手紙を書き、「あなたはこれまでのあらゆるおこないを通じて、暴力に頼らなくても理想を実現できることを証明してくれました」と伝えた。ガンディーもインド独立運動にアインシュタインが関心を持ってくれたことを喜び、「私の取り組みに好意的な目を向けてくださってたいへん励みになりました」と答えた。このようにガンディーとアインシュタインが手紙のやり取りを始めてから1年も経たずして、インドの科学の歴史上もっとも重要な瞬間が訪れる。1930年11月、光の正体に関する人々の考え方を変えた発見によって、あるインド人科学者がノーベル物理学賞を受賞したのだ。[81]

1921年8月、蒸気船ナルクンダ号から、チャンドラセカール・ヴェンカタ・ラマンは光きらめく青い海を見渡した。オックスフォード大学での学会に出席してインドに戻る途中だった。地中海を渡っていると、ある疑問が頭に浮かんできた。どうして海は青いのだろう？　昔ながらの答えは知っていた。19世紀半ばから、海が青く見えるのは空の色を反射しているからだと論じられていた。当時のほとんどの物理学の教科書にもそう書かれていた。1910年にイギリス人物理学者のレイリー卿は、「深い海の見とれるような濃い青色は海の色とはいっさい関係がなく、空の青色が反射して見えているだけだ」と記している。しかしラマンは本当にそうだろうかと思った。そこでポケットに入っていた光フィルターを取り出して、甲板上からいろいろな角度で海の色を確かめてみた。すると突然、レイリーは間違っているのだと気づいた。海は単に空の色を反射しているのではなく、光の色自体を変化させていたのだ。この観察結果が最終的に、ラマンにインド人科学者初のノーベル賞受賞をもたらすこととなる。[82]

船上でラマンは、ロンドンの学術誌『ネイチャー』に投稿する短報を急いで書き上げた。「深い海の青色はそれ自体が独特の現象であって」、量子力学の最新理論を用いて初めて説明できることを、科学者たちに納得させたかった。だが比較的無名のインド人物理学者が書いた論文だったため、当初ヨーロッパで目を留める人はほとんどいなかった。それでもラマンは自説を証明する決意を固めた。192

1年10月、パリト記念物理学教授に着任したばかりのカルカッタ大学理工総合カレッジに戻ってきた。そして、水によって光の色が実際に変化することを証明する一連の実験に取りかかった。かなり単純な実験だが、それでも功を奏した。まず電球の前に紫色のフィルターを置く。そして水を入れた瓶にその紫色の光を当て、瓶の側面に緑色のフィルターを置く。こうすれば、光の波長、つまり色が変化したかどうかを、目で見るだけで判別できる。もしもラマンの説が正しければ、紫色の光の一部が波長が伸びて緑色に変わり、緑色のフィルターを通過してくるはずだ。[83]

1928年にラマンはその実験の最終結果を、母国の才能を応援する目的で新たに刊行された学術誌『インド物理学ジャーナル』で発表した。その論文では、光が水分子と相互作用する際に起こる現象を、量子力学の知見を使って説明している。確かに光の一部は、レイリーなどそれまでの物理学者が唱えたとおり単に反射するだけだ。しかし重要な点として、光の一部は水分子に吸収される。そしてその光はエネルギーを失って波長が伸び、色が変わる。ラマンはこの現象を「新たな放射」と呼んだが、まもなくして「ラマン散乱」として知られるようになる。その2年後、ラマンはノーベル物理学賞を受賞した。本人にとってもすさまじい偉業だが、インド独立運動にとっても重要な瞬間となった。インド人科学者が現代物理学の発展に大きな貢献を果たせること、世界の科学界に認められるような功績を上げられることを、ラマンが証明してのけたのだ。[84]

ノーベル賞受賞からまもなくしてラマンはカルカッタを去り、新たなポストに就いた。バンガロールにあるインド理科大学院に学長として招かれたのだ。裕福な実業家ジャムシェトジー・タタによって1909年に創設されたこの大学の目的は、同時期に新設された多くの学術機関と同じく、科学技術を通じてインドの産業を発展させることだった。しかしおもにインド人からの寄付で運営されていながらも、長らくイギリス人科学者に牛耳られていた。それまでの学長は全員がイギリス人だったし、教授もほとんどがそうだった。そのため1933年にラマンが学長に就任すると、インド民族主義者のあいだで大熱狂が起こった。少なくとも科学の世界では、イギリスからインドに支配権が移ったのだ。現代技術が社会におよぼす影響に批判的だったことで知られるマハトマ・ガンディーまでもが、インド理科大学院を訪れてラマンを讃えた。[85]

バンガロールでラマンは、自身の理論的発見を実用的な技術に応用した。光の散乱によって各種物質の構造に関する情報が得られるのではないかと、目ざとく気づいたのだ。そこで、各種物質による光の波長の変化量を、写真乾板を使ってもっと精確に測定しはじめた。この手法はのちに「ラマン分光法」と呼ばれるようになり、今日でも科学者に重宝されている。ラマンはとくにダイヤモンドを調べたいと思ったが、必ずしも容易に手に入る代物ではなかった。そこでまずは友人の結婚指輪を借り、最後には地元を治める大王を説得してもっとずっと大きいサンプルを借り受けた。そして光の散乱の程度を測定し、結晶構造のわずかな違いがダイヤモンドの色と輝きにどのような影響を与えるかを明らかにした。[86]

バンガロールではほかの研究者たちがもっと一般的な工業材料を分析した。インド理科大学院に勤める数少ない女性の一人であるスナンダ・バイは、1930年代に各種化合物の構造に関する一連の実験をおこなった。ラマンの手法を使って、テトラリンとニトロベンゼンの分子構造と化学的性質を特定したのだ。どちらの化合物も当時インドの産業発展にとって欠かせない代物だった。テトラリンを用いて液化した石炭が輸入品の石油の代替燃料として用いられていたし、ニトロベンゼンはインドの主要輸出品であるインディゴ染料の生産に使われていた。バイはこれらの化合物の構造をより深く解き明かすことで、インドの科学と工業の両方に貢献したのだ。

しかしインド人女性はこのように重要な研究を進めていながらも、当時の研究環境は必ずしも楽ではなかった。インド民族主義運動に関わる男性のほとんどは、女性は家に留まって、科学者としてでなく母親として独立運動を支えるべきだと考えていた。ラマンも研究室で女性が働くのを嫌がっていて、職に応募してきたある人に対しては、「この大学に女はいらない」などと言い放った。とはいえバイも孤立無援ではなかった。１９３０年代を通してインド人女性の中には、性別に基づく従来の役割分担を拒否して、それまで男性に占められていた分野で働く機会を求める人が増えていった。物理学もその例外ではなかったのだ。

バンガロールでバイはほかに何人かの先進的なインド人女性と手を組んだ。その一人が、宝石の結晶構造に関する重要な論文を多数発表したアンナ・マニである。１９１８年に南部のケララ州で生まれたマニは、裕福な家の出だった。父親はカルダモンのプランテーションを経営していて、マニは幼い頃にその中をよく歩き回った。家族からは、結婚して良き妻になることを望まれたが、本人は違う考えだった。わずか7歳のときにケララ州で開かれた集会でマハトマ・ガンディーの話を聴き、反植民地運動に関わるようになった。そしてまもなくして、インド独立運動に力を注ぐには科学者になるのが一番だと判断した。次の誕生日には、定番のプレゼントであるダイヤモンドのイヤリングの代わりに『ブリタニカ百科事典』をせがんだ。そして勉学にいそしみ、マドラス大学プレジデンシー・カレッジの物理学課程に合格した。その後、バンガロールで10年近くにわたりバイやラマンとともに研究を進めた。運命のいたずらか、インド理科大学院では、幼い頃に欲しがらなかったあの贈り物、ダイヤモンドなど宝石の結晶構造の研究にほとんどの時間を費やしたのだった。

バイがマニに加えてもう一人手を組んだのが、カマラ・ソホニーである。[87]1911年生まれ、科学者一家の出身だった。父親とおじは化学を学んでいて、若きソホニーにも同じ分野に進むよう勧めた。そこでソホニーはボンベイ大学で物理学と化学の学位を取得し、1933年にインド理科大学院でラマンのもと研究することを志願した。ところが大学ではその年トップの成績を収めていたというのに、ラマンに受け入れを拒否され、改めて女性差別を思い知らされた。「ラマンは科学者としては偉大だが、とても了見が狭い。女性だからというだけの理由であのように扱われたことはけっして忘れない」とのちに記している。しかし黙って引き下がることはなかった。何とも勇敢なことに、バンガロールのラマンのオフィスに押しかけて、受け入れを認めるよう直々に迫ったのだ。最終的にはラマンも折れ、ソホニーは研究生として採用された。そして1939年にはインド人女性初の理学博士号をケンブリッジ大学から授与され、インドに帰国して大学教授の地位に就いた。ラマンは自分の研究室に女性を入れたがらなかったかもしれない。しかし好むと好まざるとにかかわらず、こうして女性は地位を築いたのだった。[88]

1905年のベンガル分割は、イギリス領インドの終焉の始まりとなった。イギリスは分割統治をもくろんだことで、かえってインド独立運動を勢いづけてしまった。ほかの地域と同じく、20世紀初頭のインドで起こった大きな政治的変化は近代科学の発展に深い影響を与えた。多くのインド人物理学者が、自分たちの研究を帝国との闘いの一環ととらえた。その点でもっとも大胆だったメグナード・サーハーは、1920年代にイギリスの情報将校から「過激な革命家」とのレッテルを貼られた。しかしラマンを含めほかの物理学者も、社会主義思想は別としてサーハーと同じ科学観を抱いていた。インドが独立した産業経済に移行する上で科学が役に立つと考えていたのだ。独立からわずか5か月後の1948年1月にラマンは、「インドの経済問題を解決する方法が一つだけある。それは科学、より多くの科学、さらに多くの科学だ」と言い切った。これを受けてインド民族主義者は数々の新たな科学機関の設立に力を尽くした。そうして十分な経済的支援を受けたインドの科学者は、とくに相対論や量子力学の関連分野で数々の重要なブレークスルーを成し遂げた。科学に対するこのような熱意はインドの政治指導者たちも抱いていて、インド初代首相ジャワハルラール・ネルーもその例外ではなかった。中国や日本の指導者と同じく、科学により良い世界を見て取り、「未来は科学にある」と訴えたのだ。[89]

5 まとめ

目もくらむような光。焼けつく熱さ。一瞬にして世界は様変わりした。1945年8月6日、B－29爆撃機スーパーフォートレスが日本の広島に原子爆弾を投下した。死者は5万人を超え、そのほとんどが民間人だった。3日後、アメリカ軍は2発目の原子爆弾を今度は長崎に投下した。推計値にばらつきはあるが、この2都市で最大20万人が、爆発の直接の影響またはそれに続く放射線被曝によって命を落とした。

20世紀初めの数十年間には、科学はより良い社会の鍵を握っていると思われていた。多くの人が相対論と量子力学に、古いしがらみを壊して明るい未来を築くチャンスを見て取った。ロシアや中国、日本やインドの科学者は世界中の同業者と協力して、現代物理学の発展に数々の重要な貢献を果たした。アルベルト・アインシュタインも1920年代と30年代の大半を通して、第一次世界大戦後の国際協力の推進に力を注いだ。しかし1939年の第二次世界大戦勃発と1945年の原爆投下によって、すべてが水泡に帰した。冷戦が始まり、国際協力が新たな国際紛争の時代に取って代わられた。そこには残酷な皮肉が見て取れる。この章に登場した楽天的な若手科学者の多くが、1950年代と60年代には核兵器開発に取り組むようになったのだ。そもそも彼らは、原子の中に閉じ込められた莫大なエネルギーを活用する術を誰よりも深く理解していた。レフ・ランダウは渋々ながらソ連初の核兵器のための計算をおこなったし、葉企孫が育てた物理学者の多くは中国初の原爆の開発に携わった。次の章では20世紀後半に歩を進めて、冷戦期とその後の時代における科学の進歩を掘り下げていこう。イデオロギーをめぐる争いは引きつづき近代科学の発展を方向づけていったが、その舞台と様子はそれまでと違っていた。[90]

第8章 冷戦と遺伝学

都築（つづき）正男は、悲惨な状況だと事前に聞かされてはいたものの、破壊された広島に到着して目にした荒れ果てた光景には茫然とした。ねじ曲がった顔、瓦礫に押しつぶされた死体、血を吐く子供。たった一度の爆発でどうしてこれほどの被害が出るのか、とうてい理解できなかったに違いない。東京帝国大学教授の都築は、1945年8月6日の原爆投下後に初めて広島に入った科学者の一人である。数日をかけて生存者を診察したり死後解剖をおこなったりしたことで、この爆発の医学的影響の詳細が浮かび上がってきた。「火傷作用があまりにも激しく重篤で、皮膚が最深部まで焼けている」。都築はまた、多くの生存者が「原子爆弾放射線障害」を患っていることにも気づいた。爆発で命を落とさなかった人も、嘔吐や失血、発熱などの深刻な症状を示していた。重症者の多くは1週間以内に命を落とした。[1]

爆発直後、都築は当然ながら、もっぱら直接的で観察可能な爆発の影響を調べた。しかしまもなくして、原爆のもっと長期的な影響に関心を向けていく。1年後には、放射線被曝が生存者の「胎児や子供、子孫」にどのような影響を与えるかが完全には解明されていないと訴えている。放射線が遺伝的変異を引き起こしうることは1920年代から知られていた。しかし1945年8月まで、それが人類の未来にとってどのような意味を持つのかを真剣に考える人など誰もいなかった。遺伝的変異は未来の世代にも受け継がれるのか？　原子放射線に被曝した人が子供を作っても安全なのか？「世代にわたる研究」が必要だと都築は訴えた。このような懸念は、日本だけでなくアメリカ合衆国でも多くの科学者が抱いていた。放射線の遺伝的影響に関する発見で1946年にノーベル生理学・医学賞を受賞する、アメリカ人遺伝学者のハーマン・ジョゼフ・マラーは次のように警鐘を鳴らした。「もしも彼らがいまから1000年後の結果を予見できたなら、あの爆弾に殺されていたほうがまだ幸運だったと思うかもしれない。生存者の生殖細胞には小さな時限爆弾が何十万個も埋め込まれてしまっている」。有害な遺伝的変異が次の世代に受け継がれかねない危険性があるというのだ。[2]

国内外での懸念の広がりを受けて、アメリカ政府も何か行動が必要だと判断した。そこで1946年11月にハリー・トルーマン大統領が原爆傷害調査委員会の設置を指示した。すでに日本は降伏してアメリカの占領下にあった。全米科学アカデミーによって組織されたこの委員会の使命は、被爆者の短期的および長期的な健康被害を追跡すること。調査の大部分は爆発の遺伝的影響に関するものだった。「原子放射線による遺伝的影響を実証する唯一無二の機会を逃すべきではない」と全米科学アカデミーは訴えた。調査を率いたアメリカ人遺伝学者のジェイムズ・ニールは、日本の大勢の科学者や医師、助産師の力を借りた。同委員会に雇われたスタッフの90％以上が日本人だった。都築もすぐさま起用された。爆発から数週間以内に広島に入った数少ない科学者の一人だったためだ。また、第二次世界大戦前には放射線の生物学的影響に関する実験をおこなっていて、核爆発によってどのような遺伝的影響が生じうるかをおおかたの人よりも深く理解していた。[3]

原爆傷害調査委員会の最初の調査は、ニールと都築が日本人医師の北村三郎の協力を得て進められ、被爆者の出産状況の追跡に焦点が絞られた。都築と北村は広島一帯を巡って、妊婦から話を聴いたり、新生児を診察して異常の兆候がないかどうか調べたりした。初期の報告書では、父親が高線量の放射線に被曝していると自然流産が増えるが、被爆者から生まれた子供が重大な先天異常を患うことはなさそうだとのことだった。この結果は、深刻な遺伝的変異が起こると発生前に胚が死んでしまうだろうという説と合致していた。そのため、放射線被曝と生殖能力のあいだに確実な関連性があることは証明できなかったものの、遺伝的変異は被爆者本人の体内でしか起こらないはずだとニールは結論づけた。[4]

同委員会は出産状況に加え、染色体レベルでの放射線の影響についても調査を始めた。この調査では、戦時中にアメリカ合衆国で強制収容されていた日系アメリカ人遺伝学者の小谷万寿夫（こだに）が主導的役割を担った。カリフォルニア大学バークレー校で博士号を取得した小谷は、日本人の妻がアメリカ政府から不法移民と断定されたこともあって日本へ移住し、1948年に同委員会のために働きはじめた。小谷がおもに調査したのは、被爆者の細胞に含まれる染色体の本数である。染色体はDNA鎖でできた遺伝情報の運び手で、この頃には顕微鏡で一本一本の染色体を特定できるようになっていた。小谷は患者や遺体から細胞のサンプルを取って染色し、染色体の本数を丹念に数えていった。[5]

1957年に小谷は一本の重要な論文の中で、多くの男性被爆者の睾丸で染色体の本数が増えていると報告した。その前年にインドネシアの遺伝学者ジョー・ヒン・ティオが特定したとおり、ヒトの染

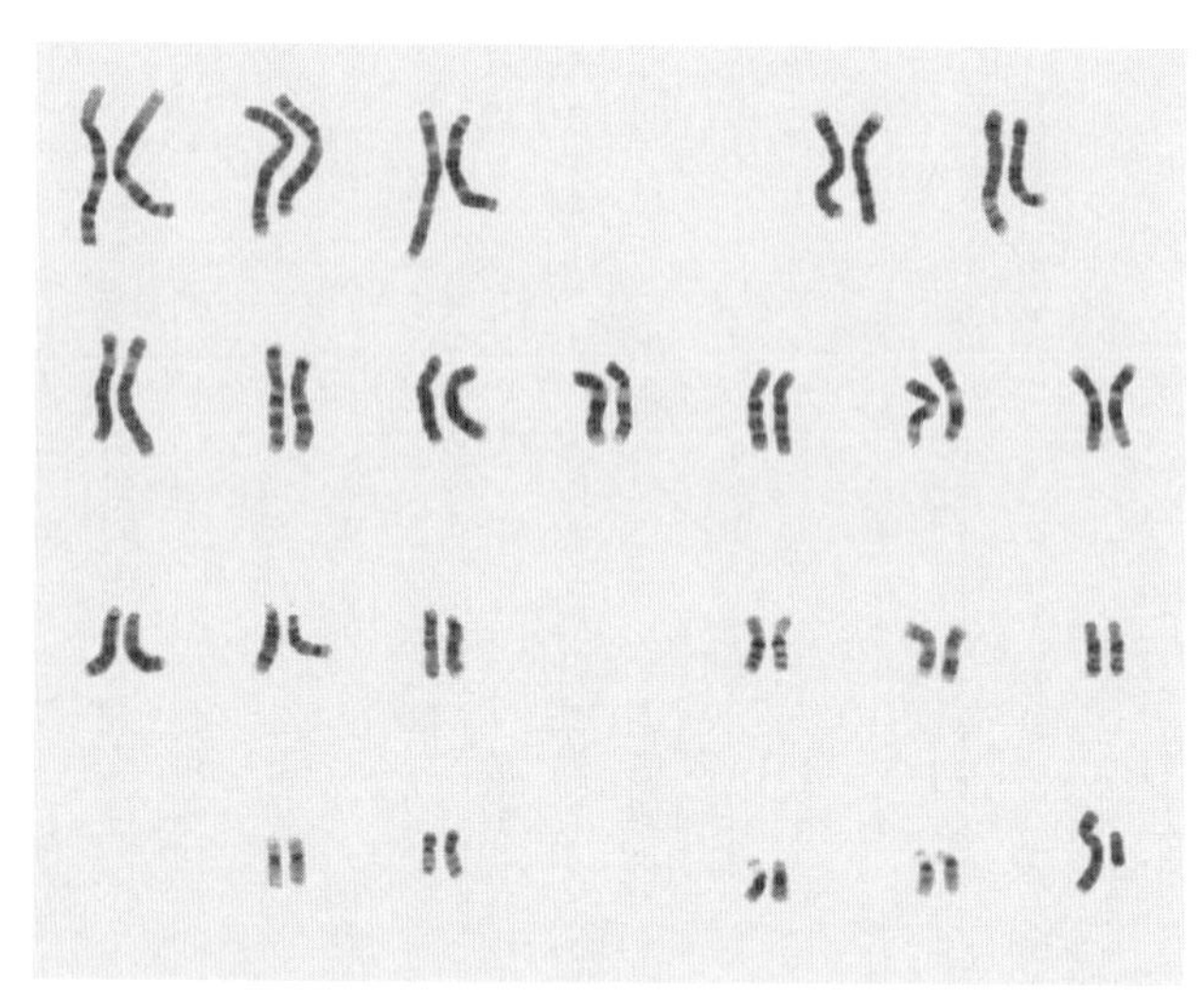

36. 染色後に顕微鏡で観察したヒトの男性の典型的な染色体。23対、計46本ある。

色体は通常46本だが、小谷は染色体を47本または48本持っている被爆者の事例を複数発見した。染色体の本数が多いとダウン症やクラインフェルター症候群など特定の疾患を患うことがあり、それらの疾患は子に遺伝する場合が多いため、これはきわめて重大な発見だった。[6]

原爆傷害調査委員会は、戦後まもなくアメリカ政府が財政支援した最大の科学研究プロジェクトの一つである。最盛期にはスタッフが１０００人を超え、アメリカ研究評議会の予算の半分近くを占めていた。このように莫大な投資がおこなわれた理由は、医学上の懸念だけでなく国際政治にもあった。１９４０年代に冷戦が始まり、アメリカ合衆国はソ連とイデオロギーをめぐる闘いに突入した。原爆傷害調査委員会の活動は、東アジアでのアメリカの影響力を強めて、日本人の心をつかもうという幅広い取り組みの一環だった。しかしわずか数か月前に2発の原子爆弾を落としたばかりだっただけに、容易な取り組みではなかった。１９４７年にアメリカ政府が発表した報告書には、「日本人と協力して被爆者の長期的調査をおこなうことで、国際関係醸成のための最高の機会が得られる」と記されている。ちょうどその頃、アメリカ合衆国はアジアでの共産主義の拡大に懸念を抱きはじめていた。北朝鮮が共産主義体制に変わり、まもなくして中国とベトナムも後に続いた。そして前の章で触れたとおり、日本にも科学者のあいだを含め共産主義活動の長い歴史があった。そこでアメリカ合衆国は、日本の科学の再建を助けることでこの国が共産主義に向かうのを防ぎたいと考えた。また、続けられている核実験に対する恐怖を和らげたいという思いもあった。しかし１９５４年3月、ビキニ環礁でアメリカ合衆国がおこなった水爆実験の放射性降下物によって日本人漁師が被曝したことで、その見通しははるかに難しくなった。[7]

　１９５０年代を通して、原子放射線の影響、とりわけヒトに遺伝的変異を引き起こす最低線量をめぐり、科学者のあいだには大きな意見の食い違いがあった。一部の科学者は、最低閾値線量というものが存在し、それよりも低い線量では遺伝的変異は起こらないと考えていた。そして、原子力発電所の作業員や、核実験場近隣の住人が浴びるような比較的高い線量でも安全であると唱えていた。他方で、そのような主張は間違っており、どんなに低い線量の放射線でも有害な遺伝的変異を引き起こす恐れがあると論じる科学者もいた。しかし１９６０年代半ばになると、小谷万寿夫など日本人遺伝学者の研究のおかげもあって、ほとんどの科学者は閾値など存在しないという点で意見が一致した。どんなに低い線量であっても放射線を浴びれば、ゲノムが傷つく恐れがつねにあるということだ。[8]

　しかしそれでも核の時代が終わることはなく、どちらかというと始まりにすぎなかった。放射線の有害な影響が明らかになったのをよそに、世界各国の政府がさまざまな原子力技術、とりわけエネルギーや防衛に関連した技術に力を注ぎつづけた。それでかえって、原子放射線の利用と影響に関する生物学的研究がますます求められるようになった。このあと見ていくとおり、原爆傷害調査委員会のほかにも、生物科学と原子力科学を組み合わせた研究機関が多数作られた。世界的レベルではその研究を国連が支援し、1950年代から60年代にかけて「原子力の平和利用」に関する会議を次々に開催した。数年おきに世界中の科学者がジュネーヴに集まっては、研究成果について議論を交わした。テーマの中には、がんの放射線治療や、放射線を用いた高収量の主要作物品種の開発などもあった。1957年にジェイムズ・ニールは、「正直言って我々はいま、遺伝学研究の新時代の入口に立っていると思う」と述べている。この言葉から読み取れるとおり、多くの科学者は、核兵器を含む原子力技術の進歩のおかげで生物科学がかつてなく発展したという思いを抱いていたのだ[9]。

*

分子生物学に基づく現代の遺伝学の歴史は、DNAの構造の解明とともに始まったのだと考えたくなってしまう。確かにそのように語られることが多い。DNAの存在は19世紀末から知られていたが、その分子が有名な「二重らせん」構造を取っていることを、ケンブリッジ大学で共同研究をおこなうフランシス・クリックとジェイムズ・ワトソンが突き止めたのは、ようやく1953年になってからだった。クリックとワトソンは、インペリアルカレッジ・ロンドンのモーリス・ウィルキンスとロザリンド・フランクリンが撮影したＤＮＡのＸ線写真を調べることでその成果を上げた。それは大きなブレークスルーで、遺伝現象のメカニズムの理解を深めるのに役立った。長いＤＮＡ鎖でできた染色体が遺伝情報を運んでいることは、20世紀初めから知られていた。そのためＤＮＡの構造が特定されたことで、生物の特徴を伝える遺伝子のからくりの解明に向けた第一歩が踏み出された。クリックとワトソンによる発見からまもなくして、ＤＮＡは実はＲＮＡという別の分子をコードしていて、そのＲＮＡが生命の基本構成部品であるたんぱく質をコードしていることが明らかになった。ＤＮＡがＲＮＡをコードし、ＲＮＡがたんぱく質をコードするというこのプロセスを、１９５８年にクリックは現代分子生物学の「セントラルドグマ（中心教義）」と呼んだ。これらの発見が最終的に、遺伝子編集やゲノム配列決定など、遺伝学の新たな技術の開発につながることとなる。[10]

確かにＤＮＡの構造の解明は、現代遺伝学の歴史における重要な瞬間だった。しかしこのたった一つのブレークスルーばかりに焦点を絞っていると、20世紀後半に生物科学で起こったそのほかの大きな進歩の数々を見過ごしてしまう。またクリックとワトソンを持ち上げすぎると、同じく現代生物科学の発展に重要な役割を果たした、ヨーロッパやアメリカ合衆国以外の科学者に目が向かなくなってしまう。それを踏まえて私は、現代遺伝学の歴史に対するもう一つの見方を提唱したい。ケンブリッジでＤＮＡの構造が解明された１９５３年ではなく、広島と長崎に原爆が投下された１９４５年から話を始めるのだ。この出来事は冷戦の始まりであるとともに、現代遺伝学の始まりともなった。先ほど述べたとおり、ヒトにおける放射線の遺伝的影響に関する初期の研究の大部分は、原爆傷害調査委員会のために働いた日本人科学者たちの手で進められた。また、アメリカがこの研究プロジェクトに力を注いだきっかけは、冷戦によってアジアに共産主義が広がることに対する懸念だった。そのため現代遺伝学の歴史を理解するには、20世紀後半を決定づけたグローバルな対立、すなわち冷戦に目を向ける必要があるのだ。[11]

現代遺伝学が冷戦中の国家形成のプロセスに中心的な役割を果たしたのは、ヨーロッパやアメリカ合衆国だけでなく、アジアや中東、ラテンアメリカ一帯でもそうだった。その点もまた、DNAの構造の解明にだけ目を向けていると見逃してしまいがちだ。そもそもほとんどの国の政府はDNAの構造などには大して関心がなく、DNAが二重らせんであろうがなかろうが国の未来にはさほど関係がなかった。しかし、遺伝学の近年の進歩がもたらす、とりわけ人々の健康や食糧安全保障に関わる実際上の恩恵には、世界各国の政府が関心を払っていた。

多くの国にとって第二次世界大戦後の当面の懸念は、いかにして国民に食べさせるかだった。20世紀後半は人口が激増した時代で、世界人口は1945年の20億強から1990年には50億にまで増えた。そのため、核の時代に掛けて「人口爆発」と呼ばれた懸念が広がった。世界の食糧供給を劇的に増やさない限り、何千万もの人が餓死するかもしれないという懸念だ。1960年代初頭には、世界中の人のうち80%が栄養失調に陥っていると推計された。ほとんどの国の政府は、国民に食糧を供給できるかどうかが国家の正当性の鍵であることに気づいた。とくに、独立まもない国や政治革命を経験したばかりの国が多い、アジアやラテンアメリカではとりわけそうだった。それを踏まえて世界各国の政府は、コメやコムギなどの作物の高収量品種が開発されることを期待して植物遺伝学に力を注いだ。そのような研究の多くをロックフェラー財団が支援し、インドネシアからナイジェリアまでさまざまな国に種子銀行を設立した。[12]

アメリカ政府も、世界中に飢餓が広がったら共産主義の拡大が勢いを増すと考えて、同じく植物遺伝学を支援した。1950年代初頭にある著名なアメリカ人遺伝学者は、「十分に食べられない人にとって共産主義は魅力的に映る」と記している。「第三世界」の各国政府に科学技術の支援をおこなう目的で1961年に設立されたアメリカ国際開発庁は、「各国が自国民に十分な食糧を提供できないことは、世界平和と我が国の安全保障にとって脅威である」と警鐘を鳴らした。1960年代末には、植物遺伝学や化学肥料、灌漑技術の進歩によって世界の飢餓問題を解決すると説く、「緑の革命」に関する主張が聞かれた。この呼び名からうかがわれるとおり、ソ連による「赤の革命」への対抗策として受け止められていた。[13]

各国政府は植物遺伝学に加え、ヒト遺伝学という発展中の分野にも力を注いだ。先ほど述べたとおり、広島と長崎への原爆投下を受けて、原子放射線の生物学的影響に関する懸念が広がっていた。核兵器の開発や原子力発電所の建設を進める国が増えるにつれて、その懸念は増すばかりだった。そのため多くの国の政府にとって、原子放射線とヒトの遺伝との関係は国家安全保障上の問題であって、未来の核戦争への対策を立てる上で重要な要素となった。また多くの国は、原子力研究が診断と治療の両面で医療に恩恵をもたらすと説くことで、否定的な人々にも核の時代に生きることのメリットを納得してもらえるだろうと考えた。この発想もまた新たな国際機関によって広められ、1948年創設の世界保健機関や1957年創設の国際原子力機関は、放射線の影響や医療への利用に関する研究をおこなう世界中の科学者に資金を提供した。

もっと視野を広げると、ラテンアメリカから東アジアにわたる各国政府は、現代遺伝学、とくに遺伝病の解明が進むことによって、人々の健康が劇的に向上するかもしれないと考えた。また、国家形成と大規模移住の時代におけるもう一つの大きな関心事である、国家と民族のアイデンティティをめぐる疑問に、現代遺伝学でもって答えを出したいという思いもあった。今日では、人種は生物学的分類としては意味がないことが分かっている。早くも１９５０年に国連が、人種は「生物学的な事実」ではなく「社会的な作り事」であるとする声明を発していた。それでも冷戦期を通して世界各国の政府が、たとえ最終的に不可能であることが証明されても、「トルコ人」や「アラブ人」といった各民族集団を区別することを願って数え切れないほどの遺伝学的調査をおこなった。[14]

以上のことから読み取れるとおり、現代遺伝学の発展は冷戦の政治と切り離せなかった。しかし多くの歴史家は、冷戦期に現代科学が著しく発展したことを認めながらも、アメリカ合衆国やヨーロッパ、ソ連における科学の進歩にばかり注目しがちだ。この章ではそれと異なる方法論として、ラテンアメリカやアジア、中東において発展した現代遺伝学の歴史をたどっていくことにしよう。これらの地域ではアメリカ合衆国とソ連が、科学技術だけでなく世界政治の行く末をも左右しようと、影響力を懸けて争った。冷戦期の科学の歴史を正しく理解するには、やはり詰まるところグローバルな歴史に当てはめて考える必要があるのだ。話は、市場に向かう一人のメキシコ人遺伝学者から始まる。[15]

1 メキシコにおける「緑の革命」とヒト遺伝学

エフライム・エルナンデス・ショロコッツィは何時間も車を走らせていた。けっして心地よい旅とはいえず、古いジープでメキシコの田舎道をがたがたと揺られながら進んだ末にようやく目的地に到着した。南部のタバスコ州にある小さな市場町だ。エルナンデスは道端に車を止めて跳び降り、市場の人たちと話しはじめた。メキシコでも比較的辺鄙な場所で、地元の人たちはスペイン語を話せなかった。幸いにもエルナンデスはマヤ語の一方言であるこの地域の現地語に通じていて、さほど苦労せずに会話できた。トウモロコシを買いたいのだと言うと、市場に来ていた農民が、露店に高く積まれたトウモロコシの山を指差した。喜んだエルナンデスは露店のところまで行って一本一本吟味した上で、丸ごと全部買おうと持ちかけた。どうしてそんなに大量のトウモロコシが要るのか、農民たちは不思議がったに違いないが、高値で買ってくれたのでたいして気にも留めなかった。エルナンデスは何袋ものトウモロコシを抱えてジープに戻り、エンジンを掛けて、ユカタン半島目指し長い旅を再開した。[16]

16世紀にヨーロッパ人がやって来る何千年も前から、メキシコではトウモロコシが栽培されていた。それが20世紀半ばに本格的な科学研究の対象となり、緑の革命の礎となった。エルナンデスは、1943年創設のメキシコ農業計画にトウモロコシ研究のために雇われた大勢の遺伝学者の一人だった。メキシコ農業計画はメキシコ農業省の一部局だが、アメリカの慈善団体であるロックフェラー財団からおもに資金援助を受けていた。前の章で見たとおり、ロックフェラー財団は20世紀の国際的な科学への経済的支援において中心的な役割を果たした。物理学だけでなく生物学、とくに植物遺伝学などあからさまに応用可能な分野も支援した。メキシコでは、現代遺伝学の最新技術を駆使して、コムギやトウモロコシなどの主要作物の収量を増やす計画だった。[17]

ロックフェラー財団はもちろんメキシコ人の生活向上を望んでいた。しかしどんな慈善団体でもそうだが、そこには政治的要素もあった。20世紀半ばにアメリカ合衆国は、ヨーロッパやアジアだけでなく、もっと自国に近い地域にも共産主義が拡大することへの懸念を深めていった。１９１０年から20年にメキシコ革命が起こり、大統領の退陣を受けてさまざまな武装集団が覇権を懸けて争ったあげく、メキシコは急進的な社会主義へと向かっていくかに思われた。１９３０年代のあいだにメキシコ政府は広大な農地を貧しい小作農に再分配し、１９３８年にはアメリカ資本の数多くの油田を接収した。このような土地収用と集団所有はソ連で進められていることと共通点が多いとみなされ、１９４０年代初頭にアメリカ政府は国境を接する地域に共産主義国家が誕生することを憂慮した。ロックフェラー財団の会長も同じ懸念を共有して、メキシコは「ボリシェヴィキの教義に毒されている」と述べた。そのためメキシコ農業計画は、政治と科学の重なり合う数々の目的のために活動した。中でももっとも重要だったのが、飢餓の拡大を抑えれば共産主義の蔓延を食い止められるという発想である。トウモロコシなどの主要作物の収量を上げることで、メキシコを社会主義から遠ざけたいという思いだ。「飢餓は平和の強敵である」と、メキシコ農業計画で働いていたアメリカ人遺伝学者のポール・マンゲルスドルフは記している。[18]

緑の革命の歴史に関する解説の多くでは、マンゲルスドルフなどのアメリカ人遺伝学者の貢献に焦点が絞られがちだ。しかしメキシコ農業計画にはメキシコ人科学者も大勢雇われていて、彼らの存在は今日では忘れられることが多い。エルナンデスもそうした科学者の一人である。1913年に身分の低い家に生まれた。父親は小作農で、おそらく先住民の家系、母親は教師だった。エルナンデスは地元に明るく、少年時代に父親とともに畑で働きながら、現地のさまざまな方言を身につけた。しかし父親が仕事を求め、また引きつづく争いに巻き込まれるのを避けようとしたことで、何度も引っ越しを繰り返した。メキシコ革命後の1923年、10歳のエルナンデスは母親とともにアメリカ合衆国に移住した。そしてニューオーリンズとニューヨークの学校で学んだのち、奨学金を得てコーネル大学で生物学を学び、1938年に卒業した。今日と同じく、アメリカ合衆国でメキシコ人はとりわけ教育に関して一貫した人種差別を受けていたため、これはかなりの成功といえる。コーネル大学を卒業したエルナンデスはロックフェラー奨学生に選ばれて、ハーヴァード大学で大学院生として遺伝学を学び、2年間で最新の科学的手法を身につけたのちに、1949年にメキシコに帰国した。そしてメキシコ農業計画に「遺伝学者補佐」として雇われた。このプロジェクトに取り組む18人のメキシコ人科学者の一人となった。[19]

エルナンデスは2年間にわたり、ときにジープで、ときに列車や船でラテンアメリカ一帯を巡った。南はペルーまで足を延ばし、またメキシコ湾を渡ってキューバでも標本採集をおこなった。先住民の農家の息子だっただけに、この地域ではトウモロコシに驚くほどの多様性があることを誰よりも知っていた。「その地理的分布はE・エルナンデス・ショロコッツィしか知らなかった」と、メキシコ農業計画で働いたあるアメリカ人科学者は振り返っている。エルナンデスは現地の数々の方言に堪能だったおかげで、トウモロコシの各品種を探し出すのにさほど苦労しなかった。「目星をつけた集落でトウモロコ

37. ラテンアメリカとアメリカ合衆国の遺伝学者が集めたさまざまな品種のトウモロコシ。

シの遺伝的変種を収集するには、辛抱して農民との交渉術を駆使しなければならない」と説明している。それでも、希少な標本、とくに何らかの儀式で使われる赤い品種を売ってもらうのにはたびたび苦労した。メキシコ北西部の僻地を訪れた際には、「現地のウイチョル人をいくら説得しても、彼らが儀式に使うトウモロコシの品種は譲ってもらえなかった」と書き留めて手ぶらで帰ってきた。それでも2年におよぶ努力の末に、エルナンデスとそのチームは南北アメリカ全土から2000を超すトウモロコシの品種を集めた[20]。

メキシコ農業計画の進めたここまでの取り組みは、18世紀や19世紀の博物学とそうは違わない。エルナンデスはさまざまな品種を収集して分類し、最終的には適切な品種どうしを掛け合わせて収量を上げることを目指していた。しかし以前の博物学と違っていたのは、遺伝学の近年の進歩を研究の道しるべとした点である。それに関しては、メキシコ農業計画から出版された『メキシコのトウモロコシの系統』（１９５２）という本でくまなく説明されている。著者はエルナンデスに加え、いずれもアメリカ人遺伝学者のエドウィン・ウェルハウゼン、ルイス・ロバーツ、ポール・マンゲルスドルフ。この本の中で彼らは同プロジェクトの目的を、「植物の特徴」の分析と、「遺伝因子および細胞因子」の研究、すなわち顕微鏡による個々の細胞の観察とを組み合わせることだと説明している。そのため彼らは、各標本の葉や穂、粒の大きさを測るのに加え、最新の遺伝学的手法も駆使した。そのうちの一つが、20世紀初頭にドイツ人化学者のグスタフ・ギムザが開発した、ギムザ染色法と呼ばれるものである。この染色法を用いると、一本一本の染色体や、ＤＮＡが濃集している箇所であるバンドを顕微鏡で特定でき、それに基づいてトウモロコシの各品種を分類できる。エルナンデスも１９４０年代にハーヴァード大学の植物遺伝学の科目の一環としてこの手法を学んでいて、熟知していた[21]。

彼ら科学者は伝統的な博物学と現代の遺伝学を組み合わせて、南北アメリカにおける「トウモロコシの並外れた多様性」を詳細に描き出した。エルナンデスがメキシコの農業に関する事前の知識に基づいて当初立てていた仮説が、その研究によって裏付けられた。８０００年かけてさまざまな品種が交配を重ねたことで、トウモロコシの実の部分が大きくなっていったという仮説である。最近の品種、とりわけ16世紀のスペインによる征服後に改良された品種は実の部分が大きく、一方で考古学的遺物によって特定された古代の品種では小さい傾向があった。また最近の品種の細胞を顕微鏡で観察すると、染色体のバンドに特徴的なパターンが認められ、やはり長い年月におよぶ進化のパターンが裏付けられた。この遺伝学的解析の結果に基づいて、メキシコではそれから数十年にわたって食糧生産を増やす本格的な取り組みが進められた。遺伝学的特徴に従って各品種を選別してそれらを掛け合わせ、収量の上がった交配種を農家に販売して栽培してもらう。１９６０年代末には、年間収穫量の最大20％を改良品種が占めるようになった。[22]

メキシコ農業計画もすべての問題を解決できたわけではないし、トウモロコシの改良品種を導入する取り組みを誰もが支持したわけでもない。メキシコでは１９５０年代から60年代にかけて、土地収用とともに食糧不足も続いた。またエルナンデスを含め多くのメキシコ人科学者が、ロックフェラー財団は工業型農法に重点を置きすぎていて小自作農や小作農を犠牲にしていると懸念していた。そもそも同計画で開発された交配種はあまりにも高価だった。また農家にはそれらの品種に有効な化学肥料の使用を勧めたが、過剰に使用すると生態系に長期的なダメージを与えかねない。それに関連して言うと、改良品種を重視することで、緑の革命の前提である遺伝的多様性が破壊される恐れもある。メキシコ人科学者の中には、工業型農法を取るアメリカ合衆国よりも、「社会主義的」な農法を推進するソ連から力を借りたほうが望ましいと説く者もいた。とはいえ人々の意見は別として、メキシコ農業計画は現代遺伝学の歴史に重要な足跡を残した。緑の革命はまもなくしてラテンアメリカ一帯に広がり、ロックフェラー財団はブラジルやコロンビアでも同様の計画を立ち上げた。この章の後のほうで見るように、メキシコ農業計画はアジアや中東を含め世界中の多くの国の政府にとって手本となったのだ。[23]

メキシコの科学者は植物遺伝学の研究に加え、ヒト遺伝学の発展にも数々の重要な貢献を果たした。それもまたロックフェラー財団の取り組みによるところがあり、同財団はメキシコ農業計画だけでなく、メキシコ国立自治大学に新設された生物医学研究所にも資金提供をした。メキシコ政府もこの時期に生物医科学のための予算を増やしていった。ヒト遺伝学に関する研究のほとんどは、核エネルギー国立委員会の遺伝学・放射線生物学計画の研究チームによって進められた。日本と同じく、メキシコでのヒト遺伝学の進歩も、原子核科学の発展と密接に結びついていた。メキシコ南部には大規模なウラン鉱床があり、冷戦中にアメリカ合衆国がこの隣国の将来を憂えたのもそれが一つの理由だった。しかしメキシコ政府はアメリカ合衆国と違って核兵器開発は目指さず、原子力エネルギーを医療や科学に利用することに焦点を絞った。[24]

1960年に設立された遺伝学・放射線生物学計画を率いたのは、メキシコ人科学者のアルフォンソ・レオン・デ・ガライである。1920年にプエブラで生まれたデ・ガライは、この町の大学で医学を学び、1947年にメキシコシティに移って神経科医になった。この時期にメキシコ政府は、国内のウラン鉱床を活用する方法を探りはじめ、1953年に核エネルギー国立委員会を設置した。デ・ガライも放射線生物学（病気の診断や治療に放射線を用いる研究）と、放射線が人体におよぼす長期的影響に関心を持つようになった。そして1957年に国際原子力機関から、ヨーロッパで大学院生として学ぶための奨学金を得た。そこで留学先にユニヴァーシティーカレッジ・ロンドンのゴールトン研究所を選び、3年をかけて遺伝科学の最新手法を身につけた。メキシコに帰国すると核エネルギー国立委員会を説得して、遺伝学・放射線生物学計画を立ち上げさせた。[25]

デ・ガライは早速、自分のもとで働く前途有望な若手研究者のチームを集めた。研究チームには、国立自治大学を卒業してメキシコ農業計画で遺伝学者として働いていたロドルフォ・フェリックス・エストラーダや、国立自治大学で学んだのちの1960年代初頭にパリ大学で博士号を取得したマリア・クリスティーナ・コルティーナ・ドゥランなどがいた（コルティーナ・ドゥランは遺伝学・放射線生物学計画に雇われた初の女性の一人でもある）。このチームは原子放射線の遺伝的影響に関する重要な研究を進めた。フェリックス・エストラーダは来る日も来る日もショウジョウバエに放射線を当てては生存期間を調べることで、各線量における放射線の影響を算出した。デ・ガライとコルティーナ・ドゥランもヒトの組織を使って同様の実験をおこない、培養細胞に放射線を当てて顕微鏡で観察した。精密な測定を重ねた上でデ・ガライは、原子放射線を当てるとヒト染色体が短くなって変異が起こりうることを証明した。コルティーナ・ドゥランは放射線とがんの関係に対象を絞り、以前報告されていた、放射線被曝によって22番染色体に、白血病を引き起こす特有の変異が起こるという結果を裏付けた。これらの研究をもとに、デ・ガライも代表メンバーを務めた「原子放射線の影響に関する国連科学委員会」が、1960年代のあいだに一連の本格的な報告書を発表した。[26]

*

1968年に遺伝学・放射線生物学計画は、それまでもっとも野心的な研究プロジェクトに乗り出した。同年10月、メキシコシティで夏季オリンピックが開催され、世界中から5000人を超すアスリートが集まった。実は20世紀でもっとも異論の多いスポーツイベントの一つだった。開会式のわずか10日前に武装警察が抗議する群衆に向けて発砲し、のちにトラテロルコの虐殺と呼ばれる事件が発生した。群衆が抗議の矛先を向けたメキシコ政府は、方々から反民主的とみなされ、権力維持のためにたびたび警察の暴力に頼っていた。オリンピック開催中も政治的緊張は続いた。南アフリカは、アパルトヘイトに抗議するほかの国のアスリートたちがボイコットを表明したことで、直前で参加を禁じられた。もっとも有名なのが、アフリカ系アメリカ人の短距離走選手トミー・スミスとジョン・カルロスが男子200メートル走の表彰台で黒い手袋をつけて拳を上げ、アメリカ合衆国国内の人種差別に対して無言の抗議をした一件である。

このようないさかいが続く中、デ・ガライはメキシコ政府に、オリンピック選手の大規模な遺伝学的研究への資金提供を認めさせた。メキシコのもっとも得意とする科学を世界の舞台で見せつけるという狙いだ。「人類の優秀さに関する理解を深めることで全人類に恩恵をもたらすプロジェクトになる」とデ・ガライは説明した。さらに、このような研究は「アスリートの素質を持ったタイプを早いうちに特定して選抜する」のに役立つだろうとも訴えた。こうして遺伝学・放射線生物学計画は、国内外のスポーツ団体の支援を受けて選手村に仮設の研究室を立ち上げ、92か国の選手計1256人から血液サンプルを採取した。そしてその血液サンプルを、鎌状赤血球貧血症やG6PD欠損症（赤血球の分解を引き起こす代謝異常）などさまざまな遺伝子検査に掛けた。[27]

また夏季オリンピックとしては初めて、すべての女性選手が性別の遺伝子検査を受けた。血液サンプルを調べて、通常は男性しか持っていないY染色体の有無を確認する検査である（トランスジェンダーの選手は2004年まで、この種の遺伝子検査に基づいてオリンピックへの参加ができなかった）。それに加えてメキシコの科学者チームは各選手の体形測定と写真撮影をおこない、デ・ガライいわく

「遺伝学的および人類学的特徴」の詳細な全体像を描き出した。検査を受けた選手の中には、祖国へのソ連侵攻に抗議して表彰式の最中に顔を背けたチェコスロヴァキアの体操選手ベラ・チャスラフスカや、先ほど登場したジョン・カルロスなど、当時の有名な選手も含まれていて、カルロスの名はデ・ガライの最終報告書にも挙げられている[28]。

優生学ではないのかと思われたとしたら、それは実際に多くの点でそのとおりだったからだ。そもそも、デ・ガライがロンドンで学んだゴールトン研究所の名称の由来であるフランシス・ゴールトンは、19世紀の優生学運動を立ち上げた人物で、選択交配によって人類を「改良」すべきだと唱えたことで悪名高い。デ・ガライも最終報告書の中で、ゴールトンの言葉とともに、近年になってイギリス優生学会が出版した『ヒトの能力における遺伝的および環境的要因』（１９６６）を好意的に引用している。今日では優生学はナチスによるホロコーストの残虐行為と結びつけられているため、多くの科学者は第二次世界大戦後に優生学は姿を消したと考えがちだ。しかし残念ながらそんなことはない。冷戦の緊張によって敵国民の「適応度」に関する懸念が強まったのを受けて、多くの科学者が好ましい形質をコードする具体的な遺伝子の特定を試みるようになった。１９６０年代には、分子生物学の最新の手法に基づいた「新しい優生学」が語られるようになった。しかしいずれもまやかしだった。デ・ガライ自身も、「何か特定の遺伝子と具体的な運動能力とのあいだに強い相関は見られなかった」と認めている。とはいえ、１９６８年夏季オリンピックで遺伝子検査が広く用いられたことから分かるとおり、20世紀後半になっても優生学は影響をおよぼしつづけていた。科学界はいまだにこの悪しき遺産を葬り去るのに苦心しているのだ[29]。

１９７０年代初頭までにメキシコは、遺伝学研究の国際的な中心地としての地位を確かなものにした。その物語は緑の革命から始まった。遺伝学者が「食糧問題」を解決することで、メキシコを社会主義から遠ざけたいという思いがあった。ロックフェラー財団が資金援助するメキシコ農業計画はまた、新世代のメキシコ人科学者が遺伝学の先進的な訓練を受けられる機会も提供した。同様の流れはラテンアメリカ一帯に広がり、アルゼンチンやブラジルを代表する科学者もアメリカ合衆国で研鑽を積んでから帰国して遺伝学の新たな研究施設を立ち上げた。１９６９年には、地域全体の科学者の連携を促すためにラテンアメリカ遺伝学会が設立された。同じ頃、ラテンアメリカ諸国の政府はヒト遺伝学の分野に力を注いだ。メキシコの科学者はときに遺伝学と優生学のあいだのぎりぎりのところを進んだ。健康やアイデンティティに対するこのような関心はメキシコに留まらなかった。冷戦中には世界中の国々で、遺伝学がもっと幸せで健康な人類への鍵を開けてくれるかもしれないと考えられていた。次の節では、食糧安全保障や人々の健康をめぐる同様の関心が、植民地独立後のインドにおける遺伝学の発展をどのように方向づけたのかを探っていこう。[30]

２　独立後のインドにおける遺伝学の発展

モンコンブ・サンバシヴァン・スワミナサンは、道端に横たわる飢えて痩せ細った子供たちの写真が脳裏から離れなかった。１９４３年から44年にかけて、いわゆるベンガル大飢饉により３００万のインド人が命を落とした。当初イギリス植民地政府はそのニュースを隠蔽しようとした。しかし

1943年8月にカルカッタのある新聞が、死んだ2人の子供の遺体に覆いかぶさるベンガル人少女の悲惨な写真を掲載した。その写真に加え、イギリスの危機対応の杜撰さが次々に報じられたことで、インドの反植民地運動が勢いづいた。多くの人は、この飢饉は単なる不作と旱魃(かんばつ)の影響ではないとみなした。イギリスが第二次世界大戦を戦う軍隊を支えるために食糧を奪い取って、何百万ものインド人を飢えさせたというのだ。植民地経営のこのような不手際は18世紀から続いていて、何度も飢饉を引き起こしてきた。

スワミナサンはインド南東部のマドラス州に暮らしていた。それでも飢饉に対するイギリス政府の対応には衝撃を受け、とりわけ地元の新聞で飢える子供たちの写真を見てからは怒りを募らせた。この飢饉は「人災である」と言い切った。実は以前からインド独立運動に関わっていた。父親はマハトマ・ガンディーの熱心な信奉者だったし、イギリス製品の不買を訴えるスワデーシ運動に共鳴して家族全員が手織りの服を着ていた。スワミナサンはまた、1942年にガンディーが主導した「インドを立ち去れ」運動の一環として学生ストライキを組織し、動物学を学んでいたトラヴァンコール大学の授業をボイコットした。ベンガル大飢饉によってスワミナサンは、自分がずっと思ってきたことをまさに確信した。イギリス人は自分たちにしか目を掛けないということだ。植民地支配から脱しない限り、インドが栄えることはない[31]。

前の章で分かったとおり、この時期の多くのインド人科学者は、自分たちの研究を植民地支配との闘いの一環ととらえていた。それは物理学と同じく生物学にも当てはまる。1925年に小さな寺町クンバコナムで生まれたスワミナサンは、のちに世界を代表する植物遺伝学者の一人となり、インドに緑の革命をもたらすのに力を尽くした。植物遺伝学に興味を持ったのは、インドの政治に関心があったからこそだった。当初は動物学者を目指していたが、1943年のベンガル大飢饉の話を聞いて専攻を変えることを決意し、農業科学の大学院課程に進んだ。コメやコムギなどの主要作物の遺伝学に関する理解を深めることで、イギリス支配下で頻繁に起こっていた壊滅的な飢饉を避けられるのではないかと考えたのだ。「人間が起こした問題は人間が解決しなければならない」と唱えている。1947年夏、スワミナサンはマドラス大学で理学修士号を取得して卒業した。同年8月15日、インドはついにイギリスからの独立を勝ち取った。200年近くにおよんだ植民地支配が終わり、スワミナサンは友人や家族とともに街なかで喜びをあらわにした。しかしいつまでも浮かれているわけにはいかない。多くのインド人科学者と同じくスワミナサンも、新たな国家の建設という現実の課題に目を向けた。[32]

卒業してまもなくスワミナサンは、デリーにあるインド農業研究所に就職した。そしてひたむきなインド人遺伝学者のチームとともに、いかにして3億超の国民を養うかという問題に取り組みはじめた。独立直後のインド政府にとってももちろん最優先課題だった。植民地支配に反対する民族主義者はそれまで数十年にわたって、イギリスは十分な食糧を供給していないと非難しつづけてきた。そのため次なる飢饉を防ぐことは、インドという国家の正当性にとって欠かせない要件だった。この研究はきわめて重要視され、1948年にジャワハルラール・ネルー首相が自らインド農業研究所を訪れて、進められている研究の理解を深めようとした。ネルーも新たな国を支える現代科学の力、とりわけ飢饉と闘う力に大きな信頼を寄せていた。「いまや科学のおかげで貧困は避けられないものではなくなった」と言い切っている。[33]

スワミナサンはやがて、国を養うためには植物遺伝学の研鑽をさらに積む必要があると気づいた。そこで1950年にイギリスに渡り、ケンブリッジ大学で博士研究を始めた。研究対象は、植物の染色体の本数が通常の2倍になる、「倍加」と呼ばれる現象。倍加を起こした植物の多くは収量が増えるため、直接応用可能なテーマだった。スワミナサンは2年をかけてさまざまな植物の細胞を顕微鏡で観察し、染色体の本数を丹念に数え上げていった。そして各品種の特徴、とりわけ収量と突き合わせて、倍加がおよぼす影響の詳細な全体像を明らかにした。そうして1952年、もはや被植民者でなく独立国家の市民である新世代初のインド人科学者の一人として、ケンブリッジ大学を卒業した。続いて、アメリカ合衆国のウィスコンシン大学でポスドク研究を1年間おこなった。同大学からは教職への誘いまで受けた。しかし自分が科学者になった理由をけっして忘れてはいなかった。「自分に問いかけた。どうして遺伝学を学んだのか？　インドで十分な食糧を生産するためだ。だから帰国したのだ」とのちに説明している[34]。

その頃にスワミナサンは、メキシコ農業計画で進められている研究のことを初めて知った。そして緑の革命の可能性に心高ぶり、メキシコで働くアメリカ人遺伝学者の一人ノーマン・ボーローグに手助けを求める手紙を書いた。このようなインドとメキシコのあいだでの実り多い科学交流は、今日に至るまで続いている。1963年3月にボーローグは、メキシコ産コムギの改良品種のサンプルをスーツケースに詰めてデリーのインド農業研究所を訪れた。そして同研究所のインド人科学者に向けて、「メキシコでやったことはあなたがたの国でもできるが、ただし半分の時間で成し遂げなければならない」と檄を飛ばした。ボーローグの熱意に勇気づけられてスワミナサンと研究チームは、それらの新品種を使った実験に取りかかり、インド農業研究所の圃場に種子を植えていった。ロックフェラー財団も資金援助をしてくれたおかげで、インド人遺伝学者の一行がメキシコを訪れて、メキシコ農業計画で進められている研究についてさらに多く学ぶこともできた。そうして非常に有望な結果が得られた。メキシコで栽培されているコムギの品種とインドの在来の品種を掛け合わせたところ、収量が多いと同時に地元の土壌や気候にも適した新たな交配種を作り出すことができたのだ。[35]

しかし一つ問題があった。その新たなコムギの交配種からは、赤く色づいた小麦粉ができる。メキシコでは誰も気に掛けていなかった。しかしインドの消費者は、とりわけチャパティなどの伝統的なパンを作る際には、もっとずっと薄い色の小麦粉を好んで使っていた。単なる色の違いのせいで、計画全体が頓挫しかねなかったのだ。だがそれも、ディルバー・シン・アスワルというインド人遺伝学者がX線を使った一連の実験を開始するまでのことだった。1950年代にオーストラリアのシドニー大学で学んだアスワルは、植物に放射線を当てると遺伝的変異を引き起こせることを知っていた。そこで、その方法を使えばコムギの色を変えられるかもしれないと考えた。そして少々試行錯誤を重ねた末に、望みどおりの変異を引き起こして、薄い金色の小麦粉を作れる高収量の品種を生み出すことに成功した。この問題解決を受けてインド政府は1960年代末に農業計画の規模拡大に乗り出した。そして1968年までにインドのコムギ生産量は40％以上増え、1971年にはついに輸入を必要としないまでの生産量に達した。ほかの地域と同じくインドでも、緑の革命は激しい論争を引き起こした。小規模農家が市場から締め出される一方で、高収量の品種の導入とともに化学肥料が過剰に使用されるようになり、生態系がダメージを受けた。しかし農民でなくインドの政治指導者にとっては、食糧安全保障のために払うべき代償だった。[36]

メキシコで見たのと同じく、インドにおける現代遺伝学の発展もまた、食糧供給をめぐる懸念と密接に結びついていた。1911年に植民地政府によって設立されたインド農業研究所は、インド独立からまもなくして植物遺伝学研究の中心地として台頭した。そこで働く科学者は、南アジアの市場に適したコムギの交配種の開発を始め、数々の重要なブレークスルーを成し遂げた。そのような研究が可能となったのは、独立後に科学予算が大幅に増えたからこそだった。1948年から58年までにインドの国家科学予算は10倍近く増えた。そこに反映されていたのは、とりわけジャワハルラール・ネルー首相が訴えた、インドが過去の諸問題から脱するには現代の科学技術への投資が必要だという信念である。「科学の精神を持たなければインドは衰退の運命をたどる」とネルーは警鐘を鳴らした。それを踏まえてインド政府は、科学力増強を目指す「5か年計画」を次々に立ち上げた。その直接の手本としたのが、1920年代末から5か年計画を次々に進めていたソ連である。ネルーは共産主義者ではなかったが、社会主義には共鳴していて、インドはアメリカ合衆国からと同じくソ連からも学ぶことが多いと考えていた。そのため1950年代には大勢のインド人遺伝学者がモスクワや北京に派遣され、共産主義国で進められている農業科学を学んだ。[37]

1951年から56年までの第一次5か年計画では、新たな科学機関が多数設立された。その一つが、1954年にボンベイ郊外に設置された原子力エネルギー事業団である。独立後にインド政府は原子力研究にかなりの力を注いだ。原子力によって新国家に安定したエネルギーを供給し、石油や天然ガスの輸入への依存度を下げる狙いがあった。それとともにインド政府は秘密裏に核兵器開発計画を立ち上げ、1974年5月に初の核実験に成功した。ほかの地域で見てきたのと同じくインドでも、原子核科学の発展は現代遺伝学の進歩と並行して進んだ。1958年にネルーが原子力エネルギー事業団に、「これらの核爆発が現在および未来の世代におよぼす遺伝的影響」に関する研究を進めるよう指示した。そうして、同事業団内に分子生物学部門が作られた。[38]

新設の分子生物学部門を率いたのは、傑出したインド人遺伝学者のオバイド・シッディーキー。1932年に北部のウッタル・プラデーシュ州で生まれたシッディーキーは、若い頃にインドを離れる羽目に陥りかけた。1947年にイギリスがインド亜大陸を、イスラム教徒が大半を占めるパキスタンとヒンドゥー教徒が大半を占めるインドに分割した。そうして現代史上最大の民族移動が起こり、1400万を超す人々が国境を越えた。亜大陸のあちこちで宗教暴動が発生し、数十万人が命を落とした。シッディーキーはイスラム教徒で、一族のほとんどはパキスタンに移住した。シッディーキーも決断を迫られたが、最終的にはインドに残って学問を修めることにした。ウッタル・プラデーシュ州にあるアリーガル・ムスリム大学に入学し、生物学の学位を目指して学びはじめた。そしてその間に過激な政治活動に関わるようになる。在学中の1949年には共産主義活動家のグループとともに逮捕され、地元の刑務所に投獄された。看守たちに殴られたと、のちに振り返っている。しかし2年後には罪に問われずに釈放された。[39]

刑務所での経験を踏まえれば、パキスタンに移住したいと思ってもおかしくはなかったはずだ。しかしインドに暮らす多くのイスラム教徒と同じく、結局はインドを祖国とみなし、外国に移るべき理由は何もないと考えた。それどころかかなり愛国心が強かった。科学研究を通じて、新たな国家の発展に貢献したいと思ったのだ。そこで1951年にアリーガル・ムスリム大学を卒業すると、デリーにあるインド農業研究所に就職した。植物遺伝学に生涯を捧げるつもりだった。ところが1954年、雹(ひょう)を伴う嵐が不意に襲ってきて、研究の最中の作物が全滅してしまう。実験が台無しになったシッディーキーは、科学者として何が本当にやりたいのかをじっくり考えはじめた。ちょうどそのとき、1953年4月に発表されたDNAの構造の解明に関する記事を読んだばかりで、それに刺激を受けて改めて学びなおす決心をした。そこで1958年にスコットランドに渡り、グラスゴー大学で分子生物学の博士研究を始めた[40]。

1961年に博士号を取得したシッディーキーは、ペンシルヴァニア大学から研究員として招かれた。当時、インド人科学者がアメリカ合衆国でポスドク研究をおこなうことが一般的になりつつあった。アメリカ政府はやはりアジアで共産主義が広がるのを食い止める狙いで、インドの科学の発展を積極的に支援していた。一方で多くのインド人科学者も、元宗主国であるイギリスに代わる魅力的な留学先としてアメリカ合衆国を見ていた。シッディーキーはそんなアメリカの科学界の中でめきめきと力をつけた。尊敬するヒーロー科学者とも出会った。DNAの構造に関する1953年の論文の共著者の一人、アメリカ人生物学者のジェイムズ・ワトソンである。シッディーキー自身初の大きなブレークスルーを成し遂げたのも、アメリカ合衆国でのことだった。ペンシルヴァニア大学でアメリカ人遺伝学者のアラン・ガレンと共同研究を進め、生物が特定の遺伝的変異から身を守るための自然のメカニズムを発見したのだ。有害な変異が起こっても、場合によっては「サプレッサー変異」と呼ばれる2度目の変異が起こって影響が打ち消される。シッディーキーとガレンが実験に用いたのは細菌だが、サプレッサー変異はあらゆる生物で起こる。そのため2人の発見はヒトの健康に関する研究にもっと幅広く応用され、特定の遺伝的変異の影響を正確に突き止められるようになった。[41]

1960年代初頭、オバイド・シッディーキーはインドに戻ろうかと考えはじめた。しかし当時のインドには、分子生物学の最先端の研究に適した研究施設が一つもなかった。そこで、ボンベイにある原子力エネルギー事業団の機構長で原子核物理学者のホーミー・バーバーに手紙を書いた。「施設と学問環境のどちらの観点から見ても、インド国内で分子生物学を発展させる場所としては、従来の生物学の研究施設よりも物理科学の研究室のほうがふさわしいと感じます」。この上ないタイミングだった。ネルーの指示を受けてバーバーが、原子力エネルギー事業団に分子生物学部門を設置したばかりだったのだ。1962年夏、バーバーはシッディーキーに、インドに戻ってきて新たな研究室を率いてくれるよう声を掛け、まもなくして研究室は近くにあるタタ基礎研究所に移転した。当時インドの原子力エネルギー計画の立案に関わっていたバーバーは、「インドでの分子生物学と遺伝学の研究を支援することに個人的にとても興味がある」と記している。[42]

シッディーキーは1970年代のあいだボンベイで研究を進め、大きなブレークスルーを次々に成し遂げた。そのほとんどは、神経遺伝学という成長中の分野の研究だった。冷戦中、原子放射線や化学兵器などによる遺伝的変異が神経系の機能に影響をおよぼすのではないかという懸念があった。それがとりわけ差し迫った問題になったのは、1970年代初頭、アメリカ合衆国がベトナム戦争で「エージェント・オレンジ」というコードネームの残忍な化学兵器を使用したことによる。アメリカ軍のヘリからベトナム全土に散布されたその化学物質は、木々の葉を枯らして敵の兵士が隠れにくくする目的で用いられた。しかしのちに、がんや慢性皮膚炎を引き起こすことが明らかとなった。また、緑の革命によって化学肥料や殺虫剤の使用が増えたことに対しても心配の声があった。それらの化学物質の中にも遺伝的変異を引き起こすものがあることが知られていた。そもそもエージェント・オレンジは除草剤として開発されたものだった。

シッディーキーは化学物質による変異が神経系におよぼす影響を調べはじめた。この時期の多くの遺伝学者と同じく、実験対象にはショウジョウバエを選んだ。たやすく繁殖させられるし、染色体の本数が少ないために遺伝子解析が容易である。シッディーキーはボンベイの研究室で、ショウジョウバエの幼虫をメタンスルホン酸エチル（EMS）という有毒化学物質にさらす実験を開始した。また、1968年に自身が客員教授を1年間務めたカリフォルニア工科大学に所属する、アメリカ人遺伝学者のシーモア・ベンザーと手紙のやり取りを始めた。シッディーキーとベンザーは共同研究を進め、化学物質による遺伝的変異によってショウジョウバエが麻痺症にかかることを明らかにした。2人が特定したその遺伝子は神経内の電気信号の流れを制御していて、その不調のために麻痺症になったのだと判明した。驚くほど重要な発見で、まったく新たな研究分野を開いた。それまでショウジョウバエはおもに、目の色など比較的単純な特徴の遺伝の研究に用いられていた。しかしこの発見を受けて、遺伝子によって制御される神経系の発達の様子など、もっとずっと複雑な特徴に関する研究が始まったのだ。[43]

オバイド・シッディーキーはアメリカ人遺伝学者と共同研究をする傍ら、ヴェロニカ・ロドリゲスという名のインド人遺伝学者とも協力して数々の重要な実験をおこなった。1953年生まれのロドリゲスは、インド独立後に科学を学んだ新世代のインド人女性の一人である。前の章で見たとおり、20世紀前半にも少数ながらインド人女性が科学の世界に足を踏み入れていた。しかし彼女たちはさまざまな障壁、とりわけ男性同業者からの性差別に直面した。そのような性差別の問題は1947年の独立後も解決することはなかった。1975年の時点でも、インドの大学で科学を学ぶ学生のうち女性の占める割合は25%にも満たなかった。それでも、インド女性科学者協会などの活動団体の取り組みによってそのような状況も改善しはじめ、科学の道に進むインド人女性は徐々にだが増えていった。その中にはロドリゲスのように、一つの分野を丸ごと一変させてしまう者もいた。[44]

ロドリゲスもまた、冷戦中に国際政治の世界がいかに科学の発展を方向づけたかを物語る好例である。20歳まではインド国外で暮らしていた。ケニア生まれのロドリゲスは、仕事を求めてゴアから東アフリカにやって来た移民の娘だった。両親が移住したのはおそらく20世紀前半、大英帝国がインド人労働者数十万人を募って東アフリカで働かせはじめたときだったと思われる。一家は比較的貧しく、ロドリゲスは厳しい幼少期を送った。しかしありがたいことに両親がなけなしの金を掻き集めて、ロドリゲスをナイロビの学校に入れてくれた。その学校でロドリゲスは初めて科学に目覚めた。そして1971年、東アフリカ大学ウガンダ校に入学することになった。ところが首都カンパラに到着するやいなや、逃げ出さざるをえなくなる。その年、イディ・アミンがウガンダで軍事クーデターを起こし、その後数十万人を殺害した。ウガンダの各民族集団の中でもとくに標的とされたのがアジア人で、1972年8月にはすべてのインド人に国外退去が命じられた。しかしロドリゲスは大学で科学を学ぶという夢をあきらめなかった。そこでナイロビには戻らずに、アイルランドに渡ってトリニティーカレッジ・ダブリンに入学し、生物学の学位を目指す決心をした。[45]

ロドリゲスは1976年に卒業した。そのとき法的には無国籍で、アイルランドの学生ビザも失効していたため、ウガンダにもケニアにも戻れなかった。しかもイギリスは、元植民地の出身者が国内に定住するのを防ぐために移民法を強化したばかりだった。ほかに行ける場所がなくなったロドリゲスは、インドへの移住を考えはじめた。そこでボンベイにあるタタ基礎研究所に手紙を書いて、博士研究を進められる場所はないかと問い合わせた。すると、科学の道に進みたいという彼女の熱意にほだされたシッディーキーが、分子生物学部門でロドリゲスを学生として受け入れることを決めてくれた。そうしてロドリゲスは1976年末、23歳でボンベイにやって来た。インドの地を踏んだのはこのときが初めてだった。[46]

ロドリゲスが大きなブレークスルーを成し遂げたのは1978年、まだ博士課程の学生のときだった。一連の入念な実験で、ショウジョウバエの味覚と嗅覚に影響をおよぼす遺伝的変異を特定したのだ。シッディーキーと同じくロドリゲスも、化学物質を使ってショウジョウバエに遺伝的変異を引き起こした。そして、そのショウジョウバエが砂糖やキニーネなど何種類かの物質に対して好き嫌いを示すかどうかを調べた。その上で、変異したショウジョウバエの身体の微細な構造を調べた。それがこの研究の鍵となった。最終的にロドリゲスは、いくつかの特定の遺伝子が触角上のある決まった感覚器の発達を制御していることを突き止めた。さらに、それらの遺伝子が一本の染色体上のある特定の領域に存在することも明らかにした。神経遺伝学の歴史の出発点となる瞬間だった。遺伝的変異の影響を、神経系をたどっていって特定の味や匂いの感知能力のレベルにまで追いかけられることを証明したのだ。[47]

1947年のインド独立は、この国の政治史だけでなく科学史においても重要な瞬間となった。インド首相ジャワハルラール・ネルーはケンブリッジ大学で博物学を学んでいて、科学で新たな国を変えられるという考えに情熱を傾けた。インド政府はソ連を手本にした一連の5か年計画を通じて科学力増強に取り組みはじめ、新たな研究所や科学機関をいくつも設立した。それらの機関は「我々の祖国に奉仕するために建てられた科学の寺院である」とネルーは1954年に言い切っている。初期の科学研究の大半は、飢餓問題の解決を目的として進められた。1980年代初頭までにインドはこの地域の重要な研究拠点として台頭し、バングラデシュやスリランカ、ビルマやベトナムやタイから大勢の科学者がやって来ては、インド農業研究所で植物遺伝学を学んだ。[48]

20世紀のインドにおける近代科学の発展は、脱植民地化によって大きく方向づけられた。インド人イスラム教徒のオバイド・シッディーキーは、1947年のインド分割後に起こった暴動からかろうじて逃れた。ヴェロニカ・ロドリゲスも帝国の終焉を生き抜いた。彼女の人生が物語る科学史の一時代は、今日の我々がどうしても記憶しておくべきものだと思う。帝国の終焉によって、前途有望な若手科学者が無国籍の移民になってしまったという歴史だ。しかし一方で、その同じ科学者が自立の機会をとらえて新たな道へ進んだという歴史でもある。次の節では、冷戦中の科学の歴史が持っているもう一つの側面を探っていこう。国境の向こう側では中国の科学者たちが、20世紀最大の政治的激動にもがき苦しんでいた。中国共産党の台頭である。[49]

3 毛沢東のもとでの共産主義的な遺伝学

李景均（りけいきん）は何か月も前から脱出の計画を練ってきた。そして1950年2月、これ以上中国に留まるのは危険だと判断し、妻と4歳の娘を連れて北京から列車に乗り込んだ。ちょうど中国の新年の時期で、当局に気づかれないうちに脱出できることを願った。何週間かかけて李一家は南へ進み、ようやく広州に到着した。そして深夜、当時はまだイギリスの植民地だった香港との国境を越えた。逃避行の最終盤には、疲れきった娘を背負うしかなかった。香港にたどり着いた李は疲労と喜びで倒れ込んだ。ついに自由になった。政治弾圧からの自由。そして平和裡に科学研究を進める自由だ。[50]

20世紀を代表する遺伝学者の一人である李は、1949年に中国共産党が権力を握ったことで国賊となってしまった。第二次世界大戦勃発前にはアメリカ合衆国のコーネル大学で植物遺伝学の博士号を取得した。前の章で取り上げた、20世紀前半に外国で研鑽を積んだ新世代の中国人科学者の一人である。しかし1940年代初頭に帰国すると、中国は内戦状態に陥っていた。何年かをかけて毛沢東率いる中国共産党が本土の大部分を掌握し、国民党は台湾に追いやられた。そして1949年10月1日に毛は中華人民共和国の建国を宣言する。世界一の人口を抱える国が、世界最大の共産主義国家になってしまったのだ。[51]

当時、李は北京農業大学で遺伝学を教えていた。しかしまもなくして、もはや歓迎されていないことを思い知らされる。10月末、新たに学長に就任した中国共産党の高官が、全教職員を集めて会合を開いた。そして李たちに、メンデル遺伝学を教えるのをやめるよう指示した（生物の特徴は染色体の中の遺伝物質を通じてのみ遺伝するという、当時もっとも広く受け入れられていた遺伝学理論である）。北京農業大学の科学者たちは代わりに、トロフィム・ルイセンコというソ連の科学者が提唱する別の遺伝学理論を教えるよう命じられた。この新たな理論は、「マルクス主義とレーニン主義を生物科学に意図的かつ徹底的に当てはめた大偉業である」とされた。李はぞっとした。ルイセンコは悪名を馳せていたからだ。1948年8月にレニングラード農業科学アカデミーの会合でルイセンコは、ヨーロッパやアメリカの遺伝学者の研究成果を罵倒する講演をおこなっていた。いわく、メンデル遺伝学はマルクス主義と完全に相容れず、「理想主義者の教義である」。「遺伝子」の概念は「生物界の真の規則性」を抽象化したものにすぎない。代わりにルイセンコは、獲得形質が遺伝するというかつての学説を復活させようとした。唯物論と共同行動を重視したマルクス哲学にはるかに合致した学説であると信じていた。異議を唱える者は残らず強制収容所に送られた[52]。

ルイセンコの説は完全に間違っていたが、それでも1950年代を通して中国全土に広まった。中国共産党の機関紙『人民日報』は、「ルイセンコ学説は生物学の大革命であって、古い遺伝学を徹底的に刷新しなければならない」と唱えた。別のある新聞も、「メンデルが提案した反動主義的な遺伝の理論はすでに生物学の教科書から抹消されている」と高らかに宣言した。この頃、ソ連の科学者が中国の各大学に招かれて講演をおこない、またロシア語の教科書が中国語に翻訳された。北京のある映画館では、ルイセンコ学説を説くソ連のプロパガンダ映画が中国語の字幕付きで上映された。いずれも、ソ連と同盟関係を築こうとする1950年代初頭の毛沢東の取り組みの一環だった。「中国はソ連の進んだ経験から学ぶ必要がある」と毛は唱えた。それによって中国の科学の進歩が加速するとともに、「ソ連およびすべての社会主義国との結束が強まる」というのだ[53]。

李は、中国共産党の説く「新しい遺伝学」を強制的に教えさせられるのを拒み、中国を去る道を選んだ。香港へ脱出してからまもなくして短い手紙にしたためた体験談は、アメリカ遺伝学協会の機関誌『ジャーナル・オブ・ヘレディティ』に、「中国で遺伝学が死んだ」というタイトルで掲載された。そうして世界の科学界は、中国でルイセンコ学説が広まっている現状を初めて知った。「北京農業大学は共産主義者に完全に乗っ取られ、メンデル遺伝学の講義はただちに中断された」。李は中国共産党が厳しい思想統制をおこなっていることにも言及し、「ルイセンコ学説への忠誠を誓うか、さもなければ国を去るしかない。私は後者を選んだ」と記した。手紙の最後では助けを求めている。「君のつてのあるアメリカの大学か研究機関のどこでもいいから、何らかの形で貢献できるのであれば喜んで奉仕したい」。翌年、李はピッツバーグ大学の教授となり、引退までこの大学に留まって、集団遺伝学の新たな統計学的手法に関する先駆的研究をおこなった。二度と中国に戻ることはなかった[54]。

1949年の毛沢東の権力掌握を受けて、李景均のほかにも大勢の科学者が中国から脱出した。李が迫害を受けたことからも分かるとおり、20世紀、とりわけ冷戦中の科学の発展は、イデオロギーをめぐる争いに翻弄された。1950年代にアメリカ政府は、政治弾圧を逃れてきた世界中の科学者に手を差し伸べることを大きな誇りにしていた。「李の経験は、科学の自由を守って全体主義に挑戦することの必要性を物語っている」と、ある著名なアメリカ人遺伝学者は訴えている[55]。

しかし、これがストーリーの一側面にすぎないことは覚えておくべきだ。確かに中国の科学者は非常に厳しい状況に直面した。多くの人は職を奪われ、二度と姿を見せなくなった。共産党の路線に従った人たちも広い世界から切り離され、実験設備を利用したり国際的な学術誌で発表したりする機会もままならなかった。とはいえ、共産主義国で働いていたからというだけで、この時期の中国人科学者は価値のある研究などいっさいおこなえなかったと決めつけるべきではない。そのような見方は、中国を近代化に抗う後進国と決めつける冷戦期の作り話を後押しするだけだ。そのような作り話はまた、過酷な環境の中でも現代科学の発展に数々の重要な貢献を果たした多くの中国人科学者を見下していることにもなる。20世紀中国の科学の歴史を適切に理解するには、詰まるところ正しいバランスを取らなければならない。共産主義体制、とりわけ毛沢東体制の暴虐さに目を向けると同時に、中国人科学者の業績をあっさり無視することなく受け入れる必要もあるのだ[56]。

広く信じられているのと違い、毛沢東自身は現代科学に否定的ではなかった。むしろ世界中の多くの社会主義指導者と同じく、共産主義のもとで科学は発展すると信じていた。「現代の産業、現代の農業、現代の科学を備えた社会主義国家を、我々は自信を持って建設できる」と１９５７年に言い切っている。その数年後にも同じ主張を繰り返し、「科学実験は強大な社会主義国家建設のための三大革命運動の一つである」と唱えている。それを受けて中国政府は科学機関の新設に莫大な予算を投じ、１９５３年から57年までの第一次５か年計画のあいだに国家科学予算は３倍に増えた。さらに毛は１９５９年、北京にある中国科学院付属の遺伝学研究所の設立を指示した。そして１９６７年に中国は初の水爆実験を成功させ、この国が先進技術など開発できるはずはないと決めつけていたアメリカ合衆国の多くの政策立案者を震撼させた[57]。

この時期に中国共産党はルイセンコ学説への傾倒から手を引いた。地政学的状況の変化がその一因だった。1956年に毛沢東は、ソ連は世界革命実現への取り組みが不十分だと決めつけて、同国との関係を断ちはじめた。そして同年、とりわけ科学に関しては学問の多様性を拡大させる必要があると認める重要な講演をおこなった。「百の花を咲かせ、百の学派を競わせようではないか」。それを受けて中国人科学者のグループが、遺伝学の未来に関する大規模な会議を開いた。その開会にあたって中国共産党のある幹部が、ルイセンコ学説はもはや国策ではないと明言した。「我が党はソ連共産党と違い、遺伝学に関する論争には干渉しない」。その幹部はさらに、解明されたばかりのＤＮＡの構造をマルクス主義に当てはめて解釈し、これによって遺伝子の概念が物質的根拠を持っていることが証明されたと指摘した（マルクス哲学の根底には、「遺伝子」のような科学的概念を含め万物は生命の物質的状態から生じるという考えがあった。マルクスいわく、「人間の意識が人間の存在を規定するのではなく、人間の社会的存在が人間の意識を規定するのだ」）。その幹部は最後に毛の講演を引用して、科学においても中国共産党の政策は「百の花を咲かせる」ことであると締めくくった[58]。

ほかの地域で見てきたのと同じく、中国で現代遺伝学への関心が改めて高まったきっかけは、おもに食糧供給に対する懸念が広がったことだった。第二次世界大戦中に中国は大規模な飢饉に見舞われ、200万を超す人が命を落とした。1959年から61年にも中国大飢饉が起こった。このときには3年間で1500万を優に超える人が命を落とし、人類史上最悪の飢饉の一つとなった。原因はいくつもあったが、中でも最大の要因が、中国共産党の政策で地方の農民が食糧生産でなく製鉄に従事するようになったことである。しかもルイセンコ学説を取り入れて、中国の農業科学者が１９５０年代の大半を不毛な実験に費やしたことで、さらに事態は悪化した。当然ながら毛沢東は責任を認めようとしなかった。とはいえ中国共産党も同じような悲劇を繰り返す余裕はないと気づき、１９６０年代以降は農業科学と現代遺伝学の発展に注力するようになった。[59]

袁隆平（えんりゅうへい）は中国大飢饉の記憶が頭から離れなかった。道端に死体がいくつも横たわり、子供たちが必死で生きようと土を食べている光景をのちに振り返っている。この恐ろしい経験をきっかけに袁は、中国の作物収穫量を増やすための新たな方法を模索しはじめた。今日では袁はイネの初の交配種を開発したことで知られていて、この成果はヨーロッパやアメリカ合衆国の多くの科学者が不可能と考えていた重要なブレークスルーとなった。１９３０年に北京で生まれた袁は、中国の遺伝学の歴史が持つもう一つの側面を物語っている。前世代のほとんどの中国人科学者と違い、アメリカ合衆国に留学した経験はなかった。中国共産党が設立した新たな教育機関の一つである西南農学院で、１９５０年代初頭に植物遺伝学を学んだ。当時はいまだにルイセンコ学説が中国の遺伝学教育を支配していて、在学中にロシア語を学ぶことまで求められていた。しかし袁は担当講師の一人からこっそりとメンデル遺伝学を教わり、アメリカの評判の高い教科書の古い中国語版を読ませてもらった。危険な行動で、その講師はのちにポストから外されて姿を消した。袁は目をつけられないよう気をつけながらもメンデルを学びつづけ、例の教科書は『人民日報』にくるんで隠していた。[60]

1953年に卒業すると、湖南省の西の外れに立つ古い仏教寺院の中にある安江農業学校の職に就いた。この僻地ですら、遺伝学研究の進め方はルイセンコ学説から影響を受けていた。袁が求められたのは、新たな交配種が生まれることを期待して、サツマイモにトマトを接ぎ木するという奇妙な実験だった。言うまでもなく実験は失敗に終わった。その数年後に中国大飢饉は湖南省にまでおよんできて、袁はその惨劇を目の当たりにした。「道端や畑の畝（うね）、あるいは橋の下で死にかけている人を5人見た」とのちに振り返っている。1959年から61年の大飢饉が収まると、ようやく安江農業学校でメンデル遺伝学を教えられるようになった。先ほども述べたとおり、この頃には中国はすでにソ連と袂（たもと）を分かっていて、ルイセンコ学説を批判しても身の危険にさらされることはなくなっていた。それでも袁は社会主義的な科学研究のモデルに従うことを求められた。中国共産党は、「年長の農民と教育を受けた若者が互いに学び合う『群衆科学』」を奨励していた。『人民日報』も「発明はおおむね専門家や学者でなく労働者からもたらされる」と説いた。そのため袁のように大学で学んだ科学者には、農場で過ごして地方の農民から教えを請うことが求められていた。毛沢東はそれを「農村科学実験運動」と呼んだ。[61]

そこで袁はかなりの時間を周辺の農場で過ごし、農民と話をしたりメンデル遺伝学の基本を教えたりした。実はそれが大いに役立つこととなる。1964年夏、郊外の水田を歩いていた袁は、奇妙な形の花を付けた珍しい品種のイネを見つけた。そして興味を惹かれ、その標本を安江農業学校に持ち帰った。花にはふつう雄の生殖器官と雌の生殖器官がある。葯（やく）〔おしべの先端部分〕と呼ばれる雄の生殖器官は花粉を作り、心皮（しんぴ）〔めしべの房〕と呼ばれる雌の生殖器官は花粉を受け取る。持ち帰った奇妙なイネの標本を顕微鏡で観察した袁は、葯がすべてしぼんで花粉をいっさい作っていないことに気づいた。

「雄性不稔」であるようだった。[62]

袁はすぐにこの発見の重要性に気づいた。イネはもともと自家受粉植物である。したがって、異なる品種と掛け合わせるチャンスが来る前に自分で受粉してしまうため、イネの交配種を作ることは事実上不可能だとされていた。それもあってアメリカ合衆国やメキシコの遺伝学者は、もとから他家受粉するトウモロコシにばかり力を注いでいた。しかし袁はふいに、やはりイネの交配種を作ることは可能かもしれないと思い至った。湖南省の水田で見つけたイネは、単なるランダムな遺伝的変異によって自家受粉ができなくなっていた。しかし重要なことに、雌の生殖器官は正常のままで、別の苗から受粉することができる。したがって、別の品種のイネを選んできてこの雄性不稔のイネと交配させれば、多くの人が不可能と考えていたイネの改良品種を作り出すのも理屈の上では可能だろう。[63]

1966年に袁は、北京にある中国科学院の主要な定期刊行物である『科学通報』でこの発見を報告した。こうして中国では、イネの交配種を作り出す研究が本格的に始まった。さまざまな点で、毛沢東の唱えた「群衆科学」をまさに体現していた。袁は中国の田舎で農民とともに働いているときにこの発見をした。研究の規模を拡大するには、雄性不稔のイネを見分けてもっとたくさん集められるよう、その同じ農民を訓練しなければならない。袁と研究チームは何年かかけて1万4000点を超す標本を集め、そのうちのわずか5点が栽培に適していた。確かにこれも遺伝学だが、我々が通常思い浮かべるようなものとは違う。ハイテク実験室もX線も化学物質も使わない。袁は遺伝学を再び農場に持ち込んだのだ。[64]

袁は社会主義的な科学に身を捧げるふりをしていたが、それでも政治弾圧から逃れることはできなかった。1969年のある日、出勤すると、壁に手書きのポスターが貼られていた。そこには「反革命活動分子の袁隆平を追放せよ!」と書かれていた。この頃、毛沢東がブルジョア社会の残党とみなす人々の弾圧を進める、文化大革命と呼ばれる運動の最盛期だった。とくに標的となったのは知識人や中産階級の出身者。中国全土の学生には、「反革命分子」とおぼしき人物を見つけて当局に報告することが求められた。袁もまた、高等教育を受けていたことと、ヨーロッパやアメリカ合衆国の遺伝学に関心を持っていたことで目をつけられた。そして数週間後、安江農業学校の校長から辞職を命じられ、近くの炭鉱での労働に就くことになったと告げられた。[65]

文化大革命の間、何千人もの中国人科学者が同様の労働収容所に「派遣」された。そして多くの人が姿を消した。しかし袁は幸運なほうだった。過酷な労働を2か月続けたところで突然釈放され、安江農業学校に戻るよう命じられたのだ。袁を救ったのは自らの科学だった。国家科学技術委員会のある幹部が『科学通報』に掲載された袁の論文を読み、中国の農業の未来にとってその研究が重要であることに気づいたのだ。その幹部は安江の当局に電信を打って袁の釈放を指示した。中国共産党のお墨付きをもらってようやく袁は安心して研究を続けられるようになった。そして少々試行錯誤を重ねてさまざまな品種を交配した末の1973年、農業生産に使える世界初のイネの交配種を開発することに成功した。それまで多くの科学者が不可能だと考えていた偉業である。[66]

中華人民共和国における現代遺伝学の発展は、さまざまな点で異例だった。1950年代初頭に中国共産党は、ソ連の生物学者トロフィム・ルイセンコによる疑わしい学説を押しつけて、大勢の代表的な遺伝学者が国を離れる事態を招いた。中国共産党がルイセンコ学説を否定してからも、遺伝学は依然としてイデオロギーをめぐる根深い争いの源だった。遺伝学者の袁隆平は、社会主義的な科学者の模範として振る舞っていながらも、文化大革命による粛清に遭いかけた。いずれも異常な事態で、それに匹敵するのはソ連くらいだ。しかしそれ以外の多くの点では、中国の現代遺伝学の歴史もほかの地域で見てきたのとよく似たパターンをたどった。したがって、中国を異常と決めつけるのではなく、冷戦期の科学のもっと幅広い歴史にどのように当てはまるのかを考えてみるべきだ。

中国でもメキシコやインドと同じく、現代遺伝学の発展は、国家に求められる現実的な事柄、とりわけ食糧増産の必要性と密接に結びついていた。そのため皮肉なことに、アメリカ合衆国が共産主義との闘いの一環として推進した緑の革命は、誰あろう毛沢東がその最大の支援者の一人となった。1960年代を通して毛は「科学種田」（科学的農法）と称するものを奨励した。主要作物の改良品種の開発と化学肥料や殺虫剤の使用によって、中国の農業を近代化して国を養おうという考えである。それは功を奏したようだ。袁が最終的に開発したイネの交配種は、今日では中国だけでなくインドやベトナム、フィリピンでも栽培されて、アジア一帯の数億人に食糧を供給しているのだ。[67]

4　イスラエルと集団遺伝学

毎朝、ヨセフ・グレヴィッチは車に乗り込んでエルサレム郊外の移民収容施設に向かった。到着すると回診して、患者を診察したり、ワクチンを打ったり、血液サンプルを取ったりした。1949年から51年までに60万を超すユダヤ人移民がイスラエルにやって来た。うち大多数は、1948年のイスラエル建国後に政府が設置した施設に一時滞在した。移民の多くはヨーロッパ出身で、ホロコーストを生き延びた人も多かった。ほかに中東やアフリカ、アジアのユダヤ人共同体から来た人もいた。差別を受けない新たな生活を始めたいという思いで、悲願の「ユダヤ人の祖国」にやって来た人ばかりだ。グレヴィッチは、到着した移民の健康診断と診察のために雇われた数百人の医師の一人だった。19世紀末にドイツの正統派ユダヤ教徒の家に生まれ、第一次世界大戦後にチェコスロヴァキアで医学を学び、1920年代初頭に委任統治領パレスチナに移住してきた。イスラエル建国のときにはエルサレムのハダーサ病院で内科医として働いていた。そしてその頃、「ユダヤ人の遺伝学的特徴」に興味を持ちはじめた[68]。

移民収容施設を歩き回りながらグレヴィッチは、イスラエルにやって来た各ユダヤ人集団の身体的特徴が多様であることに驚いた。たとえばイエメン系ユダヤ人はアシュケナージ系ユダヤ人と外見がまったく違い、アシュケナージ系ユダヤ人はペルシア系ユダヤ人と外見がまったく違っていた。しかしユダヤ教の律法によると、いずれのユダヤ人集団も3000年ほど昔の共通祖先に由来するという。そこでグレヴィッチは、現代科学の最新の手法を使えばその祖先を突き止められるかもしれないと考えはじめた。そうして、エルサレムのあちこちにある収容施設でユダヤ人移民から血液サンプルを数千本集め、ハダーサ病院の血液銀行に保管していった。各サンプルには採取した民族集団が特定できるよう念入りにラベルをつけ、その上でABO血液型の分析をおこなった。すべて完了すると、各ユダヤ人集団におけるそれぞれの血液型の割合を比較した[69]。

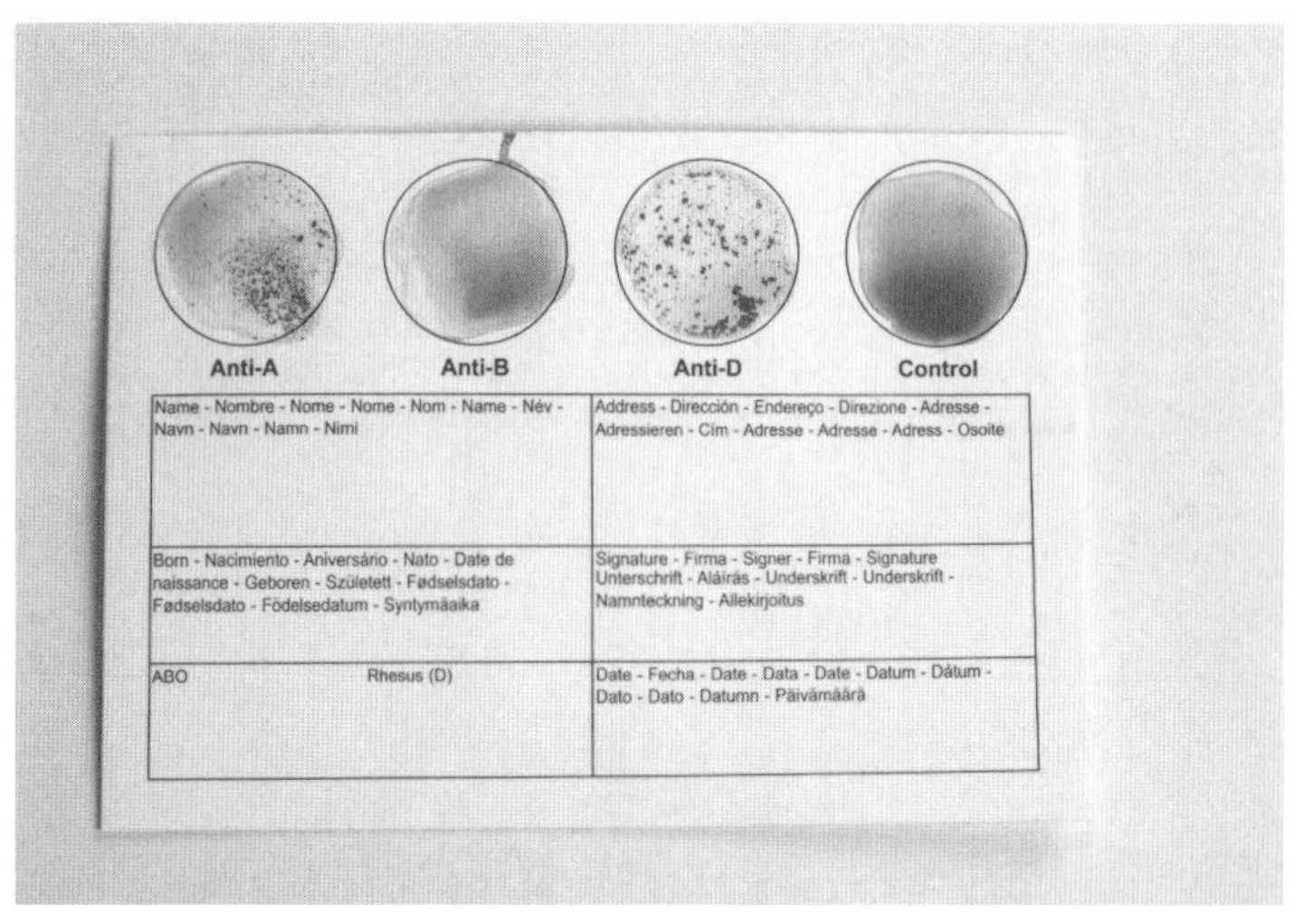

38. ABO血液型とRh血液型を特定するための検査キット。血液検査は20世紀に集団遺伝学で広く用いられた。

ＡＢＯ血液型は１９００年頃に発見されたため、グレヴィッチはヨーロッパで医学を学んでいるときに初めてそれを知ったのだと思われる。１９２０年代から30年代にかけて、ほかに何種類もの血液型の分類、たとえばＲｈ血液型やＭＮ血液型などが発見され、それらが人間の健康にさまざまな役割を果たしていることが明らかとなった。たとえばＡＢＯ血液型は血液凝固の調節に役立っている。そのため、輸血の際には正しい型の血液を用いることが重要で、間違った型が混じると血液が凝固してしまう。第一次世界大戦中に世界各国は、とくに戦闘で負傷した兵士に正しい型の血液を輸血できるよう、血液銀行の設置を始めた。最大の目的は医療への利用だったが、それとともに遺伝学研究の新たな可能性も開いた。一人一人の病歴と容易に突き合わせられる膨大な数の血液サンプルを遺伝学者が初めて手にしたのだ。この時期の多くの科学者と同じくグレヴィッチも、血液検査が人類の遺伝学的歴史をたどるための鍵になるかもしれないと考えた。[70]

1950年代のあいだにグレヴィッチはユダヤ人の遺伝学的特徴に関する論文を次々に発表した。各血液型の割合を比較することで、イスラエルにやって来た各ユダヤ人集団のあいだにどのような共通点があるのか、各集団の違いは何に由来するのかを明らかにしようとしたのだ。たとえば、クルド系ユダヤ人とバグダッド系ユダヤ人ではABO血液型の割合がおおむね同じであると主張した。これらは共通の祖先を持っているのかもしれない。しかしMN血液型の割合は大きく異なっていて、バグダッド系ユダヤ人ではM型が約40%を占めるのに対し、クルド系ユダヤ人では約30%だった。別の論文でグレヴィッチはさらに、すべてのユダヤ人集団がある特定の組み合わせのRh抗原を持っていると主張した。「それはユダヤ人が共通の祖先を持っていることの証しである」というのだ。[71]

20世紀後半は中東で大きな政治的変化が起こった時代だった。第二次世界大戦後、ヨーロッパの植民地帝国はこの地域から次々に撤退を余儀なくされた。イギリスはエジプトやパレスチナから、フランスはシリアやレバノンから手を引いた。そうして生まれた新しい国の一つが、1948年建国のイスラエルである。ほかの地域と同じくイスラエルでも、現代科学は新たな国の成功に欠かせないものと広くとらえられた。「イスラエルは小さな国で、物質的に豊かでもないし天然資源にも乏しい。国の発展にとって科学研究が重要であることはいくら強調してもしきれない」とエルサレム・ヘブライ大学学長は1960年に唱えた。多くの政治指導者も同じ見方で、中でもイスラエル初代首相ダヴィド・ベン＝グリオンは、1952年創設の生物医学研究所など数々の科学機関の設立を指示した。イスラエル政府はまた、エルサレム・ヘブライ大学など、イギリス委任統治領パレスチナ時代に創設された既存の科学機関に投じる予算も増やした[72]。

この時期には中東の多くの国でも現代科学への国家投資が進められた。1952年のエジプト革命後にガマール・アブドゥル＝ナーセル大統領がエジプト国立研究センターの創設を承認し、トルコでは1960年の軍事クーデターからまもなくして科学技術研究会議が設置された。エジプトとトルコの両政府とも、農業の発展と人々の健康の増進を期待して遺伝学研究にも力を注いだ。エジプトやトルコの医師もイスラエルの医師と同じく、中東の各民族集団の遺伝学的構成に関心を持った。また国家のアイデンティティをめぐる疑問にも取り組んだ。トルコ共和国政府は、アラブ人やユダヤ人など、オスマン帝国が1922年の滅亡以前に領有していた土地に昔から暮らしていた民族を、トルコ人から峻別しようとした。エジプトのナーセル政権も、脱植民地化後の地域協力関係の基盤としてアラブ人共通のアイデンティティの概念を説き、アラブ人の遺伝学的研究に力を注いだ[73]。

前にも見たように、冷戦中、遺伝学を始めとした現代科学はさまざまな形で政治に利用された。もちろんイスラエルでも、とりわけ国家のアイデンティティの問題に関してはそのとおりだった。イスラエル独立宣言には「イスラエルの国土はユダヤ民族の発祥の地である」と明記されているし、1950年の帰還法では「すべてのユダヤ人はこの国にやって来る権利を有する」と定められている。そのため20世紀半ばには、誰がユダヤ人で誰がユダヤ人でないかという問題が重要な政治的論点となった。そこでヨセフ・グレヴィッチを始めイスラエルの何人もの医師が、この問題に取り組む術を現代遺伝学がもたらしてくれるかもしれないと考えた。同じ頃にイスラエルの政治指導者は、何らかの「移住規制」、さらには医学的基準に基づく選別が必要であるかどうかを議論した。1950年の帰還法には、「公衆衛生を脅かす」恐れのある人物をイスラエル政府が拒否できるとする条項がある。それもあって政府は、到着した人の健康診断やワクチン接種、抗マラリア薬の投与などをおこなうために、移民収容施設を設置した。国家のアイデンティティと公衆衛生というこの2つの懸念が、中東における現代遺伝学の発展を方向づける大きな役割を果たしたのだ。[74]

1961年9月、エルサレム・ヘブライ大学で集団遺伝学に関する大規模な国際会議が開かれた。参加者の中には、前に取り上げた日本の原爆傷害調査委員会の一員だったアメリカ人遺伝学者ジェイムズ・ニールや、大きな反響を呼んだ著作『ヒトの血液型の分布』（1954）を世に出したばかりのイギリス人遺伝学者アーサー・モーラントも含まれていた。ほかにインドやブラジル、トルコからも、各民族集団の由来に関する最新の研究結果を報告するために科学者が集まった。この頃には近隣のアラブ諸国の科学者も集団遺伝学に関する同様の問題に取り組んでいたが、それらの国の代表者は一人も参加しなかった。たとえばベイルート・アメリカン大学に勤めるレバノン人医師のムニブ・シャヒードは、アラブ人集団における鎌状赤血球貧血症の有病率に関する一連の論文を発表したばかりだったし、カイロにある国立血清研究所で働くエジプト人医師のカリーマ・イブラヒムはモーラントと共著で「エジプト人の血液型」に関する論文を発表していた。しかし1948年の第一次中東戦争や、イスラエル軍がシナイ半島を占領した1956年のスエズ動乱を考えると、シャヒードやイブラヒムがエルサレムでの学会に出席しなかったのも驚きではないだろう。[75]

この学会を主催したのは、イスラエル人遺伝学者のエリザベト・ゴルトシュミット。この時期の多くのユダヤ人科学者と同じく、ナチスドイツからの移民だった。１９１２年にユダヤ人一家に生まれ、１９３０年代初頭にフランクフルト大学で医学を学びはじめたが、ナチスの台頭によって国外脱出せざるをえなくなった。イギリスに逃れるとロンドン大学に入学して動物学を学び、１９３６年に卒業した。その後、委任統治領パレスチナに移住して、エルサレム・ヘブライ大学で蚊の遺伝学的性質に関する博士研究を始めた。さらにアメリカ合衆国に1年間滞在したのち、１９５１年にイスラエルに帰国して、エルサレム・ヘブライ大学初の遺伝学講座の設立に関わった。また１９５８年にイスラエル遺伝学会を創設し、その初代会長となった。[76]

１９６１年の学会で裏方を務めたもう一人の重要人物が、イスラエル人医師のハイム・シーバ。ゴルトシュミットと同じく、反ユダヤ人運動が激しさを増した時期にヨーロッパで育った。１９０８年にオーストリア＝ハンガリーで生まれ、地元のユダヤ人学校に通ったのち、１９３０年代初頭にウィーンで医学を学んだ。しかし隣国ドイツでナチスが選挙に勝利したことを受けて、オーストリアを離れるのが賢明だと判断し、１９３３年に委任統治領パレスチナに移住した。１９５０年代初頭にはテルアヴィヴ郊外のテル＝ハショマー病院で働いた。そしてグレヴィッチと同じく、近くの移民収容施設で大半の時間を過ごし、血液サンプルを採取したり患者の診療にあたったりした。そんな頃、「イスラエルの各ユダヤ人集団のあいだに見られる遺伝学的差異」に関心を持ちはじめた。[77]

１９６０年代初頭にはイスラエルは、集団遺伝学研究の重要拠点として広く認められるようになっていた。エルサレム・ヘブライ大学学長は１９６１年の学会の開会にあたって、「世界中の数々の地域、数々の異なる環境から集まった多様な人々の暮らすイスラエルは、遺伝学者にとって二つとない実験室である」と述べた。同学会では幅広いテーマの論文が発表されたが、その多くは集団遺伝学と病気の関係に注目したものだった。たとえばゴルトシュミットは、アシュケナージ系ユダヤ人におけるテイ＝サックス病（神経系を冒す遺伝病）の有病率に関する最新の研究結果を発表した。シーバは、各ユダヤ人集団におけるＧ６ＰＤ欠損症（代謝異常の一種）の有病率に関する研究結果を論じた。[78]

実はこの種の研究はイスラエルに限ったものではなく、冷戦期に世界中で広くおこなわれた。学会に参加したほかの科学者は、さまざまな地域や民族集団における研究結果を発表した。ある日本人遺伝学者は「コーカサス人と日本人の違い」に関する最新の研究結果を説明し、あるブラジル人遺伝学者は「白人」と「非白人」のあいだに見られる変異に関する研究結果を報告した。当然ながらイスラエル人参加者は自分たちの研究を、ナチスがおこなっていたたぐいの優生学とはっきり区別した。１９６０年代を通してとくにゴルトシュミットは、優生学が現代科学に影響をおよぼしつづけていることに激しく異議を唱え、「似非遺伝学の論法が数百万の人々を虐殺する口実として使われた」と国際社会に訴えた。会議に出席した別のある科学者も、「集団遺伝学の名のもとですさまじい暴力が振るわれてきたことを忘れないでほしい」と参加者に呼びかけた。[79]

冷戦期は、人種やアイデンティティに関する科学的理解が大きく変化した時代だった。第二次世界大戦前にはほとんどの科学者が、人種という概念を生物学的な事実として受け止めていた。しかしホロコーストの影響で、この見方に対する風当たりが強くなる。国連は１９５０年に発表した「人種に関する声明」の中で、「現実のいかなる社会的目的にとっても、『人種』は生物学的現象ではなく社会的な作り事である」と唱えた。遺伝学者も人種を不変の生物学的概念でなく、つねに流動するものとして考えはじめた。そのため現代の集団遺伝学の主眼は、一定不変の人種集団を特定することではなく、時代とともに各集団が移住したり混ざり合ったりした経緯をたどることへと変わった。血液型が人気の研究テーマになったのもそれが一因である。「血液型の研究によって、思い上がった国々も単一民族ではないことが暴かれて、今日の人種は一時的な集団にすぎないという見方が裏付けられる」とイギリス人遺伝学者のアーサー・モーラントは説いた。どんな民族集団の中にも実は大きな遺伝学的多様性がある。「人種因子としての血という不可解な概念は斥けなければならない」とモーラントは言う。[80]

しかし人種に対するこのような見方を守ると言ったところで、それを実践するのはかなり難しかった。新たな国が次々と生まれつつあるこの時期、国家のアイデンティティを力強く示せという政治的な声のほうがしばしば優先されたのだ。前に見たとおり、1948年のイスラエル建国からまもなくしてヨセフ・グレヴィッチは、ABO血液型の研究によって「ユダヤ人の共通祖先」を特定したと主張した。シーバも同様に、遺伝することが知られていたG6PD欠損症の有病率に基づいて、各ユダヤ人集団の「民族的起源」をたどれるはずだと論じた。しかしもっと懐疑的な人もいた。たとえばゴルトシュミットは、テイ゠サックス病がユダヤ人のアイデンティティの優れた指標であるという説を否定したし、モーラントは「現代の各ユダヤ人集団の遺伝学的構成は幅広い多様性を示している」と唱えた。最終的にほとんどの科学者は落とし所を探り、単一の「ユダヤ人遺伝子」は存在しないものの、遺伝学的歴史を通じて各ユダヤ人集団の移動の足跡をたどることは可能であると論じた。[81]

ハイム・シーバやアーサー・モーラントが人類の遺伝学的歴史について論じていたのと同じ頃、別のある研究グループが農耕の起源を探っていた。歴史家は長いあいだ、約1万年前にさかのぼる初の農耕集団はパレスチナとペルシアに挟まれた地域、俗に言う「肥沃な三日月地帯」に暮らしていたと考えていた。1960年代初頭にエルサレム・ヘブライ大学の科学者チームがこの仮説の検証に乗り出した。率いたのは植物遺伝学者のダニエル・ゾハリー。1926年にエルサレムで生まれたゾハリーは、第一次世界大戦後にオーストリアから委任統治領パレスチナに移住してきた著名な植物学者の息子だった。少年時代には、とくにガリラヤ湖周辺で父親がおこなう植物の野外調査旅行にたびたび付いていって、植物分類法の基本を身につけた。1946年にはエルサレム・ヘブライ大学に入学し、父親の跡を継ごうと植物学を学んだ。しかし1948年の第一次中東戦争勃発によってそれどころではなくなった。スコパス山がヨルダン軍に奪われたことで、その山中にあったエルサレム・ヘブライ大学のキャンパスから脱出するしかなくなったのだ。ゾハリー自身は何とか逃げ出して戦闘に参加したが、親友を一人失った。戦いが終わると勉学に戻り、ギヴアット・ラムに新設されたキャンパスで学位を取得した。[82]

この時点ではゾハリーの科学の知識は父親とさほど変わらなかった。それが、1950年代初頭にアメリカ合衆国に渡ってから一変する。1952年から56年まで、カリフォルニア大学バークレー校の博士課程で遺伝学を学んだのだ。そこで身につけた手法は、のちに栽培作物の起源を特定するのに大いに役立つこととなる。ゾハリーは来る日も来る日も顕微鏡で植物の染色体を観察し、染色してはバンドのパターンを比較した。また、のちにアメリカ農務省に入るアメリカ人遺伝学者のジャック・ハーランと出会って、生涯にわたる友人かつ共同研究者となった。ゾハリーとハーランは、「穀物の初期の栽培化がいつどこでどのような状況のもとで起こったか」を明らかにしたいと思った。しかしすぐにゾハリーは、本格的にこの問題に取り組みたいのなら文字どおり「肥沃な三日月地帯」に戻る必要があると気づく。そこで博士号を取得するとイスラエルに帰国し、1956年にエルサレム・ヘブライ大学遺伝学科の教官となった。[83]

農耕の歴史に対するゾハリーの取り組み方は、前に挙げたメキシコ農業計画での研究と共通点が多かった。ゾハリーはまず野生植物、とりわけコムギやオオムギなどの主要作物と近縁かもしれないとにらんだ植物のさまざまな変種を収集することにした。そうはいっても、とりわけ「肥沃な三日月地帯」はイスラエル領よりもはるかに広大な地域に広がっているため、実際に進めるのは困難だった。協力を求めるほかはなく、アメリカ合衆国のハーラン以外にも、イギリスやイラン、ソ連の植物学者に手紙を書いて、地元の種子銀行からサンプルを送ってくれるよう頼んだ。思ったよりもはかどったのは、その少し前に国連食糧農業機関の支援でトルコ西部のイズミールに大規模な地域種子銀行が設立されたおかげだった。膨大なサンプルを集めたゾハリーは次に、野生植物のさまざまな変種を比較する作業に取りかかった。1950年代の時点では、以前カリフォルニアで学んだ、染色体を染色して顕微鏡で比較するという「染色体分析」の手法をもっぱら利用していた。しかし1970年代に一連の技術革新が起こったことで、比較したい植物から直接抽出したDNAの実際の塩基配列を分析できるようになった。それにより、各種植物のあいだの「遺伝的距離」を実際に計算して、どの植物どうしが近縁でどの植物どうしが遠縁かを特定することが可能となった。「この新たな分子的手法は、栽培植物の起源の問題を解く取り組みに影響を与えはじめたばかりである」とゾハリーは記している。[84]

ゾハリーは30年近くにわたる徹底的な研究の末、主著『旧世界における植物の栽培化』(1988)

を世に出した。ドイツ人考古学者のマリア・ホップとともに著したこの本の中でゾハリーは、コムギやオオムギなどの主要作物は確かに約1万年前に中東で最初に栽培化されたことを裏付けた。また重要な点として、現代のさまざまな作物の野生原種を特定し、それらのあいだの正確な「遺伝学的関係」を解き明かした。これは学術的にも重要な成果だったが、そこには実用的な側面もあった。「栽培穀物の野生原種の発見によって、それを遺伝物質に利用して作物をさらに改良できる可能性が開かれた」と、エルサレム・ヘブライ大学のゾハリーの同僚は述べている。単純な発想だが、実はとても有効だった。コムギやオオムギの既存の品種とその野生原種を掛け合わせることで、収穫量を大幅に増やすことができたのだ。ゾハリーも自身の研究の重要性を認識して、コムギやオオムギだけでなく野菜や果物の改良品種の開発に力を注いだ。いずれも、イスラエルの食糧自給の達成に向けた大規模な推進力となった。1940年代末以降に数十万のユダヤ人が移住してきたことで人口が急増し、その達成はますます急務となっていたのだ。[85]

20世紀後半の科学者は、中東が人類史の「交差点」であることを明らかにした。さまざまな民族集団の移動であれ、農耕の起源であれ、パレスチナ周辺地域は過去1万年におけるきわめて重要ないくつかの出来事が起こった地であると広くとらえられるようになった。この節では、イスラエルの科学者がその歴史の解明を進めるために、現代遺伝学の最新の進歩を活用したさまを見てきた。ほかの地域で見てきたのと同じく、イスラエルにおける遺伝学の発展も、国家形成の過程と密接に結びついていた。ユダヤ人の遺伝学的特徴に対する科学的関心は、無制限な移住をめぐる懸念に掻き立てられたものだったし、農耕の歴史をさかのぼる研究は食糧増産計画の一環だった。[86]

ナチスドイツからの難民やホロコーストの生存者が多くを占めていたイスラエル人科学者たちは、科学界におけるユダヤ人差別と闘う上でも重要な役割を果たした。イスラエル遺伝学会の創設者エリザベト・ゴルトシュミットは、戦後になっても集団遺伝学に影響をおよぼしつづける優生学と闘うために力を尽くした。しかしその一方でほかのイスラエル人科学者たちは、現代遺伝学が各ユダヤ人集団の民族的起源をさかのぼるための手段になるかもしれないと考えていた。ヒト遺伝学に対するそのような若干矛盾した姿勢は、イスラエルに限ったことではなく、むしろ戦後期にはあちこちで見られた。トルコでは遺伝学者が血液サンプルを使って「アラブ人」と「トルコ人」を区別しようとしたし、イランではゾロアスター教徒の起源をさかのぼるために同じ手法が使われた。同様の研究はアジアや南北アメリカ一帯でも進められた。科学界は公式には、人種の概念が意味のある生物学的分類であることを否定した。しかし中東でもそれ以外の地域でも、国家のアイデンティティを強く求める政治の声とバランスを取るのは難しいことが多かった。今日の我々はいまだ、遺伝学と人種、そしてナショナリズムのあいだに横たわるこの未解決の緊張状態の中で生きているのだ。[87]

5　まとめ

2000年6月26日、ビル・クリントン大統領がホワイトハウスの東の間で記者会見を開いた。ドイツとフランス、日本の駐米大使が同席し、イギリス首相トニー・ブレアもビデオ回線を通じて参加した。世界中の報道機関が見つめる中、クリントンは口を開いた。「ここに、ヒトゲノム全体の初の調査が完了したことを宣言します」。続いて大統領は次のように説明した。「6か国の1000人を超す研究者が、我々の驚くべき遺伝コードの全30億文字をほぼすべて解き明かしました」。この10年前にアメリカ合衆国はヒトゲノム計画を始動させた。そして30億ドルもの経費を費やしながら、2000年夏までにはヒトゲノム全体の配列の概要が完成した。ヒトゲノムの地図によって、がんやパーキンソン病などさまざまな病気の原因の解明が進むものと期待された。そうなれば医療が個人レベルでオーダーメイド化され、遺伝的要因のせいでリスクの高い人を発症前に特定できるようになる。ヒトゲノム計画はアメリカ合衆国主導で進められたものの、実際には国際的な取り組みで、イギリスやフランス、ドイツや日本や中国の遺伝学者が配列決定に貢献した。各国の研究チームが、特定の染色体など、ヒトゲノム内の特定の領域を担当した。そしてそれらの結果を組み合わせることで、完全な遺伝子配列が完成した。[88]

クリントンを含め多くの人にとって、ヒトゲノム計画は冷戦終結の象徴だった。ソ連の崩壊が始まったちょうどその頃に計画が始動し、関わった研究者は中国を含め各大陸におよんだ。中国では1976年の毛沢東の死去ののちに経済開放が始まり、アメリカ合衆国との外交関係も発展した。「ヒトゲノム計画は世界中の全市民の生活向上を目指して進められた」とクリントンは訴えた。ブレアも同じ考えで、「いまや世界共同体が国境を越えて、人類共通の価値観を守り、この科学的偉業を全人類のために役立てることに取り組んでいる」と語った。[89]

この章で見てきたとおり、現代遺伝学の発展は、冷戦期の政治、とりわけ国家形成の過程によって大きく方向づけられた。それゆえヒトゲノム計画は、冷戦期の対立から新時代のグローバリゼーションへの移行の瞬間になったと考えたくなってしまう。ビル・クリントンもトニー・ブレアも、ソ連崩壊後のグローバリゼーションの波にもっとも深く関わった政治家であるだけに、当然そのようにヒトゲノム計画を受け止めていた。「遺伝学的に言うと、人種を問わずすべての人間は99・9％以上同じである」という考え方は、「共通の人間性」という理想像を追い求める人たちの心に強く響いた。ヒトゲノム計画は人種差別のない未来の一翼を担うものと受け止められた[90]。

しかしここで話を終わらせるのは間違っているだろう。冷戦の終わりは歴史の終わりではなく、1990年代にグローバリゼーションが拡大したからといって世界がより平和になることはなかった。ヒトゲノム計画によって人種差別が終わることもなかった。いまでは十二分に思い知らされているとおり、グローバリゼーションによって社会全体も科学もさらなる細分化が進み、以前よりも人々が分断されて不平等がますます拡大している。期待されていたオーダーメイド医療はほぼ実現していないし、科学者のあいだでは遺伝子編集の倫理性をめぐる論争が続いている。

これらの問題はいずれも、2000年代を通した遺伝学の発展に影を落としている。ヒトゲノム計画が完了する間もなく、科学者や政治指導者は、人類全体をたった一つの標準的なゲノムで代表できるという考え方に異議を唱えはじめた。そもそもヒトゲノム計画で配列が決定された遺伝物質の大部分は、ニューヨーク州バッファローに暮らすたった一人の男性、しかもほぼ間違いなく白人の提供したものだった。それを踏まえて世界各国が独自の国民ゲノム計画を立ち上げた。イラン・ヒトゲノム計画（2000年始動）、インド・ゲノム多様性コンソーシアム（2003年始動）、トルコ・ゲノム計画（2010年始動）、ゲノム・ロシア計画（2015年始動）、漢民族ゲノムイニシアチブ（2017

年始動）などである。いずれのプロジェクトも、国家を再び人種の枠組みでとらえる民族主義を焚きつける結果となった。もっとも顕著である中国の例では、大多数を占める漢民族のみを対象としていて、もっと幅広い中国人集団の遺伝学的・民族的多様性が無視されている。確かに冷戦は終わったかもしれないが、２０００年代になっても遺伝学は１９５０年代と同じく国家形成の道具にすぎなかったのだ。[91]

それとともに各国政府は少数民族を目の敵にして、社会や政治のあらゆる問題の原因をなすりつけるようになった。たとえばゲノム・ロシア計画では、「ロシア民族」と「非ロシア民族」をはっきりと区別している。後者の中には、１９９０年代に独立を懸けてロシア軍と戦ったチェチェン人など、ロシア政府が国の安全を脅かす者とみなす数々の少数民族が含まれる。アメリカ合衆国も同様の遺伝子検査を利用して少数民族を狙い撃ちにしている。２０２０年初めに国土安全保障省が、メキシコとの国境を越えてやって来る移民のＤＮＡサンプルを採取して、その分析結果を膨大な犯罪データベースに反映させる取り組みを始めた。国家による監視の道具として遺伝学を利用する所業は、２０００年代にかけて中国でもどんどん増えていった。２０１６年に中国政府は、イスラム教徒が大多数を占める少数民族ウイグル族のＤＮＡサンプルの採取を開始した。ウイグル人を見つけ出して弾圧する行為はもっと幅広くおこなわれていて、その極めつきに、１００万を超すウイグル人が中国北西部の新疆（しんきょう）一帯にある抑留施設に強制的に収容されている。今日、現代遺伝学で約束されていた「共通の人間性」という理想像は、以前よりもますます手の届かないものになっているようだ。[92]

エピローグ——科学の未来

２０２０年1月28日朝、ハーヴァード大学化学・化学生物学科の学科長チャールズ・リーバーがアメリカ連邦捜査局（ＦＢＩ）の特別捜査員に逮捕された。ナノサイエンスの世界的権威であるリーバーは、「中華人民共和国に協力した」として告訴された。ＦＢＩは告訴状の中で、リーバーは中国の千人計画の「契約上の協力者」であると主張した。ＦＢＩによるとこの千人計画は、「海外の優秀な中国人や外国の専門家を手なずけて中国に彼らの知識や経験を提供させ、機密情報を盗んできた者に報酬を与える」目的で２００８年に始動したという。ＦＢＩ高官は以下のように主張した。リーバーは２０１１年に武漢理工大学に取り立てられて、月5万ドルの報酬を得ていた。そして「千人計画には関与していないと繰り返し嘘をついてきた」が、これは不正行為にあたる。本稿執筆時点で裁判は継続中である。リーバーは完全否認しているが、有罪となったら最大で懲役5年と25万ドルの罰金を科されることになる。[1]

同じ日にＦＢＩは同様の容疑で２人の中国人を告訴した。ボストン大学物理学・化学・生物医学工学科で研究員を務める葉燕青（ようえんせい）は「外国政府の諜報員として活動していた」として告訴された。ＦＢＩはWeChatのメッセージを何件も傍受した上で、葉は「人民解放軍から数々の任務を帯びて、研究を進めたり、アメリカの軍事機関のウェブサイトを分析したり、アメリカの文書や情報を中国に流したりしていた」と結論づけた。さらに恐ろしいことに、ボストンにあるベス・イスラエル・ディーコネス医療センターの研究員、鄭肇松（ていちょうしょう）は、「生物研究用のバイアル〔サンプルの入った容器〕21本をひそかに中国に持ち出そうとした」として告訴された。２０１９年12月、ボストンから中国行きの飛行機に搭乗しようとしたとき、税関職員が「バッグの中の靴下に隠したバイアルを発見し」、その場で拘束された。そしてただちにＦＢＩに引き渡されて尋問を受けた。[2]

発表の席で特別捜査官ジョゼフ・ボナヴォロンタは、これらの捜査の背景に地政学的動機があったことを明言した。「我が国の安全保障や経済発展に対して、中国以上に重大で深刻で長期にわたる脅威を与えている国はほかにない。簡単に言うと、中国の狙いはアメリカ合衆国から世界の盟主の座を奪うことであって、そのために彼らは法を破っている」。これらの捜査を含めＦＢＩは２０１８年から、アメリカの科学機関に潜む中国のスパイを一掃する計画を開始した。そして中国人科学者や中国系アメリカ人科学者が大勢逮捕され、中国との金銭的・組織的関係を隠していたとして告訴された。各大学も、ファーウェイなど、安全保障上の脅威との認識が深まる中国の技術系企業との関係を断ちはじめている。２０１８年12月には、ファーウェイの創業者の娘で最高財務責任者を務める孟晩舟（もうばんしゅう）が、アメリカ合衆国からの身柄引き渡し要求を受けてカナダで逮捕された。そして企業秘密を盗んだとして告訴されたが、本人は否認している。アメリカの裁判所で有罪となれば、最大で懲役10年の刑に処されることになる。[3]

本書を通して論じてきたとおり、近代科学の歴史を理解するには、グローバルな歴史における数々の重要な瞬間に当てはめて考えるのが一番である。まずは南北アメリカが植民地化された15世紀から話を始め、次に16世紀と17世紀にアジアやアフリカで交易や宗教のネットワークが拡大した様子を探った。続いて、ヨーロッパの各帝国が台頭して大西洋間の奴隷貿易が著しく発展した18世紀へと話を進めた。19世紀には、資本主義とナショナリズム、近代戦の時代を目の当たりにした。最後に20世紀には、イデオロギーをめぐる争いの世界、反植民地運動を繰り広げる民族主義者や共産主義革命家の世界を解き明かした。世界史が一変したこの4つの時代は、いずれも近代科学の発展を方向づけた。グローバルな結びつきによってさまざまな人々や科学文化が、ときに自分の意志で、ときに強制的に一つになった。

今日、我々はグローバルな歴史における次なる重要な瞬間に生きている。世界中の科学者が、中国とアメリカ合衆国とのあいだで繰り広げられる地政学的対立の渦中に置かれている。２０００年代末以降、世界は「新冷戦」に突入したと言っていい。その中核にあるのは、経済・政治・軍事の覇権を懸けた中国とアメリカ合衆国の戦いである。２００７年から08年の金融危機によってアメリカ合衆国と中国の経済格差は劇的に縮小し、２０１０年に中国は日本を抜いて世界第2位の経済大国となった。そして２０１０年代初頭、経済成長の持続と天然資源やエネルギーの確保のために、世界中に手を広げはじめた。その極めつきが２０１３年に始動した一帯一路構想。スリランカの港湾からカザフスタンの鉄道まであらゆる事業に投資する国際的な金融支援・インフラ建設計画である。おおかたのアナリストはアメリカ合衆国と中国ばかりに目を向けているが、この新冷戦は20世紀の最初の冷戦と同じくグローバルなものであることを認識する必要がある。ラテンアメリカやアフリカ、南アジアや中東で起こることが、科学の未来と政治の未来に根本的な影響をおよぼすのだ。[4]

今日の科学の世界を理解するには、グローバリゼーションとナショナリズムの関係に注目する必要がある。1990年代の政治家や科学者は、グローバリゼーションによって世界はもっと平和で生産的になり、それによって過去の不平等は一掃されると無邪気に信じていた。人々を結びつけることで、我々はもっと豊かに、もっと国際的になるとされていた。しかしその見立ては間違っていた。グローバリゼーションによって国家間の不平等は一部縮小したものの、ほとんどの国の国内ではむしろ不平等が拡大している。中国とアメリカ合衆国の全体的な経済格差は縮まったかもしれないが、アメリカ合衆国では上位10%の富裕層の資産と所得が1990年代よりも増えている。中国でも同じで、億万長者の人数はアメリカ合衆国を除いてほかのどの国よりも多い。このような不平等の拡大によってナショナリズムが再び勢いづき、グローバリゼーションの支持者が思い描いていた世界主義的な未来とは正反対の方向に向かっている。ここ10年を見ても、イギリスがEUを離脱し、ドナルド・トランプがアメリカ合衆国大統領に選出され、インドでヒンドゥー至上主義が復活し、ラテンアメリカ一帯で右翼政治指導者が台頭してきている。[5]

新冷戦を真に特徴づけているのは、このようなグローバリゼーションとナショナリズムの奇妙な結びつきである。世界各国が、グローバル化した科学の世界に関わることを、国家権力や地域への影響力を訴えるための手段とみなしている。アメリカ合衆国が、国内の大学に中国が影響力をおよぼすことをあれほど憂慮しているのも、まさにそのためだ。またこのあと見るように、中国がアメリカ合衆国に学生を送り込むだけでなく、アジアやアフリカと科学における結びつきを築くことにも注力しているのはそのためだ。

このエピローグでは、グローバルな歴史におけるいまこの瞬間が現代科学の発展をどのように方向づけようとしているのかを解き明かしていこう。そのために、人工知能（ＡＩ）、宇宙探査、気候科学という3つの主要な科学研究分野における近年のトレンドを追いかけていく。これらの分野の未来は、グローバリゼーションとナショナリズムという2つの力に対して科学者と政治家がどのように向き合うかに懸かっているだろう。科学の未来と世界の未来は密接に結びついているのだ。

２０１７年7月、中国共産党が「次世代人工知能発展計画」を公にした。２０３０年に中国がＡＩ研究で世界をリードするとした計画で、すでにその目標に向けて順調に進んでいる。中国のＡＩ研究の論文数はアメリカ合衆国を含めどの国よりも多いし、中国共産党は北京智源人工智能研究院の新設など、新たな研究機関に莫大な投資をしている。２０１７年の計画書によると、ＡＩは「中国の経済発展の新たな推進力となり」、２０３０年にＡＩ産業は中国経済に１４６０億ドルの寄与をもたらす見通しだという。ＡＩが「我が国の大いなる活性化」に貢献するというのだ。[6]

現段階では、互いに絡み合った複数の複雑な知的課題を進める能力、いわゆる汎用知能に関しては、コンピュータは人間にとうてい追いついていない。しかしコンピュータを訓練して、写真から人物を特定するなど特定の課題をきわめて良くこなせるようにするのは可能である。現代のＡＩ、いわゆる「機械学習」は所詮そのようなものだ。コンピュータがある特定の課題を学習できるよう、科学者が一連の命令からなるアルゴリズムを書く。そしてそのアルゴリズムに大量のデータ、たとえば人間の顔を撮影した何十万枚ものデジタル写真を入力する。するとアルゴリズムはそれらの写真を分析して徐々に学習し、さまざまな顔の特徴などを見分けられるようになっていく。入力するデータが多ければ多いほど、より学習が進んで、与えられた課題をよりうまくこなせるようになる。この顔認識のほかにもAI研究の大きな分野はいくつもある。すでにAIは、投資判断、軍事的標的の特定、病気の診断、外国語の翻訳などに活用されつつある。このように幅広い用途があるだけに、先進的なAI研究は経済的・地政学的に計り知れない恩恵をもたらす可能性を秘めている。

中国をはじめ各国でAIへの関心が爆発的に高まっていることからも、新冷戦が今日の科学の発展を方向づけようとしていることがはっきりと読み取れる。中国共産党もAI研究を「国際競争の新たな焦点」と表現している。谷歌（グーグル・チャイナ）の元社長、李開復は、中国とアメリカ合衆国が次なる「AI超大国」の座を懸けて軍拡競争を繰り広げているとまで述べている。中国やアメリカ合衆国のような国にとってAIは、従来の雇用形態を崩壊させてまったく新たな労働分野を創出し、経済を一変させる可能性を秘めている。それとともにAIは国家安全保障の鍵であるともみなされている。世界各国が顔認識ソフトウェアなどによる監視や軍事機器の性能向上を目指して、AI技術への取り組みを強めている。国どうしが競争を繰り広げるとともに、コンピュータ科学研究がそもそも国際的な性格を帯びていることで、AIへの投資は大幅に増えつつある。そうして近年、大きなブレークスルーが次々に起こっている。[7]

そのようなブレークスルーの中には、我々の暮らしを良い方向に変える可能性を秘めたものもある。2019年に広州医科大学の研究者チームが、AIを使って数百万人の患者の医療記録を検索し、一般的な小児病の早期徴候を特定したとする論文を発表した。さまざまな症状のパターンを組み合わせて、医療診断の結果と突き合わせるという方法である。結果、そのアルゴリズムは胃腸炎から髄膜炎までさまざまな病気を正確に診断でき、中には医師が見過ごしていた症例もあったという。世界中の病院でAIの利用が進んでいる。レントゲン写真やMRI画像を分析して病気の徴候を特定するアルゴリズムも開発されている。すでにそのようなアルゴリズムは熟練の放射線医と同等の役割を果たしていて、がんなどの病気を安価かつ迅速に診断できるようになっている。[8]

いずれも比較的有益に聞こえるかもしれないが、AIが良い影響をもたらすことに懐疑的になる理由はまだいくつもある。近年のブレークスルーは、民間企業や政府の収集する個人データが大幅に増えたことで起こった。現代のAIの基本的アイデアは何十年も前からあって、顔認識などの課題の概念検証は1960年代にはすでに成功していた。しかしAIの肝であるアルゴリズムを訓練するのに必要な大量のデータが存在していなかったため、そこから大きく前進できていなかった。それがいまではFacebook〔現・メタ〕のような企業や中国のような国が何億人もの個人データを収集しており、それによってアルゴリズムを訓練して、以前なら不可能だと考えられていた課題をこなせるようになっている。

AIをめぐる競争で中国がこれほど優位に立っている理由の一つもそこにある。中国政府は、医療記録や消費性向からエネルギーの使用状況やネット上での活動まで、国民からとてつもない量の個人データを収集している。そしてそのデータが新世代のAIアルゴリズムを訓練するための素材として使われている。中国がアメリカの主要メーカーをはるかに凌ぐ、世界でもっとも進んだ顔認識ソフトウェアを所有しているのも驚きではない。そのソフトウェアは中国国民の活動を監視するのに日常的に使われている。さらに心配なことに、ファーウェイの開発した顔認識ソフトウェアは各個人がどの民族に属するかを特定でき、少数民族ウイグル族の人を見つけたら当局に通報するといわれている。現在、100万を超すウイグル人が新疆一帯の抑留施設に囚われている。[9]

近年のAIの進歩は新冷戦の産物であって、その争いはすでに世界中に広がっている。アフリカでのAI研究機関の設立に中国とアメリカ合衆国の各企業が資金を投入している。そこにも良い面と悪い面がある。一方では投資拡大によって、アフリカの科学者がAI研究を自分たちに役立つような方向へ進められるようになっている。2019年にガーナに設立されたグーグルAIセンターがその好例である。この研究所では、アルゴリズムを訓練して、キャッサバなどアフリカの主要作物に病気が発生したことを特定できるようにする研究に取り組んでいる。そのソフトウェアを使えば、アフリカの農民が病気の発生により早く対応できるようになるだろう。また、これまでアメリカ合衆国やヨーロッパの研究者にはほぼ無視されてきた、アフリカの言語を処理して翻訳するアルゴリズムを開発する研究計画も進められている。アフリカ数理科学研究所の機械学習の教授で、ガーナにあるグーグルAIセンターの所長を務めるムスタファ・シセは楽観的で、「機械学習研究の未来はアフリカにある」と記者に語っている。[10]

しかしその一方で、アフリカのAI研究に対する外国からの投資は搾取的な性格も帯びかねない。中国の進める一帯一路構想についてはとりわけそうだ。2018年に中国の企業、雲従科技（CloudWalk）

がこの構想の一環として、ジンバブエ政府に顔認識ソフトウェアを提供する契約を結んだ。「ジンバブエ国民の顔画像データベースを構築する取り組みに協力する」というものだった。すると、人権をないがしろにするこの国に大規模な監視システムが導入されるという恐れから、幅広い批判が集まった。ほかの国と同じくジンバブエ政府も、この技術を使って反体制活動を弾圧するつもりだ。また、中国政府がどういった動機でアフリカの科学に投資しているのかもはっきりさせる必要がある。ＡＩを進歩させるには大量のデータが必要だ。中国はすでに自国民から集められる限りのデータを集めている。それをさらに拡大させるには世界中から個人データを集める必要がある。もちろんアメリカ企業も10年ほど前からそれとまったく同じことをおこなっている。とくにFacebookは近年アフリカに積極的に進出している。なぜか？　それは、アフリカ各国でデータ保護の法整備が比較的遅れていることと関係がある。アフリカのＡＩ研究に外国から大規模な投資が集まっている要因の一つはそれだ。雲従科技とジンバブエ政府の契約では、中国人研究者がアフリカ人の顔画像データベースにリモートでアクセスできる旨が定められている。それが中国の顔認識アルゴリズムのさらなる改良に使われるのだろう[11]。

中東でもＡＩがブームになっていて、ここでもその研究計画は世界政治に振り回されている。２０２０年9月、アラブ首長国連邦（ＵＡＥ）とイスラエルが和平合意に調印した。アメリカ合衆国が仲介したこの合意は、外交上の大きなブレークスルーとして、中東の長期的平和を望むすべての人に歓迎された。合意によってＵＡＥは、アラブでようやく3番目にイスラエルと外交関係を持つ国となった。またその一環としてＵＡＥとイスラエルはＡＩ研究で協力することにも合意した。そうして、アブダビにあるムハンマド・ビン・ザーイド人工知能大学の科学者が、イスラエルのヴァイツマン科学研究所とともに一連のワークショップを開催するようになっている。和平合意以前にはＵＡＥ国民がイスラエルに行くこともイスラエル国民がＵＡＥに行くこともできなかったため、そのような科学協力は事実上不可能だった[12]。

この和平合意からは、科学協力が国際平和を育む様子が見て取れる。しかしその一方で、中東各国が何をもくろんでＡＩに注力しているのかを見過ごしてはならない。イスラエルでもＵＡＥでも最大の関心事は国家安全保障だ。イスラエル国防軍はパレスチナの軍事目標の特定にすでにＡＩを利用している。イスラエルのある軍事技術者は次のように言う。「国防軍のソフトウェアは、どの地域にいつ頃ロケットランチャーが設置されそうかを予測できる。それによって、起こりうる事態や攻撃すべき地域を前もって知ることができる」。ＵＡＥでも安全保障がＡＩへの投資の大きな推進力となっている。ＵＡＥの保安機関はすでに顔認識ソフトウェアを使って市民を追跡し、反体制活動を抑え込んでいる。ＣＯＶＩＤ–19のパンデミックの最中には、ドバイの警察も同じソフトウェアを使って、各個人がソーシャルディスタンスのガイドラインに従っているかどうかを監視していた[13]。

アジアやアフリカ、中東で新冷戦が展開する中、グローバリゼーションとナショナリズムの力はＡＩの進歩を方向づけている。それと同じことが、20世紀の冷戦を彷彿させるもう一つの大きな科学研究分野にも当てはまる。近年、宇宙探査に対する関心が高まっている。中国や日本からインドやトルコまでさまざまな国が宇宙開発計画に力を注ぎ、新たな宇宙競争が始まっている。それらの計画の多くには国際協力が求められ、やはりグローバリゼーションが依然として科学研究を方向づけていることを物語っている。２０１４年のアラブ首長国連邦宇宙機関の創設がその好例である。ＵＡＥは開発力向上のためにアメリカ合衆国や韓国から科学者や技術者を招いて、衛星の設計に関する助言をもらったり、将来の宇宙探査の計画立案のために力を借りたりした。そうして6年にわたる取り組みの末、２０２０年夏に無人火星探査機を打ち上げた。ここにも国際的な要素が見られる。ＵＡＥの火星探査機は、日本の種子島宇宙センターから日本のロケットで打ち上げられた。国際協力を通じてＵＡＥはアラブで初めて宇宙に進出した国となったのだ。「これがＵＡＥの未来だ」とＵＡＥ火星計画の副マネージャー、サラ・アル・アミリは宣言した。[14]

しかしその未来とはどのようなものなのか？　もちろん楽観できる点は多い。第一にＵＡＥ火星計画は、この国の科学技術への女性進出を促す取り組みの一翼を担っている。アル・アミリ率いるチームはその3分の1を女性が占めていて、この地域の新世代の女性科学者に間違いなく勇気を与えている。もちろん、とりわけ女性が法的に差別されている国ではまだ課題が残されているが、それでも歓迎できる進歩だ。それに加えて宇宙科学への投資は、石油に依存した経済からの脱却というもっと幅広い取り組みの一環でもあって、ＵＡＥは中東における科学技術研究の拠点を目指している。アブダビに民間宇宙旅行のための宇宙港を建設する計画もある。[15]

どんな宇宙探査でもそうだが、ここにもナショナリズムの要素が見て取れる。ＵＡＥは中東で主導的役割を維持することを目指していて、宇宙科学がもたらす国の威信をそのための手段とみなしている。火星探査機の打ち上げからまもなくしてＵＡＥ政府はツイッターに、「アラブ地域の誇りと希望と平和」のメッセージを投稿した。そして、ＵＡＥは「アラブとイスラムの新たな黄金時代」を牽引すると請け合った。またUAE火星計画は建国50周年にちょうど時期が合うよう計画され、2021年初頭に探査機が火星に到着すると祝賀ムードの盛り上げに寄与した。UAE政府いわく、「これは我が国の歴史における決定的な瞬間で、UAEは宇宙探査に取り組む先進国の仲間入りをした」[16]。

中国の宇宙探査への取り組みもまた、似たようなたぐいのナショナリズムに後押しされている。2020年11月に中国は無人月探査機を打ち上げた。公式の科学的目的は、月の岩石を採取して分析のために地球に持ち帰ること。しかし中国共産党はスタンドプレーを抑えきれなかった。岩石採取の傍らで探査機が月面に中国の国旗を立てたのだ。それまで月面に立てられた旗は5本だけで、いずれもアメリカ合衆国の国旗だった。同じ年に中国は無人火星探査機も打ち上げた。UAEと同じく、政治的に重要な式典に合わせて計画された。探査機は2021年初頭、中国共産党創設100周年と同時に火星に到着した。国営メディアはその火星計画を「100周年の贈り物」とまで呼んだ[17]。

世界各国の政府が宇宙開発計画を国威の証しととらえているのは明らかだ。しかし宇宙科学にはもっと実践的な目的、とりわけ安全保障や防衛の目的もある。2018年に宇宙機関を創設したトルコ政府はそれを率直に認めている。当時の産業技術大臣は、「トルコが防衛産業の技術力を有することは証明済みだ」と述べた。そしてトルコが独自の軍事用ドローンやロケットの設計開発に着手すると、「宇宙技術によって我が国は独自の新たな局面に乗り出す」と唱えた。インドも宇宙科学を軍事力誇示のための手段ととらえており、一連の無人月探査と並行して、関連する軍事技術にも莫大な投資をしている。2019年3月にナレンドラ・モディ首相は、インド初の対衛星攻撃試験に成功して、地対宇宙ミサイルで自国の人工衛星を撃ち落としたと発表した。隣国である中国が近年、軍事衛星や偵察衛星を次々に打ち上げていて、その脅威への対抗手段であると広く受け止められた。民族主義政党のインド人民党の党首であるモディは、ミサイル試験の成功を讃えて、これでインドは世界を代表する「宇宙大国」の仲間入りをしたと宣言した。[18]

ここまで、グローバリゼーションとナショナリズムがＡＩと宇宙探査の進歩を方向づけているさまを見てきた。各国家間の競争、とりわけ中国とアメリカ合衆国のあいだだけでなく、ＵＡＥやイスラエルといった地域大国間での競争は、科学研究における協力と競争の両方を煽り立てている。それこそが、いまのグローバルな歴史的瞬間を特徴づける新冷戦にほかならない。最後に、グローバリゼーションとナショナリズムという二つの推進力によってほかにも増して勢いづいている、もう一つの科学研究分野を取り上げよう。

我々は気候危機の時代に生きている。明らかにグローバルな問題で、温室効果ガスの排出が人類共有の環境に取り返しのつかないダメージを与えている。気候変動はいずれ世界中に大打撃を与えて人々の暮らしを破壊し、何億もの人が気候難民になってしまうだろう。気候変動に関する基本的事実は何十年も前から知られていて、１９９０年に開かれた第一回「気候変動に関する政府間パネル」（ＩＰＣＣ）でもはっきりと示された。世界気象機関と国連環境計画によって設置されたＩＰＣＣでは、世界中から専門家が集まって気候変動の科学的証拠を評価し、考えられる解決策を提案した。第一回の評価報告書では、過去１００年にわたって世界平均気温が上昇しつづけてきたのは温室効果ガスの排出増加が原因であろうと結論づけられた。そしてその上昇率に基づいて、今後１００年で世界平均気温はさらに３℃上昇するだろうと予測された。またＩＰＣＣは、世界中が一致した対応を取るために、世界中の科学者が気候変動の研究に取り組む必要があると力説した。これは、冷戦と脱植民地化後の科学力の均衡を取り戻そうという取り組みの一環でもあった。共産主義の中国や旧ソ連の科学者が、ヨーロッパやアメリカ合衆国、ラテンアメリカや南アジア、アフリカや中東の科学者とともに研究を進めるのだ[19]。

しかしＩＰＣＣの取り組みにもかかわらず、１９９０年代から２０００年代にかけて、気候変動と闘うための具体的な行動はほとんど取られなかった。各国に温室効果ガス排出削減を求めた１９９７年の京都議定書を始め、さまざまな国際合意がなされたものの、地球温暖化は急速に進みつづけた。しかしそんな風潮も変わりつつある。世界有数の排出国の多くが、気候変動は自国の安全保障や経済発展に対する大きな脅威であることに気づいたのだ。中国がその好例である。中国は毎年、世界中のどの国よりも多くの二酸化炭素を排出している。また一帯一路構想によって、アジアやアフリカ、中東のあちこちで持続不可能なインフラ建設計画を拡大させ、大規模な環境破壊を招いている。

しかし最近になって中国共産党は、世界とは言わないものの中国にとって気候変動がもたらす脅威を認識しはじめた。沿海の大都市や巨大な三角州、広大な砂漠を有する中国は、そもそも気候変動の影響をとりわけ受けやすい。海面がわずかに上昇しただけで、上海や広州といった海岸沿いの経済拠点が崩壊しかねない。また大規模な旱魃（かんばつ）や洪水が食糧供給に劇的な影響を与え、中国共産党に対する人民の支持を奪いかねない。そのような脅威を踏まえて中国は、気候科学やグリーンエネルギー研究への投資を大幅に増やしている。たとえば北京にある清華大学では、再生可能エネルギーの貯蔵に適した電池など、「新エネルギー」技術に取り組む研究グループが立ち上げられた。中国はまた、太陽光発電の発電量が世界一であるとともに、電気自動車の世界最大の生産国でもある。さらに２０２０年末に習近平国家主席は、２０６０年までに中国がカーボンニュートラルを実現する計画を発表した。[20]

中国が気候変動への対応を始めたのは、明らかに国益のためである。しかし中国はまた、自国だけでは気候変動に打ち勝てる望みがないことも認識している。２０１６年にはグローバルな気候戦略の一環として「デジタル一帯一路計画」を立ち上げた。北京の中国科学院を拠点とするこの計画では、世界各国から専門家を集めてアジアやアフリカ、中東一帯の環境変化と気候変動を監視する。その一環として、さまざまな遠隔地、とりわけ気象業務が比較的貧弱な国々に気象観測機器を次々に設置している。共同の研究拠点も数多く設立している。たとえば２０１９年にはスリランカのルフナ大学に海洋学の研究拠点が開設され、スリランカ人科学者と中国人科学者がインド洋の気候変動の監視にあたっている。最後に中国はそのデータとともに衛星画像を提供し、高度なＡＩアルゴリズムを使って気候変動の解析やモデル化をおこなっている。デジタル一帯一路計画には、中国やロシア、インドやパキスタン、マレーシアやチュニジアなどさまざまな国の科学者が関わっている。今日の科学がナショナリズムとグローバリゼーションの両方によって方向づけられていることを示す一番の例だ。中国のほかにも数多くの国が、気候変動に対するナショナリストの狭量な反応と、グローバルな科学界の一員として協力する必要性とのバランスを取った道を模索している。[21]

近年の気候科学では、デジタル一帯一路計画と並んで地域協力も大きなテーマの一つである。そもそも一つの国が自国の未来の計画を立てる際に、全地球規模の気候モデルはたいして役に立たない。そこで科学者や政治家は、特定の地域が気候変動からどのような形で影響を受けるのかに関心を示しはじめた。そうして数々の地域機関が設立された。たとえば2012年にアフリカのいくつかの国が、「気候変動および順応的土地管理に関する南部アフリカ科学サービスセンター」（SASSCAL）を創設した。ナミビアに拠点を置き、ルワンダ系南アフリカ人気候科学者のジェーン・オルウォッチが所長を務めている。このプロジェクトには、アンゴラやボツワナ、南アフリカやザンビア、ドイツ、そして本国ナミビアの科学者が参加している。デジタル一帯一路計画と同じく、研究資源とデータを集めてより精確な地域気候モデルを作ることを目指している。また、肥沃だった土地が乾燥して砂漠化するといった、アフリカ特有のエネルギー問題や気候問題にも焦点を当てている。[22]

ラテンアメリカも気候研究の未来にとってもう一つの重要なプレーヤーである。ここでも現状では地域研究に焦点が絞られている。ブエノスアイレス大学を拠点とするIPCCの気候科学者カロリーナ・ベラは、その点で先駆的な研究を進めている。アルゼンチンを流れるマタンサ川沿いのトウモロコシ農家と緊密に協力して、洪水ハザードマップを作成しているのだ。かつて気候科学者は先住民や地元農家の知識を無視しがちだった。しかしベラは現代の気候科学と地元の知識を組み合わせようとしている。彼女の研究チームは科学機器を使って降水データを収集するとともに、地元の農家から話を聞いてこの地域における洪水の時期と影響に関する知見を深めている。「私の研究結果を活用して恩恵を受けそうな人と会話を交わして、平等な立場で協力することが必要だった」と最近の論文で説明している。科学的知識と地元の知識を組み合わせることで、より精確な洪水ハザードマップを作成できるのだ。それらの地域的な結果は、IPCCの作成するグローバルな気候モデルにも反映されている。[23]

昔も今も科学はけっしてヨーロッパ特有の営みではない。本書を通して見てきたとおり、世界中の人々や文化が近代科学の成立に貢献した。アステカの博物学者やオスマン帝国の天文学者から、アフリカの植物学者や日本の化学者まで、近代科学の歴史はグローバルなストーリーとして語られる必要がある。同じことが科学の未来についてもいえる。次の大きな科学的発見はヨーロッパやアメリカ合衆国の研究室から出てくると考える理由は一つもない。人工知能や宇宙探査、気候科学に関する次なる刺激的な研究が、アジアやアフリカ、中東やラテンアメリカですでに進められている。中国人コンピュータ科学者が機械学習のブレークスルーを成し遂げようとしているし、UAEの技術者が火星に探査機を送りこんでいるし、アルゼンチンの環境科学者が新たな気候モデルの構築に貢献している。

歓迎すべき点が数多くある一方で、科学は深刻な問題にも直面している。民間企業や各国政府が次の「AI超大国」を目指して膨大な個人データを収集している。トルコやインドのような国は宇宙開発に莫大な予算を投じているが、その軍事的・国粋主義的な誇示以上の意義は必ずしも定かでない。世界は気候危機に少しずつ目を向けはじめているが、たいていの国は国益にかなった行動しか取っていない。[24]

いまや科学者は新冷戦の最前線に身を置いている。アメリカ合衆国では中国系の人がFBIの捜査対象となることが増えており、ある科学者グループはその風潮を「人種差別的プロファイリング」と的確に表現している。中国ではここ数年で大勢のウイグル人科学者が姿を消しているし、トルコでは、レジェップ・タイイップ・エルドアン大統領に批判的な人たちが、多くの指導的科学者を含め勾留されている。アフリカやラテンアメリカでも同じような話がある。スーダンでは、アフリカ人の遺伝学的多様性を専門とするハルツーム大学の遺伝学者ムンタゼル・イブラヒムが2019年2月の平和的な抗議活動の最中に逮捕されたが、幸いにも同年の軍事クーデターによって釈放された。ブラジルでは多くの気候科学者が、右翼のジャイール・ボルソナーロ大統領の報復を恐れて匿名で研究成果を発表しはじめている。ボルソナーロは2019年の大統領就任以来、科学予算を凍結してアマゾンの森林伐採を進める政策を打ち出している。[25]

けっして一筋縄ではいかないだろうが、科学の未来は、グローバリゼーションとナショナリズムという二つの力の中間の道を見つけられるかどうかに懸かっている。それにはどうすればいいのか? まずは歴史を正しくとらえる必要がある。近代科学はヨーロッパで生まれたというストーリーは、単に間違っているだけでなく、深刻な悪影響をもたらす。世界の大部分がそのストーリーから排除されていたら、グローバルな科学界が一つになれる望みはほとんどない。今日のイスラムや中国、インドの民族主義的政治家のあいだでは、中世の「黄金時代」に関する話がよく取り沙汰されるが、それもまた役には立たない。ヨーロッパ以外の世界における科学的偉業を遠い過去に追いやってしまうだけだ。本書を通して見てきたとおり、イスラムや中国、インドの科学者は、中世以降もずっと近代科学の発展に貢献しつづけている。

その一方で我々には、グローバリゼーションとその歴史に対する単純素朴な見方から踏み出す必要もある。近代科学は間違いなくグローバルな文化交流の産物である。しかしその文化交流は、きわめて不均衡な力関係のもとで起こった。近代科学の起源にまつわるストーリーの中核には、奴隷制や帝国、戦争、イデオロギーをめぐる争いの歴史が横たわっている。17世紀の天文学者は奴隷船で旅をし、18世紀の博物学者は植民地貿易会社のために働いた。19世紀に進化について思索した人たちは近代戦を戦い、

20世紀の遺伝学者は冷戦中に人種科学を推進しつづけた。このような歴史の遺産をあっさり無視することなく、積極的にそれに対峙する必要がある。詰まるところ科学の未来は、そのグローバルな過去をより正しく理解できるかどうかに懸かっているのだ。

謝辞

初めに、科学史の分野の改革に力を注いでいる多くの学者に対する感謝の念を伝えたい。かつての科学史はヨーロッパやアメリカの事例研究に支配されていたが、いまではもっと幅広い世界に関する詳細な文献が大量に存在する。ここ10年ほどに発表されたそれらの研究成果がなかったら、本書は生まれようがなかっただろう。それらの研究を一つに結びつけることで、近代科学の起源にまつわるストーリーの中でそれがいかに中核的な役割を果たしているかを示せたのであれば幸いだ。

本書の調査と執筆の過程では、さまざまな地域や言語、歴史時代に関する学識を多くの方が惜しみなく提供してくれた。それに関しては以下の方々に感謝したい。リカルド・アギラール゠ゴンザレス、デイヴィッド・アーノルド、ソマク・ビスワス、メアリー・ブラゼルトン、ジャネット・ブラウン、エリーズ・バートン、マイケル・バイクロフト、レーミー・デウィーレ、レベッカ・アール、アン・ゲリッツェン、ニコラス・ゴメス・バエザ、ロブ・アイリフ、ニック・ジャーディン、グイド・ヴァン・メールスベルゲン、プロジット・ビハーリ・ムハルジー、エドウィン・ローズ、サイモン・シェーファー、ジム・セコード、カタヨウン・シャフィー、クレア・ショー、トム・シンプソン、チャル・シン、ベン・スミス、ミキ・スギウラ、サイモン・ウェレット。また、各章に目を通してくれた友人の科学者たち、とくにミュンヘン工科大学のヨハネス・クノッレとレディング大学のマイケル・ショーにも深く感謝している。

4年前からウォーリック大学歴史学科の一員であることをたいへんありがたく思っている。これほどまでに支えてくれて、これほどの知的刺激を与えてくれる仕事場を提供してくれたウォーリック大学の同僚全員に感謝したい。また、とりわけ苦しい時期に力を貸してくれて、南北アメリカの歴史に関する学識を惜しみなく提供してくれた学科長のレベッカ・アールにとくに感謝する。ウォーリック大学グローバル歴史文化センターもアイデアと友情をたえず提供してくれてとても感謝している。

ウォーリック大学の教官になる前、私はケンブリッジ大学で10年間過ごした。コンピュータ科学を学ぶために入学したが、卒業するときには歴史学者になっていた。学位課程が驚くほど柔軟だったこともあるが、途中で手を差し伸べてくれた人たちのおかげでもある。とくに、ケンブリッジ大学科学史・科学哲学科で博士研究を指導してくれたジム・セコードと、修士研究を指導してくれてそれ以来偉大な師であるサイモン・シェーファーに感謝したい。また、博士論文を審査してくれて、研究人生のあらゆる段階で支えてくれたハーヴァード大学のジャネット・ブラウンにもとくに感謝する。同じく博士論文を審査してくれたスジット・シヴァスンダラムにも特別に感謝したい。２０１０年にスジットはグローバルな科学史に関する非常に重要な論文を発表した。その論文によって私はこの分野に対する考え方を完全に一変させ、ケンブリッジ大学に戻って博士研究を進めようと決心したのだ。グローバルな科学史へと導いてくれて、10年間にわたりすばらしい助言を与えてくれたスジットに感謝したい。

ヴァイキング社から本書を出版できたのはまさに喜ばしいことである。一貫して手を差し伸べて情熱を傾けてくれた、担当編集者のコナー・ブラウンとダニエル・クルーに感謝したい。2人はあらゆる面で力を貸してくれ、とりわけ論点に磨きをかけるよう背中を押してくれた。制作・営業・広報・販売・版権などを担当してくれたペンギン・ランダムハウス社のチーム全員と、初期段階の編集作業にあたってくれたジャック・ラムにも感謝する。さらに、アメリカ版の制作にあたってくれたアレクサンダー・リトルフィールドとオリヴィア・バーツ、そしてホートン・ミフリン・ハーコート社のチーム全員にも感謝したい。

ソーホー・エージェンシーの担当代理人ベン・クラークに深く感謝する。このエージェンシーの代理人は最高だと誰もが納得するに違いない。しかしベンはその中でも一番だ！　親友で味方のベンは、出版の世界の道案内をし、私のアイデアについて忌憚なく意見を述べ、私の文章に目を通してくれた。ベン以上の代理人なんて想像できない。

学問と出版の世界以外でも、本書の執筆に欠かせなかった大勢の人たちに感謝したい。ヒンチンブルック病院（北西アングリアＮＨＳ基金財団）のチーム、とりわけデイヴィッド、ロウィーナ、サイードに心から感謝する。10年近くにおよぶ彼らの気遣いが文字どおり私の背中を押してくれた。

本書を妻のアリスと母のナンシーに捧げる。きわめて困難な執筆作業で、2人の支えがなかったらやり通せなかっただろう。ありがとう、アリス。ありがとう、母さん。何から何まで。

索引

カ行

サ行

タ行

ナ行

ハ行

マ行

ワ行

口絵出典

［前半］

1. メキシコ、オアステペックの地図（1580）（University of Texas Libraries）。
2. 『ヌエバ・エスパーニャ全史』（1578）に掲載された人間と動植物の図（Alamy）。
3. 1577年に建てられたイスタンブール天文台（Alamy）。
4. 18世紀初頭にティンブクトゥで書かれた、アラビア語の天文学の文献（Getty）。
5. 欽天監跡（Alamy）。
6. インドのベナレスにあるジャンタル・マンタル天文台（James Poskett）。
7. タヒチのマタヴァイ湾に浮かぶタヒチ人の船を描いた油彩画（Wikipedia）。
8. 科学をめぐる意見交換をおこなう18世紀の中国と日本、オランダの学者たち（Wikipedia）。
9. 1745年にジャマイカのスパニッシュタウンで研究をおこなうフランシス・ウィリアムズを描いた油彩画（Alamy）。
10. セネガル沖のゴレ島に立つかつての奴隷貿易拠点（Getty）。
11. カッシア・アマラ（Alamy）。
12. 16世紀にムガル帝国で著された博物学の文献（Alamy）。
13. 1729年に将軍に献上されたベトナムのゾウを描いた日本語の文献（国立国会図書館）。

［後半］

1. 19世紀にマドリッドで展示されていたメガテリウムの骨格（Alamy）。
2. 動物学者で進化論学者のイリヤ・メチニコフ（Wikipedia）。
3. 物理学者ジャガディッシュ・チャンドラ・ボース（1897）（Getty）。
4. 1900年パリ万博のポストカード（Alamy）。
5. 理論物理学者の周培源（Wikipedia）。
6. 1922年の日本でのアルベルト・アインシュタインと妻エルザ（Wikipedia）。
7. 日本人物理学者の田中舘愛橘。東京大学のオフィスにて（Alamy）。
8. インド人科学者として初めてノーベル賞を受賞したチャンドラセカール・ヴェンカタ・ラマン（Alamy）。
9. 日本人科学者として初めてノーベル賞を受賞した物理学者の湯川秀樹（Getty）。
10. 1960年代の中国共産党のプロパガンダポスター（Getty）。
11. 遺伝学者のオバイド・シッディーキーとヴェロニカ・ロドリゲス（1976）（Archives

at NCBS)。

12. 1949年に広島で幼い患者を診察する日本人医師（Getty）。
13. 1949年にイスラエルの移民収容施設に到着したイエメン系ユダヤ人家族（Wikipedia）。
14. イスラエル人集団遺伝学者のエリザベト・ゴルトシュミット（Wellcome Collection）。
15. アラブ首長国連邦宇宙機関の長で2020年UAE火星計画の副マネージャーを務めたサラ・アル・アミリ（Wikipedia）。
16. ガーナのアクラにあるグーグルAIセンターの主任研究科学者で所長のムスタファ・シセ（Getty）。

図版出典

1. 『フィレンツェ文書』(1578) に掲載されているハチドリの図 (個人蔵)。
2. フランシスコ・エルナンデス『ヌエバ・エスパーニャの医薬の宝典』(1628) に掲載されているアルマジロの版画 (個人蔵)。
3. マルティン・デ・ラ・クルス『インディアンの薬草の小本』(1552) に掲載されている図 (Wellcome Images)。
4. 1500年に作成された、ヨーロッパ人の手による、南北アメリカを含む現存する最古の地図 (Wikipedia)。
5. アステカ人が1579年頃に描いたヌエバ・エスパーニャのミスキアウアラの地図 (University of Texas)。
6. ファフリー六分儀 (Wikipedia)。
7. クラウディオス・プトレマイオス『アルマゲスト』のアラビア語訳の手稿。1381年、スペインの写本 (Kislak Center for Special Collections, University of Pennsylvania)。
8. 「トゥースィーの対円」の図。ナスィールッディーン・アル=トゥースィー『天文学報告』(1261) より (MPIWG Library/Staatsbibliothek Berlin)。
9. ニコラウス・コペルニクス『天球の回転について』(1543) に収められた、「トゥースィーの対円」の説明図 (Library of Congress)。
10. イスタンブール天文台で働くタキ・アル=ディーン (Alamy)。
11. 数学に関する近世のアラビア語の手稿に描かれた2つの「魔方陣」(Alamy)。
12. 17世紀の欽天監 (Wikipedia)。
13. インド・ジャイプルにある天文台、ジャンタル・マンタルのサムラート・ヤントラ (Jorge Lascar)。
14. フランシス・ベーコン『ノヴム・オルガヌム』(1620) の口絵 (左) と、その出典であるアンドレス・ガルシア・デ・セスペデス『航海術の原則』(1606) (右) (Wikipedia)。
15. ペルー南部にある紀元前500年頃の「ナスカの地上絵」(NASA Earth Observatory)。
16. ジェイムズ・クックが1769年に描いた金星の太陽面通過のスケッチ (Alamy)。
17. ミクロネシアの「マッタング」(Brew Books)。
18. トゥパイアが作成したソサエティ諸島の海図 (Wikipedia)。
19. 北極圏の風食作用によって作られる雪の隆起 (Wikipedia)。
20. ハンス・スローン『ジャマイカの自然史』(1707–25) に描かれた、「ビジー」の木から採れるコラの実 (Biodiversity Heritage Library)。

21. ヘンドリク・ファン・レーデ『マラバルの庭』(1678–93)に掲載されている「カリム＝パナ」、別名パルミラヤシの図(Wikipedia)。
22. ゲオルク・エバーハルト・ルンフィウス『アンボン島の驚異の部屋』(1705)に掲載されている「ルマ・ゴリタ」(アオイガイ)とその卵嚢の図(Biodiversity Heritage Library)。
23. 李時珍『本草綱目』(1596)に掲載されているダイダイやクチナシなど各種植物の図(Wellcome Collection)。
24. 貝原益軒『大和本草』(1709–15)に収められた植物画(National Library of Australia)。
25. エティエンヌ・ジョフロワ・サンティレールが1799年にエジプトで発掘した「聖なるトキ」の骨格(Biodiversity Heritage Library)。
26. トクソドンの骨格(Alamy)。
27. イリヤ・メチニコフが顕微鏡で観察した、ヒトデの胚に開けた穴の周囲に集まる食細胞(University of Glasgow Library)。
28. コケムシ(Biodiversity Heritage Library)。
29. アレクサンドル・ポポフの「嵐検知器」(Sputnik/Science Photo Library)。
30. プラフラ・チャンドラ・レイ『インド化学の歴史』(1902–04)に掲載されているインド伝統の「水銀抽出法」の図(Wellcome Digital Library)。
31. 田中舘愛橘が作成した、1891年の濃尾地震の震源地付近における地磁気の変化を示した地図(Biodiversity Heritage Library)。
32. アーネスト・ウィルソン『原子の構造』(1916)に掲載されている「原子の土星モデル」の図(Hathi Trust)。
33. 「超流動相」の液体ヘリウム(Wikipedia)。
34. 電離箱中の陽電子の写真(Wikipedia)。
35. 1920年にカルカッタで出版された、アルベルト・アインシュタインの研究論文の初の英語訳(Archive.org)。
36. 染色後に顕微鏡で観察されるヒトの男性の典型的な染色体(Wikipedia)。
37. ラテンアメリカとアメリカ合衆国の遺伝学者が集めたさまざまな品種のトウモロコシ(United States Department of Agriculture)。
38. ABO血液型とRh血液型を特定するための検査キット(Alamy)。

原注

対象読者層を踏まえ、執筆の際に直接参照した文献に限って列挙している。同様の理由で、注の中での説明は必要最小限に留めた。

はしがき――近代科学の起源

1　このようなストーリーは、20世紀半ば以降に書かれたほぼあらゆる科学史概説に多かれ少なかれはっきりと示されている。たとえば以下のようなものがある。Herbert Butterfield, *The Origins of Modern Science* (London: G. Bell and Sons, 1949)［『近代科学の誕生』（上下）H・バターフィールド著、渡辺正雄訳、講談社学術文庫、1978年］, Alfred Rupert Hall, *The Scientific Revolution* (London: Longmans, 1954), Richard Westfall, *The Construction of Modern Science: Mechanisms and Mechanics* (Cambridge: Cambridge University Press, 1977)［『近代科学の形成』R・S・ウェストフォール著、渡辺正雄／小川真里子訳、みすず書房、1980年］, Steven Shapin, *The Scientific Revolution* (Chicago: University of Chicago Press, 1996)［『「科学革命」とは何だったのか――新しい歴史観の試み』スティーヴン・シェイピン著、川田勝訳、白水社、1998年］, John Gribbin, *Science: A History, 1543–2001* (London: Allen Lane, 2002), Peter Bowler and Iwan Rhys Morus, *Making Modern Science: A Historical Survey* (Chicago: University of Chicago Press, 2005), and David Wootton, *The Invention of Science: A New History of the Scientific Revolution* (London: Allen Lane, 2015).

2　私のこの主張にもっとも近いのはKapil Raj, *Relocating Modern Science: Circulation and the Construction of Knowledge in South Asia and Europe, 1650–1900* (Basingstoke: Palgrave, 2007)［『近代科学のリロケーション――南アジアとヨーロッパにおける知の循環と構築』カピル・ラジ著、水谷智／水井万里子／大澤広晃訳、名古屋大学出版会、2016年］だが、ただし特定の地域（南アジア）と特定の時代（1900年以前）に限られている。Arun Bala, *The Dialogue of Civilizations in the Birth of Modern Science* (Basingstoke: Palgrave, 2006) でも同様の主張がなされているが、やはり早い時代に限られている。もっと幅広い地域を対象としたそれ以外の既存の文献の多くは、ヨーロッパは特別であるという考え方を補強しているにすぎない。たとえば以下のようなものがある。H. Floris Cohen, *The Rise of Modern Science Explained: A Comparative History* (Cambridge: Cambridge University Press, 2015),

Toby Huff, *Intellectual Curiosity and the Scientific Revolution: A Global Perspective* (Cambridge: Cambridge University Press, 2010), and James E. McClellan III and Harold Dorn, *Science and Technology in World History: An Introduction*, 3rd edn (Baltimore: Johns Hopkins University Press, 2006).

3 グローバルな科学史の必要性に関してはSujit Sivasundaram, 'Sciences and the Global: On Methods, Questions, and Theory', *Isis* 101 (2010) を見よ。

4 Jeffrey Mervis, 'NSF Rolls Out Huge Makeover of Science Statistics', Science, accessed 22 November 2020, https://www.sciencemag.org/news/2020/01/nsfrolls-out-huge-makeover-science-statistics, Jeff Tollefson, 'China Declared World's Largest Producer of Scientific Articles', *Nature* 553 (2018), Elizabeth Gibney, 'Arab World's First Mars Probe Takes to the Skies', *Nature* 583 (2020), and Karen Hao, 'The Future of AI is in Africa', MIT Technology Review, accessed 22 November 2020, https://www.technologyreview.com/2019/06/21/134820/ai-africa-machinelearning-ibm-google/.

5 David Cyranoski and Heidi Ledford, 'Genome-Edited Baby Claim Provokes International Outcry', *Nature* 563 (2018), David Cyranoski, 'Russian Biologist Plans More CRISPR-Edited Babies', *Nature* 570 (2019), Michael Le Page, 'Russian Biologist Still Aims to Make CRISPR Babies Despite the Risks', New Scientist, accessed 13 February 2021, https://www.newscientist.com/article/2253688-russian-biologist-still-aims-to-make-crispr-babies-despite-the-risks/, David Cyranoski, 'What CRISPR-Baby Prison Sentences Mean for Research', *Nature* 577 (2020), Connie Nshemereirwe, 'Tear Down Visa Barriers That Block Scholarship', *Nature* 563 (2018), *A Picture of the UK Workforce: Diversity Data Analysis for the Royal Society* (London: The Royal Society, 2014), and 'Challenge Anti-Semitism', *Nature* 556 (2018).

6 複数巻からなるJoseph Needham, *Science and Civilisation in China* (Cambridge: Cambridge University Press, 1954 to present) が古代中国の科学を讃えた文献としてもっとも有名だが、ただし現代のことはほとんど取り上げていない。イスラム世界に関してそれに相当するのが、全1巻のSeyyed Hossein Nasr, *Science and Civilization in Islam* (Cambridge, MA: Harvard University Press, 1968)。中世イスラムの科学の一般向け入門書としてはJim Al-Khalili, *Pathfinders: The Golden Age of Arabic Science* (London: Allen Lane, 2010) を見よ。「黄金時代」の歴史と政治についてはMarwa Elshakry, 'When Science Became Western: Historiographical Reflections', *Isis* 101 (2010) を見よ。

7 'President Erdoğan Addresses 2nd Turkish–Arab Congress on Higher Education', Presidency of the Republic of Turkey, accessed 14 December 2019, https://tccb.gov.tr/en/news/542/43797/president-erdogan-addresses-2nd-turkish-arab-congress-on-

higher-education.

8 Butterfield, *Origins of Modern Science* [『近代科学の誕生』], 191, James Poskett, 'Science in History', *The Historical Journal* 62 (2020), Roger Hart, 'Beyond Science and Civilization: A Post-Needham Critique', *East Asian Science, Technology, and Medicine* 16 (1999): 93, and George Basalla, 'The Spread of Western Science', *Science* 156 (1967): 611. 20世紀の科学史家は、18世紀末の東洋学の伝統をよりどころとして「ヨーロッパ」を「現代性」と同一視した。この見方は冷戦中、とりわけ脱植民地化後に著しく強まった。Elshakry, 'When Science Became Western' を見よ。

9 Elshakry, 'When Science Became Western', Poskett, 'Science in History', and Nathan Rosenberg and L. E. Birdzell Jr, 'Science, Technology and the Western Miracle', *Scientific American* 263 (1990): 42.

10 David Joravsky, 'Soviet Views on the History of Science', *Isis* 46 (1955): 7.

11 Elshakry, 'When Science Became Western', Benjamin Elman, '"Universal Science" Versus "Chinese Science": The Changing Identity of Natural Studies in China, 1850–1930', *Historiography East and West* 1 (2003), and Dhruv Raina, *Images and Contexts: The Historiography of Science and Modernity in India* (New Delhi: Oxford University Press, 2003). とりわけ19–48 and 105–38。

第1部　科学革命　1450年頃〜1700年頃

第1章　新世界との出合い

1 この章では「アステカ」という呼称を用いているが、より正確には「メシカ」と呼ぶべきである。同じく「テノチティトラン」という呼称は、正しくは「メシコ＝テノチティトラン」。この呼称の歴史についてはAlfredo López Austin, 'Aztec', in *The Oxford Encyclopaedia of Mesoamerican Cultures*, ed. Davíd Carrasco (Oxford: Oxford University Press, 2001), 1: 68–72を見よ。

2 Davíd Carrasco and Scott Sessions, *Daily Life of the Aztecs*, 2nd edn (Santa Barbara: Greenwood Press, 2011), 1–5, 38, 80, 92, 164, 168, and 219, James McClellan III and Harold Dorn, *Science and Technology in World History: An Introduction*, 3rd edn (Baltimore: Johns Hopkins University Press, 2006), 155–64, Miguel de Asúa and Roger French, *A New World of Animals: Early Modern Europeans on the Creatures of Iberian America* (Aldershot: Ashgate, 2005), 27–8, Jan Elferink, 'Ethnobotany of the Aztecs', in *Encyclopaedia of the History of Science, Technology, and Medicine in Non-Western Cultures*, ed. Helaine Selin, 2nd edn (New York: Springer, 2008), 827–8, and

Ian Mursell, 'Aztec Pleasure Gardens', Mexicolore, accessed 12 April 2019, http://www.mexicolore.co.uk/aztecs/aztefacts/aztec–pleasure–gardens/.

3 Francisco Guerra, 'Aztec Science and Technology', *History of Science* 8 (1969): 43, Carrasco and Sessions, *Daily Life*, 1–11, 38, 42, 72, and 92, and McClellan III and Dorn, *Science and Technology in World History*, 155–64.

4 Frances Berdan, 'Aztec Science', in Selin, ed., *Encyclopaedia of the History of Science*, 382, Francisco Guerra, 'Aztec Medicine', *Medical History* 10 (1966): 320–32, E. C. del Pozo, 'Aztec Pharmacology', *Annual Review of Pharmacology* 6 (1966): 9–18, Carrasco and Sessions, *Daily Life*, 59–60, 113–5, 173, and McClellan III and Dorn, *Science and Technology in World History*, 155–64.

5 Carrasco and Sessions, *Daily Life*, 72 and 80.

6 Iris Montero Sobrevilla, 'Indigenous Naturalists', in *Worlds of Natural History*, eds. Helen Curry, Nicholas Jardine, James Secord, and Emma Spary (Cambridge: Cambridge University Press, 2018), 116–8, and Carrasco and Sessions, *Daily Life*, 88 and 230–7.

7 Peter Dear, *Revolutionizing the Sciences: European Knowledge and Its Ambitions, 1500–1700* (Basingstoke: Palgrave, 2001) [『知識と経験の革命——科学革命の現場で何が起こったか』ピーター・ディア著、高橋憲一訳、みすず書房、2012年], and John Henry, *The Scientific Revolution and the Origins of Modern Science* (Basingstoke: Palgrave, 1997) [『一七世紀科学革命』ジョン・ヘンリー著、東慎一郎訳、岩波書店、2005年].

8 Herbert Butterfield, *The Origins of Modern Science* (London: G. Bell and Sons, 1949) [『近代科学の誕生』(上下) H・バターフィールド著、渡辺正雄訳、講談社学術文庫、1978年], David Wootton, *The Invention of Science: A New History of the Scientific Revolution* (London: Penguin Books, 2015), Robert Merton, 'Science, Technology and Society in Seventeenth-Century England', *Osiris* 4 (1938), Dorothy Stimson, 'Puritanism and the New Philosophy in 17th Century England', *Bulletin of the Institute of the History of Medicine* 3 (1935), Christopher Hill, *Intellectual Origins of the English Revolution* (Oxford: Clarendon Press, 1965) [『イギリス革命の思想的先駆者たち』クリストファ・ヒル著、福田良子訳、岩波書店、1972年], Steven Shapin and Simon Schaffer, *Leviathan and the Air-Pump* (Princeton: Princeton University Press, 1985) [『リヴァイアサンと空気ポンプ——ホッブズ、ボイル、実験的生活』スティーヴン・シェイピン/サイモン・シャッファー著、吉本秀之監訳、柴田和宏/坂本邦暢訳、名古屋大学出版会、2016年], Elizabeth Eisenstein, *The Printing Press as an Agent of Change: Communications and Cultural Transformations in Early Modern*

Europe (Cambridge: Cambridge University Press, 1997), and Steven Shapin, *The Scientific Revolution* (Chicago: University of Chicago Press, 1996) [『「科学革命」とは何だったのか——新しい歴史観の試み』スティーヴン・シェイピン著、川田勝訳、白水社、1998年].

9 Toby Huff, *Intellectual Curiosity and the Scientific Revolution: A Global Perspective* (Cambridge: Cambridge University Press, 2010), Antonio Barrera-Osorio, *Experiencing Nature: The Spanish American Empire and the Early Scientific Revolution* (Austin: University of Texas Press), Jorge Cañizares-Esguerra, *Nature, Empire, and Nation: Explorations of the History of Science in the Iberian World* (Stanford: Stanford University Press, 2006), William Burns, *The Scientific Revolution in Global Perspective* (New York: Oxford University Press, 2016), Klaus Vogel, 'European Expansion and Self-Definition', in *The Cambridge History of Science: Early Modern Science*, eds. Katharine Park and Lorraine Daston (Cambridge: Cambridge University Press, 2006), and McClellan III and Dorn, *Science and Technology in World History*, 99–176.

10 Alfred Crosby, *The Columbian Exchange: Biological and Cultural Consequences of 1492* (Westport: Praeger, 2003), 1–22, and J. Worth Estes, 'The European Reception of the First Drugs from the New World', *Pharmacy in History* 37 (1995): 3.

11 Katharine Park and Lorraine Daston, 'Introduction: The Age of the New', in Park and Daston, eds., *Cambridge History of Science: Early Modern Science, Dear, Revolutionizing the Sciences*, 10–48, and Shapin, *The Scientific Revolution*, 15–118 [『「科学革命」とは何だったのか』].

12 Anthony Grafton with April Shelford and Nancy Siraisi, *New Worlds, Ancient Texts: The Power of Tradition and the Shock of Discovery* (Cambridge, MA: The Belknap Press, 1992), 1–10, Paula Findlen, 'Natural History', in Park and Daston, eds., *The Cambridge History of Science: Early Modern Science*, 435–58, and Barrera-Osorio, *Experiencing Nature*, 1–13 and 101–27.

13 Crosby, *Columbian Exchange*, 24, Grafton, *New Worlds, Ancient Texts*, 84, and Asúa and French, *A New World of Animals*, 2.

14 Andres Prieto, *Missionary Scientists: Jesuit Science in Spanish South America, 1570–1810* (Nashville: Vanderbilt University Press), 18–34, and Thayne Ford, 'Stranger in a Foreign Land: José de Acosta's Scientific Realizations in Sixteenth-Century Peru', *The Sixteenth Century Journal* 29 (1998): 19–22.

15 Prieto, *Missionary Scientists*, 151–69, Grafton, *New Worlds, Ancient Texts*, 1, and Ford, 'Stranger in a Foreign Land', 31–2.

16 José de Acosta, *Natural and Moral History of the Indies*, trans. Frances López-Morillas

(Durham, NC: Duke University Press, 2002), 37 and 88–9 [『新大陸自然文化史』(上下) アコスタ著、増田義郎訳・注、岩波書店、1966年], Prieto, *Missionary Scientists*, 151–69, Grafton, *New Worlds, Ancient Texts*, 1, and Ford, 'Stranger in a Foreign Land', 31–2.

17 Acosta, *Natural and Moral History of the Indies*, 236–7 [『新大陸自然文化史』].

18 Grafton, *New Worlds, Ancient Texts*, 1–10, Park and Daston, 'Introduction: The Age of the New', 8, and Ford, 'Stranger in a Foreign Land', 26–8.

19 Arthur Anderson and Charles Dibble, 'Introductions', in *Florentine Codex: Introduction and Indices*, eds. Arthur Anderson and Charles Dibble (Salt Lake City: University of Utah Press, 1961), 9–15, Arthur Anderson, 'Sahagún: Career and Character', in Anderson and Dibble, eds., *Florentine Codex: Introduction and Indices*, 29, and Henry Reeves, 'Sahagún's "Florentine Codex", a Little Known Aztecan Natural History of the Valley of Mexico', *Archives of Natural History* 33 (2006).

20 Diana Magaloni Kerpel, *The Colors of the New World: Artists, Materials, and the Creation of the Florentine Codex* (Los Angeles: The Getty Research Institute), 1–3, Marina Garone Gravier, 'Sahagún's Codex and Book Design in the Indigenous Context', in *Colors between Two Worlds: The Florentine Codex of Bernardino de Sahagún*, eds. Gerhard Wolf, Joseph Connors, and Louis Waldman (Florence: Kunsthistorisches Institut in Florenz, 2011), 163–6, Elizabeth Boone, *Stories in Red and Black: Pictorial Histories of the Aztecs and Mixtecs* (Austin: University of Texas Press, 2000), 4, and Anderson and Dibble, 'Introductions', 9–10.

21 Victoria Ríos Castaño, 'From the "Memoriales con Escolios" to the Florentine Codex: Sahagún and His Nahua Assistants' Co-Authorship of the Spanish Translation', *Journal of Iberian and Latin American Research* 20 (2014), Kerpel, *Colors of the New World*, 1–27, Anderson and Dibble, 'Introductions', 9–13, and Carrasco and Sessions, *Daily Life*, 20.

22 Anderson and Dibble, 'Introductions', 11, Reeves, 'Sahagún's "Florentine Codex"', 307–16, and Kerpel, *Colors of the New World*, 1–3.

23 Bernardino de Sahagún, *Florentine Codex. Book 11: Earthly Things*, trans. Arthur Anderson and Charles Dibble (Santa Fe: School of American Research, 1963), 163–4 and 205, Guerra, 'Aztec Science', 41, and Corrinne Burns, 'Four Hundred Flowers: The Aztec Herbal Pharmacopoeia', Mexicolore, accessed 12 April 2019, http://www.mexicolore.co.uk/aztecs/health/aztec-herbal-pharmacopoeia-part-1.

24 Sahagún, *Florentine Codex. Book 11: Earthly Things*, 24.

25 Sobrevilla, 'Indigenous Naturalists', 112–30, and Asúa and French, *A New World of*

Animals, 44–5.

26 Benjamin Keen, *The Aztec Image in Western Thought* (New Brunswick: Rutgers University Press, 1971), 204–5, Lia Markey, *Imagining the Americas in Medici Florence* (University Park: Pennsylvania State University Press, 2016), 214, and Kerpel, *Colors of the New World*, 6 and 13.

27 Andrew Cunningham, 'The Culture of Gardens', in *Cultures of Natural History*, eds. Nicholas Jardine, James Secord, and Emma Spary (Cambridge: Cambridge University Press, 1996), 42–7, Paula Findlen, 'Anatomy Theaters, Botanical Gardens, and Natural History Collections', in Park and Daston, eds., *The Cambridge History of Science: Early Modern Science*, 282, Paula Findlen, *Possessing Nature: Museums, Collecting, and Scientific Culture in Early Modern Italy* (Berkeley: University of California Press, 1996), 97–154 [『自然の占有——ミュージアム、蒐集、そして初期近代イタリアの科学文化』ポーラ・フィンドレン著、伊藤博明／石井朗訳、ありな書房、2005年], and Barrera-Osorio, *Experiencing Nature*, 122.

28 Dora Weiner, 'The World of Dr. Francisco Hernández', in *Searching for the Secrets of Nature: The Life and Works of Dr. Francisco Hernández*, eds. Simon Varey, Rafael Chabrán, and Dora Weiner (Stanford: Stanford University Press, 2000), Jose López Piñero, 'The Pomar Codex (ca. 1590): Plants and Animals of the Old World and the Hernandez Expedition to America', *Nuncius* 7 (1992): 40–2, and Barrera-Osorio, *Experiencing Nature*, 17.

29 Harold Cook, 'Medicine', in Park and Daston, eds., *The Cambridge History of Science: Early Modern Science*, 407–23, and López Piñero, 'The Pomar Codex', 40–4.

30 Weiner, 'The World of Dr. Francisco Hernández', 3–6, and Harold Cook, 'Medicine', 416–23.

31 Simon Varey, 'Francisco Hernández, Renaissance Man', in Varey, Chabrán, and Weiner, eds., *Searching for the Secrets of Nature*, 33–8, Weiner, 'The World of Dr. Francisco Hernández', 3–6, and López Piñero, 'The Pomar Codex', 40–4.

32 Simon Varey, ed., *The Mexican Treasury: The Writings of Dr. Francisco Hernández* (Stanford: Stanford University Press, 2001), 149, 212, and 219, Jose López Piñero and Jose Pardo Tomás, 'The Contribution of Hernández to European Botany and Materia Medica', in Varey, Chabrán, and Weiner, eds., *Searching for the Secrets of Nature*, J. Worth Estes, 'The Reception of American Drugs in Europe, 1500–1650', in Varey, Chabrán, and Weiner, eds., *Searching for the Secrets of Nature*, 113, Arup Maiti, Muriel Cuendet, Tamara Kondratyuk, Vicki L. Croy, John M. Pezzuto, and Mark Cushman, 'Synthesis and Cancer Chemopreventive Activity of Zapotin, a Natural

Product from *Casimiroa Edulis*', *Journal of Medicinal Chemistry* 50 (2007): 350–5, Ian Mursell, 'Aztec Advances (1): Treating Arthritic Pain', Mexicolore, accessed 24 January 2021, https://www.mexicolore.co.uk/aztecs/health/aztec-advances-4-arthritis-treatment, Varey, 'Francisco Hernández, Renaissance Man', 35–7, and del Pozo, 'Aztec Pharmacology', 13–17.

33 David Freedberg, *The Eye of the Lynx: Galileo, His Friends, and the Beginnings of Modern Natural History* (Chicago: University of Chicago Press, 2003), 246–55, López Piñero, 'The Pomar Codex', 42, Vogel, 'European Expansion and Self-Definition', 826, and Asúa and French, *A New World of Animals*, 98–100.

34 Millie Gimmel, 'Reading Medicine in the Codex de la Cruz Badiano', *Journal of the History of Ideas* 69 (2008), Sandra Zetina, 'The Encoded Language of Herbs: Material Insights into the de la Cruz–Badiano Codex', in Wolf, Connors, and Waldman, eds., *Colors between Two Worlds*, and Vogel, 'European Expansion and Self-Definition', 826.

35 William Gates, 'Introduction to the Mexican Botanical System', in Martín de la Cruz, *The de la Cruz–Badiano Aztec Herbal of 1552*, trans. William Gates (Baltimore: The Maya Society, 1939), vi–xvi, and Gimmel, 'Reading Medicine', 176–9.

36 Martín de la Cruz, *The de la Cruz-Badiano Aztec Herbal of 1552*, trans. William Gates (Baltimore: The Maya Society, 1939), 14–15.

37 Gimmel, 'Reading Medicine', 176–9.

38 Raymond Stearns, *Science in the British Colonies of America* (Urbana: University of Illinois Press, 1970), 65, Paula Findlen, 'Courting Nature', in Jardine, Secord, and Spary, eds., *Cultures of Natural History*, Cook, 'Medicine', 416–23, Barrera-Osorio, *Experiencing Nature*, 122, Grafton, *New Worlds, Ancient Texts*, 67, and Worth Estes, 'The Reception of American Drugs in Europe, 1500–1650', 111–9.

39 Gimmel, 'Reading Medicine', 189 and Freedberg, *Eye of the Lynx*, 252–6.

40 Surekha Davies, *Renaissance Ethnography and the Invention of the Human: New Worlds, Maps and Monsters* (Cambridge: Cambridge University Press, 2016), 149–70, Laurence Bergreen, *Over the Edge of the World: Magellan's Terrifying Circumnavigation of the Globe* (New York: Morrow, 2003), 160–3, and Antonio Pigafetta, *The First Voyage around the World*, ed. Theodore J. Cachey Jr. (Toronto: University of Toronto Press, 2007), 12–17.

41 Alden Vaughan, *Transatlantic Encounters: American Indians in Britain, 1500–1776* (Cambridge: Cambridge University Press, 2006), xi–xii and 12–13, and Elizabeth Boone, 'Seeking Indianness: Christoph Weiditz, the Aztecs, and Feathered Amerindians', *Colonial Latin American Review* 26 (2017): 40–7.

42 Anthony Pagden, *The Fall of Natural Man: The American Indian and the Origins of Comparative Ethnology* (Cambridge: Cambridge University Press, 1982), Joan-Pau Rubiés, 'New Worlds and Renaissance Ethnology', *History of Anthropology* 6 (1993), and J. H. Eliot, 'The Discovery of America and the Discovery of Man', in Anthony Pagden, ed., *Facing Each Other: The World's Perception of Europe and Europe's Perception of the World* (Aldershot: Ashgate, 2000), David Abulafia, *The Discovery of Mankind: Atlantic Encounters in the Age of Columbus* (New Haven: Yale University Press, 2009), and Rebecca Earle, *The Body of the Conquistador: Food, Race and the Colonial Experience in Spanish America, 1492–1700* (Cambridge: Cambridge University Press, 2012), 23–4.

43 Cecil Clough, 'The New World and the Italian Renaissance', in *The European Outthrust and Encounter*, eds. Cecil Clough and P. Hair (Liverpool: Liverpool University Press, 1994), 301, Davies, *Renaissance Ethnography*, 30 and 70, Acosta, *Natural and Moral History of the Indies*, 71 [『新大陸自然文化史』], and Crosby, *Columbian Exchange*, 28.

44 Saul Jarcho, 'Origin of the American Indian as Suggested by Fray Joseph de Acosta (1589)', *Isis* 50 (1959), Acosta, *Natural and Moral History of the Indies*, 51 [『新大陸自然文化史』], and Pagden, *Fall of Natural Man*, 150.

45 Acosta, *Natural and Moral History of the Indies*, 51–3 and 63–71 [『新大陸自然文化史』].

46 Diego von Vacano, 'Las Casas and the Birth of Race', *History of Political Thought* 33 (2012), Manuel Giménez Fernández, 'Fray Bartolomé de las Casas: A Biographical Sketch', in *Bartolomé de las Casas in History: Towards an Understanding of the Man and His Work*, eds. Juan Friede and Benjamin Keen (DeKalb: Illinois University Press, 1971), 67–73, and Pagden, *Fall of Natural Man*, 45–6, 90, and 121–2.

47 G. L. Huxley, 'Aristotle, Las Casas and the American Indians', *Proceedings of the Royal Irish Academy* 80 (1980): 57–9, Vacano, 'Las Casas', 401–10, and Giménez Fernández, 'Fray Bartolomé de las Casas', 67–73.

48 Bartolomé de las Casas, *Bartolomé de las Casas: A Selection of His Writings*, trans. George Sanderlin (New York: Alfred Knopf, 1971), 114–5, and Christian Johns, *The Origins of Violence in Mexican Society* (Westport: Praeger, 1995), 156–7.

49 Earle, *Body of the Conquistador*, 19–23.

50 Earle, *Body of the Conquistador*, 21–3.

51 Jorge Cañizares-Esguerra, 'New World, New Stars: Patriotic Astrology and the Invention of Indian and Creole Bodies in Colonial Spanish America, 1600–1650',

American Historical Review 104 (1999), and Earle, *Body of the Conquistador*, 22.

52 Karen Spalding, 'Introduction', in Inca Garcilaso de la Vega, *Royal Commentaries of the Incas and General History of Peru*, trans. Harold Livermore (Indianapolis: Hackett Publishing Company, 2006), xi–xxii.

53 Inca Garcilaso de la Vega, *Royal Commentaries of the Incas and General History of Peru*, trans. Harold Livermore (Indianapolis: Hackett Publishing Company, 2006), 1–11.

54 Inca Garcilaso de la Vega, *First Part of the Royal Commentaries of the Yncas*, trans. Clements Markham (Cambridge: Cambridge University Press, 1869), 1: v–vi, 2: 87, and 2: 236–7.

55 Barbara Mundy, *The Mapping of New Spain: Indigenous Cartography and the Maps of the Relaciones Geográficas* (Chicago: University of Chicago Press, 1996), 14, and Hans Wolff, 'America – Early Images of the New World', in *America: Early Maps of the New World*, ed. Hans Wolff (Munich: Prestel, 1992), 45.

56 Hans Wolff, 'The Conception of the World on the Eve of the Discovery of America – Introduction', in Wolff, ed., *America*, 10–15, and Klaus Vogel, 'Cosmography', in Park and Daston, eds., *The Cambridge History of Science: Early Modern Science*, 474–8.

57 Vogel, 'Cosmography', 478.

58 Wolff, 'America', 27 and 45.

59 Rüdiger Finsterwalder, 'The Round Earth on a Flat Surface: World Map Projections before 1550', in Wolff, ed., *America*, and Wolff, 'America', 80.

60 María Portuondo, 'Cosmography at the *Casa*, *Consejo*, and *Corte* during the Century of Discovery', in *Science in the Spanish and Portuguese Empires, 1500–1800*, eds. Daniela Bleichmar, Paula De Vos, Kristin Huffine, and Kevin Sheehan (Stanford: Stanford University Press, 2009), and Barrera-Osorio, *Experiencing Nature*, 1–60.

61 Vogel, 'Cosmography', 484, and Mundy, *Mapping of New Spain*, 1–23 and 227–30.

62 Felipe Fernández-Armesto, 'Maps and Exploration in the Sixteenth and Early Seventeenth Centuries', in *The History of Cartography: Cartography in the European Renaissance*, ed. David Woodward (Chicago: University of Chicago Press, 2007), 745, G. Malcolm Lewis, 'Maps, Mapmaking, and Map Use by Native North Americans', in *The History of Cartography: Cartography in the Traditional African, American, Arctic, Australian, and Pacific Societies*, eds. David Woodward and G. Malcolm Lewis (Chicago: University of Chicago Press, 1998), and Brian Harley, 'New England Cartography and Native Americans', in *American Beginnings: Exploration, Culture, and Cartography in the Land of Norumbega*, eds. Emerson Baker, Edwin Churchill, Richard D'Abate, Kristine Jones, Victor Konrad, and Harald Prins (Lincoln, NE: University of

Nebraska Press, 1994), 288.

63 Juan López de Velasco, 'Instruction and Memorandum for Preparing the Reports', in *Handbook of Middle American Indians: Guide to Ethnohistorical Sources*, ed. Howard Cline (Austin: University of Texas Press, 1972), 1:234, Guerra, 'Aztec Science and Technology', 40, and Mundy, *Mapping of New Spain*, xii and 30.

64 Mundy, *Mapping of New Spain*, 63–4 and 96.

65 Mundy, *Mapping of New Spain*, 135–8.

66 Christopher Columbus, *The Four Voyages of Christopher Columbus*, trans. J. M. Cohen (London: Penguin Books, 1969), 224.

67 Wootton, *The Invention of Science*, 57–108でも同じ指摘がなされているが、ただしこの過程でアメリカ先住民の知識が果たした役割は認めていない。

第2章　天文学の興隆

1 Aydın Sayılı, *The Observatory in Islam and Its Place in the General History of the Observatory* (Ankara: Türk Tarih Kurumu Basımevi, 1960), 259–88, Stephen Blake, *Astronomy and Astrology in the Islamic World* (Edinburgh: Edinburgh University Press, 2016), 82–8, and Toby Huff, *Intellectual Curiosity and the Scientific Revolution: A Global Perspective* (Cambridge: Cambridge University Press, 2010), 138.

2 Sayılı, *Observatory in Islam*, 213 and 259–88, Vasiliĭ Vladimirovich Barthold, *Four Studies on the History of Central Asia* (Leiden: E. J. Brill, 1958), 1–48 and 119–24, and Benno van Dalen, 'Ulugh Beg', in *The Biographical Encyclopedia of Astronomers*, ed. Thomas Hockey (New York: Springer, 2007).

3 Stephen Blake, *Time in Early Modern Islam* (Cambridge: Cambridge University Press, 2013), 8–10, and Sayılı, *Observatory in Islam*, 13–14 and 259–88.

4 概説としてはSeyyed Hossein Nasr, *Science and Civilization in Islam* (Cambridge, MA: Harvard University Press, 1968), and Jim Al-Khalili, *Pathfinders: The Golden Age of Arabic Science* (London: Allen Lane, 2010) を見よ。

5 Marwa Elshakry, 'When Science Became Western: Historiographical Reflections', *Isis* 101 (2010). イスラム天文学に関する多くの歴史書の記述はウルグ・ベクで終わってしまっているため、私はそのウルグ・ベクから話を始めることにした。

6 Sayılı, *Observatory in Islam*, 262–90.

7 Huff, *Intellectual Curiosity*, 138, and İhsan Fazlıoğlu, 'Qūshjī', in Hockey, ed., *The Biographical Encyclopedia of Astronomers*.

8 Sayılı, *Observatory in Islam*, 272, Huff, *Intellectual Curiosity*, 135, and Blake,

Astronomy and Astrology, 90.

9 David King, 'The Astronomy of the Mamluks', *Muqarnas* 2 (1984): 74, and Huff, *Intellectual Curiosity*, 123.

10 Barthold, *Four Studies*, 144–77.

11 Jack Goody, *Renaissances: The One or the Many?* (Cambridge: Cambridge University Press, 2009), and Peter Burke, Luke Clossey, and Felipe Fernández-Armesto, 'The Global Renaissance', *Journal of World History* 28 (2017).

12 Michael Hoskin, 'Astronomy in Antiquity', in *The Cambridge Illustrated History of Astronomy*, ed. Michael Hoskin (Cambridge: Cambridge University Press, 1997), and Michael Hoskin and Owen Gingerich, 'Islamic Astronomy', in Hoskin, ed., *The Cambridge Illustrated History of Astronomy.*

13 Hoskin, 'Astronomy in Antiquity', 42–5.

14 Abdelhamid I. Sabra, 'An Eleventh-Century Refutation of Ptolemy's Planetary Theory', in *Science and History: Studies in Honor of Edward Rosen*, eds. Erna Hilfstein, Paweł Czartoryski, and Frank Grande (Wrocław: Polish Academy of Sciences Press, 1978), 117–31, F. Jamil Ragep, 'Ṭūsī', in Hockey, ed., *The Biographical Encyclopedia of Astronomers*, and Sayılı, *Observatory in Islam*, 187–223.

15 John North, *The Fontana History of Astronomy and Cosmology* (London: Fontana Press, 1994), 192–5, F. Jamil Ragep, 'Nasir al-Din al-Tusi', in *Naṣīr al-Dīn al-Ṭūsī's Memoir on Astronomy*, trans. F. Jamil Ragep (New York: Springer-Verlag, 1993), F. Jamil Ragep, 'The *Tadhkira*', in *Naṣīr al-Dīn al-Ṭūsī's Memoir*, and Nasir al-Din al-Tusi, *Naṣīr al-Dīn al-Ṭūsī's Memoir*, 130–42.

16 Michael Hoskin and Owen Gingerich, 'Medieval Latin Astronomy', in Hoskin, ed., *The Cambridge Illustrated History of Astronomy*, 72–3.

17 Avner Ben-Zaken, *Cross-Cultural Scientific Exchanges in the Eastern Mediterranean, 1560–1660* (Baltimore: Johns Hopkins University Press, 2010), 2, and North, *Fontana History of Astronomy*, 255.

18 George Saliba, *Islamic Science and the Making of the European Renaissance* (Cambridge, MA: The MIT Press, 2007), and George Saliba, 'Whose Science is Arabic Science in Renaissance Europe?', Columbia University, accessed 20 November 2018, http://www.columbia.edu/~gas1/project/visions/case1/sci.1.html.

19 Ernst Zinner, *Regiomontanus: His Life and Work*, trans. Ezra Brown (Amsterdam: Elsevier, 1990), 1–33, and North, *Fontana History of Astronomy*, 253–9.

20 Zinner, *Regiomontanus*, 1–33, and North, *Fontana History of Astronomy*, 253–9.

21 Noel Swerdlow, 'The Recovery of the Exact Sciences of Antiquity: Mathematics,

Astronomy, Geography', in *Rome Reborn: The Vatican Library and Renaissance Culture*, ed. Anthony Grafton (Washington, DC: Library of Congress, 1993), 125–53, and Zinner, *Regiomontanus*, 51–2.

22 Fazlıoğlu, 'Qūshjī', Huff, *Intellectual Curiosity*, 139, F. Jamil Ragep, 'Ali Qushji and Regiomontanus: Eccentric Transformations and Copernican Revolutions', *Journal for the History of Astronomy* 36 (2005), and F. Jamil Ragep, 'Copernicus and His Islamic Predecessors: Some Historical Remarks', *History of Science* 45 (2007): 74.

23 Robert Westman, *The Copernican Question: Prognostication, Skepticism, and Celestial Order* (Berkeley: University of California Press, 2011), 76–108, and Hoskin and Gingerich, 'Medieval Latin Astronomy', 90–7.

24 Ragep, 'Copernicus and His Islamic Predecessors', 65, George Saliba, 'Revisiting the Astronomical Contact between the World of Islam and Renaissance Europe', in *The Occult Sciences in Byzantium*, eds. Paul Magdalino and Maria Mavroudi (Geneva: La Pomme d'Or, 2006), and Saliba, 'Whose Science is Arabic Science in Renaissance Europe?'.

25 North, *Fontana History of Astronomy*, 217–23, Ragep, 'Copernicus and His Islamic Predecessors', 68, Saliba, *Islamic Science*, 194–232, and Hoskin and Gingerich, 'Medieval Latin Astronomy', 97.

26 Saliba, 'Revisiting the Astronomical', Saliba, *Islamic Science*, 193–201, and Ragep, 'Copernicus and His Islamic Predecessors'.

27 B. L. van der Waerden, 'The Heliocentric System in Greek, Persian and Hindu Astronomy', *Annals of the New York Academy of Sciences* 500 (1987).

28 Ben-Zaken, *Cross-Cultural Scientific Exchanges*, 24–5.

29 Ben-Zaken, *Cross-Cultural Scientific Exchanges*, 8–26, and Sayılı, *Observatory in Islam*, 289–305.

30 Ben-Zaken, *Cross-Cultural Scientific Exchanges*, 8–26, and Sayılı, *Observatory in Islam*, 289–305.

31 Ben-Zaken, *Cross-Cultural Scientific Exchanges*, 8–21.

32 Ben-Zaken, *Cross-Cultural Scientific Exchanges*, 10–21, and Ekmeleddin İhsanoğlu, 'Ottoman Science', in *Encyclopaedia of the History of Science, Technology and Medicine in Non-Western Cultures*, ed. Helaine Selin, 2nd edn (New York: Springer, 2008), 3478–81.

33 Ben-Zaken, *Cross-Cultural Scientific Exchanges*, 21–4, and Sayılı, *Observatory in Islam*, 297–8.

34 Ben-Zaken, *Cross-Cultural Scientific Exchanges*, 21–4, and Sayılı, *Observatory in Islam*,

297–8.

35 Ben-Zaken, *Cross-Cultural Scientific Exchanges*, 21–4, and Sayılı, *Observatory in Islam*, 297–8.

36 Ben-Zaken, *Cross-Cultural Scientific Exchanges*, 40–2.

37 Harun Küçük, *Science Without Leisure: Practical Naturalism in Istanbul, 1660–1732* (Pittsburgh: University of Pittsburgh Press, 2019), 25–6 and 56–63, Feza Günergun, 'Ottoman Encounters with European Science: Sixteenth-and Seventeenth-Century Translations into Turkish', in *Cultural Translation in Early Modern Europe*, eds. Peter Burke and R. Po-chia Hsia (Cambridge: Cambridge University Press, 2007), 193–206, and Ekmeleddin İhsanoğlu, 'The Ottoman Scientific-Scholarly Literature', in *History of the Ottoman State, Society & Civilisation*, ed. Ekmeleddin İhsanoğlu (Istanbul: Research Centre for Islamic History, Art and Culture, 1994), 521–66.

38 Küçük, *Science Without Leisure*, 109 and 237–40, İhsanoğlu, 'Ottoman Science', 5, Günergun, 'Ottoman Encounters', 194–5, and Ekmeleddin İhsanoğlu, 'The Introduction of Western Science to the Ottoman World: A Case Study of Modern Astronomy (1660–1860)', in *Science, Technology and Learning in the Ottoman Empire*, ed. Ekmeleddin İhsanoğlu (Aldershot: Ashgate, 2004), 1–4.

39 Küçük, *Science Without Leisure*, 1–3 and Goody, *Renaissances*, 98.

40 従来の二次文献では、この彗星は1583年にマフムード・アル＝カーティーが観測したとされている。しかしマウロ・ノビリによる近年の研究によって、アル＝カーティーが著したとされる有名な書物『タリク・アル＝ファターシュ』の著者は別人であることが示されている。しかもこの書物に彗星に関する言及はない。したがってアル＝カーティーが彗星の観測に関する記録を残したとは考えにくい。それを踏まえて本書では、彗星に関する言及のあるアブド・アル＝サアディー著『タリク・アル＝スーダン』および、著者不詳の『タディキラット・アル＝ニーシャン』などのちの文書を典拠とした。この点を指摘してこれらの資料に注目させてくれるとともに、サヘルの歴史に関する全般的な助言をしてくれたレーミー・デウィーレに心から感謝する。Thebe Rodney Medupe et al., 'The Timbuktu Astronomy Project: A Scientific Exploration of the Secrets of the Archives of Timbuktu', in *African Cultural Astronomy: Current Archaeoastronomy and Ethnoastronomy Research in Africa*, eds. Jarita Holbrook, Johnson Urama, and Thebe Rodney Medupe (Dordrecht: Springer Netherlands, 2008), 182, Thebe Rodney Medupe, 'Astronomy as Practiced in the West African City of Timbuktu', in *Handbook of Archaeoastronomy and Ethnoastronomy*, ed. Clive Ruggles (New York: Springer, 2014), Sékéné Mody Cissoko, 'The Songhay from the 12th to the 16th Century', in

General History of Africa: Africa from the Twelfth to the Sixteenth Century, ed. Djibril Tamsir Niane (Paris: UNESCO, 1984), Aslam Farouk-Alli, 'Timbuktu's Scientific Manuscript Heritage: The Reopening of an Ancient Vista?', *Journal for the Study of Religion* 22 (2009), Mauro Nobili, *Sultan, Caliph, and the Renewer of the Faith: Aḥ mad Lobbo, the Tārīkh al-fattāsh and the Making of an Islamic State in West Africa* (Cambridge: Cambridge University Press, 2020), John Hunwick, *Timbuktu and the Songhay Empire: Al-Sa'di's Ta'rīkh al-Sūdān down to 1613, and Other Contemporary Documents* (Leiden: Brill, 1999), 155, and Abd al-Sadi, *Tarikh es-Soudan*, trans. Octave Houdas (Paris: Ernest Leroux, 1900), 341.

41 Souleymane Bachir Diagne, 'Toward an Intellectual History of West Africa: The Meaning of Timbuktu', in *The Meanings of Timbuktu*, eds. Shamil Jeppie and Souleymane Bachir Diagne (Cape Town: HSRC Press, 2008), 24.

42 Cissoko, 'The Songhay', 186–209, Toby Green, *A Fistful of Shells: West Africa from the Rise of the Slave Trade to the Age of Revolution* (London: Allen Lane, 2019), 25–62, Lalou Meltzer, Lindsay Hooper, and Gerald Klinghardt, *Timbuktu: Script and Scholarship* (Cape Town: Iziko Museums, 2008), and Douglas Thomas, 'Timbuktu, Mahmud Kati (Kuti) Ibn Mutaw', in *African Religions: Beliefs and Practices through History*, eds. Douglas Thomas and Temilola Alanamu (Santa Barbara: ABC-Clio, 2019).

43 Medupe et al., 'The Timbuktu Astronomy Project', Farouk-Alli, 'Timbuktu's Scientific Manuscript Heritage', 45, Shamil Jeppie and Souleymane Bachir Diagne, eds., *The Meanings of Timbuktu* (Cape Town: HSRC Press, 2008), and Ismaël Diadié Haidara and Haoua Taore, 'The Private Libraries of Timbuktu', in Jeppie and Diagne, eds., *The Meanings of Timbuktu*, 274.

44 Claudia Zaslavsky, *Africa Counts: Number and Pattern in African Cultures* (Chicago: Lawrence Hill Books, 1999), 201 and 222–3, Suzanne Preston Blier, 'Cosmic References in Ancient Ife', in *African Cosmos*, ed. Christine Mullen Kreamer (Washington, DC: National Museum of African Art, 2012), Peter Alcock, 'The Stellar Knowledge of Indigenous South Africans', in *African Indigenous Knowledge and the Sciences*, eds. Gloria Emeagwali and Edward Shizha (Rotterdam: Sense Publishers, 2016), 128, and Keith Snedegar, 'Astronomy in Sub-Saharan Africa', in Selin, ed., *Encyclopaedia of the History of Science*.

45 Medupe et al., 'The Timbuktu Astronomy Project', Meltzer, Hooper, and Klinghardt, *Timbuktu*, 94, Diagne, 'Toward an Intellectual History of West Africa', 19, Cissoko, 'The Songhay', 209, Cheikh Anta Diop, *Precolonial Black Africa*, trans. Harold

Salemson (Westport: Lawrence Hill and Company, 1987), 176–9, Elias Saad, *Social History of Timbuktu: The Role of Muslim Scholars and Notables 1400–1900* (Cambridge: Cambridge University Press, 1983), 74 and 80–1, and 'Knowledge of the Movement of the Stars and What It Portends in Every Year', Library of Congress, accessed 11 September 2020, http://hdl.loc.gov/loc.amed/aftmh.tam010.

46 Medupe, 'Astronomy as Practiced in the West African City of Timbuktu', 1102–4, Meltzer, Hooper, and Klinghardt, *Timbuktu*, 80, and Hunwick, *Timbuktu and the Songhay Empire*, 62–5.

47 Green, *A Fistful of Shells*, 57, Salisu Bala, 'Arabic Manuscripts in the Arewa House (Kaduna, Nigeria)', *History in Africa* 39 (2012), 334, WAAMD ID #2579, #3955, and #15480, West African Arabic Manuscript Database, accessed 11 September 2020, https://waamd.lib.berkeley.edu, and Ulrich Seetzen, 'Nouveaux renseignements sur le royaume ou empire de Bornou', *Annales des voyages, de la géographie et de l'histoire* 19 (1812), 176–7（著者訳。ただし最後の文献に関してはレーミー・デウィーレに感謝する）.

48 Mervyn Hiskett, 'The Arab Star-Calendar and Planetary System in Hausa Verse', *Bulletin of the School of Oriental and African Studies* 30 (1967), and Keith Snedegar, 'Astronomical Practices in Africa South of the Sahara', in *Astronomy Across Cultures: The History of Non-Western Astronomy*, ed. Helaine Selin (Dordrecht: Springer, 2000), 470.

49 Zaslavsky, *Africa Counts*, 137–52, Adam Gacek, ed., *Catalogue of the Arabic Manuscripts in the Library of the School of Oriental and African Studies* (London: School of Oriental and African Studies, 1981), 24, and Dorrit van Dalen, *Doubt, Scholarship and Society in 17th-Century Central Sudanic Africa* (Leiden: Brill, 2016).

50 Zaslavsky, *Africa Counts*, 137–52, and Musa Salih Muhammad and Sulaiman Shehu, 'Science and Mathematics in Arabic Manuscripts of Nigerian Repositories', Paper Presented at the Middle Eastern Libraries Conference, University of Cambridge, 3–6 July 2017.

51 Medupe et al., 'The Timbuktu Astronomy Project', 183, and H. R. Palmer, ed., *Sudanese Memoirs* (London: Frank Cass and Co., 1967), 90.

52 Augustín Udías, *Searching the Heavens and Earth: The History of Jesuit Observatories* (Dordrecht: Kluwer Academic, 2003), 1–40, Michela Fontana, *Matteo Ricci: A Jesuit in the Ming Court*, trans. Paul Metcalfe (Lanham: Rowman & Littlefield, 2011), 1–12 and 185–209, Benjamin Elman, *On Their Own Terms: Science in China, 1550–1900* (Cambridge,MA: Harvard University Press, 2005), 64–5, and R. Po-Chia Hsia, *A*

Jesuit in the Forbidden City: Matteo Ricci, 1552–1610 (Oxford: Oxford University Press, 2010), 206–7.

53 Fontana, *Matteo Ricci*, 30 and 193–209.

54 Huff, *Intellectual Curiosity*, 74, and Willard J. Peterson, 'Learning from Heaven: The Introduction of Christianity and Other Western Ideas into Late Ming China', in *China and Maritime Europe, 1500–1800: Trade, Settlement, Diplomacy and Missions*, ed. John E. Wills Jr (Cambridge: Cambridge University Press, 2011), 100.

55 Catherine Jami, Peter Engelfriet, and Gregory Blue, 'Introduction', in *Statecraft and Intellectual Renewal in Late Ming China: The Cross-Cultural Synthesis of Xu Guangqi (1562–1633)*, eds. Catherine Jami, Peter Engelfriet, and Gregory Blue (Leiden: Brill, 2001), Timothy Brook, 'Xu Guangqi in His Context', in Jami, Engelfriet, and Blue, eds., *Statecraft and Intellectual Renewal*, Keizo Hashimoto and Catherine Jami, 'From the *Elements* to Calendar Reform: Xu Guangqi's Shaping of Mathematics and Astronomy', in Jami, Engelfriet, and Blue, eds., *Statecraft and Intellectual Renewal*, Peter Engelfriet and Man-Keung Siu, 'Xu Guangqi's Attempts to Integrate Western and Chinese Mathematics', in Jami, Engelfriet, and Blue, eds., *Statecraft and Intellectual Renewal*, and Catherine Jami, *The Emperor's New Mathematics: Western Learning and Imperial Authority during the Kangxi Reign* (Oxford: Oxford University Press, 2011), 25–6.

56 Qi Han, 'Astronomy, Chinese and Western: The Influence of Xu Guangqi's Views in the Early and Mid-Qing', in Jami, Engelfriet, and Blue, eds., *Statecraft and Intellectual Renewal*, 362.

57 Engelfriet and Siu, 'Xu Guangqi's Attempts to Integrate Western and Chinese Mathematics', 279–99.

58 Jami, *The Emperor's New Mathematics*, 15 and 45, Engelfriet and Siu, 'Xu Guangqi's Attempts to Integrate Western and Chinese Mathematics', 279–99, and Goody, *Renaissances*, 198–240.

59 Jami, *The Emperor's New Mathematics*, 31, Joseph Needham, *Science and Civilisation in China* (Cambridge: Cambridge University Press, 1959), 3:171–6 and 3:367, and Elman, *On Their Own Terms*, 63–6.

60 Huff, *Intellectual Curiosity*, 90–8, and Elman, *On Their Own Terms*, 90.

61 Elman, *On Their Own Terms*, 84.

62 Udías, *Searching the Heavens*, 18, and Elman, *On Their Own Terms*, 64.

63 Jami, *The Emperor's New Mathematics*, 33, Needham, *Science and Civilisation*, 3:170–370, and Elman, *On Their Own Terms*, 65–8.

64 Udías, *Searching the Heavens*, 41–3.

65 Xiaochun Sun, 'On the Star Catalogue and Atlas of *Chongzhen Lishu*', in Jami, Engelfriet, and Blue, eds., *Statecraft and Intellectual Renewal*, 311–21, and Joseph Needham, *Chinese Astronomy and the Jesuit Mission: An Encounter of Cultures* (London: China Society, 1958), 1–12.

66 Needham, *Science and Civilisation*, 3: 456, Jami, *The Emperor's New Mathematics*, 92, and Han, 'Astronomy, Chinese and Western', 365.

67 Virendra Nath Sharma, *Sawai Jai Singh and His Observatories* (Delhi: Motilal Banarsidass Publishers, 1995), 1–4 and 235–312, and George Rusby Kaye, *Astronomical Observatories of Jai Singh* (Calcutta: Superintendent Government Printing, 1918), 1–3.

68 Dhruv Raina, 'Circulation and Cosmopolitanism in 18th Century Jaipur', in *Cosmopolitismes en Asie du Sud: sources, itinéraires, langues (XVIe–XVIIIe siècle)*, eds. Corinne Lefèvre, Ines G. Županov, and Jorge Flores (Paris: Éditions de l'École des hautes études en sciences sociales, 2015), 307–29, S. A. Khan Ghori, 'Development of Zīj Literature in India', in *History of Astronomy in India*, eds. S. N. Sen and K. S. Shukla (Delhi: Indian National Science Academy, 1985), K. V. Sharma, 'A Survey of Source Material', in Sen and Shukla, eds., *History of Astronomy in India*, 8, Takanori Kusuba and David Pingree, *Arabic Astronomy in Sanskrit* (Leiden: Brill, 2002), 4–5.

69 Raina, 'Circulation and Cosmopolitanism', 307–29, and Huff, *Intellectual Curiosity*, 123–6.

70 Sharma, *Sawai Jai Singh*, 41–2, and Anisha Shekhar Mukherji, *Jantar Mantar: Maharaj Sawai Jai Singh's Observatory in Delhi* (New Delhi: Ambi Knowledge Resources, 2010), 15.

71 Sharma, *Sawai Jai Singh*, 304–8, and Mukherji, *Jantar Mantar*, 15.

72 Sharma, *Sawai Jai Singh*, 254, 284–97, 312, and 329–34, and S. M. R. Ansari, 'Introduction of Modern Western Astronomy in India during 18–19 Centuries', in Sen and Shukla, eds., *History of Astronomy in India*, 372.

73 Sharma, *Sawai Jai Singh*, 3 and 235–6, and Kaye, *Astronomical Observatories*, 1–14.

74 Kaye, *Astronomical Observatories*, 4–14, Mukherji, *Jantar Mantar*, 13–16, and Sharma, *Sawai Jai Singh*, 235–43.

75 Kaye, *Astronomical Observatories*, 4–14, Mukherji, *Jantar Mantar*, 13–16, and Sharma, *Sawai Jai Singh*, 235–43.

76 Kaye, *Astronomical Observatories*, 11–13.

第2部　帝国と啓蒙　1650年頃～1800年頃

第3章　ニュートンの発見を導いたもの

1　Simon Schaffer, 'Newton on the Beach: The Information Order of *Principia Mathematica*', *History of Science* 47 (2009): 250, Andrew Odlyzko, 'Newton's Financial Misadventures in the South Sea Bubble', *Notes and Records of the Royal Society* 73 (2019), and Helen Paul, *The South Sea Bubble: An Economic History of Its Origins and Consequences* (London: Routledge, 2011), 62.

2　Paul Lovejoy, 'The Volume of the Atlantic Slave Trade: A Synthesis', *The Journal of African History* 4 (1982): 478, John Craig, *Newton at the Mint* (Cambridge: Cambridge University Press, 1946), 106–9, Schaffer, 'Newton on the Beach', Odlyzko, 'Newton's Financial Misadventures', and MINT 19/2/261r, National Archives, London, UK, via 'MINT00256', The Newton Papers, accessed 15 November 2020, http://www.newtonproject.ox.ac.uk/view/texts/normalized/MINT00256.

3　Roy Porter, 'Introduction', in *The Cambridge History of Science: Eighteenth-Century Science*, ed. Roy Porter (Cambridge: Cambridge University Press, 2003), Gerd Buchdahl, *The Image of Newton and Locke in the Age of Reason* (London: Sheed and Ward, 1961), Thomas Hankins, *Science and the Enlightenment* (Cambridge: Cambridge University Press, 1985), and Dorinda Outram, *The Enlightenment* (Cambridge: Cambridge University Press, 1995) [『啓蒙』ドリンダ・ウートラム著、田中秀夫監訳、逸見修二／吉岡亮訳、法政大学出版局、2017年].

4　Lovejoy, 'The Volume of the Atlantic Slave Trade', 485, John Darwin, *After Tamerlane: The Global History of Empire since 1405* (London: Allen Lane, 2007), 157–218 [『ティムール以後――世界帝国の興亡1400-2000年』(上下) ジョン・ダーウィン著、秋田茂ほか訳、国書刊行会、2020年], and Felicity Nussbaum, 'Introduction', in *The Global Eighteenth Century*, ed. Felicity Nussbaum (Baltimore: Johns Hopkins University Press, 2003).

5　Richard Drayton, 'Knowledge and Empire', in *The Oxford History of the British Empire: The Eighteenth Century*, ed. Peter Marshall (Oxford: Oxford University Press, 1998), Charles Withers and David Livingstone, 'Introduction: On Geography and Enlightenment', in *Geography and Enlightenment*, eds. Charles Withers and David Livingstone (Chicago: University of Chicago Press, 1999), Larry Stewart, 'Global Pillage: Science, Commerce, and Empire', in Porter, ed., *The Cambridge History of Science: Eighteenth-Century Science*, Mark Govier, 'The Royal Society, Slavery and the

Island of Jamaica, 1660–1700', *Notes and Records of the Royal Society* 53 (1999), and Sarah Irving, *Natural Science and the Origins of the British Empire* (London: Pickering & Chatto, 2008), 1.

6 Anthony Grafton with April Shelford and Nancy Siraisi, *New Worlds, Ancient Texts: The Power of Tradition and the Shock of Discovery* (Cambridge, MA: The Belknap Press, 1992), 198, Irving, *Natural Science*, 1–44, and Jorge Cañizares-Esguerra, *Nature, Empire, and Nation: Explorations of the History of Science in the Iberian World* (Stanford: Stanford University Press, 2006), 15–18.

7 Steven Harris, 'Long-Distance Corporations, Big Sciences, and the Geography of Knowledge', *Configurations* 6 (1998), and Rob Iliffe, 'Science and Voyages of Discovery', in Porter, ed., *The Cambridge History of Science: Eighteenth-Century Science*.

8 Schaffer, 'Newton on the Beach'.

9 Isaac Newton, *The Principia: The Authoritative Translation and Guide*, trans. I. Bernard Cohen and Anne Whitman (Berkeley: The University of California Press, 2016), 829–32 [『プリンシピア――自然哲学の数学的原理』(1～3) アイザック・ニュートン著、中野猿人訳・注、講談社ブルーバックス、2019年], John Olmsted, 'The Scientific Expedition of Jean Richer to Cayenne (1672–1673)', *Isis* 34 (1942), Nicholas Dew, 'Scientific Travel in the Atlantic World: The French Expedition to Gorée and the Antilles, 1681–1683', *The British Journal for the History of Science* 43 (2010), and Nicholas Dew, '*Vers la ligne*: Circulating Measurements around the French Atlantic', in *Science and Empire in the Atlantic World*, eds. James Delbourgo and Nicholas Dew (New York: Routledge, 2008).

10 Olmsted, 'The Scientific Expedition of Jean Richer', 118–22, and Jean Richer, *Observations astronomiques et physiques faites en l'Isle de Caienne* (Paris: De l' Imprimerie Royale, 1679).

11 Dew, 'Scientific Travel in the Atlantic World', 8–17.

12 Schaffer, 'Newton on the Beach', 261.

13 Newton, *Principia*, 832 [『プリンシピア――自然哲学の数学的原理』].

14 Schaffer, 'Newton on the Beach', 250–7, and David Cartwright, 'The Tonkin Tides Revisited', *Notes and Records of the Royal Society* 57 (2003).

15 Michael Hoskin, 'Newton and Newtonianism', in *The Cambridge Illustrated History of Astronomy*, ed. Michael Hoskin (Cambridge: Cambridge University Press, 1997), Larrie Ferreiro, *Measure of the Earth: The Enlightenment Expedition That Reshaped Our World* (New York: Basic Books, 2011), 7–8, and Henry Alexander ed., *The Leibniz–Clarke Correspondence: Together with Extracts from Newton's Principia and Opticks*

(Manchester: Manchester University Press, 1956), 184.

16 Hoskin, 'Newton and Newtonianism', and Rob Iliffe and George Smith, 'Introduction', in *The Cambridge Companion to Newton*, eds. Rob Iliffe and George Smith (Cambridge: Cambridge University Press, 2016).

17 Iliffe, 'Science and Voyages of Discovery', and John Shank, *The Newton Wars and the Beginning of the French Enlightenment* (Chicago: University of Chicago Press, 2008).

18 Ferreiro, *Measure of the Earth*, 132–6.

19 Ferreiro, *Measure of the Earth*, xiv–xvii, Neil Safier, *Measuring the New World: Enlightenment Science and South America* (Chicago: University of Chicago Press, 2008), 2–7, Michael Hoare, *The Quest for the True Figure of the Earth: Ideas and Expeditions in Four Centuries of Geodesy* (Aldershot: Ashgate, 2005), 81–141, Mary Terrall, *The Man Who Flattened the Earth: Maupertuis and the Sciences in the Enlightenment* (Chicago: University of Chicago Press, 2002), and Rob Iliffe, '"Aplatisseur du Monde et de Cassini": Maupertuis, Precision Measurement, and the Shape of the Earth in the 1730s', *History of Science* 31 (1993).

20 Safier, *Measuring the New World*, 7, and Ferreiro, *Measure of the Earth*, 31–8.

21 Ferreiro, *Measure of the Earth*, 62–89.

22 Hoare, *The Quest for the True Figure of the Earth*, 12–13, and Ferreiro, *Measure of the Earth*, 133–4.

23 Ferreiro, *Measure of the Earth*, 105–8 and 114.

24 Ferreiro, *Measure of the Earth*, 108, Iván Ghezzi and Clive Ruggles, 'Chankillo', in *Handbook of Archaeoastronomy and Ethnoastronomy*, ed. Clive Ruggles (New York: Springer Reference, 2015), 808–13, Clive Ruggles, 'Geoglyphs of the Peruvian Coast', in Ruggles, ed., *Handbook of Archaeoastronomy and Ethnoastronomy*, 821–2.

25 Brian Bauer and David Dearborn, *Astronomy and Empire in the Ancient Andes: The Cultural Origins of Inca Sky Watching* (Austin: University of Texas Press, 1995), 14–16, Brian Bauer, *The Sacred Landscape of the Inca: The Cusco Ceque System* (Austin: University of Texas Press, 1998), 4–9, and Reiner Tom Zuidema, 'The Inca Calendar', in *Native American Astronomy*, ed. Anthony Aveni (Austin: University of Texas Press, 1977), 220–33.

26 Zuidema, 'Inca Calendar', 250, and Bauer, *Sacred Landscape*, 8.

27 Ferreiro, *Measure of the Earth*, 26 and 107–11, Bauer and Dearborn, *Astronomy and Empire*, 27, and Safier, *Measuring the New World*, 87–8.

28 Ferreiro, *Measure of the Earth*, 108.

29 Ferreiro, *Measure of the Earth*, 221–2.

30 Teuira Henry, 'Tahitian Astronomy', *Journal of the Polynesian Society* 16 (1907): 101–4, and William Frame and Laura Walker, *James Cook: The Voyages* (Montreal: McGill-Queen's University Press, 2018), 40.

31 Henry, 'Tahitian Astronomy', 101–2, Frame and Walker, *James Cook*, 40, Andrea Wulf, *Chasing Venus: The Race to Measure the Heavens* (London: William Heinemann, 2012), xix–xxvi［『金星（ヴィーナス）を追いかけて』アンドレア・ウルフ著、矢羽野薫訳、角川書店、2012年］, and Harry Woolf, *The Transits of Venus: A Study of Eighteenth-Century Science* (Princeton: Princeton University Press, 1959), 3–22.

32 Iliffe, 'Science and Voyages of Discovery', 624–8, Wulf, *Chasing Venus*, 128［『金星を追いかけて』］, and Anne Salmond, *The Trial of the Cannibal Dog: Captain Cook and the South Seas* (London: Penguin Books, 2004), 31–2.

33 Newton, *Principia*, 810–15［『プリンシピア――自然哲学の数学的原理』］, and Woolf, *Transits of Venus*, 3.

34 Wulf, *Chasing Venus*, xix–xxiv［『金星を追いかけて』］, and Woolf, *Transits of Venus*, 3–16.

35 Wulf, *Chasing Venus*, 185［『金星を追いかけて』］, and Woolf, *Transits of Venus*, 182–7.

36 Rebekah Higgitt and Richard Dunn, 'Introduction', in *Navigational Empires in Europe and Its Empires, 1730–1850*, eds. Rebekah Higgitt and Richard Dunn (Basingstoke: Palgrave Macmillan, 2016), Wayne Orchiston, 'From the South Seas to the Sun', in *Science and Exploration in the Pacific: European Voyages to the Southern Oceans in the Eighteenth Century*, ed. Margarette Lincoln (Woodbridge: Boydell & Brewer, 1998), 55–6, and Iliffe, 'Science and Voyages of Discovery', 635.

37 Salmond, *Trial*, 51.

38 Salmond, *Trial*, 64–7, Wulf, *Chasing Venus*, 168［『金星を追いかけて』］, and Simon Schaffer, 'In Transit: European Cosmologies in the Pacific', in *The Atlantic World in the Antipodes: Effects and Transformations since the Eighteenth Century*, ed. Kate Fullagar (Newcastle: Cambridge Scholars Publishing, 2012), 70.

39 Salmond, *Trial*, 79, Orchiston, 'From the South Seas', 58–9, Charles Green, 'Observations Made, by Appointment of the Royal Society, at King George's Island in the South Seas', *Philosophical Transactions* 61 (1771): 397 and 411.

40 Wulf, *Chasing Venus*, 192–3［『金星を追いかけて』］, Orchiston, 'From the South Seas', 59, and Vladimir Shiltsev, 'The 1761 Discovery of Venus' Atmosphere: Lomonosov and Others', *Journal of Astronomical History and Heritage* 17 (2014): 85–8.

41 Wulf, *Chasing Venus*, 201［『金星を追いかけて』］.

42 Salmond, *Trial*, 95, and David Lewis, *We, the Navigators: The Ancient Art of Landfinding in the Pacific* (Honolulu: University of Hawaii Press, 1994).

43 Salmond, *Trial*, 38–9, Lewis, *We, the Navigators*, 7–8, Joan Druett, *Tupaia: Captain Cook's Polynesian Navigator* (Auckland: Random House, 2011), 1–11, and Lars Eckstein and Anja Schwarz, 'The Making of Tupaia's Map: A Story of the Extent and Mastery of Polynesian Navigation, Competing Systems of Wayfinding on James Cook's *Endeavour*, and the Invention of an Ingenious Cartographic System', *The Journal of Pacific History* 54 (2019): 4.

44 Lewis, *We, the Navigators*, 82–101, and Ben Finney, 'Nautical Cartography and Traditional Navigation in Oceania', in *The History of Cartography: Cartography in the Traditional African, American, Arctic, Australian, and Pacific Societies*, eds. David Woodward and G. Malcolm Lewis (Chicago: University of Chicago Press, 1998), 2:443.

45 Finney, 'Nautical Cartography', 443 and 455–79, and Lewis, *We, the Navigators*, 218–48.

46 Druett, *Tupaia*, 2, Salmond, *Trial*, 38–9, and Eckstein and Schwarz, 'Tupaia's Map', 4.

47 Salmond, *Trial*, 37–40, and Eckstein and Schwarz, 'Tupaia's Map', 4.

48 Salmond, *Trial*, 112, Eckstein and Schwarz, 'Tupaia's Map', 93–4, and Finney, 'Nautical Cartography', 446.

49 Salmond, *Trial*, 99–101, and Eckstein and Schwarz, 'Tupaia's Map', 5.

50 Eckstein and Schwarz, 'Tupaia's Map'.

51 Eckstein and Schwarz, 'Tupaia's Map', 29–52.

52 Eckstein and Schwarz, 'Tupaia's Map', 32–52.

53 Salmond, *Trial*, 110–13, and Eckstein and Schwarz, 'Tupaia's Map', 5.

54 Eckstein and Schwarz, 'Tupaia's Map', 6–13.

55 Valentin Boss, *Newton and Russia: The Early Influence, 1698–1796* (Cambridge, MA: Harvard University Press, 1972), 2–5, Loren Graham, *Science in Russia and the Soviet Union: A Short History* (Cambridge: Cambridge University Press, 1993), 17, and Alexander Vucinich, *Science in Russian Culture: A History to 1860* (London: P. Owen, 1965), 1: 51.

56 Boss, *Newton and Russia*, 5–14, Vucinich, *Science in Russian Culture*, 1:43–4, Arthur MacGregor, 'The Tsar in England: Peter the Great's Visit to London in 1698', *The Seventeenth Century* 19 (2004): 129–31, および*Principia*に関連する文書, MS Add. 3965.12, ff.357–358, Cambridge University Library, Cambridge, UK, via 'NATP00057', The Newton Papers, accessed 15 November 2020, http://www.newtonproject.ox.

ac.uk/view/texts/normalized/NATP00057.

57 Boss, *Newton and Russia*, 9, and Vucinich, *Science in Russian Culture*, 1: 51–4 and 1: 74.

58 Boss, *Newton and Russia*, 116 and 235, Vucinich, *Science in Russian Culture*, 1: 45 and 1: 75–6, Wulf, *Chasing Venus, 97* [『金星を追いかけて』], *and Simon Werrett*, 'Better Than a Samoyed: Newton's Reception in Russia', in *Reception of Isaac Newton in Europe*, eds. Helmut Pulte and Scott Mandelbrote (London: Bloomsbury, 2019), 1: 217–23.

59 Boss, *Newton and Russia*, 94–5, and John Appleby, 'Mapping Russia: Farquharson, Delisle and the Royal Society', *Notes and Records of the Royal Society* 55 (2001): 192.

60 Andreĭ Grinëv, *Russian Colonization of Alaska: Preconditions, Discovery, and Initial Development, 1741–1799*, trans. Richard Bland (Lincoln, NE: University of Nebraska Press, 2018), 73, Alexey Postnikov and Marvin Falk, *Exploring and Mapping Alaska: The Russian America Era, 1741–1867*, trans. Lydia Black (Fairbanks: University of Alaska Press, 2015), 2–6, and Orcutt Frost, *Bering: The Russian Discovery of America* (New Haven: Yale University Press, 2003), xiii–xiv.

61 Frost, *Bering*, xiii and 34.

62 Robin Inglis, *Historical Dictionary of the Discovery and Exploration of the Northwest Coast of America* (Lanham: Scarecrow Press, 2008), xxxi–xxxii.

63 Frost, *Bering*, 40–63.

64 Frost, *Bering*, 65–158, Postnikov and Falk, *Exploring and Mapping*, 32 and 46, and Carol Urness, 'Russian Mapping of the North Pacific to 1792', in *Enlightenment and Exploration in the North Pacific, 1741–1805*, eds. Stephen Haycox, James Barnett, and Caedmon Liburd (Seattle: University of Washington Press, 1997), 132–7.

65 Frost, *Bering*, 144–58, Frank Golder, ed., *Bering's Voyages: An Account of the Efforts of the Russians to Determine the Relation of Asia and America* (New York: American Geographical Society, 1922), 1: 91–9, and Dean Littlepage, *Steller's Island: Adventures of a Pioneer Naturalist in Alaska* (Seattle: Mountaineers Books, 2006), 61–2.

66 Inglis, *Historical Dictionary*, xlix and 39, Urness, 'Russian Mapping', 139–42, Postnikov and Falk, *Exploring and Mapping*, 78–174, and Simon Werrett, 'Russian Responses to the Voyages of Captain Cook', in *Captain Cook: Explorations and Reassessments*, ed. Glyndwr Williams (Woodbridge: Boydell & Brewer, 2004), 184–7.

67 Postnikov and Falk, *Exploring and Mapping*, 159–61, Werrett, 'Better Than a Samoyed', 226, and Alekseĭ Postnikov, 'Learning from Each Other: A History of Russian–Native Contacts in Late Eighteenth–Early Nineteenth Century Exploration and Mapping of Alaska and the Aleutian Islands', *International Hydrographic Review* 6

(2005): 10.

68 Postnikov and Falk, *Exploring and Mapping*, 99.

69 John MacDonald, *The Arctic Sky: Inuit Astronomy, Star Lore, and Legend* (Toronto: Royal Ontario Museum, 1998), 5–15, 101, and 164–7, and Ülo Siimets, 'The Sun, the Moon and Firmament in Chukchi Mythology and on the Relations of Celestial Bodies and Sacrifices', *Folklore* 32 (2006): 133–48.

70 MacDonald, *Arctic Sky*, 9, 44–5, and Siimets, 'Sun, Moon and Firmament', 148–50.

71 MacDonald, *Arctic Sky*, 173–8, and David Lewis and Mimi George, 'Hunters and Herders: Chukchi and Siberian Eskimo Navigation across Snow and Frozen Sea', *The Journal of Navigation* 44 (1991): 1–5.

72 Postnikov and Falk, *Exploring and Mapping*, 99–100, Inglis, *Historical Dictionary*, 96, and John Bockstoce, *Fur and Frontiers in the Far North: The Contest among Native and Foreign Nations for the Bering Fur Trade* (New Haven: Yale University Press, 2009), 75–6.

73 Postnikov and Falk, *Exploring and Mapping*, 161–74.

74 Dew, '*Vers la ligne*', 53.

75 Shino Konishi, Maria Nugent, and Tiffany Shellam, 'Exploration Archives and Indigenous Histories', in *Indigenous Intermediaries: New Perspectives on Exploration Archives*, eds. Shino Konishi, Maria Nugent, and Tiffany Shellam (Acton: Australian National University Press, 2015), Simon Schaffer, Lissa Roberts, Kapil Raj, and James Delbourgo, 'Introduction', in *The Brokered World: Go-Betweens and Global Intelligence, 1770–1820*, eds. Simon Schaffer, Lissa Roberts, Kapil Raj, and James Delbourgo (Sagamore Beach: Science History Publications, 2009), and Schaffer, 'Newton on the Beach', 267.

76 Vincent Carretta, 'Who was Francis Williams?', *Early American Literature* 38 (2003), and Gretchen Gerzina, *Black London: Life before Emancipation* (New Brunswick: Rutgers University Press, 1995), 6 and 40–1.

第4章　経済のための博物学

1 Natural History Museum (以後NHMと略記), 'Slavery and the Natural World, Chapter 2: People and Slavery', accessed 15 October 2019, https://www.nhm.ac.uk/content/dam/nhmwww/discover/slavery-natural-world/chapter-2-people-and-slavery.pdf, and Susan Scott Parrish, *American Curiosity: Cultures of Natural History in the Colonial British Atlantic World* (Chapel Hill: University of North Carolina Press,

2006), 1–10.

2 NHM, 'Slavery and the Natural World, Chapter 2: People and Slavery', Parrish, *American Curiosity*, 1–10, and Londa Schiebinger, *Plants and Empire: Colonial Bioprospecting in the Atlantic World* (Cambridge, MA: Harvard University Press, 2009), 8 [『植物と帝国——抹殺された中絶薬とジェンダー』ロンダ・シービンガー著、小川眞里子/弓削尚子訳、工作舎、2007年].

3 Parrish, *American Curiosity*, 1–10, Schiebinger, *Plants and Empire*, 209–19 [『植物と帝国』], and Lisbet Koerner, 'Carl Linnaeus in His Time and Place', in *Cultures of Natural History*, eds. Nicholas Jardine, James Secord, and Emma Spary (Cambridge: Cambridge University Press, 1996), 145–9.

4 NHM, 'Slavery and the Natural World, Chapter 2: People and Slavery', and Parrish, *American Curiosity*, 1–10.

5 Richard Drayton, *Nature's Government: Science, Imperial Britain, and the 'Improvement' of the World* (New Haven: Yale University Press, 2000), Harold Cook, *Matters of Exchange: Commerce, Medicine, and Science in the Dutch Golden Age* (New Haven: Yale University Press, 2007), Dániel Margócsy, *Commercial Visions: Science, Trade, and Visual Culture in the Dutch Golden Age* (Chicago: University of Chicago Press, 2014), Londa Schiebinger and Claudia Swan, eds., *Colonial Botany: Science, Commerce, and Politics in the Early Modern World* (Philadelphia: University of Pennsylvania Press, 2005), Kris Lane, 'Gone Platinum: Contraband and Chemistry in Eighteenth-Century Colombia', *Colonial Latin American Review* 20 (2011), and Schiebinger, *Plants and Empire*, 194 [『植物と帝国』].

6 Schiebinger, *Plants and Empire*, 7–8 [『植物と帝国』], and Lisbet Koerner, *Linnaeus: Nature and Nation* (Cambridge, MA: Harvard University Press, 1999), 1–2.

7 Drayton, *Nature's Government*, Schiebinger, *Plants and Empire* [『植物と帝国』], Miles Ogborn, 'Vegetable Empire', in *Worlds of Natural History*, eds. Helen Curry, Nicholas Jardine, James Secord, and Emma Spary (Cambridge: Cambridge University Press, 2018), and James McClellan III, *Colonialism and Science: Saint Domingue and the Old Regime* (Chicago: University of Chicago Press, 2010), 148–59.

8 Schiebinger, *Plants and Empire*, 25–30 [『植物と帝国』], James Delbourgo, 'Sir Hans Sloane's Milk Chocolate and the Whole History of the Cacao', *Social Text* 29 (2011), James Delbourgo, *Collecting the World: The Life and Curiosity of Hans Sloane* (London: Allen Lane, 2015), 35–59, and Edwin Rose, 'Natural History Collections and the Book: Hans Sloane's *A Voyage to Jamaica* (1707–1725) and His Jamaican Plants', *Journal of the History of Collections* 30 (2018).

9 NHM, 'Slavery and the Natural World, Chapter 2: People and Slavery', Schiebinger, *Plants and Empire*, 28 [『植物と帝国』], Delbourgo, *Collecting the World*, 35–59, and Hans Sloane, *A Voyage to the Islands Madera, Barbados, Nieves, S. Christophers and Jamaica* (London: B.M. for the Author, 1707).

10 Miles Ogborn, 'Talking Plants: Botany and Speech in Eighteenth-Century Jamaica', *History of Science* 51 (2013): 264, Judith Carney and Richard Rosomoff, *In the Shadow of Slavery: Africa's Botanical Legacy in the Atlantic World* (Berkeley: University of California Press, 2011), 71 and 124, and Bertram Osuagwu, *The Igbos and Their Traditions*, trans. Frances W. Pritchett (Lagos: Macmillan Nigeria, 1978), 1–22.

11 Carney and Rosomoff, *In the Shadow of Slavery*, 123–4.

12 Londa Schiebinger, *Secret Cures of Slaves: People, Plants, and Medicine in the Eighteenth-Century Atlantic World* (Stanford: Stanford University Press, 2017), 1–9 and 45–59.

13 Ogborn, 'Talking Plants', 255–71, Kathleen Murphy, 'Collecting Slave Traders: James Petiver, Natural History, and the British Slave Trade', *William and Mary Quarterly* 70 (2013), and NHM, 'Slavery and the Natural World, Chapter 7: Fevers', accessed 15 October 2019, https://www.nhm.ac.uk/content/dam/nhmwww/discover/slavery-natural-world/chapter-7-fevers.pdf.

14 Schiebinger, *Secret Cures of Slaves*, 90, Ogborn, 'Talking Plants', 275, and Kwasi Konadu, *Indigenous Medicine and Knowledge in African Society* (London: Routledge, 2007), 85–9.

15 Schiebinger, *Plants and Empire*, 1–35 [『植物と帝国』], NHM, 'Slavery and the Natural World, Chapter 2: People and Slavery', and Julie Hochstrasser, 'The Butterfly Effect: Embodied Cognition and Perceptual Knowledge in Maria Sibylla Merian's *Metamorphosis Insectorum Surinamensium*', in *The Dutch Trading Companies as Knowledge Networks*, eds. Siegfried Huigen, Jan de Jong, and Elmer Kolfin (Leiden: Brill, 2010), 59–60.

16 Schiebinger, *Secret Cures of Slaves*, 12, NHM, 'Slavery and the Natural World, Chapter 6: Resistance', accessed 15 October 2019, https://www.nhm.ac.uk/content/dam/nhmwww/discover/slavery-natural-world/chapter-6-resistance.pdf, and Susan Scott Parrish, 'Diasporic African Sources of Enlightenment Knowledge', in *Science and Empire in the Atlantic World*, eds. James Delbourgo and Nicholas Dew (New York: Routledge, 2008), 294.

17 Richard Grove, 'Indigenous Knowledge and the Significance of South-West India for Portuguese and Dutch Constructions of Tropical Nature', *Modern Asian Studies* 30

(1996), K. S. Manilal, ed., *Botany and History of Hortus Malabaricus* (Rotterdam: A. A. Balkema, 1980), 1–3, J. Heniger, *Hendrik Adriaan van Reede tot Drakenstein (1636–1691) and Hortus Malabaricus* (Rotterdam: A. A. Balkema, 1986), vii–xii and 3–95, Kapil Raj, *Relocating Modern Science: Circulation and the Construction of Knowledge in South Asia and Europe, 1650–1900* (Basingstoke: Palgrave Macmillan, 2007), 44–5 [『近代科学のリロケーション――南アジアとヨーロッパにおける知の循環と構築』カピル・ラジ著、水谷智／水井万里子／大澤広晃訳、名古屋大学出版会、2016年], and Hendrik van Rheede, *Hortus Indicus Malabaricus* (Amsterdam: Johannis van Someren, 1678), vol. 1, pl. 9.

18 Grove, 'Indigenous Knowledge', 134–5, and Heniger, *Hendrik Adriaan van Reede*, 3–33.

19 Grove, 'Indigenous Knowledge', 136–9, Heniger, *Hendrik Adriaan van Reede*, 41–64 and 144–8, and H. Y. Mohan Ram, 'On the English Edition of van Rheede's *Hortus Malabaricus*', *Current Science* 89 (2005).

20 Heniger, *Hendrik Adriaan van Reede*, 147–8, and Rajiv Kamal, *Economy of Plants in the Vedas* (New Delhi: Commonwealth Publishers, 1988), 1–23.

21 Heniger, *Hendrik Adriaan van Reede*, 43 and 143–8, and Grove, 'Indigenous Knowledge', 139.

22 E. M. Beekman, 'Introduction: Rumphius' Life and Work', in Georg Eberhard Rumphius, *The Ambonese Curiosity Cabinet*, trans. E. M. Beekman (New Haven: Yale University Press, 1999), xxxv–lxvii, and Genie Yoo, 'Wars and Wonders: The Inter-Island Information Networks of Georg Everhard Rumphius', *The British Journal for the History of Science* 51 (2018): 561.

23 Beekman, 'Introduction', xxxv–xcviii, and George Sarton, 'Rumphius, Plinius Indicus (1628–1702)', *Isis* 27 (1937).

24 Matthew Sargent, 'Global Trade and Local Knowledge: Gathering Natural Knowledge in Seventeenth-Century Indonesia', in *Intercultural Exchange in Southeast Asia: History and Society in the Early Modern World*, eds. Tara Alberts and David Irving (London: I. B. Taurus, 2013), 155–6.

25 Beekman, 'Introduction', lxvii, Sargent, 'Global Trade', 156, Jeyamalar Kathirithamby-Wells, 'Unlikely Partners: Malay-Indonesian Medicine and European Plant Science', in *The East India Company and the Natural World*, eds. Vinita Damodaran, Anna Winterbottom, and Alan Lester (Basingstoke: Palgrave Macmillan, 2014), 195–203, and Benjamin Schmidt, *Inventing Exoticism: Geography, Globalism, and Europe's Early Modern World* (Philadelphia: University of Pennsylvania Press, 2015), 136–8.

26 Yoo, 'Wars and Wonders', 567–9.

27 Georg Eberhard Rumphius, *The Ambonese Curiosity Cabinet*, trans. E. M. Beekman (New Haven: Yale University Press, 1999), 93–4, Georg Eberhard Rumphius, *Rumphius' Orchids: Orchid Texts from The Ambonese Herbal*, trans. E. M. Beekman (New Haven: Yale University Press, 2003), 87, and Maria-Theresia Leuker, 'Knowledge Transfer and Cultural Appropriation: Georg Everhard Rumphius's *D'Amboinsche Rariteitkamer* (1705)', in Huigen, de Jong, and Kolfin, eds. *The Dutch Trading Companies.*

28 Beekman, 'Introduction', lxii–lxiii.

29 Ray Desmond, *The European Discovery of the Indian Flora* (Oxford: Oxford University Press, 1992), 57–9, and Tim Robinson, *William Roxburgh: The Founding Father of Indian Botany* (Chichester: Phillimore, 2008), 41–3.

30 Desmond, *European Discovery*, 59, and Robinson, *William Roxburgh*, 41.

31 Robinson, *William Roxburgh*, 5–10, Pratik Chakrabarti, *Materials and Medicine: Trade, Conquest and Therapeutics in the Eighteenth Century* (Manchester: Manchester University Press, 2010), 41, Minakshi Menon, 'Medicine, Money, and the Making of the East India Company State: William Roxburgh in Madras, c. 1790', in *Histories of Medicine and Healing in the Indian Ocean World*, eds. Anna Winterbottom and Facil Tesfaye (Basingstoke: Palgrave, 2016), 2: 152–9, and Arthur MacGregor, 'European Enlightenment in India: An Episode of Anglo-German Collaboration in the Natural Sciences on the Coromandel Coast, Late 1700s–Early 1800s', in *Naturalists in the Field: Collecting, Recording and Preserving the Natural World from the Fifteenth to the Twenty-First Century* (Leiden: Brill, 2018), 383.

32 Prakash Kumar, *Indigo Plantations and Science in Colonial India* (Cambridge: Cambridge University Press, 2012), 68–75, and Menon, 'Medicine, Money, and the Making of the East India Company State', 160.

33 Robinson, *William Roxburgh*, 43–56.

34 Robinson, *William Roxburgh*, 95, Chakrabarti, *Materials and Medicine*, 126, Beth Tobin, *Picturing Imperial Power: Colonial Subjects in Eighteenth-Century British Painting* (Durham, NC: Duke University Press, 1999), 194–201, M. Lazarus and H. Pardoe, eds., *Catalogue of Botanical Prints and Drawings: The National Museums & Galleries of Wales* (Cardiff: National Museums & Galleries of Wales, 2003), 35, I. G. Khan, 'The Study of Natural History in 16th–17th Century Indo-Persian Literature', *Proceedings of the Indian History Congress* 67 (2002), and Versha Gupta, *Botanical Culture of Mughal India* (Bloomington: Partridge India, 2018).

35 Markman Ellis, Richard Coulton, and Matthew Mauger, *Empire of Tea: The Asian Leaf That Conquered the World* (London: Reaktion Books, 2015), 32–5 and 105 [『紅茶の帝国――世界を征服したアジアの葉』マークマン・エリス/リチャード・コールトン/マシュー・メージャー著、越朋彦訳、研究社、2019年], and Erika Rappaport, *A Thirst for Empire: How Tea Shaped the Modern World* (Princeton: Princeton University Press, 2017), 23.

36 Ellis, Coulton, and Mauger, *Empire of Tea*, 9 and 22–57, Rappaport, *A Thirst for Empire*, 41, Linda Barnes, *Needles, Herbs, Gods, and Ghosts: China, Healing, and the West to 1848* (Cambridge, MA: Harvard University Press, 2005), 93–116 and 181–5, and Jane Kilpatrick, *Gifts from the Gardens of China* (London: Frances Lincoln, 2007), 9–16.

37 Markman Ellis, 'The British Way of Tea: Tea as an Object of Knowledge between Britain and China, 1690–1730', in *Curious Encounters: Voyaging, Collecting, and Making Knowledge in the Long Eighteenth Century*, eds. Adriana Craciun and Mary Terrall (Toronto: University of Toronto Press, 2019), 27–33.

38 Ellis, Coulton, and Mauger, *Empire of Tea*, 66–7 and 109–10.

39 Ellis, 'The British Way of Tea', 23–8, and James Ovington, *An Essay upon the Nature and Qualities of Tea* (London: R. Roberts, 1699), 7–14.

40 Ellis, 'The British Way of Tea', 29–32, Kilpatrick, *Gifts from the Gardens of China*, 34–48, and Charles Jarvis and Philip Oswald, 'The Collecting Activities of James Cuninghame FRS on the Voyage of *Tuscan* to China (Amoy) between 1697 and 1699', *Notes and Records of the Royal Society* 69 (2015).

41 Ellis, 'The British Way of Tea', 29–32, and James Cuninghame, 'Part of Two Letters to the Publisher from Mr James Cunningham, F. R. S.', *Philosophical Transactions of the Royal Society* 23 (1703): 1205–6.

42 Ellis, Coulton, and Mauger, *Empire of Tea*, 15–19, Hsing-Tsung Huang, *Science and Civilisation in China: Biology and Biological Technology, Fermentations and Food Science* (Cambridge: Cambridge University Press, 2000), vol. 6, part 5, 506–15, and James A. Benn, *Tea in China: A Religious and Cultural History* (Hong Kong: Hong Kong University Press, 2015), 117–44.

43 Carla Nappi, *The Monkey and the Inkpot: Natural History and Its Transformations in Early Modern China* (Cambridge, MA: Harvard University Press, 2009), 10–33 and 141–2, and Federico Marcon, *The Knowledge of Nature and the Nature of Knowledge in Early Modern Japan* (Chicago: University of Chicago Press, 2015), 25–50.

44 Nappi, *The Monkey and the Inkpot*, 10–33, Marcon, *The Knowledge of Nature*, 25–50,

Ellis, 'The British Way of Tea', 27, Georges Métailié, *Science and Civilisation in China: Biology and Biological Technology, Traditional Botany: An Ethnobotanical Approach* (Cambridge: Cambridge University Press, 2015), vol. 6, part 4, 77–8, and Joseph Needham, *Science and Civilisation in China: Biology and Biological Technology, Botany* (Cambridge: Cambridge University Press, 1986), vol. 6, part 1, 308–21.

45 Nappi, *The Monkey and the Inkpot*, 155–8, Needham, *Science and Civilisation*, vol. 6, part 1, 308–21, Métailié, *Science and Civilisation in China*, vol. 6, part 4, 36 and 77, and Marcon, *The Knowledge of Nature*, 25–50.

46 Nappi, *The Monkey and the Inkpot*, 19, Métailié, *Science and Civilisation in China*, vol. 6, part 4, 620–5.

47 Nappi, *The Monkey and the Inkpot*, 19, Métailié, *Science and Civilisation in China*, vol. 6, part 4, 620–5, and Jordan Goodman and Charles Jarvis, 'The John Bradby Blake Drawings in the Natural History Museum, London: Joseph Banks Puts Them to Work', *Curtis's Botanical Magazine* 34 (2017): 264.

48 Marcon, *The Knowledge of Nature*, 128–31 and 161–3, and Hiroshi Ishiyama, 'The Herbal of Dodonaeus', in *Bridging the Divide: 400 Years, The Netherlands–Japan*, eds. Leonard Blussé, Willem Remmelink, and Ivo Smits (Leiden: Hotei, 2000), 100–1.

49 Marcon, *The Knowledge of Nature*, 128–31, 161–3, and 171–203.

50 Marcon, *The Knowledge of Nature*, x and 3–6, Naoko Iioka, 'Wei Zhiyan and the Subversion of the *Sakoku*', in *Offshore Asia: Maritime Interactions in Eastern Asia before Steamships*, eds. Kayoko Fujita, Shiro Momoki, and Anthony Reid (Singapore: Institute of Southeast Asian Studies, 2013), and Ronald Toby, 'Reopening the Question of *Sakoku:* Diplomacy in the Legitimation of the Tokugawa Bakufu', *Journal of Japanese Studies* 3 (1977): 358.

51 Marcon, *The Knowledge of Nature*, 113–28 and 141–6, and Marie-Christine Skuncke, *Carl Peter Thunberg: Botanist and Physician* (Uppsala: Swedish Collegium for Advanced Study, 2014), 113.

52 Marcon, *The Knowledge of Nature*, 128–31 and 161–3, and Harmen Beukers, 'Dodonaeus in Japanese: Deshima Surgeons as Mediators in the Early Introduction of Western Natural History', in *Dodonaeus in Japan: Translation and the Scientific Mind in the Tokugawa Period*, eds. W. F. Vande Walle and Kazuhiko Kasaya (Leuven: Leuven University Press, 2002), 291.

53 Marcon, *The Knowledge of Nature*, 55–73.

54 Marcon, *The Knowledge of Nature*, 6 and 87–102.

55 Marcon, *The Knowledge of Nature*, 90–6.

56 Marcon, *The Knowledge of Nature*, 91.

57 Timon Screech, 'The Visual Legacy of Dodonaeus in Botanical and Human Categorisation', in Vande Walle and Kasaya, eds., *Dodonaeus in Japan*, 221–3, T. Yoshida, '"Dutch Studies" and Natural Sciences', in Blussé, Remmelink, and Smits, eds., *Bridging the Divide*, Kenkichiro Koizumi, 'The Emergence of Japan's First Physicists: 1868–1900', *History and Philosophy of the Physical Sciences* 6 (1975): 7–13, James Bartholomew, *The Formation of Science in Japan: Building a Research Tradition* (New Haven: Yale University Press, 1989), 10–15, Marcon, *The Knowledge of Nature*, 128–30, Ishiyama, 'The Herbal of Dodonaeus', 100–1, and Tôru Haga, 'Dodonaeus and Tokugawa Culture: Hiraga Gennai and Natural History in Eighteenth-Century Japan', in Vande Walle and Kasaya, eds., *Dodonaeus in Japan*, 242–51.

58 Marcon, *The Knowledge of Nature*, 135–7, and Skuncke, *Carl Peter Thunberg*, 93–9 and 101–4.

59 Skuncke, *Carl Peter Thunberg*, 120–6.

60 Skuncke, *Carl Peter Thunberg*, 122–6.

61 Skuncke, *Carl Peter Thunberg*, 105 and 128–35, and Marcon, *The Knowledge of Nature*, 135–7.

62 Skuncke, *Carl Peter Thunberg*, 130 and 206, and Richard Rudolph, 'Thunberg in Japan and His *Flora Japonica* in Japanese', *Monumenta Nipponica* 29 (1974): 168.

63 Carl Thunberg, *Flora Japonica* (Leipzig: I. G. Mülleriano, 1784), 229.

第3部　資本主義と紛争　1790年頃～1914年

第5章　進化論と生存競争

1 Justin Smith, 'The Ibis and the Crocodile: Napoleon's Egyptian Campaign and Evolutionary Theory in France, 1801–1835', *Republic of Letters* 6 (2018), Paul Nicholson, 'The Sacred Animal Necropolis at North Saqqara: The Cults and Their Catacombs', in *Divine Creatures: Animal Mummies in Ancient Egypt*, ed. Salima Ikram (Cairo: American University in Cairo Press, 2005), and Caitlin Curtis, Craig Millar, and David Lambert, 'The Sacred Ibis Debate: The First Test of Evolution', *PLOS Biology* 16 (2018).

2 Jean Herold, *Bonaparte in Egypt* (London: Hamish Hamilton, 1962), 164–200, Charles Gillispie, 'Scientific Aspects of the French Egyptian Expedition 1798–1801', *Proceedings of the American Philosophical Society* 133 (1989), Nina Burleigh, *Mirage:*

Napoleon's Scientists and the Unveiling of Egypt (New York: Harper, 2007), vi–x [『ナポレオンのエジプト——東方遠征に同行した科学者たちが遺したもの』ニナ・バーリー著、竹内和世訳、白揚社、2011年], and Jane Murphy, 'Locating the Sciences in Eighteenth-Century Egypt', *The British Journal for the History of Science* 43 (2010).

3 Toby Appel, *The Cuvier–Geoffroy Debate: French Biology in the Decades before Darwin* (Oxford: Oxford University Press, 1987), 1–10 and 69–97 [『アカデミー論争——革命前後のパリを揺がせたナチュラリストたち』トビー・A・アペル著、西村顯治訳、時空出版、1990年], Burleigh, *Mirage*, 195–207, Curtis, Millar, and Lambert, 'The Sacred Ibis Debate', Smith, 'The Ibis and the Crocodile', and Murphy, 'Locating the Sciences', 558–65.

4 Appel, *The Cuvier–Geoffroy Debate*, 72–7 [『アカデミー論争』], and Nicholson, 'The Sacred Animal Necropolis', 44–52.

5 Curtis, Millar, and Lambert, 'The Sacred Ibis Debate', 2–5, Smith, 'The Ibis and the Crocodile', 5–9, and Martin Rudwick, *Bursting the Limits of Time: The Reconstruction of Geohistory in the Age of Revolution* (Chicago: University of Chicago Press, 2007), 394–6.

6 Curtis, Millar, and Lambert, 'The Sacred Ibis Debate', 2–5, Smith, 'The Ibis and the Crocodile', 5–9, Rudwick, *Bursting the Limits of Time*, 394–6, Appel, *The Cuvier–Geoffroy Debate* [『アカデミー論争』], 82, and Martin Rudwick, *Georges Cuvier, Fossil Bones, and Geological Catastrophes: New Translations and Interpretations of the Primary Texts* (Chicago: University of Chicago Press, 2008), 229.

7 Smith, 'The Ibis and the Crocodile', 4, Robert Young, *Darwin's Metaphor: Nature's Place in Victorian Culture* (Cambridge: Cambridge University Press, 1985), 40–1, Marwa Elshakry, 'Spencer's Arabic Readers', in *Global Spencerism: The Communication and Appropriation of a British Evolutionist*, ed. Bernard Lightman (Leiden: Brill, 2016), and G. Clinton Godart, 'Spencerism in Japan: Boom and Bust of a Theory', in *Global Spencerism*, ed. Lightman.

8 Janet Browne, *Charles Darwin: Voyaging* (London: Jonathan Cape, 1995), and Ana Sevilla, '*On the Origin of Species* and the Galapagos Islands', in *Darwin, Darwinism and Conservation in the Galapagos Islands*, eds. Diego Quiroga and Ana Sevilla (Cham: Springer International, 2017).

9 James Secord, 'Global Darwin', in *Darwin*, eds. William Brown and Andrew Fabian (Cambridge: Cambridge University Press, 2010), Alexander Vucinich, *Darwin in Russian Thought* (Berkeley: University of California Press, 1989), 12, and G. Clinton Godart, *Darwin, Dharma, and the Divine: Evolutionary Theory and Religion in Modern*

Japan (Honolulu: University of Hawaii Press, 2017), 19–20［『ダーウィン、仏教、神——近代日本の進化論と宗教』クリントン・ゴダール著、碧海寿広訳、人文書院、2020年］.

10 Alex Levine and Adriana Novoa, *¡Darwinistas! The Construction of Evolutionary Thought in Nineteenth Century Argentina* (Leiden: Brill, 2012), x–xii, 85, and 91–5, and Adriana Novoa and Alex Levine, *From Man to Ape: Darwinism in Argentina, 1870–1920* (Chicago: University of Chicago Press, 2010), 17.

11 Levine and Novoa, *¡Darwinistas!*, 91–5, and Novoa and Levine, *From Man to Ape*, 33–7.

12 Levine and Novoa, *¡Darwinistas!*, 85–95, Novoa and Levine, *From Man to Ape*, 33–7, Charles Darwin to Francisco Muñiz, 26 February 1847, Darwin Correspondence Project, Letter no. 1063, accessed 14 August 2020, https://www.darwinproject.ac.uk/letter/DCP-LETT-1063.xml, Charles Darwin to Richard Owen, 12 February [1847], Darwin Correspondence Project, Letter no. 1061, accessed 14 August 2020, https://www.darwinproject.ac.uk/letter/DCP-LETT-1061.xml, and Charles Darwin to Richard Owen, [4 February 1842], Darwin Correspondence Project, Letter no. 617G, accessed 14 August 2020, https://www.darwinproject.ac.uk/letter/DCP-LETT-617G.xml.

13 Levine and Novoa, *¡Darwinistas!*, 85, Novoa and Levine, *From Man to Ape*, 31, Arturo Argueta Villamar, 'Darwinism in Latin America: Reception and Introduction', in Quiroga and Sevilla, eds., *Darwin, Darwinism and Conservation*, and Thomas Glick, Miguel Ángel Puig-Samper, and Rosaura Ruiz, eds., *The Reception of Darwinism in the Iberian World: Spain, Spanish America, and Brazil* (Dordrecht: Springer Netherlands, 2001).

14 Novoa and Levine, *From Man to Ape*, 18–19, 30, and 78–81, Maria Margaret Lopes and Irina Podgorny, 'The Shaping of Latin American Museums of Natural History, 1850–1990', *Osiris* 15 (2000): 108–18, and Carolyne Larson, '"Noble and Delicate Sentiments": Museum Natural Scientists as an Emotional Community in Argentina, 1862–1920', *Historical Studies in the Natural Sciences* 47 (2017): 43–50.

15 Levine and Novoa, *¡Darwinistas!*, 113–6, Novoa and Levine, *From Man to Ape*, 83–7, Larson, '"Noble and Delicate Sentiments"', 53, Marcelo Montserrat, 'The Evolutionist Mentality in Argentina: An Ideology of Progress', in Glick, Puig-Samper, and Ruiz, eds., *The Reception of Darwinism*, 6, and Francisco Moreno, *Viaje a la patagonia austral* (Buenos Aires: Sociedad de Abogados Editores), 28 and 199.

16 Levine and Novoa, *¡Darwinistas!*, 113–6, Novoa and Levine, *From Man to Ape*, 83–7, Carolyne Larson, *Our Indigenous Ancestors: A Cultural History of Museums, Science,*

and Identity in Argentina, 1877–1943 (University Park: Penn State University Press, 2015), 17–20, and Frederico Freitas, 'The Journeys of Francisco Moreno', accessed 5 June 2020, https://fredericofreitas.org/2009/08/18/the-journeys-of-francisco-moreno/.

17 Levine and Novoa, *¡Darwinistas!*, 113–23, and Novoa and Levine, *From Man to Ape*, 83–7 and 148–50.

18 Levine and Novoa, *¡Darwinistas!*, 116, Larson, *Our Indigenous Ancestors*, 35–42, and Sadiah Qureshi, 'Looking to Our Ancestors', in *Time Travelers: Victorian Encounters with Time and History*, eds. Adelene Buckland and Sadiah Qureshi (Chicago: University of Chicago Press, 2020).

19 Larson, *Our Indigenous Ancestors*, 35–42, Novoa and Levine, *From Man to Ape*, 125, and Carlos Gigoux, '"Condemned to Disappear": Indigenous Genocide in Tierra del Fuego', *Journal of Genocide Research* (2020).

20 Levine and Novoa, *¡Darwinistas!*, 113–5, and Novoa and Levine, *From Man to Ape*, 149–53.

21 Levine and Novoa, *¡Darwinistas!*, 195–9, Novoa and Levine, *From Man to Ape*, 145, Montserrat, 'The Evolutionist Mentality in Argentina', 6, Larson, '"Noble and Delicate Sentiments"', 57–66, and Irina Podgorny, 'Bones and Devices in the Constitution of Paleontology in Argentina at the End of the Nineteenth Century', *Science in Context* 18 (2005).

22 Levine and Novoa, *¡Darwinistas!*, 200–2.

23 Levine and Novoa, *¡Darwinistas!*, 200–2.

24 Thomas Glick, 'The Reception of Darwinism in Uruguay', in Glick, Puig-Samper and Ruiz, eds., *The Reception of Darwinism*, Pedro M. Pruna Goodgall, 'Biological Evolutionism in Cuba at the End of the Nineteenth Century', in Glick, Puig-Samper, and Ruiz, eds., *The Reception of Darwinism*, Roberto Moreno, 'Mexico', in *The Comparative Reception of Darwinism*, ed. Thomas Glick (Chicago: University of Chicago Press, 1988).

25 Levine and Novoa, *¡Darwinistas!*, 138, and Podgorny, 'Bones and Devices', 261.

26 Vucinich, *Darwin in Russian Thought*, 217–8, Daniel Todes, *Darwin Without Malthus: The Struggle for Existence in Russian Evolutionary Thought* (Oxford: Oxford University Press, 1989), 143–6 [『ロシアの博物学者たち――ダーウィン進化論と相互扶助論』ダニエル・P・トーデス著、垂水雄二訳、工作舎、1992年], Nikolai Severtzov, 'The Mammals of Turkestan', *Annals and Magazine of Natural History* 36 (1876), and Nikolai Severtzov to Charles Darwin, 26 September [1875], Darwin Correspondence Project, Letter no. 10172, accessed 14 August 2020, https://www.darwinproject.ac.uk/

letter/DCP-LETT-10172.xml.

27 Todes, *Darwin Without Malthus*, 144–7［『ロシアの博物学者たち』］.

28 Todes, *Darwin Without Malthus*, 146–51［『ロシアの博物学者たち』］, and Severtzov, 'The Mammals of Turkestan', 41–5, 172–217, and 330–3.

29 Todes, *Darwin Without Malthus*, 148–51［『ロシアの博物学者たち』］.

30 Vucinich, *Darwin in Russian Thought*, 12–32, and James Rogers, 'The Reception of Darwin's *Origin of Species* by Russian Scientists', *Isis* 64 (1973).

31 Alexander Vucinich, *Science in Russian Culture: A History to 1860* (London: Peter Owen, 1965), 247–384, and Alexander Vucinich, *Science in Russian Culture, 1861–1917* (Stanford: Stanford University Press, 1970), 3–86.

32 Vucinich, *Darwin in Russian Thought*, 18–19 and 84, Michael Katz, 'Dostoevsky and Natural Science', *Dostoevsky Studies* 9 (1988), George Kline, 'Darwinism and the Russian Orthodox Church', in *Continuity and Change in Russian and Soviet Thought*, ed. Ernest Simmons (Cambridge, MA: Harvard University Press, 1955), Anna Berman, 'Darwin in the Novels: Tolstoy's Evolving Literary Response', *The Russian Review* 76 (2017), and Leo Tolstoy, *Anna Karenina*, trans. Constance Garnett (New York: The Modern Library, 2000), 533［『アンナ・カレーニナ』（1 ～ 4）トルストイ著、望月哲男訳、光文社古典新訳文庫、2008年］.

33 Todes, *Darwin Without Malthus*, 3–29［『ロシアの博物学者たち』］.

34 Todes, *Darwin Without Malthus*, 82–102［『ロシアの博物学者たち』］, Vucinich, *Darwin in Russian Thought*, 278–81, Kirill Rossiianov, 'Taming the Primitive: Elie Metchnikov and His Discovery of Immune Cells', *Osiris* 23 (2008), and Ilya Mechnikov, 'Nobel Lecture: On the Present State of the Question of Immunity in Infectious Diseases', The Nobel Prize, accessed 14 August 2020, https://www.nobelprize.org/prizes/medicine/1908/mechnikov/lecture/.

35 Todes, *Darwin Without Malthus*, 82–5 and 91［『ロシアの博物学者たち』］.

36 Todes, *Darwin Without Malthus*, 82–102［『ロシアの博物学者たち』］, and Vucinich, *Darwin in Russian Thought*, 278–81.

37 Rossiianov, 'Taming the Primitive', 223, and Vucinich, *Darwin in Russian Thought*, 281.

38 Rossiianov, 'Taming the Primitive', 214.

39 Ann Koblitz, 'Science, Women, and the Russian Intelligentsia: The Generation of the 1860s', *Isis* 79 (1988), Mary Creese, *Ladies in the Laboratory IV: Imperial Russia's Women in Science, 1800–1900: A Survey of Their Contributions to Research* (Lanham: Rowman & Littlefield, 2015), xi–xii and 76–8, and Marilyn Ogilvie and Joy Harvey,

'Sofia Pereiaslavtseva', in *The Biographical Dictionary of Women in Science: Pioneering Lives from Ancient Times to the Mid-20th Century*, eds. Marilyn Ogilvie and Joy Harvey (London: Routledge, 2000).

40 Creese, *Ladies in the Laboratory IV*, 76–8.

41 Creese, *Ladies in the Laboratory IV*, 76–8.

42 Todes, *Darwin Without Malthus*, 123–34 [『ロシアの博物学者たち』], and Jerry Bergman, *The Darwin Effect: Its Influence on Nazism, Eugenics, Racism, Communism, Capitalism, and Sexism* (Master Books: Green Forest, 2014), 288–9.

43 Todes, *Darwin Without Malthus*, 45–7 [『ロシアの博物学者たち』].

44 Todes, *Darwin Without Malthus*, 51–9 [『ロシアの博物学者たち』].

45 Todes, *Darwin Without Malthus*, 51–9 [『ロシアの博物学者たち』].

46 Vucinich, *Darwin in Russian Thought*, 87.

47 Godart, *Darwin, Dharma, and the Divine*, 2–3 and 26–30[『ダーウィン、仏教、神』], Masao Watanabe, *The Japanese and Western Science* (Philadelphia: University of Pennsylvania Press, 1990), 41–67, Kuang-chi Hung, 'Alien Science, Indigenous Thought and Foreign Religion: Reconsidering the Reception of Darwinism in Japan', *Intellectual History Review* 19 (2009), and Ian Miller, *The Nature of the Beasts: Empire and Exhibition at the Tokyo Imperial Zoo* (Berkeley: University of California Press, 2013), 51.

48 Miller, *The Nature of the Beasts*, 51–2.

49 Miller, *The Nature of the Beasts*, 49–50, Taku Komai, 'Genetics of Japan, Past and Present', *Science* 123 (1956): 823, and James Bartholomew, *The Formation of Science in Japan: Building a Research Tradition* (New Haven: Yale University Press, 1989), 59.

50 Bartholomew, *The Formation of Science in Japan*, 49–100, and Watanabe, *The Japanese and Western Science*, 41–67.

51 Hung, 'Alien Science', 231, Godart, *Darwin, Dharma, and the Divine*, 28 [『ダーウィン、仏教、神』], Watanabe, *The Japanese and Western Science*, 39–50, Eikoh Shimao, 'Darwinism in Japan, 1877–1927', *Annals of Science* 38 (1981): 93, and Naohide Isono, 'Contributions of Edward S. Morse to Developing Young Japan', in *Foreign Employees in Nineteenth-Century Japan*, eds. Edward Beauchamp and Akira Iriye (Boulder: Westview, 1990).

52 Komai, 'Genetics of Japan', 823, Bartholomew, *The Formation of Science in Japan*, 68–70, and Frederick Churchill, *August Weismann: Development, Heredity, and Evolution* (Cambridge, MA: Harvard University Press, 2015), 354–6.

53 Churchill, *August Weismann*, 354–6 and 644–5, and Komai, 'Genetics of Japan', 823.

54 Watanabe, *The Japanese and Western Science*, 71–3.

55 Godart, *Darwin, Dharma, and the Divine*, 2–21 [『ダーウィン、仏教、神』].

56 Godart, *Darwin, Dharma, and the Divine*, 103–12 [『ダーウィン、仏教、神』], Watanabe, *The Japanese and Western Science*, 84–95, Shimao, 'Darwinism in Japan', 95, Gregory Sullivan, 'Tricks of Transference: Oka Asajirō (1868–1944) on Laissez-Faire Capitalism', *Science in Context* 23 (2010): 370–85, and Gregory Sullivan, *Regenerating Japan: Organicism, Modernism and National Destiny in Oka Asajirō's Evolution and Human Life* (Budapest: Central European University Press, 2018), 1–3.

57 Godart, *Darwin, Dharma, and the Divine*, 103–12 [『ダーウィン、仏教、神』], Watanabe, *The Japanese and Western Science*, 84–95, and Sullivan, 'Tricks of Transference', 373–85.

58 Godart, *Darwin, Dharma, and the Divine*, 103 [『ダーウィン、仏教、神』], Watanabe, *The Japanese and Western Science*, 84–95, Sullivan, 'Tricks of Transference', 370–85, and Ernest Lee and Stefanos Kales, 'Chemical Weapons', in *War and Public Health*, eds. Barry Levy and Victor Sidel (Oxford: Oxford University Press, 2008), 128.

59 Bartholomew, *The Formation of Science in Japan*, 69–70, and Watanabe, *The Japanese and Western Science*, 95.

60 Xiaoxing Jin, 'The Evolution of Evolutionism in China, 1870–1930', *Isis* 111 (2020): 50–1.

61 Jin, 'The Evolution of Evolutionism in China', 50–2, Xiaoxing Jin, 'Translation and Transmutation: *The Origin of Species* in China', *The British Journal for the History of Science* 52 (2019): 122–3, and Haiyan Yang, 'Knowledge Across Borders: The Early Communication of Evolution in China', in *The Circulation of Knowledge between Britain, India, and China*, eds. Bernard Lightman, Gordon McOuat, and Larry Stewart (Leiden: Brill, 2013).

62 Jin, 'The Evolution of Evolutionism in China', 48–50, and James Pusey, *China and Charles Darwin* (Cambridge, MA: Harvard University Press, 1983), 16 and 58–60.

63 Jin, 'The Evolution of Evolutionism in China', 50–2, Haiyan Yang, 'Encountering Darwin and Creating Darwinism in China', in *The Cambridge Encyclopedia of Darwin and Evolutionary Thought*, ed. Michael Ruse (Cambridge: Cambridge University Press, 2013), 253, Frank Dikötter, *The Discourse of Race in Modern China* (Oxford: Oxford University Press, 2015), 140, and Zunke Ke and Bin Li, 'Spencer and Science Education in China', in Lightman, ed., *Global Spencerism*.

64 Pusey, *China and Charles Darwin*, 92–117 and 317–8.

65 Pusey, *China and Charles Darwin*, 58–9, Joseph Needham, *Science and Civilisation in*

China: The History of Scientific Thought (Cambridge: Cambridge University Press, 1956), vol. 2, 74–81 and 317–8 [『中国の科学と文明――思想史』(上下) ジョゼフ・ニーダム著、吉川忠夫ほか訳、思索社、1991年], and Joseph Needham and Donald Leslie, 'Ancient and Mediaeval Chinese Thought on Evolution', in *Theories and Philosophies of Medicine* (New Delhi: Institute of History of Medicine and Medical Research, 1973).

66 Jixing Pan, 'Charles Darwin's Chinese Sources', *Isis* 75 (1984).

67 Benjamin Elman, *A Cultural History of Modern Science in China* (Cambridge, MA: Harvard University Press, 2009), 198–220, Peter Lavelle, 'Agricultural Improvement at China's First Agricultural Experiment Stations', in *New Perspectives on the History of Life Sciences and Agriculture*, eds. Denise Phillips and Sharon Kingsland (Cham: Springer International, 2015), 323–41, and Joseph Lawson, 'The Chinese State and Agriculture in an Age of Global Empires, 1880–1949', in *Eco-Cultural Networks and the British Empire: New Views on Environmental History*, eds. James Beattie, Edward Melillo, and Emily O'Gorman (London: Bloomsbury, 2015).

68 Elman, *A Cultural History of Modern Science in China*, 198 and 220.

69 Jin, 'Translation and Transmutation', 125–40, and Yang, 'Encountering Darwin and Creating Darwinism in China', 254–5.

70 Jin, 'Translation and Transmutation', 125–40, Jin, 'The Evolution of Evolutionism in China', 52–4, and Yang, 'Encountering Darwin and Creating Darwinism in China', 254–5.

71 Jin, 'Translation and Transmutation', 125–40, Jin, 'The Evolution of Evolutionism in China', 52–4, Yang, 'Encountering Darwin and Creating Darwinism in China', 254–5, Pusey, *China and Charles Darwin*, 318, and Rong Zhou, *The Revolutionary Army: A Chinese Nationalist Tract of 1903*, trans. John Lust (Paris: Mouton, 1968), 58.

72 Yang, 'Encountering Darwin and Creating Darwinism in China', 254–5.

73 Pusey, *China and Charles Darwin*, 321–2, and Dikötter, *The Discourse of Race in Modern China*, 140.

74 Secord, 'Global Darwin', 51, and Todes, *Darwin Without Malthus*, 11 [『ロシアの博物学者たち』].

第6章　ナショナリズムと国際主義

1 Richard Staley, *Einstein's Generation: The Origins of the Relativity Revolution* (Chicago: University of Chicago Press, 2008), 169–70, Paul Greenhalgh, *Ephemeral Vistas: The*

Expositions Universelles, Great Exhibitions and World's Fairs, 1851–1939 (Manchester: Manchester University Press, 1988), and 'Liste de membres du Congrès international de physique', in *Rapports présentés au Congrès international de physique réuni à Paris en 1900*, eds. Charles-Édouard Guillaume and Lucien Poincaré (Paris: Gauthier-Villars, 1901), 4: 129–69.

2 Staley, *Einstein's Generation*, 138–63, Charles-Édouard Guillaume, 'The International Physical Congress', *Nature* 62 (1900), and Richard Mandell, *Paris 1900: The Great World's Fair* (Toronto: Toronto University Press, 1967), 62–88.

3 Staley, *Einstein's Generation*, 137, and Charles-Édouard Guillaume and Lucien Poincaré, 'Avertissement', in Guillaume and Poincaré, eds., *Rapports présentés*, 1: v (このパラグラフの最後の2つの引用文は著者訳。最初の引用文はステイリーによる訳).

4 Iwan Rhys Morus, *When Physics Became King* (Chicago: University of Chicago Press, 2005), 77–81, and James Clerk Maxwell, 'A Dynamical Theory of the Electromagnetic Field', *Philosophical Transactions of the Royal Society* 155 (1865): 460 and 466.

5 Morus, *When Physics Became King*, 170–2 and 188–91, and 'Liste de membres du Congrès international de physique'.

6 Peter Lebedev, 'Les forces de Maxwell-Bartoli dues à la pression de la lumière', in Guillaume and Poincaré, eds., *Rapports présentés*, 2: 133–40, and Alexander Vucinich, *Science in Russian Culture, 1861–1917* (Stanford: Stanford University Press, 1963), 2: 367–8.

7 Hantaro Nagaoka, 'La magnetostriction', in Guillaume and Poincaré, eds., *Rapports présentés*, 2: 536–56, Subrata Dasgupta, *Jagadis Chandra Bose and the Indian Response to Western Science* (New Delhi: Oxford University Press, 1999), 109–10, and Jagadish Chandra Bose, 'De la généralité des phénomènes moléculaires produits par l'électricité sur la matière inorganique et sur la matière vivante', in Guillaume and Poincaré, eds., *Rapports présentés*, 3: 581–7 (著者訳).

8 Morus, *When Physics Became King*, and Daniel Headrick, *The Tentacles of Progress: Technology Transfer in the Age of Imperialism, 1850–1940* (Oxford: Oxford University Press, 1988), 97–144 [『進歩の触手――帝国主義時代の技術移転』D・R・ヘッドリク著、原田勝正ほか訳、日本経済評論社、2005年].

9 Aaron Ihde, *The Development of Modern Chemistry* (New York: Harper & Row, 1964 [1984]), 94, 231–58, 443–74, and 747–9 [『現代化学史』(1～3) A・J・アイド著、鎌谷親善／藤井清久／藤田千枝共訳、みすず書房、1972～1977年], and V. N.

Pitchkov, 'The Discovery of Ruthenium', *Platinum Metals Review* 40 (1996): 184.

10 Ihde, *The Development of Modern Chemistry*, 249 and 488 [『現代化学史』].

11 Charles Édouard Guillaume, 'The International Physical Congress', *Nature* 62 (1900): 428.

12 Moisei Radovsky, *Alexander Popov: Inventor of the Radio*, trans. G. Yankovsky (Moscow: Foreign Languages Publishing House, 1957), 23–61.

13 Sungook Hong, *Wireless: From Marconi's Black-Box to the Audion* (Cambridge, MA: The MIT Press, 2001), 4, and Radovsky, *Alexander Popov*, 54–61.

14 Radovsky, *Alexander Popov*, 5–23.

15 Radovsky, *Alexander Popov*, 23–38, 69–73, and 79.

16 Radovsky, *Alexander Popov*, 69–73 and 79, Daniel Headrick, *The Invisible Weapon: Telecommunications and International Politics, 1851–1945* (Oxford: Oxford University Press, 1991), 123 [『インヴィジブル・ウェポン——電信と情報の世界史 1851–1945』 D・R・ヘッドリク著、横井勝彦/渡辺昭一監訳、日本経済評論社、2013年], and Robert Lochte, 'Invention and Innovation of Early Radio Technology', *Journal of Radio Studies* 7 (2000).

17 Vucinich, *Science in Russian Culture*, 2: 1–78, Paul Josephson, *Physics and Politics in Revolutionary Russia* (Berkeley: University of California Press, 1991), 9–39, and Natalia Nikiforova, 'Electricity at Court: Technology in Representation of Imperial Power', in *Electric Worlds: Creations, Circulations, Tensions, Transitions*, eds. Alain Beltran, Léonard Laborie, Pierre Lanthier, and Stéphanie Le Gallic (Brussels: Peter Lang, 2016), 66–8.

18 Joseph Bradley, *Voluntary Associations in Tsarist Russia: Science, Patriotism, and Civil Society* (Cambridge, MA: Harvard University Press, 2009), 171–2, and Radovsky, *Alexander Popov*, 18.

19 Vucinich, *Science in Russian Culture*, 2: 366–8.

20 Vucinich, *Science in Russian Culture*, 2: 151–63, Loren Graham, *Science in Russia and the Soviet Union: A Short History* (Cambridge: Cambridge University Press, 1993), 45–53, and Michael Gordin, *A Well-Ordered Thing: Dmitrii Mendeleev and the Shadow of the Periodic Table* (New York: Basic Books, 2004).

21 Vucinich, *Science in Russian Culture*, 2: 163, and Gordin, *A Well-Ordered Thing*, 8–9.

22 Michael Gordin, 'A Modernization of "Peerless Homogeneity": The Creation of Russian Smokeless Gunpowder', *Technology and Culture* 44 (2003): 682–93, and Michael Gordin, 'No Smoking Gun: D. I. Mendeleev and Pyrocollodion Gunpowder', in *Troisièmes journées scientifiques Paul Vieille* (Paris: A3P, 2000).

23 Gordin, 'The Creation of Russian Smokeless Gunpowder', 678–82.
24 Gordin, 'The Creation of Russian Smokeless Gunpowder', 680–2.
25 Gordin, 'The Creation of Russian Smokeless Gunpowder', 682–90, and Gordin, 'No Smoking Gun', 73–4.
26 Francis Michael Stackenwalt, 'Dmitrii Ivanovich Mendeleev and the Emergence of the Modern Russian Petroleum Industry, 1863–1877', *Ambix* 45 (1998), and Zack Pelta-Hella, 'Braving the Elements: Why Mendeleev Left Russian Soil for American Oil', Science History Institute, accessed 9 August 2020, https://www.sciencehistory.org/distillations/braving-the-elements-why-mendeleev-left-russian-soil-for-american-oil.
27 Mary Creese, *Ladies in the Laboratory IV: Imperial Russia's Women in Science, 1800–1900* (Lanham: Rowman & Littlefield, 2015), 54–61.
28 Creese, *Ladies in the Laboratory IV*, 52–5.
29 Creese, *Ladies in the Laboratory IV*, 55–6, and Ann Koblitz, *Science, Women and Revolution in Russia* (London: Routledge, 2014), 129.
30 Creese, *Ladies in the Laboratory IV*, 55–6 and Gisela Boeck, 'Ordering the Platinum Metals – The Contribution of Julia V. Lermontova (1846/47–1919)', in *Women in Their Element: Selected Women's Contributions to the Periodic System*, eds. Annette Lykknes and Brigitte Van Tiggelen (New Jersey: World Scientific, 2019), 112–23.
31 Creese, *Ladies in the Laboratory IV*, 57–8.
32 Gordin, *A Well-Ordered Thing*, 63–4 and 'Liste de membres du Congrès international de physique', 159.
33 Josephson, *Physics and Politics*, 16–18, Alexei Kojevnikov, *Stalin's Great Science: The Times and Adventures of Soviet Physicists* (London: Imperial College Press, 2004), 1–22, and Nathan Brooks, 'Chemistry in War, Revolution, and Upheaval: Russia and the Soviet Union, 1900–1929', *Centaurus* 39 (1997): 353–8.
34 Yakup Bektas, 'The Sultan's Messenger: Cultural Constructions of Ottoman Telegraphy, 1847–1880', *Technology and Culture* 41 (2000): 671–2, Yakup Bektas, 'Displaying the American Genius: The Electromagnetic Telegraph in the Wider World', *The British Journal for the History of Science* 34 (2001): 199–214, and John Porter Brown, 'An Exhibition of Professor Morse's Magnetic Telegraph before the Sultan', *Journal of the American Oriental Society* 1 (1849): liv–lvii.
35 Bektas, 'Displaying the American Genius', 199–216, Bektas, 'The Sultan's Messenger', 672, and Brown, 'An Exhibition', lv.
36 Roderic Davison, *Essays in Ottoman and Turkish History, 1774–1923: The Impact of the West* (Austin: University of Texas Press, 2013), 133–54, and Bektas, 'The Sultan's

Messenger', 669–94.

37 Ekmeleddin İhsanoğlu, *The House of Sciences: The First Modern University in the Muslim World* (Oxford: Oxford University Press, 2019), 1–5, Meltem Akbaş, 'The March of Military Physics – I: Physics and Mechanical Sciences in the Curricula of the 19th Century Ottoman Military Schools', *Studies in Ottoman Science* 13 (2012), Meltem Akbaş, 'The March of Military Physics – II: Teachers and Textbooks of Physics and Mechanical Sciences of the 19th Century Ottoman Military Schools', *Studies in Ottoman Science* 14 (2012), and Mustafa Kaçar, 'The Development in the Attitude of the Ottoman State towards Science and Education and the Establishment of the Engineering Schools (Mühendishanes)', in *Science, Technology and Industry in the Ottoman World*, eds. Ekmeleddin İhsanoğlu, Ahmed Djebbar, and Feza Günergun (Turnhout: Brepols Publishers, 2000).

38 Feza Günergun, 'Chemical Laboratories in Nineteenth-Century Istanbul: A Case-Study on the Laboratory of the Hamidiye Etfal Children's Hospital', *Spaces and Collections in the History of Science*, eds. Marta Lourenço and Ana Carneiro (Lisbon: Museum of Science of the University of Lisbon, 2009), 91, Ekmeleddin İhsanoğlu, 'Ottoman Educational and Scholarly Scientific Institutions', in *History of the Ottoman State, Society, and Civilization*, ed. Ekmeleddin İhsanoğlu (Istanbul: Research Center for Islamic History, Art and Culture, 2001), 2: 484–5, and İhsanoğlu, *The House of Sciences*, 1–5.

39 İhsanoğlu, *The House of Sciences*, xii, 2, and 77.

40 Akbaş, 'The March of Military Physics – II', 91–2, Feza Günergun, 'Derviş Mehmed Emin pacha (1817–1879), serviteur de la science et de l'État ottoman', in *Médecins et ingénieurs ottomans a l'âge des nationalismes*, ed. Méropi Anastassiadou-Dumont (Paris: L'Institut français d'études anatoliennes, 2003), 174–6 (著者がフランス語より翻訳), and George Vlahakis, Isabel Maria Malaquias, Nathan Brooks, François Regourd, Feza Günergun, and David Wright, *Imperialism and Science: Social Impact and Interaction* (Santa Barbara: ABC-CLIO, 2006), 103–4.

41 Vlahakis et al., *Imperialism and Science*, 104–5, M. Alper Yalçinkaya, *Learned Patriots: Debating Science, State, and Society in the Nineteenth-Century Ottoman Empire* (Chicago: University of Chicago Press, 2015), 65, and Emre Dölen, 'Ottoman Scientific Literature during the 18th and 19th Centuries', 168–71.

42 Günergun, 'Derviş Mehmed Emin', İhsanoğlu, *The House of Sciences*, 23–6, Yalçinkaya, *Learned Patriots*, 73–5, and Murat Şiviloğlu, *The Emergence of Public Opinion: State and Society in the Late Ottoman Empire* (Cambridge: Cambridge

University Press, 2018), 148–9.

43 İhsanoğlu, *The House of Sciences*, 28, Yalçinkaya, *Learned Patriots*, 76, and Marwa Elshakry, 'When Science Became Western: Historiographical Reflections', *Isis* 101 (2010).

44 Daniel Stolz, *The Lighthouse and the Observatory: Islam, Science, and Empire in Late Ottoman Egypt* (Cambridge: Cambridge University Press, 2018), 207–42, Vanessa Ogle, *The Global Transformation of Time, 1870–1950* (Cambridge, MA: Harvard University Press, 2015), 149–76, and James Gelvin and Nile Green, eds., *Global Muslims in the Age of Steam and Print* (Berkeley: University of California Press, 2014).

45 Ferhat Ozcep, 'Physical Earth and Its Sciences in Istanbul: A Journey from Pre-Modern (Islamic) to Modern Times', *History of Geo- and Space Sciences* 11 (2020): 189.

46 Amit Bein, 'The Istanbul Earthquake of 1894 and Science in the Late Ottoman Empire', *Middle Eastern Studies* 44 (2008): 916 and Ozcep, 'Physical Earth', 186.

47 Bein, 'The Istanbul Earthquake of 1894', and Ozcep, 'Physical Earth'.

48 Ozcep, 'Physical Earth', 189–93.

49 Bein, 'The Istanbul Earthquake of 1894', 920, Ozcep, 'Physical Earth', 186, and Demetrios Eginitis, 'Le tremblement de terre de Constantinople du 10 juillet 1894', *Annales de géographie* 15 (1895): 165 (著者訳).

50 İhsanoğlu, *The House of Sciences*, 86–93 and 218–22, and Lâle Aka Burk, 'Fritz Arndt and His Chemistry Books in the Turkish Language', *Bulletin of the History of Chemistry* 28 (2003).

51 Jagadish Chandra Bose, 'Electro-Magnetic Radiation and the Polarisation of the Electric Ray', in *Collected Physical Pages of Sir Jagadis Chunder Bose* (London: Longmans, Green and Co., 1927), and Dasgupta, *Jagadis Chandra Bose*, 1–3.

52 Bose, 'Electro-Magnetic Radiation', 77–101.

53 Bose, 'Electro-Magnetic Radiation', 100–1.

54 Dasgupta, *Jagadis Chandra Bose*, 16–28, John Lourdusamy, *Science and National Consciousness in Bengal: 1870–1930* (New Delhi: Orient Blackswan, 2004), 100–1, and Deepak Kumar, 'Science in Higher Education: A Study in Victorian India', *Indian Journal of History of Science* 19 (1984): 253–5.

55 Lourdusamy, *Science and National Consciousness*, 56–95, and Pratik Chakrabarti, *Western Science in Modern India: Metropolitan Methods, Colonial Practices* (New Delhi: Orient Blackswan, 2004), 157.

56 Lourdusamy, *Science and National Consciousness*, 101, and Dasgupta, *Jagadis Chandra*

Bose, 32–4.

57 Lourdusamy, *Science and National Consciousness*, 101, and Dasgupta, *Jagadis Chandra Bose*, 43.

58 Dasgupta, *Jagadis Chandra Bose*, 51–5 and 72–3, and Jagadish Chandra Bose, 'On the Rotation of Plane of Polarisation of Electric Waves by a Twisted Structure', *Proceedings of the Royal Society of London* 63 (1898): 150–2.

59 Dasgupta, *Jagadis Chandra Bose*, 48–9 and 82, Viśvapriya Mukherji, 'Some Historical Aspects of Jagadis Chandra Bose's Microwave Research during 1895–1900', *Indian Journal of History of Science* 14 (1979): 97, and Jagadish Chandra Bose, 'On a Self-Recovering Coherer and the Study of the Cohering Action of Different Metals', *Proceedings of the Royal Society of London* 65 (1900).

60 Dasgupta, *Jagadis Chandra Bose*, 56.

61 Dasgupta, *Jagadis Chandra Bose*, 109, and Lourdusamy, *Science and National Consciousness*, 115.

62 David Arnold, *Science, Technology and Medicine in Colonial India* (Cambridge: Cambridge University Press, 2000), 129–34 and 191, Deepak Kumar, *Science and the Raj, 1857–1905* (New Delhi: Oxford University Press, 1995), 74–179, and Aparajito Basu, 'Chemical Research in India (1876–1918)', *Annals of Science* 52 (1995): 592.

63 Suvobrata Sarkar, *Let There be Light: Engineering, Entrepreneurship, and Electricity in Colonial Bengal, 1880–1945* (Cambridge: Cambridge University Press, 2020), 119, and Aparajita Basu, 'The Conflict and Change-Over in Indian Chemistry', *Indian Journal of History of Science* 39 (2004): 337–46.

64 Arnold, *Science, Technology and Medicine*, 138–40 and 166, and Kumar, 'Science in Higher Education', 253–5.

65 Chakrabarti, *Western Science*, 157–62, and Lourdusamy, *Science and National Consciousness*, 56–95.

66 Lourdusamy, *Science and National Consciousness*, 144–5, David Arnold, *Toxic Histories: Poison and Pollution in Modern India* (Cambridge: Cambridge University Press, 2016), 114, Priyadaranjan Ray, 'Prafulla Chandra Ray: 1861–1944', *Biographical Memoirs of Fellows of the Indian National Science Academy* 1 (1944), and Prafulla Chandra Ray, *Life and Experiences of a Bengali Chemist* (London: Kegan Paul, French, Trübner, 1923), 1–47.

67 Lourdusamy, *Science and National Consciousness*, 144–5, and Ray, *Life and Experiences*, 50–76.

68 Ray, *Life and Experiences*, 112–3, and Madhumita Mazumdar, 'The Making of an

Indian School of Chemistry, Calcutta, 1889–1924', in *Science and Modern India: An Institutional History, c.1784–1947*, ed. Uma Das Gupta (New Delhi: Pearson Longman, 2011), 806–12.

69 Ray, *Life and Experiences*, 113–5, Mazumdar, 'The Making of an Indian School of Chemistry', 807, and Dhruv Raina, *Images and Contexts: The Historiography of Science and Modernity in India* (New Delhi: Oxford University Press, 2010), 75.

70 Mazumdar, 'The Making of an Indian School of Chemistry', 807, Ray, *Life and Experiences*, 113–4, Arnab Rai Choudhuri and Rajinder Singh, 'The FRS Nomination of Sir Prafulla C. Ray and the Correspondence of N. R. Dhar', *Notes and Records* 721 (2018): 58–61, and Prafulla Chandra Ray, 'On Mercurous Nitrite', *Journal of the Asiatic Society of Bengal* 65 (1896): 2–9.

71 Lourdusamy, *Science and National Consciousness*, 143–52 and 170–2, Ray, *Life and Experiences*, 92–111, and Pratik Chakrabarti, 'Science and Swadeshi: The Establishment and Growth of the Bengal Chemical and Pharmaceutical Works, 1893–1947', in Gupta, ed., *Science and Modern India*, 117–8.

72 Lourdusamy, *Science and National Consciousness*, 154.

73 Ray, *Life and Experiences*, 104–14, Lourdusamy, *Science and National Consciousness*, 154, Raina, *Images and Contexts*, 61–72, Projit Bihari Mukharji, 'Parachemistries: Colonial Chemopolitics in a Zone of Contest', *History of Science* 54 (2016): 362–5, Prafulla Chandra Ray, 'Antiquity of Hindu Chemistry', in *Essays and Discourses*, ed. Prafulla Chandra Ray (Madras: G. A. Natesan & Co., 1918), 102, Prafulla Chandra Ray, 'The Bengali Brain and Its Misuse', in Ray, ed., *Essays and Discourses*, 207, and Prafulla Chandra Ray, *A History of Hindu Chemistry* (Calcutta: Bengal Chemical and Pharmaceutical Works, 1902–4), 2 vols.

74 Mukharji, 'Parachemistries', 362–5, Raina, *Images and Contexts*, 61–72, Ray, *Life and Experiences*, 115–8, and Prafulla Chandra Ray, *The Rasārṇavam*, or *The Ocean of Mercury and Other Metals and Minerals* (Calcutta: Satya Press, 1910), 1–2.

75 Basu, 'The Conflict and Change-Over', 337–44, and Arnold, *Science, Technology and Medicine*, 191.

76 Arnold, *Science, Technology and Medicine*, 165, and Mazumdar, 'The Making of an Indian School of Chemistry', 23.

77 Greg Clancey, *Earthquake Nation: The Cultural Politics of Japanese Seismicity, 1868–1930* (Berkeley: University of California Press, 2006), 128–50.

78 Haruyo Yoshida, 'Aikitu Tanakadate and the Controversy over Vertical Electrical Currents in Geomagnetic Research', *Earth Sciences History* 20 (2001): 156–60.

79 Kenkichiro Koizumi, 'The Emergence of Japan's First Physicists: 1868–1900', *Historical Studies in the Physical Sciences* 6 (1975): 72–81.

80 Koizumi, 'The Emergence of Japan's First Physicists', 72–81, James Bartholomew, *The Formation of Science in Japan: Building a Research Tradition* (New Haven: Yale University Press, 1989), 62–75, and Aikitsu Tanakadate, 'Mean Intensity of Magnetization of Soft Iron Bars of Various Lengths in a Uniform Magnetic Field', *The Philosophical Magazine* 26 (1888).

81 Yoshida, 'Aikitu Tanakadate', 159–72.

82 John Cawood, 'The Magnetic Crusade: Science and Politics in Early Victorian Britain', *Isis* 70 (1979), Yoshida, 'Aikitu Tanakadate', 159–72, and Cargill Knott and Aikitsu Tanakadate, 'A Magnetic Survey of All Japan', *The Journal of the College of Science, Imperial University, Japan* 2 (1889): 168 and 216.

83 Yoshida, 'Aikitu Tanakadate', 159–72, and Aikitsu Tanakadate and Hantaro Nagaoka, 'The Disturbance of Isomagnetics Attending the Mino-Owari Earthquake of 1891', *The Journal of the College of Science, Imperial University, Japan* 5 (1893): 150 and 175.

84 Koizumi, 'The Emergence of Japan's First Physicists', 4–16, Bartholomew, *The Formation of Science in Japan*, 49–50, and William Brock, 'The Japanese Connexion: Engineering in Tokyo, London, and Glasgow at the End of the Nineteenth Century', *The British Journal for the History of Science* 14 (1981): 229.

85 Bartholomew, *The Formation of Science in Japan*, 52, Koizumi, 'The Emergence of Japan's First Physicists', 77, and Yoshiyuki Kikuchi, *Anglo-American Connections in Japanese Chemistry: The Lab as Contact Zone* (Basingstoke: Palgrave Macmillan, 2013), 97–8.

86 Kikuchi, *Anglo-American Connections*, 45–6 and 90, and Togo Tsukahara, *Affinity and Shinwa Ryoku: Introduction of Western Chemical Concepts in Early Nineteenth-Century Japan* (Amsterdam: J. C. Gieben, 1993), 1–3 and 149–50.

87 Tetsumori Yamashima, 'Jokichi Takamine (1854–1922), the Samurai Chemist, and His Work on Adrenalin', *Journal of Medical Biography* 11 (2003), and William Shurtleff and Akiko Aoyagi, *Jokichi Takamine (1854–1922) and Caroline Hitch Takamine (1866–1954): Biography and Bibliography* (Lafayette: Soyinfo Center, 2012), 5–14.

88 Yamashima, 'Jokichi Takamine (1854–1922)', and Shurtleff and Aoyagi, *Jokichi Takamine*, 224.

89 Bartholomew, *The Formation of Science in Japan*, 63, and Koizumi, 'The Emergence of Japan's First Physicists', 82–4.

90 Koizumi, 'The Emergence of Japan's First Physicists', 84–7.
91 Koizumi, 'The Emergence of Japan's First Physicists', 90–2, Eri Yagi, 'On Nagaoka's Saturnian Atom (1903)', *Japanese Studies in the History of Science* 3 (1964), and Hantaro Nagaoka, 'Motion of Particles in an Ideal Atom Illustrating the Line and Band Spectra and the Phenomena of Radioactivity', *Journal of the Tokyo Mathematico-Physical Society* 2 (1904).
92 'Liste de membres du Congrès international de physique', 156, Koizumi, 'The Emergence of Japan's First Physicists', 89, and Tanakadate and Nagaoka, 'The Disturbance of Isomagnetics'.
93 Eri Yagi, 'The Development of Nagaoka's Saturnian Atomic Model, I – Dispersion of Light', *Japanese Studies in the History of Science* 6 (1967): 25, and Eri Yagi, 'The Development of Nagaoka's Saturnian Atomic Model, II – Nagaoka's Theory of the Structure of Matter', *Japanese Studies in the History of Science* 11 (1972): 76–8.
94 Yagi, 'On Nagaoka's Saturnian Atom', 29–47, Lawrence Badash, 'Nagaoka to Rutherford, 22 February 1911', *Physics Today* 20 (1967), and Ernest Rutherford, 'The Scattering of α and β Particles by Matter and the Structure of the Atom', *Philosophical Magazine* 21 (1911): 688.
95 Koizumi, 'The Emergence of Japan's First Physicists', 65.
96 Bartholomew, *The Formation of Science in Japan*, 199–201.
97 Koizumi, 'The Emergence of Japan's First Physicists', 96.
98 'In Memory of Pyotr Nikolaevich Lebedev', *Physics-Uspekhi* 55 (2012).
99 Morus, *When Physics Became King*, 167.
100 Koizumi, 'The Emergence of Japan's First Physicists', 18.

第4部　イデオロギーと戦争の余波　1914年～2000年頃

第7章　政治の時代の物理学

1 Josef Eisinger, *Einstein on the Road* (Amherst: Prometheus Books, 2011), 32–4, Danian Hu, *China and Albert Einstein: The Reception of the Physicist and His Theory in China, 1917–1979* (Cambridge, MA: Harvard University Press, 2009), 66–74, Albert Einstein, *The Travel Diaries of Albert Einstein: The Far East, Palestine, and Spain, 1922–1923*, ed. Ze'ev Rosenkranz (Princeton: Princeton University Press, 2018), 135 [『アインシュタインの旅行日記――日本・パレスチナ・スペイン』アルバート・アインシュタイン著、ゼエブ・ローゼンクランツ編、畔上司訳、草思社、2019年], and

Alice Calaprice, ed., *The Ultimate Quotable Einstein* (Princeton: Princeton University Press, 2011), 419.

2 Eisinger, *Einstein on the Road*, 34–51, and Einstein, *Travel Diaries*, 143 [『アインシュタインの旅行日記』].

3 Eisinger, *Einstein on the Road*, 36–46, and Seiya Abiko, 'Einstein's Kyoto Address: "How I Created the Theory of Relativity"', *Historical Studies in the Physical and Biological Sciences* 31 (2000): 1–6.

4 Eisinger, *Einstein on the Road*, 58–63, David Rowe and Robert Schulmann, eds., *Einstein on Politics: His Private Thoughts and Public Stands on Nationalism, Zionism, War, Peace, and the Bomb* (Princeton: Princeton University Press, 2007), 95–105 and 125–6, and Richard Crockatt, *Einstein and Twentieth-Century Politics* (Oxford: Oxford University Press, 2016), 77–106.

5 Eisinger, *Einstein on the Road*, 58–63, Calaprice, ed., *Quotable Einstein*, 194 and 202, and Rowe and Schulmann, *Einstein on Politics*, 156–9.

6 Calaprice, ed., *Quotable Einstein*, 165.

7 Calaprice, ed., *Quotable Einstein*, 292, Crockatt, *Einstein and Twentieth-Century Politics*, 29, Rowe and Schulmann, *Einstein on Politics*, 189–97, and Kenkichiro Koizumi, 'The Emergence of Japan's First Physicists: 1868–1900', *Historical Studies in the Physical Sciences* 6 (1975): 80.

8 Ashish Lahiri, 'The Creative Mind: A Mirror or a Component of Reality?', in *Tagore, Einstein and the Nature of Reality: Literary and Philosophical Reflections*, ed. Partha Ghose (London: Routledge, 2019), 215–7.

9 Abraham Pais, 'Paul Dirac: Aspects of His Life and Work', in *Paul Dirac: The Man and His Work*, ed. Peter Goddard (Cambridge: Cambridge University Press, 1998), 14–16 [『ポール・ディラック――人と業績』アブラハム・パイスほか著、藤井昭彦訳、ちくま学芸文庫、2012年], Kenji Ito, 'Making Sense of Ryôshiron (Quantum Theory): Introduction of Quantum Physics into Japan, 1920–1940' (PhD diss., Harvard University, 2002), 260–1, and Kangnian Yan, 'Niels Bohr in China', in *Chinese Studies in the History and Philosophy of Science and Technology*, eds. Fan Dainian and Robert Cohen (Dordrecht: Springer Netherlands, 1996), 433–7.

10 Alexei Kojevnikov, *Stalin's Great Science: The Times and Adventures of Soviet Physicists* (London: Imperial College Press, 2004), 103–6, and Istvan Hargittai, *Buried Glory: Portraits of Soviet Scientists* (Oxford: Oxford University Press, 2013), 98–102.

11 Kojevnikov, *Stalin's Great Science*, 107–8, and Hargittai, *Buried Glory*, 103.

12 Hargittai, *Buried Glory*, 104–5, and Jack Boag, David Shoenberg, and P. Rubinin,

eds., *Kapitza in Cambridge and Moscow: Life and Letters of a Russian Physicist* (Amsterdam: North-Holland, 1990), 235.

13 Kojevnikov, *Stalin's Great Science*, 107–9, and Hargittai, *Buried Glory*, 104–5.

14 Kojevnikov, *Stalin's Great Science*, 116–7, Peter Kapitza, 'Viscosity of Liquid Helium below the λ -Point', *Nature* 74 (1938): 74, and Sébastien Balibar, 'Superfluidity: How Quantum Mechanics Became Visible', in *History of Artificial Cold, Scientific, Technological and Cultural Issues*, ed. Kostas Gavroglu (Dordrecht: Springer, 2014).

15 Kojevnikov, *Stalin's Great Science*, 1–28, Valerii Ragulsky, 'About People with the Same Life Attitude: 100th Anniversary of Lebedev's Lecture on the Pressure of Light', *Physics-Uspekhi* 54 (2011): 294, Paul Josephson, *Physics and Politics in Revolutionary Russia* (Berkeley: University of California Press, 1991), 1–6 and 62, Loren Graham, *Science in Russia and the Soviet Union: A Short History* (Cambridge: Cambridge University Press, 1993), 79–98, and R. W. Davies, 'Soviet Military Expenditure and the Armaments Industry, 1929–33: A Reconsideration', *Europe–Asia Studies* 45 (1993): 578.

16 Kojevnikov, *Stalin's Great Science*, 41, and Josephson, *Physics and Politics*, 1–6, 106, and 134–5.

17 Josephson, *Physics and Politics*, 6 and 23, Loren Graham, *Science, Philosophy, and Human Behavior in the Soviet Union* (New York: Columbia University Press, 1987), 322–3, and Clemens Dutt, ed., *V. I. Lenin: Collected Works*, trans. Abraham Fineberg (Moscow: Progress Publishers, 1962), 14: 252–7 and 33: 227–36.

18 Alexander Vucinich, *Einstein and Soviet Ideology* (Stanford: Stanford University Press, 2001), 1–5, 13, and 58–68, V. P. Vizgin and G. E. Gorelik, 'The Reception of the Theory of Relativity in Russia and the USSR', in *The Comparative Reception of Relativity*, ed. Thomas Glick (Dordrecht: Springer, 1987), and Ethan Pollock, *Stalin and the Soviet Science Wars* (Princeton: Princeton University Press, 2009), 78–9.

19 Kojevnikov, *Stalin's Great Science*, 49–53, and Josephson, *Physics and Politics*, 114–6.

20 Kojevnikov, *Stalin's Great Science*, 53–6, and Victor Frenkel, *Yakov Illich Frenkel*, trans. Alexander Silbergleit (Basel: Springer Basel, 1996), 28–9.

21 Kojevnikov, *Stalin's Great Science*, 48–55.

22 Kojevnikov, *Stalin's Great Science*, 48–55, and Yakov Frenkel, 'Beitrag zur Theorie der Metalle', *Zeitschrift für Physik* 29 (1924).

23 Josephson, *Physics and Politics*, 221, and M. Shpak, 'Antonina Fedorovna Prikhot'ko (On Her Sixtieth Birthday)', *Soviet Physics Uspekhi* 9 (1967): 785–6.

24 Shpak, 'Antonina Fedorovna Prikhot'ko', 785–6.

25 Kojevnikov, *Stalin's Great Science*, 74–6, Hargittai, *Buried Glory*, 119–20, Josephson, *Physics and Politics*, 224, and Karl Hall, 'The Schooling of Lev Landau: The European Context of Postrevolutionary Soviet Theoretical Physics', *Osiris* 23 (2008).

26 Kojevnikov, *Stalin's Great Science*, 85–92, Hargittai, *Buried Glory*, 121, and Nikolai Krementsov and Susan Gross Solomon, 'Giving and Taking across Borders: The Rockefeller Foundation and Russia, 1919–1928', *Minerva* 39 (2001).

27 Kojevnikov, *Stalin's Great Science*, 117, and L. Reinders, *The Life, Science and Times of Lev Vasilevich Shubnikov: A Pioneer of Soviet Cryogenics* (Cham: Springer, 2018), 23–32.

28 Reinders, *Lev Vasilevich Shubnikov*, 171–92.

29 Kojevnikov, *Stalin's Great Science*, 85–8, Hargittai, *Buried Glory*, 109–10 and 125, and Josephson, *Physics and Politics*, 312.

30 Hargittai, *Buried Glory*, 128.

31 Hargittai, *Buried Glory*, 112 and 122.

32 Hu, *China and Albert Einstein*, 58–9, Pingshu Gao, 'Cai Yuanpei's Contributions to China's Science', in Dainian and Cohen, eds., *Chinese Studies*, 399, and Nianzu Dai, 'The Development of Modern Physics in China: The 50th Anniversary of the Founding of the Chinese Physical Society', in Dainian and Cohen, eds., *Chinese Studies*, 208.

33 Hu, *China and Albert Einstein*, 89–92.

34 Hu, *China and Albert Einstein*, 92–7.

35 Hu, *China and Albert Einstein*, 58–61 and 133.

36 Hu, *China and Albert Einstein*, 66–9, and Gao, 'Cai Yuanpei's Contributions', 397–404.

37 Hu, *China and Albert Einstein*, 127, and Dai, 'Development of Modern Physics', 209–10.

38 Danian Hu, 'American Influence on Chinese Physics Study in the Early Twentieth Century', *Physics in Perspective* 17 (2016): 277.

39 Hu, *China and Albert Einstein*, 44–6.

40 Hu, *China and Albert Einstein*, 116–7, and Mary Bullock, 'American Science and Chinese Nationalism: Reflections on the Career of Zhou Peiyuan', in *Remapping China: Fissures in Historical Terrain*, eds. Gail Hershatter, Emily Honig, Jonathan Lipman, and Randall Stross (Stanford: Stanford University Press, 1996), 214–5.

41 Hu, *China and Albert Einstein*, 116–7, and Bullock, 'American Science and Chinese Nationalism', 214–6.

42 Hu, *China and Albert Einstein*, 116–9, and P'ei-yuan Chou, 'The Gravitational Field of a Body with Rotational Symmetry in Einstein's Theory of Gravitation', *American Journal of Mathematics* 53 (1931).

43 Hu, *China and Albert Einstein*, 119–20, and Bullock, 'American Science and Chinese Nationalism', 217.

44 Hu, *China and Albert Einstein*, 119–20, and Dai, 'Development of Modern Physics', 210–13.

45 Wei Zhang, 'Millikan and China', in Dainian and Cohen, eds., *Chinese Studies*.

46 Dai, 'Development of Modern Physics', 210, Zuoyue Wang, 'Zhao Zhongyao', in *New Dictionary of Scientific Biography*, ed. Noretta Koertge (Detroit: Charles Scribner's Sons, 2008), 8: 397–402, and William Duane, H. H. Palmer, and Chi-Sun Yeh, 'A Remeasurement of the Radiation Constant, h, by Means of X-Rays', *Proceedings of the National Academy of Sciences of the United States of America* 7 (1921).

47 Zhang, 'Millikan and China', 441–2, Dai, 'Development of Modern Physics', 210, Wang, 'Zhao Zhongyao', 397–402, and C. Y. Chao, 'The Absorption Coefficient of Hard γ-Rays', *Proceedings of the National Academy of Sciences of the United States of America* 16 (1930).

48 Jagdish Mehra and Helmut Rechenberg, *The Historical Development of Quantum Theory* (New York: Springer, 1982), 6: 804, and Cong Cao, 'Chinese Science and the "Nobel Prize Complex"', *Minerva* 42 (2004): 154.

49 Gao, 'Cai Yuanpei's Contributions', 398.

50 Ito, 'Making Sense of Ryôshiron', 20–1, 91–2, and 165–6.

51 Ito, 'Making Sense of Ryôshiron', 56–7 and 87–8, Tsutomu Kaneko, 'Einstein's Impact on Japanese Intellectuals', in Glick, ed., *The Comparative Reception of Relativity*, 354, Morris Low, *Science and the Building of a New Japan* (Basingstoke: Palgrave Macmillan, 2005), 1–16, and Dong-Won Kim, 'The Emergence of Theoretical Physics in Japan: Japanese Physics Community between the Two World Wars', *Annals of Science* 52 (1995).

52 Ito, 'Making Sense of Ryôshiron', 171, Kaneko, 'Einstein's Impact on Japanese Intellectuals', 354, Low, *Science and the Building of a New Japan*, 9, and Kim, 'Emergence of Theoretical Physics', 386.

53 Low, *Science and the Building of a New Japan*, 10, Kim, 'Emergence of Theoretical Physics', 386–7, and L. M. Brown et al., 'Cosmic Ray Research in Japan before World War II', *Progress of Theoretical Physics Supplement* 105 (1991): 25.

54 Ito, 'Making Sense of Ryôshiron', 173–206, Low, *Science and the Building of a New*

Japan, 18–20, and Dong-Won Kim, *Yoshio Nishina: Father of Modern Physics in Japan* (London: Taylor and Francis, 2007), 1–15.

55 Kim, *Yoshio Nishina*, 15–46, Ito, 'Making Sense of Ryôshiron', 206–8, and Low, *Science and the Building of a New Japan*, 20.

56 Kim, *Yoshio Nishina*, 15–46, Low, *Science and the Building of a New Japan*, 20–2, and *A Century of Discovery: The History of RIKEN* (Wako: Riken, 2019), 22.

57 Ito, 'Making Sense of Ryôshiron', 208–9 and 239–45, Kim, *Yoshio Nishina*, 26–39, and Low, *Science and the Building of a New Japan*, 20–2.

58 Kim, *Yoshio Nishina*, 26–39, and Yuji Yazaki, 'How the Klein–Nishina Formula was Derived: Based on the Sangokan Nishina Source Materials', *Proceedings of the Japan Academy. Series B, Physical and Biological Sciences* 93 (2017).

59 Ito, 'Making Sense of Ryôshiron', 110–16 and 260, Low, *Science and the Building of a New Japan*, 22, and Kim, *Yoshio Nishina*, 55.

60 Ito, 'Making Sense of Ryôshiron', 261, Low, *Science and the Building of a New Japan*, 22, and Kim, *Yoshio Nishina*, 64.

61 Ito, 'Making Sense of Ryôshiron', 1, Low, *Science and the Building of a New Japan*, 106–7, Nicholas Kemmer, 'Hideki Yukawa, 23 January 1907–8 September 1981', *Biographical Memoirs of Fellows of the Royal Society* 29 (1983), L. M. Brown et al., 'Yukawa's Prediction of the Mesons', *Progress of Theoretical Physics Supplement* 105 (1991): 10, and Hideki Yukawa, *Tabibito (The Traveler)*, trans. L. Brown and R. Yoshida (Singapore: World Scientific, 1982), 10–11 and 36–7 [『旅人——ある物理学者の回想（改版）』湯川秀樹著、角川文庫、2011年].

62 Ito, 'Making Sense of Ryôshiron', 280, Kim, 'Emergence of Theoretical Physics', 395, Low, *Science and the Building of a New Japan*, 106–7 and 119–21, Yukawa, *Tabibito*, 12 [『旅人』], and Hideki Yukawa, *Creativity and Intuition: A Physicist Looks at East and West*, trans. John Bester (Tokyo: Kodansha International, 1973), 31–5.

63 Kim, 'Emergence of Theoretical Physics', 395–9, Low, *Science and the Building of a New Japan*, 106–7, and Yukawa, *Tabibito*, 170 [『旅人』].

64 Ito, 'Making Sense of Ryôshiron', 280–1, Kim, 'Emergence of Theoretical Physics', 395, Low, *Science and the Building of a New Japan*, 108, Brown et al., 'Yukawa's Prediction of the Mesons', 14, and L. M. Brown et al., 'Particle Physics in Japan in the 1940s Including Meson Physics in Japan after the First Meson Paper', *Progress of Theoretical Physics Supplement* 105 (1991): 35–40.

65 Low, *Science and the Building of a New Japan*, 120, Yukawa, *Tabibito*, 24 [『旅人』], Brown et al., 'Particle Physics in Japan', 35, and Hideki Yukawa, 'On the Interaction

of Elementary Particles', *Proceedings of the Physico-Mathematical Society of Japan* 17 (1935).

66 Brown et al., 'Cosmic Ray Research in Japan', 31, Kim, 'Emergence of Theoretical Physics', 387, and Low, *Science and the Building of a New Japan*, 77–9.

67 Robert Anderson, *Nucleus and Nation: Scientists, International Networks, and Power in India* (Chicago: University of Chicago Press, 2010), 24–6, Pramod Naik, *Meghnad Saha: His Life in Science and Politics* (Cham: Springer, 2017), 32–3, and D. S. Kothari, 'Meghnad Saha, 1893–1956', *Biographical Memoirs of Fellows of the Royal Society* 5 (1960): 217–8.

68 Anderson, *Nucleus and Nation*, 24–6, Naik, *Meghnad Saha*, 32–3, and Kothari, 'Meghnad Saha', 217–9.

69 Anderson, *Nucleus and Nation*, 26–31, Naik, *Meghnad Saha*, 33–47, and Kothari, 'Meghnad Saha', 218–9.

70 Anderson, *Nucleus and Nation*, 26–31, Naik, *Meghnad Saha*, 33–47, and Kothari, 'Meghnad Saha', 218–9.

71 Anderson, *Nucleus and Nation*, 1–15 and 57, David Arnold, 'Nehruvian Science and Postcolonial India', *Isis* 104 (2013): 262–5, David Arnold, *Science, Technology and Medicine in Colonial India* (Cambridge: Cambridge University Press, 2000), 169–210, G. Venkataraman, *Journey into Light: Life and Science of C. V. Raman* (Bangalore: Indian Academy of Sciences, 1988), 457, and Benjamin Zachariah, *Developing India: An Intellectual and Social History, c. 1930–50* (New Delhi: Oxford University Press, 2005), 236–8.

72 Anderson, *Nucleus and Nation*, 23–35, Naik, *Meghnad Saha*, 48–65, Kothari, 'Meghnad Saha', 223–4, and Purabi Mukherji and Atri Mukhopadhyay, *History of the Calcutta School of Physical Sciences* (Singapore: Springer, 2018), 14–15.

73 Kothari, 'Meghnad Saha', 220–1, and Meghnad Saha, 'Ionization in the Solar Chromosphere', *Philosophical Magazine* 40 (1920).

74 Naik, *Meghnad Saha*, 94–123, Kothari, 'Meghnad Saha', 229, and Abha Sur, 'Scientism and Social Justice: Meghnad Saha's Critique of the State of Science in India', *Historical Studies in the Physical and Biological Sciences* 33 (2002).

75 Mukherji and Mukhopadhyay, *History of the Calcutta School*, 111–5, and Jagdish Mehra, 'Satyendra Nath Bose, 1 January 1894–4 February 1974', *Biographical Memoirs of Fellows of the Royal Society* 21 (1975): 118–20.

76 Anderson, *Nucleus and Nation*, 26–7, and Mehra, 'Satyendra Nath Bose', 118–20.

77 Anderson, *Nucleus and Nation*, 28, Mehra, 'Satyendra Nath Bose', 122, and Meghnad

Saha and Satyendra Nath Bose, *The Principle of Relativity* (Calcutta: University of Calcutta, 1920).

78 Anderson, *Nucleus and Nation*, 41, Mehra, 'Satyendra Nath Bose', 123–9, and Rajinder Singh, *Einstein Rediscovered: Interactions with Indian Academics* (Düren: Shaker Verlag, 2019), 23.

79 Mehra, 'Satyendra Nath Bose', 123–9.

80 Mehra, 'Satyendra Nath Bose', 130–42, Singh, *Einstein Rediscovered*, 23, Wali Kameshwar, ed., *Satyendra Nath Bose, His Life and Times: Selected Works* (Hackensack: World Scientific Publishing, 2009), xxix, and Satyendra Nath Bose, 'Plancks Gesetz und Lichtquantenhypothese', *Zeitschrift für Physik* 26 (1924).

81 Singh, *Einstein Rediscovered*, 10, and Rasoul Sorkhabi, 'Einstein and the Indian Minds: Tagore, Gandhi and Nehru', *Current Science* 88 (2005): 1187–90.

82 Venkataraman, *Journey into Light*, 186–91 and 267, Mukherji and Mukhopadhyay, *History of the Calcutta School*, 53–5, S. Bhagavantam, 'Chandrasekhara Venkata Raman. 1888–1970', *Biographical Memoirs of Fellows of the Royal Society* 17 (1971): 569, and Chandrasekhara Venkata Raman, 'The Colour of the Sea', *Nature* 108 (1921): 367.

83 Raman, 'The Colour of the Sea', 367, Venkataraman, *Journey into Light*, 195–6, and Bhagavantam, 'Chandrasekhara Venkata Raman', 568–9.

84 Arnold, *Science, Technology and Medicine*, 169, and Chandrasekhara Venkata Raman, 'A New Radiation', *Indian Journal of Physics* 2 (1928).

85 Anderson, *Nucleus and Nation*, 65–7, and Venkataraman, *Journey into Light*, 255–66.

86 Venkataraman, *Journey into Light*, 389.

87 Venkataraman, *Journey into Light*, 318–9, Abha Sur, 'Dispersed Radiance: Women Scientists in C. V. Raman's Laboratory', *Meridians* 1 (2001), and Arvind Gupta, *Bright Sparks: Inspiring Indian Scientists from the Past* (Delhi: Indian National Academy of Sciences, 2012), 123–6.

88 Venkataraman, *Journey into Light*, 318–9, Sur, 'Dispersed Radiance', and Gupta, *Bright Sparks*, 115–8.

89 Venkataraman, *Journey into Light*, 459, Arnold, *Science, Technology and Medicine*, 210, and Anderson, *Nucleus and Nation*, 42.

90 David Holloway, *Stalin and the Bomb: The Soviet Union and Atomic Energy, 1939–1956* (New Haven: Yale University Press, 1994), 294 [『スターリンと原爆』(上下) デーヴィド・ホロウェイ著、川上洸/松本幸重訳、大月書店、1997年], and Lawrence Sullivan and Nancy Liu-Sullivan, *Historical Dictionary of Science and*

Technology in Modern China (Lanham: Rowman & Littlefield, 2015), 424.

第8章　冷戦と遺伝学

1　Masao Tsuzuki, 'Report on the Medical Studies of the Effects of the Atomic Bomb', in *General Report Atomic Bomb Casualty Commission* (Washington, DC: National Research Council, 1947), 68–74, Susan Lindee, *Suffering Made Real: American Science and the Survivors at Hiroshima* (Chicago: University of Chicago Press, 1994), 24–5, Frank Putnam, 'The Atomic Bomb Casualty Commission in Retrospect', *Proceedings of the National Academy of Sciences* 95 (1998): 5246–7, and 'Damage Surveys in the Post-War Turmoil', Hiroshima Peace Memorial Museum, accessed 25 August 2020, http://www.pcf.city.hiroshima.jp/virtual/VirtualMuseum_e/exhibit_e/exh0307_e/exh03075_e.html.

2　'Japanese Material: Organization for Study of Atomic Bomb Casualties, Monthly Progress Reports', in *General Report Atomic Bomb Casualty Commission*, 16, John Beatty, 'Genetics in the Atomic Age: The Atomic Bomb Casualty Commission, 1947–1956', in *The Expansion of American Biology*, eds. Keith Benson, Jane Maienschein, and Ronald Rainger (New Brunswick: Rutgers University Press, 1991), 285 and 297, and Susan Lindee, 'What is a Mutation? Identifying Heritable Change in the Offspring of Survivors at Hiroshima and Nagasaki', *Journal of the History of Biology* 25 (1992).

3　Lindee, *Suffering Made Real*, 24–5 and 73–4, Lindee, 'What is a Mutation?', 232–3, Beatty, 'Genetics in the Atomic Age', 285–7, and Putnam, 'The Atomic Bomb Casualty Commission', 5426.

4　Lindee, *Suffering Made Real*, 178–84, and Lindee, 'What is a Mutation?', 234–45.

5　Lindee, 'What is a Mutation?', 250, Vassiliki Smocovitis, 'Genetics behind Barbed Wire: Masuo Kodani, Émigré Geneticists, and Wartime Genetics Research at Manzanar Relocation Center', *Genetics* 187 (2011).

6　Smocovitis, 'Genetics behind Barbed Wire', Soraya de Chadarevian, *Heredity under the Microscope: Chromosomes and the Study of the Human Genome* (Chicago: University of Chicago Press, 2020), 5–6, and Masuo Kodani, 'The Supernumerary Chromosome of Man', *American Journal of Human Genetics* 10 (1958).

7　Lindee, 'What is a Mutation?', 232–3, Beatty, 'Genetics in the Atomic Age', 287–93, Lisa Onaga, 'Measuring the Particular: The Meanings of Low-Dose Radiation Experiments in Post-1954 Japan', *Positions: Asia Critique* 26 (2018), Aya Homei, 'Fallout from Bikini: The Explosion of Japanese Medicine', *Endeavour* 31 (2007), and

Kaori Iida, 'Peaceful Atoms in Japan: Radioisotopes as Shared Technical and Sociopolitical Resources for the Atomic Bomb Casualty Commission and the Japanese Scientific Community in the 1950s', *Studies in History and Philosophy of Science Part C: Studies in History and Philosophy of Biological and Biomedical Sciences* 80 (2020).

8 Lindee, *Suffering Made Real*, 59–60, Iida, 'Peaceful Atoms in Japan', 2, and Onaga, 'Measuring the Particular', 271.

9 Beatty, 'Genetics in the Atomic Age', 312, and 'The Fourth Geneva Conference', *IAEA Bulletin* 13 (1971): 2–18.

10 James Watson, *The Double Helix: A Personal Account of the Discovery of the Structure of DNA* (London: Weidenfeld & Nicolson, 1968) [『二重らせん』J・D・ワトソン著、江上不二夫／中村桂子訳、講談社文庫、1986年], Soraya de Chadarevian, *Designs for Life: Molecular Biology after World War II* (Cambridge: Cambridge University Press, 2002), and Francis Crick, 'On Protein Synthesis', *Symposia of the Society for Experimental Biology* 12 (1958): 161.

11 Susan Lindee, 'Scaling Up: Human Genetics as a Cold War Network', *Studies in History and Philosophy of Science Part C: Studies in History and Philosophy of Biological and Biomedical Sciences* 47 (2014), and Susan Lindee, 'Human Genetics after the Bomb: Archives, Clinics, Proving Grounds and Board Rooms', *Studies in History and Philosophy of Science Part C: Studies in History and Philosophy of Biological and Biomedical Sciences* 55 (2016).

12 Robin Pistorius, *Scientists, Plants and Politics: A History of the Plant Genetic Resources Movement* (Rome: International Plant Genetic Resources Institute, 1997), 55–7, Helen Curry, 'From Working Collections to the World Germplasm Project: Agricultural Modernization and Genetic Conservation at the Rockefeller Foundation', *History and Philosophy of the Life Sciences* 39 (2017), John Perkins, *Geopolitics and the Green Revolution: Wheat, Genes, and the Cold War* (Oxford: Oxford University Press, 1997), R. Douglas Hurt, *The Green Revolution in the Global South: Science, Politics, and Unintended Consequences* (Tuscaloosa: University of Alabama Press, 2020), Alison Bashford, *Global Population: History, Geopolitics, and Life on Earth* (New York: Columbia University Press, 2014), and David Grigg, 'The World's Hunger: A Review, 1930–1990', *Geography* 82 (1997): 201.

13 Perkins, *Geopolitics and the Green Revolution*, Joseph Cotter, *Troubled Harvest: Agronomy and Revolution in Mexico, 1880–2002* (Westport: Praeger, 2003), 249–50, and Bruce Jennings, *Foundations of International Agricultural Research: Science and Politics in Mexican Agriculture* (Boulder: CRC Press, 1988), 145.

14 Lindee, 'Human Genetics after the Bomb', de Chadarevian, *Designs for Life*, 50 and 74–5, Michelle Brattain, 'Race, Racism, and Antiracism: UNESCO and the Politics of Presenting Science to the Postwar Public', *American Historical Review* 112 (2007): 1387, and Elise Burton, *Genetic Crossroads: The Middle East and the Science of Human Heredity* (Stanford: Stanford University Press, 2021).

15 Naomi Oreskes and John Krige, eds., *Science and Technology in the Global Cold War* (Cambridge, MA: The MIT Press, 2014), Ana Barahona, 'Transnational Knowledge during the Cold War: The Case of the Life and Medical Sciences', *História, Ciências, Saúde-Manguinhos* 26 (2019), Heike Petermann, Peter Harper, and Susanne Doetz, eds., *History of Human Genetics: Aspects of Its Development and Global Perspectives* (Cham: Springer, 2017), and Patrick Manning and Mat Savelli, eds., *Global Transformations in the Life Sciences, 1945–1980* (Pittsburgh: University of Pittsburgh Press, 2018).

16 Efraím Hernández Xolocotzi, 'Experiences in the Collection of Maize Germplasm', in *Recent Advances in the Conservation and Utilization of Genetic Resources*, ed. Nathan Russel (Mexico City: CIMMYT, 1988) and Elvin Stakman, Richard Bradfield, and Paul Christoph Mangelsdorf, *Campaigns Against Hunger* (Cambridge, MA: The Belknap Press, 1967), 61.

17 Cotter, *Troubled Harvest*, 11–12, and Curry, 'From Working Collections', 3–6.

18 Cotter, *Troubled Harvest*, 1–12, and Jennings, *Foundations of International Agricultural Research*, 1–37, 145, and 162.

19 Artemio Cruz León, Marcelino Ramírez Castro, Francisco Collazo-Reyes, Xóchitl Flores Vargas, 'La obra escrita de Efraím Hernández Xolocotzi, patrimonio y legado', *Revista de Geografía Agrícola* 50 (2013), 'Efraim Hernandez Xolocotzi', Instituto de Biología, Universidad Nacional Autónama de México, accessed 24 April 2020, http://www.ibiologia.unam.mx/jardin/gela/page4.html, 'Efraim Hernández Xolocotzi', Biodiversidad Mexicana, accessed 6 May 2020, https://www.biodiversidad.gob.mx/biodiversidad/curiosos/sXX/EfrainHdezX.php, and Edwin Wellhausen, Louis Roberts, Efraím Hernández Xolocotzi, and Paul Mangelsdorf, *Races of Maize in Mexico* (Cambridge, MA: The Bussey Institution, 1952), 9. メキシコの歴史とナワトル語の名前に関する知識を提供してくれて、エフライム・エルナンデス・ショロコッツィの出自に関する理解を深めさせてくれたリカルド・アギラール゠ゴンザレスに深く感謝する。この章を書き上げたのちに次の博士論文を紹介してもらった。Matthew Caire-Pérez, 'A Different Shade of Green: Efraím Hernández Xolocotzi, Chapingo, and Mexico's Green Revolution, 1950–1967' (PhD diss., University of

Oklahoma, 2016). この博士論文ではエルナンデスの経歴、とくに73歳から81歳のことと、緑の革命に果たした、より幅広い役割が詳述されている。

20 Hernández, 'Experiences', 1–6, Edwin Wellhausen, 'The Indigenous Maize Germplasm Complexes of Mexico', in Russel, ed., *Recent Advances*, 18, Paul Mangelsdorf, *Corn: Its Origin, Evolution, and Improvement* (Cambridge, MA: Harvard University Press, 1974), 101–5, and Garrison Wilkes, 'Teosinte and the Other Wild Relatives of Maize', in Russel, ed., *Recent Advances*, 72.

21 Helen Curry, 'Breeding Uniformity and Banking Diversity: The Genescapes of Industrial Agriculture, 1935–1970', *Global Environment* 10 (2017), Mangelsdorf, *Corn*, 24 and 106, and Wellhausen, Roberts, Hernández, and Mangelsdorf, *Races of Maize*, 22.

22 Cotter, *Troubled Harvest*, 232, Mangelsdorf, *Corn*, 101, Wellhausen, Roberts, Hernández, and Mangelsdorf, *Races of Maize*, 34, and Hernández, 'Experiences', 6.

23 Hernández, 'Experiences', 1, Cotter, *Troubled Harvest*, 192 and 234, Curry, 'From Working Collections', 6, and Jonathan Harwood, 'Peasant Friendly Plant Breeding and the Early Years of the Green Revolution in Mexico', *Agricultural History* 83 (2009).

24 Gisela Mateos and Edna Suárez Díaz, 'Mexican Science during the Cold War: An Agenda for Physics and the Life Sciences', *Ludus Vitalis* 20 (2012): 48–59, Ana Barahona, 'Medical Genetics in Mexico: The Origins of Cytogenetics and the Health Care System', *Historical Studies in the Natural Sciences* 45 (2015), José Alonso-Pavon and Ana Barahona, 'Genetics, Radiobiology and the Circulation of Knowledge in Cold War Mexico, 1960–1980', in *The Scientific Dialogue Linking America, Asia and Europe between the 12th and the 20th Century*, ed. Fabio D'Angelo (Naples: Associazione culturale Viaggiatori, 2018), Thomas Glick, 'Science in Twentieth-Century Latin America', in *Ideas and Ideologies in Twentieth-Century Latin America*, ed. Leslie Bethel (Cambridge: Cambridge University Press, 1996), 309, Larissa Lomnitz, 'Hierarchy and Peripherality: The Organisation of a Mexican Research Institute', *Minerva* 17 (1979), and *Biomedical Research Policies in Latin America: Structures and Processes* (Washington, DC: Pan American Health Organization, 1965), 165–7.

25 Ana Barahona, Susana Pinar, and Francisco Ayala, 'Introduction and Institutionalization of Genetics in Mexico', *Journal of the History of Biology* 38 (2005): 287–9.

26 Barahona, Pinar, and Ayala, 'Introduction and Institutionalization', 287–9, Ana Barahona, 'Transnational Science and Collaborative Networks: The Case of Genetics

and Radiobiology in Mexico, 1950–1970', *Dynamis* 35 (2015): 347–8, and Eucario López-Ochoterena, '*In Memoriam*: Rodolfo Félix Estrada (1924–1990)', Ciencias UNAM, accessed 3 July 2020, http://repositorio.fciencias.unam.mx:8080/xmlui/bitstream/handle/11154/143333/41VMemoriamRodolfo.pdf.

27 Alfonso León de Garay, Louis Levine, and J. E. Lindsay Carter, *Genetic and Anthropological Studies of Olympic Athletes* (New York: Academic Press, 1974), ix–xvi, 1–23, and 30.

28 Barahona, Pinar, and Ayala, 'Introduction and Institutionalization', 289, James Rupert, 'Genitals to Genes: The History and Biology of Gender Verification in the Olympics', *Canadian Bulletin of Medical History* 28 (2011), and De Garay, Levine, and Carter, *Genetic and Anthropological Studies*, ix–xvi, 1–23, and 30.

29 De Garay, Levine, and Carter, *Genetic and Anthropological Studies*, 43, 147, and 230, James Meade and Alan Parkes, eds., *Genetic and Environmental Factors in Human Ability* (London: Eugenics Society, 1966), Angela Saini, *Superior: The Return of Race Science* (London: Fourth Estate, 2019) [『科学の人種主義とたたかう――人種概念の起源から最新のゲノム科学まで』アンジェラ・サイニー著、東郷えりか訳、作品社、2020年], and Alison Bashford, 'Epilogue: Where Did Eugenics Go?', in *The Oxford Handbook of the History of Eugenics*, eds. Alison Bashford and Philippa Levine (Oxford: Oxford University Press, 2010).

30 Ana Barahona and Francisco Ayala, 'The Emergence and Development of Genetics in Mexico', *Nature Reviews Genetics* 6 (2005): 860, Glick, 'Science in Twentieth-Century Latin America', 297, and Francisco Salzano, 'The Evolution of Science in a Latin-American Country: Genetics and Genomics in Brazil', *Genetics* 208 (2018).

31 Gita Gopalkrishnan, *M. S. Swaminathan: One Man's Quest for a Hunger-Free World* (Chennai: Sri Venkatesa Printing House, 2002), 8–24, and Hurt, *The Green Revolution in the Global South*, 45–6.

32 Gopalkrishnan, *M. S. Swaminathan*, 24–5.

33 Gopalkrishnan, *M. S. Swaminathan*, 28–9, Debi Prosad Burma and Maharani Chakravorty, 'Biochemistry: A Hybrid Science Giving Birth to Molecular Biology', in *History of Science, Philosophy, and Culture in Indian Civilization: From Physiology and Chemistry to Biochemistry*, eds. Debi Prosad Burma and Maharani Chakravorty (Delhi: Longman, 2011), vol. 13, part 2, 157, and David Arnold, 'Nehruvian Science and Postcolonial India', *Isis* 104 (2013): 366.

34 Gopalkrishnan, *M. S. Swaminathan*, 35–42.

35 Gopalkrishnan, *M. S. Swaminathan*, 43–4, Cotter, *Troubled Harvest*, 252, Curry, 'From

Working Collections', 7–9, Hurt, *The Green Revolution in the Global South*, 46, and Srabani Sen, '1960–1999: Four Decades of Biochemistry in India', *Indian Journal of History of Science* 46 (2011): 175–9.

36 Gopalkrishnan, *M. S. Swaminathan*, 45, Hurt, *The Green Revolution in the Global South*, 46, and 'Dilbagh Athwal, Geneticist and "Father of the Wheat Revolution" – Obituary', The Telegraph, accessed 2 September 2020, https://www.telegraph.co.uk/obituaries/ 2017/05/22/dilbagh-athwal-geneticist-father-wheat-revolution-obituary/.

37 Arnold, 'Nehruvian Science', 362 and 368, Sen, 'Four Decades of Biochemistry', 175, and Sigrid Schmalzer, *Red Revolution, Green Revolution: Scientific Farming in Socialist China* (Chicago: University of Chicago Press, 2016), 5.

38 Jawaharlal Nehru, *Jawaharlal Nehru on Science and Society: A Collection of His Writings and Speeches* (New Delhi: Nehru Memorial Museum and Library, 1988), 137–8, and Robert Anderson, *Nucleus and Nation: Scientists, International Networks, and Power in India* (Chicago: University of Chicago Press, 2010), 4 and 237.

39 Indira Chowdhury, *Growing the Tree of Science: Homi Bhabha and the Tata Institute of Fundamental Research* (New Delhi: Oxford University Press, 2016), 175, Krishnaswamy VijayRaghavan, 'Obaid Siddiqi: Celebrating His Life in Science and the Cultural Transmission of Its Values', *Journal of Neurogenetics* 26 (2012), Zinnia Ray Chaudhuri, 'Her Father's Voice: A Photographer Pays Tribute to Her Celebrated Scientist-Father', Scroll.in, accessed 5 May 2020, https://scroll.in/roving/802600/her-fathers-voice-a-photographer-pays-tribute-to-her-celebrated-scientist-father, and 'India Mourns Loss of "Aristocratic" & Gutsy Molecular Biology Guru', Nature India, accessed 4 May 2020, https://www.natureasia.com/en/nindia/article/10.1038/nindia.2013.102.

40 'India Mourns', VijayRaghavan, 'Obaid Siddiqi', 257–9, and Chowdhury, *Growing the Tree of Science*, 175.

41 VijayRaghavan, 'Obaid Siddiqi', 257–9, Chowdhury, *Growing the Tree of Science*, 175, and Alan Garen and Obaid Siddiqi, 'Suppression of Mutations in the Alkaline Phosphatase Structural Cistron of *E. coli*', *Proceedings of the National Academy of Sciences of the United States of America* 48 (1962).

42 Chowdhury, *Growing the Tree of Science*, 175–8.

43 Chowdhury, *Growing the Tree of Science*, 181–2, VijayRaghavan, 'Obaid Siddiqi', 259, and Obaid Siddiqi and Seymour Benzer, 'Neurophysiological Defects in Temperature-Sensitive Paralytic Mutants of Drosophila Melanogaster', *Proceedings of the National Academy of Sciences of the United States of America* 73 (1976).

44 Chowdhury, *Growing the Tree of Science*, 183, Krishnaswamy VijayRaghavan and

Michael Bate, 'Veronica Rodrigues (1953–2010)', *Science* 330 (2010), Namrata Gupta and A. K. Sharma, 'Triple Burden on Women Academic Scientists', in *Women and Science in India: A Reader*, ed. Neelam Kumar (Delhi: Oxford University Press, 2009), 236, and Malathy Duraisamy and P. Duraisamy, 'Women's Participation in Scientific and Technical Education and Labour Markets in India', in Kumar, ed., *Women and Science in India*, 293.

45 Chowdhury, *Growing the Tree of Science*, 183, and VijayRaghavan and Bate, 'Veronica Rodrigues', 1493–4.

46 Chowdhury, *Growing the Tree of Science*, 183, and VijayRaghavan and Bate, 'Veronica Rodrigues', 1493–4.

47 Chowdhury, *Growing the Tree of Science*, 183, VijayRaghavan and Bate, 'Veronica Rodrigues', 1493–4, and Veronica Rodrigues and Obaid Siddiqi, 'Genetic Analysis of Chemosensory Path', *Proceedings of the Indian Academy of Sciences* 87 (1978).

48 Arnold, 'Nehruvian Science', 368, and 'Teaching', Indian Agricultural Research Institute, accessed 2 September 2020, https://www.iari.res.in/index.php?option=com_content&view=article&id=284&Itemid=889.

49 VijayRaghavan and Bate, 'Veronica Rodrigues', 1493.

50 Laurence Schneider, *Biology and Revolution in Twentieth-Century China* (Lanham: Rowman & Littlefield, 2005), 123, Eliot Spiess, 'Ching Chun Li, Courageous Scholar of Population Genetics, Human Genetics, and Biostatistics: A Living History Essay', *American Journal of Medical Genetics* 16 (1983): 610–11, and Aravinda Chakravarti, 'Ching Chun Li (1912–2003): A Personal Remembrance of a Hero of Genetics', *The American Journal of Human Genetics* 74 (2004): 790.

51 Schneider, *Biology and Revolution*, 122 and Spiess, 'Ching Chun Li', 604–5.

52 Schneider, *Biology and Revolution*, 117–44, Peishan Li, 'Genetics in China: The Qingdao Symposium of 1956', *Isis* 79 (1988), and Trofim Lysenko, 'Concluding Remarks on the Report on the Situation in the Biological Sciences', in *Death of a Science in Russia: The Fate of Genetics as Described in Pravda and Elsewhere*, ed. Conway Zirkle (Philadelphia: University of Pennsylvania Press, 1949), 257.

53 Schneider, *Biology and Revolution*, 117–44, Li, 'Genetics in China', 228, and Zedong Mao, 'On the Correct Handling of Contradictions among the People', in *Selected Readings from the Works of Mao Tsetung* (Peking: Foreign Languages Press, 1971), 477–8.

54 Jingchun Li, 'Genetics Dies in China', *Journal of Heredity* 41 (1950).

55 Spiess, 'Ching Chun Li', 613.

56 Schmalzer, *Red Revolution*, 27, Sigrid Schmalzer, 'On the Appropriate Use of Rose-Colored Glasses: Reflections on Science in Socialist China', *Isis* 98 (2007), and Chunjuan Nancy Wei and Darryl E. Brock, eds., *Mr. Science and Chairman Mao's Cultural Revolution: Science and Technology in Modern China* (Lanham: Lexington Books, 2013).

57 Schmalzer, *Red Revolution*, 4, Schneider, *Biology and Revolution*, 3 and 196, Jack Harlan, 'Plant Breeding and Genetics', in *Science in Contemporary China*, ed. Leo Orleans (Stanford: Stanford University Press, 1988), 296–7, John Lewis and Litai Xue, *China Builds the Bomb* (Stanford: Stanford University Press, 1991), and Zedong Mao, *Speech at the Chinese Communist Party's National Conference on Propaganda Work* (Beijing: Foreign Languages Press, 1966), 3.

58 Schneider, *Biology and Revolution*, 169–77, Li, 'Genetics in China', 230–5, Guangyuan Yu, 'Speeches at the Qingdao Genetics Conference of 1956', in *Chinese Studies in the History and Philosophy of Science and Technology*, eds. Fan Dainian and Robert Cohen (Dordrecht: Kluwer, 1996), 27–34, and Karl Marx, *The Collected Works of Karl Marx and Frederick Engels*, trans. Victor Schnittke and Yuri Sdobnikov (London: Lawrence & Wishart, 1987), 29: 263.

59 Schmalzer, *Red Revolution*, 38–9.

60 Schmalzer, *Red Revolution*, 73, Xiangzi Deng and Yingru Deng, *The Man Who Puts an End to Hunger: Yuan Longping, 'Father of Hybrid Rice'* (Beijing: Foreign Languages Press, 2007), 29–37, and Longping Yuan, *Oral Autobiography of Yuan Longping*, trans. Baohua Zhao and Kuangli Zhao (Nottingham: Aurora Publishing, 2014), Kindle Edition, loc. 492 and 736.

61 Schneider, *Biology and Revolution,* 13, Schmalzer, *Red Revolution*, 4, 40–1, and 73, Deng and Deng, *Yuan Longping*, 30, and Yuan, *Oral Autobiography*, loc. 626 and 756.

62 Schmalzer, *Red Revolution*, 75, Deng and Deng, *Yuan Longping*, 42 and 60–1, and Yuan, *Oral Autobiography*, loc. 797.

63 Schmalzer, *Red Revolution*, 75.

64 Schmalzer, *Red Revolution*, 75, and Deng and Deng, *Yuan Longping*, 60–1.

65 Schmalzer, *Red Revolution*, 86, Deng and Deng, *Yuan Longping*, 88–98, and Yuan, *Oral Autobiography*, loc. 1337 and 1463.

66 Schmalzer, *Red Revolution*, 75, and Yuan, *Oral Autobiography*, loc. 1337 and 1463.

67 Schmalzer, *Red Revolution*, 4, and 'Breeding Program Management', International Rice Research Institute, accessed 2 September 2020, http://www.knowledgebank.irri.org/ricebreedingcourse/Hybrid_Rice_Breeding_&_Seed_Production.htm.

68 Nadia Abu El-Haj, *The Genealogical Science: The Search for Jewish Origins and the Politics of Epistemology* (Chicago: University of Chicago Press, 2012), 86–98, Nurit Kirsh, 'Population Genetics in Israel in the 1950s: The Unconscious Internalization of Ideology', *Isis* 94 (2003), Nurit Kirsh, 'Genetic Studies of Ethnic Communities in Israel: A Case of Values-Motivated Research', in *Jews and Sciences in German Contexts*, eds. Ulrich Charpa and Ute Deichmann (Tübingen: Mohr Siebeck, 2007), 182, and Burton, *Genetic Crossroads*, 114.

69 Burton, *Genetic Crossroads*, 114, and El-Haj, *The Genealogical Science*, 87.

70 Burton, *Genetic Crossroads*, 104–5 and 114–5.

71 El-Haj, *The Genealogical Science*, 87–97, and Joseph Gurevitch and E. Margolis, 'Blood Groups in Jews from Iraq', *Annals of Human Genetics* 19 (1955).

72 *Facts and Figures* (New York: Israel Office of Information, 1955), 56–9, Moshe Prywes, ed., *Medical and Biomedical Research in Israel* (Jerusalem: Hebrew University of Jerusalem, 1960), xiii, 12–18, and 33–9, and Yakov Rabkin, 'Middle East', in *The Cambridge History of Science: Modern Science in National, Transnational, and Global Context*, eds. Hugh Slotten, Ronald Numbers, and David Livingstone (Cambridge: Cambridge University Press, 2020), 424, 434–5, and 438–43.

73 Rabkin, 'Middle East', 424–43, Arnold Reisman, 'Comparative Technology Transfer: A Tale of Development in Neighboring Countries, Israel and Turkey', *Comparative Technology Transfer and Society* 3 (2005): 331, Burton, *Genetic Crossroads*, 107–13, 138–50, and 232–9, and Murat Ergin, *'Is the Turk a White Man?': Race and Modernity in the Making of Turkish Identity* (Leiden: Brill, 2017).

74 Kirsh, 'Population Genetics', 641, Shifra Shvarts, Nadav Davidovitch, Rhona Seidelman, and Avishay Goldberg, 'Medical Selection and the Debate over Mass Immigration in the New State of Israel (1948–1951)', *Canadian Bulletin of Medical History* 22 (2005), and Roselle Tekiner, 'Race and the Issue of National Identity in Israel', *International Journal of Middle East Studies* 23 (1991).

75 Burton, *Genetic Crossroads*, 108 and 146, El-Haj, *The Genealogical Science*, 63, Kirsh, 'Population Genetics', 635, and Joyce Donegani, Karima Ibrahim, Elizabeth Ikin, and Arthur Mourant, 'The Blood Groups of the People of Egypt', *Heredity* 4 (1950).

76 Nurit Kirsh, 'Geneticist Elisabeth Goldschmidt: A Two-Fold Pioneering Story', *Israel Studies* 9 (2004).

77 Burton, *Genetic Crossroads*, 157–9, Batsheva Bonné, 'Chaim Sheba (1908–1971)', *American Journal of Physical Anthropology* 36 (1972), Raphael Falk, *Zionism and the Biology of Jews* (Cham: Springer, 2017), 145–8, and Elisabeth Goldschmidt, ed., *The*

Genetics of Migrant and Isolate Populations (New York: The Williams and Wilkins Company, 1973), v.

78 Goldschmidt, *The Genetics of Migrant and Isolate Populations*, Burton, *Genetic Crossroads*, 161–3, El-Haj, *The Genealogical Science*, 63–5 and 99, Kirsh, 'Population Genetics', 653, and Kirsh, 'Geneticist Elisabeth Goldschmidt', 90.

79 Burton, *Genetic Crossroads*, 161–3, El-Haj, *The Genealogical Science*, 63–5 and 99, Kirsh, 'Population Genetics', 653, Kirsh, 'Geneticist Elisabeth Goldschmidt', 90, Newton Freire-Maia, 'The Effect of the Load of Mutations on the Mortality Rate in Brazilian Populations', in *The Genetics of Migrant and Isolate Populations*, ed. Elisabeth Goldschmidt (New York: The Williams and Wilkins Company, 1973), 221–2, and Katumi Tanaka, 'Differences between Caucasians and Japanese in the Incidence of Certain Abnormalities', in Goldschmidt, ed., *The Genetics of Migrant and Isolate Populations*.

80 El-Haj, *The Genealogical Science*, 86, Arthur Mourant, *The Distribution of the Human Blood Groups* (Oxford: Blackwell Scientific Publishing, 1954), 1, Michelle Brattain, 'Race, Racism, and Antiracism: UNESCO and the Politics of Presenting Science to the Postwar Public', *American Historical Review* 112 (2007), and *Four Statements on Race* (Paris: UNESCO, 1969), 18.

81 Burton, *Genetic Crossroads*, 96 and 103, El-Haj, *The Genealogical Science*, 1–8, and Arthur Mourant, Ada Kopeć, and Kazimiera Domaniewska-Sobczak, *The Distribution of the Human Blood Groups and Other Polymorphisms*, 2nd edn (London: Oxford University Press, 1976), 79–83.

82 Aaron Rottenberg, 'Daniel Zohary (1926–2016)', *Genetic Resources and Crop Evolution* 64 (2017).

83 Rottenberg, 'Daniel Zohary', 1102–3, and Jack Harlan and Daniel Zohary, 'Distribution of Wild Wheats and Barley', *Science* 153 (1966): 1074.

84 Rottenberg, 'Daniel Zohary', 1104–5, Harlan and Zohary, 'Distribution of Wild Wheats and Barley', 1076, Pistorius, *Scientists, Plants and Politics*, 17, and Daniel Zohary and Maria Hopf, *Domestication of Plants in the Old World* (Oxford: Clarendon Press, 1988), 2 and 8.

85 Zohary and Hopf, *Domestication of Plants*, 8, and Prywes, *Medical and Biomedical Research*, 155.

86 Burton, *Genetic Crossroads*, 17.

87 Burton, *Genetic Crossroads*, 128–50, 167–75, and 219–41.

88 'June 2000 White House Event', National Human Genome Research Institute, accessed

1 September 2020, https://www.genome.gov/10001356/june-2000-white-house-event.

89 'June 2000 White House Event'.

90 'June 2000 White House Event' and 'Fiscal Year 2001 President's Budget Request for the National Human Genome Research Institute', National Human Genome Research Institute, accessed 1 September 2020, https://www.genome.gov/10002083/2000-release-fy-2001-budget-request.

91 Nancy Stepan, 'Science and Race: Before and after the Human Genome Project', *Socialist Register* 39 (2003), Sarah Zhang, '300 Million Letters of DNA are Missing from the Human Genome', The Atlantic, accessed 1 September 2020, https://www.theatlantic.com/science/archive/2018/11/human-genome-300-million-missing-letters-dna/576481/, Elise Burton, 'Narrating Ethnicity and Diversity in Middle Eastern National Genome Projects', *Social Studies of Science* 48 (2018), Projit Bihari Mukharji, 'The Bengali Pharaoh: Upper-Caste Aryanism, Pan-Egyptianism, and the Contested History of Biometric Nationalism in Twentieth-Century Bengal', *Comparative Studies in Society and History* 59 (2017): 452, 'The Indian Genome Variation database (IGVdb): A Project Overview', *Human Genetics* 119 (2005), 'Mission', Genome Russia Project, accessed 1 September 2020, http://genomerussia.spbu.ru, and 'Summary', Han Chinese Genomes, accessed 1 September 2020, https://www.hanchinesegenomes.org/HCGD/data/summary.

92 David Cyranoski, 'China Expands DNA Data Grab in Troubled Western Region', *Nature News* 545 (2017), Sui-Lee Wee, 'China Uses DNA to Track Its People, with the Help of American Expertise', The New York Times, accessed 1 September 2020, https://www.nytimes.com/2019/02/21/business/china-xinjiang-uighur-dnat-hermo-fisher.html, 'Ethnical Non Russian Groups', Genome Russian Project, accessed 1 September 2020, http://genomerussia.spbu.ru/?page_id=862&lang=en, and 'Trump Administration to Expand DNA Collection at Border and Give Data to FBI', The Guardian, accessed 20 February 2021, https://www.theguardian.com/us-news/2019/oct/02/us-immigration-border-dna-trump-administration.

エピローグ　科学の未来

1 'Harvard University Professor and Two Chinese Nationals Charged in Three Separate China Related Cases', Department of Justice, accessed 20 September 2020, https://www.justice.gov/opa/pr/harvard-university-professor-and-two-chinese-nationals-charged-three-separate-china-related, 'Affidavit in Support of Application for Criminal

Complaint', Department of Justice, accessed 20 September 2020, https://www.justice.gov/opa/press-release/file/1239796/download, and 'Harvard Chemistry Chief 's Arrest over China Links Shocks Researchers', Nature, accessed 4 April 2020, https://www.nature.com/articles/d41586-020-00291-2.

2 'Harvard University Professor and Two Chinese Nationals Charged', 'Affidavit in Support of Application for Criminal Complaint' and 'Harvard Chemistry Chief's Arrest'.

3 'Remarks Delivered by FBI Boston Division Special Agent in Charge Joseph R. Bonavolonta Announcing Charges against Harvard University Professor and Two Chinese Nationals', Federal Bureau of Investigation, accessed 20 September 2020, https://www.fbi.gov/contact-us/field-offices/boston/news/press-releases/remarks-delivered-by-fbi-boston-special-agent-in-charge-joseph-r-bonavolonta-announcing-charges-against-harvard-university-professor-and-two-chinese-nationals, Elizabeth Gibney, 'UC Berkeley Bans New Research Funding from Huawei', *Nature* 566 (2019), Andrew Silver, Jeff Tollefson, and Elizabeth Gibney, 'How US–China Political Tensions are Affecting Science', *Nature* 568 (2019), Mihir Zaveri, 'Wary of Chinese Espionage, Houston Cancer Center Chose to Fire 3 Scientists', The New York Times, accessed 7 December 2020, https://www.nytimes.com/2019/04/22/health/md-anderson-chinese-scientists.html, and 'Meng Wanzhou: Questions over Huawei Executive's Arrest as Legal Battle Continues', BBC News, accessed 16 December 2020, https://www.bbc.co.uk/news/world-us-canada-54756044.

4 World Bank National Accounts Data, and OECD National Accounts Data Files, accessed 16 February 2021, https://data.worldbank.org. 中国とアメリカ合衆国の1982年～2019年の「GDP年成長率」「GDP（米ドル換算）」「購買力平価調整後のGDP（国際ドル換算）」を見よ。'China Overtakes Japan as World's Second-Biggest Economy', BBC News, accessed 20 February 2021, https://www.bbc.co.uk/news/business-12427321. 地政学と経済学全般に関する解説はThomas Piketty, *Capital in the Twenty-First Century* (Cambridge, MA: Harvard University Press, 2014), 78 and 585［『21世紀の資本』トマ・ピケティ著、山形浩生／守岡桜／森本正史訳、みすず書房、2014年］, and Jude Woodward, *The US vs China: Asia's New Cold War?* (Manchester: Manchester University Press, 2017) を見よ。

5 Piketty, *Capital in the Twenty-First Century*［『21世紀の資本』］, 31 and 412.

6 'Notice of the State Council: New Generation of Artificial Intelligence Development Plan', Foundation for Law and International Affairs, accessed 12 December 2020, https://flia.org/wp-content/uploads/2017/07/A-New-Generation-of-Artificial-

Intelligence-Development-Plan-1.pdf (translation by Flora Sapio, Weiming Chen, and Adrian Lo), 'Home', Beijing Academy of Artificial Intelligence, accessed 13 December 2020, https://www.baai.ac.cn/en, and Sarah O'Meara, 'China's Ambitious Quest to Lead the World in AI by 2030', *Nature* 572 (2019).

7 'New Generation of Artificial Intelligence Development Plan', and Kai-Fu Lee, *AI Superpowers: China, Silicon Valley, and the New World Order* (New York: Houghton Mifflin Harcourt, 2018), 227 [『AI世界秩序——米中が支配する「雇用なき未来」』李開復著、上野元美訳、日本経済新聞出版、2020年].

8 Huiying Liang et al., 'Evaluation and Accurate Diagnoses of Pediatric Diseases Using Artificial Intelligence', *Nature Medicine* 25 (2019), and Tanveer Syeda-Mahmood, 'IBM AI Algorithms Can Read Chest X-Rays at Resident Radiologist Levels', IBM Research Blog, accessed 16 December 2020, https://www.ibm.com/blogs/research/2020/11/ai-x-rays-for-radiologists/.

9 Lee, *AI Superpowers*, 14–17 [『AI世界秩序』], and Drew Harwell and Eva Dou, 'Huawei Tested AI Software That Could Recognize Uighur Minorities and Alert Police, Report Says', Washington Post, accessed 16 December 2020, https://www.washingtonpost.com/technology/2020/12/08/huawei-tested-ai-software-that-could-recognize-uighur-minorities-alert-police-report-says/.

10 Karen Hao, 'The Future of AI Research is in Africa', MIT Technology Review, accessed 16 December 2020, https://www.technologyreview.com/2019/06/21/134820/ai-africa-machine-learning-ibm-google/, and 'Moustapha Cissé', African Institute for Mathematical Sciences, accessed 13 December 2020, https://nexteinstein.org/person/moustapha-cisse/.

11 Jie Shan, 'China Exports Facial ID Technology to Zimbabwe', Global Times, accessed 14 December 2020, https://www.globaltimes.cn/content/1097747.shtml, and Amy Hawkins, 'Beijing's Big Brother Tech Needs African Faces', Foreign Policy, accessed 14 December 2020, https://foreignpolicy.com/2018/07/24/beijings-big-brother-tech-needs-african-faces/.

12 Elizabeth Gibney, 'Israel–Arab Peace Accord Fuels Hope for Surge in Scientific Research', *Nature* 585 (2020).

13 Eliran Rubin, 'Tiny IDF Unit is Brains behind Israel Army Artificial Intelligence', Haaretz, accessed 12 December 2020, https://www.haaretz.com/israel-news/tiny-idf-unit-is-brains-behind-israeli-army-artificial-intelligence-1.5442911, and Jon Gambrell, 'Virus Projects Renew Questions about UAE's Mass Surveillance', Washington Post, accessed 12 December 2020, https://www.washingtonpost.com/world/the_americas/

virus-projects-renew-questions-about-uaes-mass-surveillance/2020/07/09/4c9a0f42-c1ab-11ea-8908-68a2b9eae9e0_story.html.

14 Agence France-Presse, 'UAE Successfully Launches Hope Probe', The Guardian, accessed 20 November 2020, http://www.theguardian.com/science/2020/jul/20/uae-mission-mars-al-amal-hope-space, and Elizabeth Gibney, 'How a Small Arab Nation Built a Mars Mission from Scratch in Six Years', Nature, accessed 9 July 2020, https://www.nature.com/immersive/d41586-020-01862-z/index.html.

15 Gibney, 'How a Small Arab Nation', and Sarwat Nasir, 'UAE to Sign Agreement with Virgin Galactic for Spaceport in Al Ain Airport', Khaleej Times, accessed 16 December 2020, https://www.khaleejtimes.com/technology/uae-to-sign-agreement-with-virgin-galactic-for-spaceport-in-al-ain-airport.

16 'UAE Successfully Launches Hope Probe', and Jonathan Amos, 'UAE Hope Mission Returns First Image of Mars', BBC News, accessed 16 February 2021, https://www.bbc.co.uk/news/science-environment-56060890.

17 Smriti Mallapaty, 'How China is Planning to Go to Mars amid the Coronavirus Outbreak', *Nature* 579 (2020), 'China Becomes Second Nation to Plant Flag on the Moon', BBC News, accessed 4 December 2020, https://www.bbc.com/news/world-asia-china-55192692, and Jonathan Amos, 'China Mars Mission: Tianwen-1 Spacecraft Enters into Orbit', BBC News, accessed 16 February 2021, https://www.bbc.co.uk/news/science-environment-56013041.

18 Çağrı Mert Bakırcı-Taylor, 'Turkey Creates Its First Space Agency', *Nature* 566 (2019), Sanjeev Miglani and Krishna Das, 'Modi Hails India as Military Space Power after Anti-Satellite Missile Test', Reuters, accessed 16 December 2020, https://uk.reuters.com/article/us-india-satellite/modi-hails-india-as-military-space-power-after-anti-satellite-missile-test-idUKKCN1R80IA, and Umar Farooq, 'The Second Drone Age: How Turkey Defied the U.S. and Became a Killer Drone Power', The Intercept, accessed 16 February 2021, https://theintercept.com/2019/05/14/turkey-second-drone-age/.

19 John Houghton, Geoffrey Jenkins, and J. J. Ephraums, eds., *Climate Change: The IPCC Scientific Assessment* (Cambridge: Cambridge University Press, 1990), xi–xii and 343–58.

20 Matt McGrath, 'Climate Change: China Aims for "Carbon Neutrality" by 2060', BBC News, accessed 13 December 2020, https://www.bbc.com/news/science-environment-54256826, 'China's Top Scientists Unveil Road Map to 2060 Goal', The Japan Times, accessed 13 December 2020, https://www.japantimes.co.jp/

news/2020/09/29/asia-pacific/science-health-asia-pacific/china-climate-change-road-map-2060/, and 'Division of New Energy and Material Chemistry', Tsinghua University Institute of Nuclear and New Energy Technology, accessed 13 December 2020, http://www.inet.tsinghua.edu.cn/publish/ineten/5685/index.html.

21 *Digital Belt and Road Program: Science Plan* (Beijing: Digital Belt and Road Program, 2017), 1–25 and 93–4, Ehsan Masood, 'Scientists in Pakistan and Sri Lanka Bet Their Futures on China', Nature, accessed 3 May 2019, https://www.nature.com/articles/d41586-019-01125-6, and Anatol Lieven, *Climate Change and the Nation State: The Realist Case* (London: Allen Lane, 2020), xi–xxiv, 1–35, and 139–46.

22 Christoph Schumann, 'SASSCAL's Newly Appointed Executive Director – Dr Jane Olwoch', Southern African Science Service Centre for Climate Change and Adaptive Land Management, accessed 16 December 2020, https://www.sasscal.org/sasscals-newly-appointed-executive-director-dr-jane-olwoch/, and *Climate Change and Adaptive Land Management in Southern Africa* (Göttingen: Klaus Hess Publishers, 2018).

23 Carolina Vera, 'Farmers Transformed How We Investigate Climate', *Nature* 562 (2018).

24 Lee, *AI Superpowers* [『AI世界秩序』].

25 Shan Lu et al., 'Racial Profiling Harms Science', *Science* 363 (2019), Catherine Matacic, 'Uyghur Scientists Swept Up in China's Massive Detentions', Science, accessed 10 October 2020, https://www.sciencemag.org/news/2019/10/there-s-no-hope-rest-us-uyghur-scientists-swept-china-s-massive-detentions, Declan Butler, 'Prominent Sudanese Geneticist Freed from Prison as Dictator Ousted', Nature, accessed 17 December 2020, https://www.nature.com/articles/d41586-019-01231-5, Alison Abbott, 'Turkish Science on the Brink', *Nature* 542 (2017), and John Pickrell, '"Landscape of Fear" Forces Brazilian Rainforest Researchers into Anonymity', Nature Index, accessed 6 December 2020, https://www.natureindex.com/news-blog/landscape-of-fear-forces-brazilian-forest-researchers-into-anonymity.

【著者・訳者紹介】

ジェイムズ・ポスケット
James Poskett

ウォーリック大学准教授。科学技術史が専門。ケンブリッジ大学で博士号を取得し、ダーウィン・カレッジのエイドリアン・リサーチ・フェローシップを取得した。『ガーディアン』『ネイチャー』『BBCヒストリーマガジン』などに寄稿し、インドの天文台からオーストラリアの自然史博物館まで、世界各地を調査のために訪れている。2013年にはBBC新世代思想家賞の最終選考に残り、2012年には英国科学作家協会による最優秀新人賞を受賞している。学術書『Materials of the Mind』の著者であり、本書は一般読者向けの初めての作品である。

水谷　淳
みずたに　じゅん

翻訳者。主な訳書にレナード・ムロディナウ『「感情」は最強の武器である』（東洋経済新報社、2023年）、イアン・スチュアート『世界を支えるすごい数学』（河出書房新社、2022年）、グレゴリー・J・グバー『「ネコひねり問題」を超一流の科学者たちが全力で考えてみた』（ダイヤモンド社、2022年）、ジム・アル゠カリーリ／ジョンジョー・マクファデン『量子力学で生命の謎を解く』（SBクリエイティブ、2015年）などがあり、著書に『科学用語図鑑』（河出書房新社、2019年、増補改訂版2022年）がある。

科学文明の起源

近代世界を生んだグローバルな科学の歴史

2023年12月19日発行

著　者――ジェイムズ・ポスケット
訳　者――水谷　淳
発行者――田北浩章
発行所――東洋経済新報社
〒103-8345　東京都中央区日本橋本石町1-2-1
電話＝東洋経済コールセンター　03(6386)1040
https://toyokeizai.net/

装　丁………橋爪朋世
ＤＴＰ………アイランドコレクション
印　刷………図書印刷
編集担当……九法　崇

Printed in Japan　　ISBN 978-4-492-80095-9